Comment on Prononc

Traité complet de prononciation pratique avec le noms propres et les mots étrangers

Philippe Martinon

Alpha Editions

This edition published in 2024

ISBN : 9789361470929

Design and Setting By
Alpha Editions
www.alphaedis.com
Email - info@alphaedis.com

Contents

PRÉFACE

Deux grammairiens, Domergue et Mme Dupuis, ont publié en 1805 et 1836 des traités de prononciation qui ont longtemps fait loi[1]. On voit qu'ils remontent un peu loin. Et pourtant, depuis cette époque, il n'en a guère paru de satisfaisants. Je n'en connais pas du moins qui n'ait de graves défauts.

D'abord ils sont inexacts, je veux dire qu'ils renferment de nombreuses erreurs, parfois des erreurs énormes, soit qu'ils conservent, par un respect excessif de la tradition, des manières de prononcer qui sont tout à fait sur années, soit qu'au contraire, ils accueillent avec une facilité déplorable des prononciations qui ont peut-être l'avenir pour elles, mais qui en attendant sont désagréables au plus haut degré[2]. Chose fâcheuse à constater, les meilleurs travaux sur la matière sont encore ceux des étrangers. Mais comment espérer qu'un étranger puisse vraisemblablement nous enseigner notre prononciation? Ch. Nyrop lui-même, qui fait autorité en ce qui concerne la grammaire historique de notre langue, ne peut pas ne pas commettre des erreurs[3].

Un autre défaut des traités de prononciation contemporains, c'est qu'ils sont très incomplets. Seul Lesaint s'est donné la peine de faire une revue complète, trop complète même, du vocabulaire. Je dis trop complète, parce qu'il donne des listes alphabétiques interminables de mots que personne n'emploie. Mais lui-même n'a pas prévu tous les cas intéressants ou douteux, tous ceux sur lesquels on peut ou on doit se poser des questions. Aurait-on donc tout prévu dans ce nouveau livre? Je ne l'affirmerai pas, et sans doute plus d'un point a dû échapper: en aucune matière on ne peut prétendre être parfaitement complet, et il peut y avoir des difficultés à côté desquelles on passe sans les apercevoir. Il reste toujours que l'on trouvera traités ici des problèmes, ou indiquées des prononciations qu'on chercherait vainement ailleurs. Pour les noms propres notamment, on sera très largement servi. Et les faits n'y seront pas énumérés, mais classés: les longues listes alphabétiques qu'on trouve ailleurs, et qui, dans leur désordre réel, que cache mal l'ordre apparent, rendent si peu de services, y seront remplacées par des classifications méthodiques et logiques.

Mais, dira-t-on, si les traités de prononciation sont incomplets, les dictionnaires ne le sont pas. N'y en a-t-il pas qui donnent la prononciation de tous les mots? Eh bien! c'est encore une erreur. Les dictionnaires, outre qu'ils sont un peu gros pour être d'un usage pratique, sont aussi très incomplets, d'abord parce qu'ils ne donnent généralement qu'une prononciation dans beaucoup de cas où on a le droit d'hésiter: or, quand les individus ont le droit d'hésiter, les livres ont le devoir de le faire; ensuite parce qu'ils oublient les flexions, qui sont capitales: ils donneront par exemple la prononciation de l'infinitif des verbes, mais celle de la première personne, dans la pluralité des cas, est beaucoup plus intéressante que celle de l'infinitif. Et puis les dictionnaires considèrent uniquement les mots isolés: or il importe souvent de les considérer dans le corps des phrases.

D'ailleurs les dictionnaires aussi renferment beaucoup d'erreurs. Celui qui aujourd'hui fait autorité en toute matière, le Dictionnaire général, *de Darmesteter, Hatzfeld et M. A. Thomas, laisse autant à désirer au point de vue de la prononciation* qu'au point de vue de l'étendue du vocabulaire[4]. D'abord sa doctrine paraît avoir varié sensiblement au cours de l'impression, et on y trouve d'étranges inconséquences[5]; de plus il paraît dans beaucoup de cas subordonner ses solutions à l'orthographe ou à l'étymologie, sans tenir assez de compte de l'usage véritable, indiquant ce qui doit être ou ce qui devrait être plutôt que ce qui est[6]. Au surplus, le dernier auteur du livre, qui n'était pas le principal responsable, a si bien reconnu le fait, que la prononciation a été l'objet d'une attention toute particulière dans la revision qui a été faite.

J'ai cru, néanmoins, devoir signaler en note les points principaux sur lesquels je suis en accord ou en désaccord avec le Dictionnaire général: le lecteur aurait pu me reprocher de ne pas faire connaître, dans un ouvrage qui veut être aussi complet que possible, l'opinion d'un livre aussi important; il pourra donc se prononcer lui-même en connaissance de cause.

Un autre dictionnaire qui semblerait aussi devoir faire autorité en la matière, c'est le Dictionnaire phonétique de la langue française par Michaëlis et Passy. Mais, malgré la préface complaisante (avec des restrictions d'ailleurs) de Gaston Paris, je crains bien que le second de ces auteurs n'ait dans ce livre une part singulièrement réduite. C'est encore l'œuvre d'un étranger, et elle fourmille d'erreurs étranges[7].

Ainsi les dictionnaires ne sont ni plus complets ni plus exacts que les traités de prononciation. Quant à la méthode, l'ordre alphabétique leur interdit d'en avoir une. Mais celle des meilleurs traités de prononciation, fort scientifique peut-être, n'est aucunement pratique. Ils partent en effet du son pour aboutir à l'orthographe. Comme méthode générale d'enseignement pour les étrangers, cela est sans doute excellent. Et d'autre part il peut être très intéressant pour tout le monde de savoir qu'un son donné, voyelle ou consonne, s'écrit de telles et telles manières différentes. Mais ceux qui, sachant la langue par ailleurs, désirent simplement se renseigner sur des points particuliers, et ce sont de beaucoup les plus nombreux, ceux-là ne partent pas du son, car il ne s'agit pas pour eux d'apprendre l'orthographe; ils désirent au contraire apprendre quel est le son qui correspond correctement à une graphie donnée. Un livre pratique, un livre de vulgarisation, destiné aux Français aussi bien qu'aux étrangers, doit donc partir de l'orthographe exclusivement; il doit partir de ce qui se voit, qui est absurde peut-être, mais qui est fixe et certain, pour passer à ce qui s'entend, qui est souvent douteux ou discutable. Sans doute dans les livres il y a des tables... quelquefois, mais ce n'est pas assez; c'est dans le livre même que la méthode doit être pratique.

De plus, les meilleurs livres ont encore, je ne dirai, pas un défaut, mais un inconvénient au point de vue pratique: c'est de faire usage de signes spéciaux inusités ailleurs. Je sais tout ce qu'on peut dire en faveur des signes spéciaux, et combien il est plus aisé de marquer les sons avec précision et correction, lorsque chaque son a un signe unique, et chaque signe un son unique. C'est parfait au point de vue scientifique. Le malheur, c'est qu'un profane qui veut se renseigner et qui aperçoit ces signes dont il n'a pas l'habitude ferme le livre immédiatement. Il est bien certain qu'il a tort, mais qu'y faire? On aura beau simplifier, se réduire à une demi-douzaine de signes particulièrement indispensables, rien n'y fera. Les personnes les plus intelligentes, qui se rendraient immédiatement, si l'on avait deux minutes pour leur montrer verbalement la nécessité de ces signes, et combien leur usage est facile, ne feront pas elles-mêmes ce simple effort de deux minutes, qui leur serait nécessaire pour se rendre compte des choses avec une parfaite aisance. Elles fermeront le livre, comme les autres. Encore une fois, qu'y faire? Tant pis pour elles, dira quelqu'un! C'est parfait; mais alors on prêchera dans le désert! Or, quand on fait un livre de vulgarisation, c'est pour être lu du plus grand nombre, et il n'y a qu'un moyen de se tirer d'affaire, c'est celui de Mahomet: quand la montagne ne veut pas venir, il faut aller à elle! C'est pourquoi ce livre est imprimé d'un bout à l'autre avec les caractères de tout le monde. La méthode a des inconvénients: pense-t-on que je ne les voie pas? Elle sera certainement l'occasion de plus d'une erreur passagère, due à l'inattention du lecteur. Mais l'avantage qu'il y a d'atteindre la catégorie de lecteurs qui est de beaucoup la plus nombreuse compense largement quelques inconvénients, d'ailleurs assez médiocres en définitive.

Ce n'est pas tout. Les traités de prononciation se bornent généralement à énoncer les faits, sans les expliquer: on en trouvera ici l'explication, historique ou théorique, sauf erreur, toutes les fois qu'elle est possible et présente quelque intérêt. Et c'est précisément l'avantage principal que présentent les classifications méthodiques et logiques sur les simples listes alphabétiques. Les lecteurs qui ne peuvent tirer parti que de l'ordre alphabétique— j'espère que c'est la minorité—auront toujours la ressource de recourir à la table des principaux mots cités, qui fera l'office d'un dictionnaire; mais ceux qui préfèrent l'ordre véritable et non artificiel, ceux qui veulent de la méthode, trouveront ici, j'espère, quelques satisfactions, au moins dans les chapitres importants, comme ceux de l'S et du T, sans parler des voyelles[8].

Après avoir justifié la publication de ce nouveau traité, peut-être faut-il faire connaître au lecteur les principes généraux qui m'ont guidé dans sa composition, plus simplement, quelle est la prononciation que je tiens en général pour la meilleure. Sur ce point je suis tout à fait de l'avis de l'abbé Rousselot: ce n'est pas en province qu'il faut chercher le modèle de la prononciation française, c'est à Paris. Toutefois je ferai à ce principe quelques restrictions. La prononciation parisienne est la bonne, mais à condition qu'elle ne soit pas exclusivement parisienne, auquel cas elle devient simplement dialectale. Pour que la prononciation de Paris soit tenue pour bonne, il faut qu'elle soit adoptée au moins par une grande partie de la France du Nord. Dans bien des cas, il est permis d'opposer à la prononciation de Paris une autre prononciation, si elle est répandue dans la plus grande partie de la France. Que les Parisiens ferment l'a de lacer et lacet, je ne vois rien à redire à ce qu'on les imite, car ils ne sont pas les seuls: encore est-il au moins aussi légitime de l'ouvrir, s'il est ouvert un peu partout; mais si les Parisiens vont jusqu'à fermer l'a de cadenasser et matelasser, je pense que cette fois c'est peut-être trop, et qu'on peut préférer une prononciation plus répandue.

Il y a autre chose encore. Paris est grand, et il y a bien des mondes à Paris. «La langue varie, en effet, dit l'abbé Rousselot, suivant les quartiers, les conditions sociales, et les intentions du sujet parlant. Un Parisien de la haute classe ne parlera pas comme un *homme du peuple. Et l'homme du peuple lui-même se gardera bien de parler devant un étranger, une personne qu'il respecte, comme avec un camarade... Donc le français à conseiller à tous est celui de la bonne société parisienne.»* On ne peut que souscrire à un principe si judicieux. Malheureusement l'auteur ajoute presque immédiatement, en précisant ce qu'il appelle bonne société parisienne: *«...L'enfant né à Paris est Parisien, et même l'enfant qui y arrive le devient très vite, à la condition qu'il fréquente une école populaire.»* Populaire? Mais alors voilà une bonne société qui est terriblement large. Et ceci est justement le défaut du Précis de prononciation *de l'abbé Rousselot, outre qu'il est fort incomplet[9]. Autant l'auteur est inattaquable quand il s'agit des constatations générales de la phonétique expérimentale, dont il est le créateur et dont il est resté le maître, autant il prête à la critique, quand il s'agit de savoir à quelle espèce de gens il s'est adressé pour déterminer pratiquement l'usage dans les cas particuliers ou douteux. Quel fond peut-on faire, sur le témoignage de gens, des enfants sans doute, qui prononcent* aighille *pour* aiguille? *Cela seul suffit à ôter parfois toute valeur à ses statistiques, d'ailleurs fort réduites, et à ses conclusions.*

On ne sera donc pas surpris d'apprendre que la phonétique expérimentale ne donne pas par elle-même de résultats définitifs sur les questions qui font l'objet de ce livre. Si l'on veut savoir de quelle manière on dispose ses organes *pour faire entendre un* a *fermé ou articuler un* p *ou un* s*, on peut s'adresser à elle en toute confiance: ses instruments sont infaillibles; mais s'il s'agit de savoir* dans quels mots *l'*a *est ouvert ou fermé, dans quels mots* on prononce ou on ne prononce pas *le* p*, les phonéticiens expérimentaux n'en savent pas plus que les autres, et leurs instruments, sur ce point, ne serviront à rien, tant qu'ils n'auront pas fait prononcer les mêmes mots par un assez grand nombre de personnes, choisies expressément dans ce but. Or justement, le premier point, celui qui est expressément de leur compétence, n'est pas traité dans ce livre: je m'adresse aux gens qui savent suffisamment le français, et aux Français eux-mêmes encore plus qu'aux étrangers, et je suppose qu'ils savent comment les sons s'émettent, comment s'articulent les consonnes. C'est pourquoi ce livre ne fait pas double emploi avec les travaux de la phonétique expérimentale: il les complète.*

Le principe général est d'ailleurs le même, autant que possible, que celui de la phonétique expérimentale, et l'on ne saurait aujourd'hui en concevoir d'autre: il ne s'agit plus d'ordonner péremptoirement ce qui doit être, mais de constater simplement ce qui est. Une prononciation admise généralement par la bonne société est bonne par cela seul, fût-elle absurde en soi. Si l'on me voit chemin faisant résister à certaines prononciations que je crois mauvaises, c'est qu'elles ne me paraissent pas encore très générales, et que la lutte est encore permise et le triomphe possible; autrement je passe condamnation, car il n'y a rien à faire contre les faits. La seule difficulté est de savoir à quel moment une mauvaise prononciation est assez générale pour qu'il faille s'incliner et la déclarer bonne; car il faut bien se mettre dans l'esprit que toute prononciation qui est bonne a commencé par être mauvaise, comme toute prononciation mauvaise peut devenir bonne, si tout le monde l'adopte.

Ce traité se divise naturellement en deux parties, une pour les voyelles et une pour les consonnes. Il est probable quelles seront pour le lecteur d'un intérêt fort inégal, et voici pourquoi: la première peut servir surtout à corriger les défauts *de prononciation, autrement dit les* accents *régionaux; mais ceci ne peut se faire qu'avec des efforts soutenus dont peu de gens sont capables. La seconde, au contraire, corrige les* fautes *de prononciation, et ceci ne demande pas d'effort: souvent il suffit que le fait soit constaté une seule fois. Ainsi beaucoup de gens ont un* accent *déplorable, qui tiennent à parler fort correctement par ailleurs: c'est le cas de beaucoup de professeurs qui seraient très mal placés pour enseigner que l'o de rose est fermé, alors qu'ils l'ouvrent outrageusement, et ne font même aucun effort pour le fermer, mais qui, d'autre part, sachant qu'on prononce* dot *avec un* t, *et* comptable *sans* p, *pratiquent cette prononciation et l'enseignent scrupuleusement.*

D'ailleurs les voyelles sont très souvent flottantes: il y a tant de degrés dans leur ouverture. Qu'on les ouvre un peu plus ou un peu moins, dans une foule de cas, dans la plupart des cas, personne n'en est choqué, et on n'y attache pas une très grande importance. Mais qu'une consonne se prononce ou ne se prononce pas, c'est là souvent un fait précis, catégorique, sur lequel il n'y a pas de discussion possible, quand l'usage est suffisamment général; et beaucoup de gens tiennent particulièrement à savoir si, dans tel mot, telle consonne se prononce ou non.

J'ai donné néanmoins à la première partie tout le développement qu'elle comportait, mais je pense tout de même que ce livre servira plus à corriger les fautes *que les* défauts, *lesquels souvent sont chers à ceux qui les ont.*

*Qu'il me soit permis, chemin faisant, d'attirer spécialement l'attention du lecteur curieux sur deux chapitres assez nouveaux, celui de l'*e muet *et celui des* liaisons. *La question de l'*e muet *a déjà été traitée une fois; mais je l'ai reprise sur un plan différent. Pour celle des* liaisons, *on s'en tient d'ordinaire à des conseils généraux: j'ai pris la peine d'entrer dans le détail et de classer méthodiquement les faits.*

Enfin, je ne voudrais pas que le lecteur fût effrayé par l'abondance des notes, qui pourraient sembler faire de ce livre un travail d'érudition. Il n'en est rien. Ces notes, qui peuvent d'ailleurs être négligées par ceux qu'elles n'intéressent pas, ont un double objet. Elles contiennent d'une part la prononciation des noms propres, qui auraient sans doute encombré le texte. D'autre part elles donnent des renseignements qui peuvent être curieux sur les prononciations d'autrefois; elles permettent ainsi d'apprécier certaines rimes qu'on trouve chez les poètes classiques; elles font de plus savoir (s'ils l'ignorent) à ceux qui aiment les vieilles éditions, que toutes les consonnes qui jadis encombraient les textes ne se prononçaient d'ordinaire pas plus qu'aujourd'hui où on ne les écrit plus[10]. Enfin elles donnent parfois des explications complémentaires qui n'ont pas paru être à leur place dans le texte.

Après cela, et malgré les soins consciencieux que j'ai apportés à mon travail, il y aura sans doute dans ce livre plus d'une erreur. En tout cas, il est évidemment impossible qu'un lecteur qui a des opinions sur la matière ait exactement les mêmes que l'auteur sur tous les points. Si ce lecteur est particulièrement qualifié, il me suffira de ne différer d'avec lui que sur des points secondaires. Quant au lecteur qui cherchera ici des renseignements, j'espère qu'il ne s'égarera pas trop souvent. Et puis, je compte un peu sur la collaboration de mes lecteurs eux-mêmes pour perfectionner ce livre et le rendre plus utile, si le public lui fait bon accueil: toutes les observations sérieuses, appuyées sur une expérience suffisamment étendue, seront accueillies avec reconnaissance.

NOTE DES ÉDITEURS

Cette nouvelle édition a été, comme les deux premières, soigneusement revue et a subi de nombreuses corrections et modifications.

C'est qu'un ouvrage semblable, sous peine de perdre une partie de sa valeur, doit suivre pas à pas les changements qu'apportent la mode et l'usage.

Dans leur vie brève ou longue, les mots voient leur sens évoluer; ils voient aussi leur prononciation se modifier.

Nous nous sommes efforcés, après la disparition de l'auteur de Comment on prononce le français *et de* Comment on parle en français, *de tenir à jour avec un soin constant ces livres qui ont fait à Philippe Martinon la plus enviable réputation de technicien.*

Il nous faut dire notre sincère gratitude à ceux qui, en grand nombre, nous ont transmis leurs observations. Ces observations, nous les avons examinées très attentivement et nous en avons tiré le plus grand profit.

CHAPITRE PRÉLIMINAIRE

LES LETTRES

Quoique ce livre soit plutôt un ouvrage de vulgarisation, il n'est pas possible de traiter de la prononciation en faisant table rase des travaux de la phonétique. L'alphabet, tel qu'on l'enseigne aux enfants, ne peut vraiment suffire ici. D'une part, les voyelles ne sauraient se réduire à cinq, *a, e, i, o, u*[11]. D'autre part, il y a souvent deux ou trois consonnes pour un seul son, comme *c, k, q*, ou bien la même consonne a deux sons différents, comme *c* encore, ou *g*, ou *t*[12]; il y a même une lettre qui réunit ordinairement deux sons en elle: *x*, tandis que pour tel son unique nous employons deux lettres, comme *ch* ou *gn*. Tout cela fait beaucoup de confusion. Or, en matière de prononciation, les *sons* importent plus que les *lettres*, et, faute d'un alphabet phonétique, au moins faut-il mettre un peu d'ordre dans les caractères que nous possédons. On nous permettra donc de commencer ce livre par une classification logique des sons, **voyelles** ou **consonnes**[13].

Classification des voyelles.

Pour ce qui est des voyelles, nous n'avons pas dessein d'entrer dans le domaine de la physiologie, pour expliquer en détail leurs différences d'émission, de timbre ou d'intensité: nous supposerons que le lecteur sait émettre les sons et les distinguer. Nous lui dirons donc tout de suite qu'il y a au moins dix voyelles essentielles, et l'on verra qu'il y en a davantage. En voici le tableau, car les explications se comprendront mieux ensuite:

è (ouvert),	**é** (fermé),	**i**.
a, eu (*id.*),	**eu** (*id.*),	**u**.
o (*id.*),	**o** (*id.*),	**ou**.

Voy. ouvertes. Voy. fermées.

Il est bien évident qu'on ne saurait identifier l'**é** aigu avec l'**è** grave, ou, pour employer tout de suite des expressions qui seront plus commodes ailleurs, l'**é** *fermé* avec l'**è** *ouvert*, celui d'*enflé* avec celui d'*austère*[14]. On ne saurait confondre non plus l'**eu** ouvert de *jeune* avec l'**eu** fermé de *jeûne*. Et il y a encore exactement la même différence entre l'**o** ouvert de *couronne* et l'**o** fermé de *trône*[15].

Ainsi, partant de l'**a**, qui est la voyelle type, celle qu'on prononce d'abord quand on ouvre la bouche naturellement et normalement, nous voyons les voyelles se répartir en trois séries divergentes: d'une part la série **a, è, é, i**, dont l'émission élargit progressivement la bouche sur les côtés en la fermant à demi; d'autre part, la série **a, o** ouvert, **o** fermé, **ou**, dont l'émission rapproche progressivement les coins de la bouche en l'arrondissant; enfin, entre les deux, la série **a, eu** ouvert, **eu** fermé, **u**, qui participe à la fois des deux autres: de la première par la position de la langue, de la seconde par les mouvements des lèvres. On se rendra compte facilement de ce rapport en passant successivement du son **u** au son **i**, par simple déplacement des lèvres, et au son **ou**, par déplacement de la langue seule, même sans avancer les lèvres; on passe de même de **eu** fermé à **é**, ou bien à **o** fermé, de **eu** ouvert à **è**, ou bien à **o** ouvert. Et cela fait bien dix voyelles.

Sur ces dix voyelles, six sont fermées, d'abord **é, eu** fermé, **o** fermé; ensuite et plus encore, **i, u, ou**. Les autres sont ouvertes.

On remarquera en passant que les trois voyelles extrêmes, les plus fermées, **i, u, ou**, quand elles sont suivies d'autres voyelles, s'en accommodent si bien qu'au lieu de faire hiatus, comme dans *h*aïr ou dans *É*saü, elles font presque nécessairement diphtongue avec elles: *d*ia*ble, h*ui*t, d*oua*ne*: c'est ce que les grammairiens appellent *synérèse*. Pour parler plus exactement encore, elles se transforment alors en *semi-voyelles*, ce qui veut dire que, n'étant plus voyelles qu'à moitié, car elles se prononcent plus rapidement que les voyelles vraies, elles font à peu près l'office de consonnes. Le **w** anglais de *whist* représente assez bien la consonne **ou**; il n'y a pas de signe courant pour représenter l'**u** consonne; mais l'**i** consonne s'écrit ordinairement au moyen de l'**y**, et s'appelle alors **yod**: c'est celui de l'anglais *yes*.

Mais ces dix voyelles ne sont pas tout. Le son de l'**a** n'est pas plus unique que celui de l'**e** ou celui de l'**o**. Les grammaires se bornent généralement à distinguer l'**a** long de l'**a** bref, *patte* et *pâte*, *face* et *grâce*, *tache* et *tâche*, et cette distinction a certainement son importance, même pour les voyelles autres que **a**; mais elle est insuffisante pour notre objet, car l'**a** de *pars* est aussi long que celui de *pâte*, sans avoir du tout le même timbre. La vérité est qu'on doit faire ici une distinction tout à fait analogue à celle qu'on fait si facilement pour **e, o** et **eu**. En effet, nous avons d'une part un **a** qui n'est jamais bref, et c'est celui de *pâte, grâce* ou *tâche*, et un autre **a** qui est généralement bref, mais qui peut être long, et c'est celui de *patte, face, tache* ou *pars*. Or nous verrons qu'il y a de même, par exemple, un **o** qui n'est jamais tout à fait bref, et c'est l'**o** fermé: *domi*n*o, r*o*se, gr*o*sse*, et un autre **o**, qui est généralement bref, mais qui peut être long, et c'est l'**o** ouvert: *p*o*mmes, p*o*ste* et *mort*. Nous admettrons, au moins par analogie, et pour unifier les termes, qu'à côté de l'**a** ouvert proprement dit, il y a aussi un **a** fermé, celui de *pâte*[16].

A ce second **a**, il faut encore ajouter l'**e** muet, appelé aussi **e** *féminin*, qui tantôt se prononce et tantôt ne se prononce pas, suivant les circonstances, et qui par suite n'est pas toujours muet, et cela fait bien douze voyelles.

En outre, à ces voyelles, qui sont dites *orales*, parce que l'air expiré passe uniquement par la bouche, on doit en ajouter d'autres, dites *nasales*, parce que l'air expiré passe par le nez en même temps que par la bouche. Elles sont quatre, **an, in, on, un**, qui n'ont rien de commun avec des diphtongues, et elles correspondent, non pas, comme l'indique l'orthographe, aux voyelles **a, i, o, u**, mais à peu près aux quatre voyelles ouvertes **a, è, o, eu**: on peut s'en rendre compte aisément, en passant de chacune de ces voyelles à la nasale correspondante. Et ce sont bien des voyelles simples: l'**n** n'est ici qu'un signe orthographique, qui, entendu autrefois, ne s'entend plus aujourd'hui en aucune façon, sauf dans le Midi, naturellement. Et cela fait *seize voyelles*.

En fait, il y en a bien davantage encore, et voici pourquoi. Sans doute une voyelle est fermée ou ne l'est pas, et *pratiquement* on ne voit pas qu'elle ait deux manières d'être fermée. Or, quand elle n'est pas fermée, elle est ouverte; mais c'est ici qu'il y a bien des degrés. L'**e** de *périr* a beau avoir le même accent aigu que celui de *trompé*, celui de *trompé* seul est fermé, et celui de *périr* est incontestablement ouvert, mais il l'est sensiblement moins que celui de *père*. On pourrait même dire qu'il y mathématiquement une infinité de degrés dans l'ouverture d'un son quelconque. Sans entrer dans des distinctions scientifiques qui n'ont point d'intérêt pratique, on peut dire que l'**é** de *périr*, *démontre*, *prépare*, etc., est *moyen*, étant à égale distance de l'**é** *fermé* de *trompé* et de l'**e** tout à fait *ouvert* de *père*, souvent même plus près du second que du premier. De même il y a un **o** moyen, un **eu** moyen, et si les voyelles **i, u, ou**, ne sauraient être *moyennes*, étant toujours fermées, à l'autre bout il peut encore y avoir un **a** moyen.

Ce mot *moyen* a malheureusement un inconvénient: il est nécessaire par ailleurs pour caractériser la *quantité* des voyelles qui ne sont ni *longues* ni *brèves*. Nous veillerons donc à ce qu'aucune confusion ne puisse se produire dans l'esprit du lecteur entre ces deux sens, concernant le *timbre* et la *quantité*. Par exemple, en parlant du *timbre*, comme la caractéristique d'un son tel que l'**é** de *périr* est avant tout de n'être pas *fermé*, malgré son accent aigu, nous le qualifierons à l'occasion d'**e** légèrement ouvert ou à demi ouvert, quand il faudra le comparer à l'**è** grave, qui l'est tout à fait.

Ainsi nous nous en tiendrons à notre tableau des voyelles, qui peut suffire. On remarquera que trois d'entre elles sont écrites avec deux lettres.

Ce furent jadis des diphtongues; mais il y a longtemps que ce n'en sont plus. L'orthographe a conservé le signe double, justifié autrefois, mais l'orthographe n'y change rien, et ce sont des voyelles. Mieux vaudrait assurément que chaque voyelle eût un signe propre, ou du moins qu'il y en eût un spécial pour **eu**, ouvert ou fermé, et un autre pour **ou**: nous n'avons pas cru devoir, dans un livre de vulgarisation, choquer les habitudes du lecteur par l'usage de signes phonétiques peu usités, et nous avons conservé l'orthographe courante.

Il y a encore en français d'autres groupes de signes qui furent aussi jadis des diphtongues et depuis longtemps n'en sont plus, et que nous avons conservés tels quels: **ai, ei, au**, et aussi le groupe **oi**, sans parler d'**œ** et **æ**, qui furent diphtongues aussi, mais en latin. Ces groupes ne figurent pas dans le tableau, parce qu'ils y feraient double emploi; ils seront étudiés à la suite des voyelles simples auxquelles ils sont apparentés.

Classification des consonnes.

Même en laissant de côté les semi-voyelles, nous avons dix-huit consonnes simples.

1° Six *muettes*: **b, c, d, g, p, t**, ainsi nommées parce qu'elles ne se font sentir réellement qu'avec l'aide d'une voyelle[17]. On les appelle aussi *momentanées*, pour la brièveté de leur émission, et aussi *explosives* ou *occlusives*, parce qu'elles produisent une *explosion* plus ou moins brusque, après *occlusion* momentanée des organes de la parole.

Les muettes sont *labiales*, si la fermeture est faite par les lèvres: **b, p**; *dentales*, si elle est faite par la langue appuyée contre les dents: **d, t**; *gutturales* ou *palatales*, si elle est faite par la langue appuyée contre le haut du palais, plus ou moins près de la gorge: **c, g**. Mais surtout on les divise en deux catégories:

Les *muettes fortes*, ou *explosives sourdes*, qui ne sont accompagnées d'aucune résonance, et qu'on peut appeler *brusques*; on les reconnaît dans **pa, ta, ca**, ou **ap, at, ac**;

Les *muettes douces*, ou *explosives sonores*, qu'on peut appeler *retardées*, parce que la résonance interne qui précède le son et l'adoucit a pour effet d'en retarder l'explosion; on les reconnaît dans **ba, da, ga**, ou **ab, ad, ag**.

2° Six *spirantes*: **f, ch, j, s, v, z**, dont l'émission est produite par une simple émission d'air, qui ne nécessite absolument ni l'occlusion momentanée des organes (un simple rétrécissement suffit), ni l'intervention d'une voyelle.

Les spirantes aussi sont *labiales*, quand elles rapprochent la lèvre inférieure des dents supérieures: **f, v**; *dentales*, quand elles rapprochent les dents supérieures des inférieures: *s*, *z* (ou *c* devant *e* et *i*); *palatales*, quand elles rapprochent la langue du palais: *ch*, *j* (ou *g* devant *e* et *i*). D'autre part les spirantes *labiales* sont appelées aussi *fricatives*; les *dentales*, *sifflantes*; les *palatales*, *chuintantes*. Mais les spirantes, comme les muettes, se divisent surtout en deux catégorie essentielles:

Les *spirantes fortes*, ou *sourdes*, sans résonance, *f*, *s*, *ch*;

Les *spirantes douces*, ou *sonores*, et par suite *retardées*, *v*, *z*, *j*.

3° Deux *liquides*: *l* et *r*.

Il y a diverses façons de prononcer l'*r*, mais il est bien inutile, à moins que ce ne soit pour le chant, de s'évertuer à retrouver l'*r* vibrant qu'on prononçait avec la pointe de la langue: cet *r* a disparu à peu près de l'usage, au moins dans les villes, et surtout à Paris, où on *grasseye*, la pointe de la langue appuyée contre les dents inférieures.

4° Deux *nasales*, qui étaient aussi qualifiées de *liquides* par les grammairiens grecs: *m* et *n*, l'une *labiale*, l'autre *dentale*.

5° Deux consonnes *mouillées*: *l* et *n*.

L'*l* mouillé s'écrit par *ll* après *i*: *fille*; par *il* ou *ill* après *a*, *e*, *eu*, *ou*: *bail*, *caille*, *soleil*, *pareil*, *deuil*, *feuille*, *bouille*. Il s'écrit aussi *lh* ou *ilh* dans les noms méridionaux, comme *Meilhac* ou *Milhau* et *gli* en italien. A la vérité, le son véritable de l'*l* mouillé, que l'on confond souvent avec *ly*, est aujourd'hui perdu pour la plupart des Français, malgré les efforts suprêmes de Littré, et se confond désormais avec le simple *yod*[18].

L'*n* mouillé s'écrit *gn*; il se rapproche très sensiblement de l'*n* suivi de la semi-voyelle *y*, et se confond souvent avec lui.

6° A ces dix-huit consonnes simples il faut ajouter une consonne double, *x*, qui se prononce de diverses façons, mais qui en principe représente *cs*; et d'autre part l'*h*, qui ne se prononce plus guère, même quand il est aspiré, mais qui dans ce cas sert toujours à empêcher l'élision et la liaison.

Quelques considérations générales sur l'accent tonique.

Avant de commencer l'étude particulière des voyelles, une distinction capitale est à faire, celle des voyelles *accentuées* ou *toniques*, et des voyelles *atones*, car l'*e* dit *muet* n'est pas seul atone, et toute voyelle qui ne porte pas l'accent tonique s'appelle *atone*. Or l'*accent tonique*, très faible en français par comparaison avec les autres langues, est cependant très important, comme on va voir. Mais il ne faut pas le confondre avec l'accent dit *oratoire*, ou *emphatique*, qui est tout autre chose.

L'*accent oratoire* se place sur la syllabe quelconque que l'on désire mettre en relief, et souvent même sur des mots complètement atones, comme *je*. Il se met en général sur la première syllabe des mots. Ch. Nyrop, le grammairien danois, qui est classique chez nous en matière de grammaire française, a relevé dans un cours public la phrase suivante, dont il a noté les accents d'après le débit du professeur: «*Ain*si nous avons *d'u*ne part une progression *croi*ssante, *d'au*tre part une progression *dé*croissante.» On dirait de même: *c'est un* mi*sérable*; at*tention!* im*possible*. Toutefois, si la première syllabe commence par une voyelle, l'accent *oratoire* se reporte le plus souvent sur la seconde, afin de faire vibrer la première consonne: in*sensé*. Cela est particulièrement nécessaire quand il y a liaison avec le mot précédent, dont la consonne finale prendrait sans cela trop d'importance: *c'est im*pos*sible* et non *c'est* im*possible*. Paul Passy a noté que certains mots sont prononcés plus souvent avec cet accent qu'avec l'accent normal: beau*coup*, ex*trê*mement, ter*rible*, ri*dicule*, ban*dit*, etc., et surtout des injures, comme co*chon*; mais tous ces mots reprennent l'accent normal, si on les prononce avec le calme parfait. Ainsi l'accentuation de beaucoup de mots est dans une sorte d'équilibre instable, qui se prête admirablement à l'expression de la pensée ou du sentiment, avec toutes leurs nuances[19]. Seulement l'accent oratoire, qui est arbitraire, peut bien exercer une grande influence sur l'*intensité* des voyelles: il n'en exerce aucune sur le *timbre*.

Il n'en est pas de même de l'*accent tonique*, qui est fixe, et qui vient directement du latin: malgré sa faiblesse, il a conservé sa place originelle dans les mots de formation populaire, et il est uniquement sur la *dernière* syllabe masculine des mots, les syllabes muettes ne comptant pas: pré*sage* a l'accent tonique sur *a*, cou*ronne* sur *o*, qua*trième* sur *è*. D'ailleurs beaucoup de mots d'une et même deux syllabes, articles, pronoms, prépositions, conjonctions, s'appuient sur leurs voisins et n'ont pas d'accent propre ou très peu. D'autres mots ont un accent, et peuvent le perdre au profit d'un monosyllabe qui suit, lequel peut le perdre à son tour au profit d'un autre monosyllabe; ainsi dans les expressions *laissez, laissez-moi, laissez-moi là*, l'accent est toujours uniquement sur la dernière syllabe, c'est-à-dire successivement sur *sez*, sur *moi* et sur *là*[20]. Et il faut noter que l'accent *oratoire* ne détruit pas nécessairement l'accent *tonique*: dans *je reste, tu t'en vas*, l'accent oratoire peut être sur *je* et *tu*, mais cela n'empêche pas l'accent tonique d'être sur *res* et *vas*.

Cela posé, on comprend sans peine que les voyelles qui ont un accent tonique fixe ont beaucoup plus d'importance que les voyelles *atones*. Ce point est capital, et la question de savoir si une voyelle est *ouverte* ou *fermée*, *longue* ou *brève*, ne se pose réellement avec intérêt que si cette voyelle est *tonique*. En effet, les voyelles *atones*, n'ayant pas l'importance des autres, se prononcent presque toutes plus ou moins légèrement, à moins d'une intention spéciale; aussi sont-elles rarement fermées et rarement longues; car on ne peut fermer ou allonger une voyelle que par un acte exprès de la volonté[21].

Ainsi *les voyelles atones sont généralement assez brèves et assez ouvertes*, sans l'être beaucoup; elles sont *moyennes*, dans tous les sens du mot, et diffèrent assez peu les unes des autres. On peut comparer pour la *quantité* les deux *a* de *adage* ou *placard*, où le second est beaucoup plus long que le premier, et pour l'*ouverture*, les deux *o* de *folio* ou *siroco*, où le second seul est fermé. On met le plus souvent un accent aigu sur l'*e* à l'intérieur des mots, quand il n'est pas muet; mais il ne s'ensuit pas que cet *e* soit fermé: il est, lui aussi, moyen dans tous les sens. Par exemple *dégénéré* a d'abord trois *e* à peu près identiques, et qui, malgré l'accent aigu qui les assimile au quatrième, sont en réalité aussi distincts de lui que de l'*e* ouvert et long qui termine le présent *dégénère*[22].

Ce phénomène est si général et si nécessaire, que la même syllabe changera son ouverture et sa quantité suivant la place qu'elle aura dans le mot, c'est-à-dire suivant qu'elle sera ou ne sera pas tonique. Nous venons de voir le troisième *é* de *dégénérer* s'allonger manifestement dans *dégénère*; inversement l'*a* de *cave* s'abrège dans *caveau*. Une voyelle tonique qui était fermée et longue s'ouvre à demi et s'abrège en perdant l'accent: *bah, ébahir*; une voyelle tonique qui était ouverte et longue se ferme à demi et s'abrège aussi: *or, dorer*; si bien que par exemple l'*e* de *pied*, qui est fermé, et l'*e* de *diffère*, qui est ouvert, deviennent identiques, ni ouverts ni fermés (malgré l'accent aigu), dans *piéton* et *différer*.

Même si la syllabe ne se déplace pas dans le mot, il suffit qu'elle perde l'accent au profit du monosyllabe qui la suit, pour que son ouverture et sa quantité changent également: *aime* est moins ouvert et moins long dans *aime-t-il*, où l'accent est sur *il*, que dans *il aime*; *peux* est moins fermé et plus bref dans *peux-tu* que dans *tu peux*; *êtes* se prononce plus légèrement dans *vous êtes fou* que dans *fou que vous êtes*. Il n'est même pas besoin d'un monosyllabe héritant de l'accent du mot qui précède: il suffit qu'un mot accentué soit suivi immédiatement d'autres mots liés à lui intimement par le sens, pour que le seul affaiblissement de l'accent produise un léger changement d'ouverture ou de quantité, car l'accent qui n'est pas tout à fait final est toujours plus faible que l'accent final; ainsi *aime*, étant moins accentué, est aussi moins ouvert et plus bref dans *je les aime depuis longtemps*, articulé sans pause, que dans *je les aime* tout court.

On voit quelle est l'importance du phénomène: il se manifeste aussi bien dans les assemblages de mots que dans les mots considérés séparément. C'est un point qu'il ne faudra jamais perdre de vue dans l'étude des mots pris séparément. Nous le rappellerons d'ailleurs plus d'une fois au lecteur. Mais de toutes ces considérations il résulte que l'objet principal de la première partie de ce livre sera l'étude des voyelles *toniques*, qui sont de beaucoup les plus importantes. Quant aux voyelles *atones*, j'entends celles qui sont dans le corps des mots, nous ne laisserons pas d'en dire un mot à la suite dans chaque chapitre, mais seulement comme complément, et parce que le phénomène général dont on vient de parler ne se manifeste pas également dans tous les cas. Il faut voir notamment dans quelles circonstances il peut se faire qu'une syllabe qui perd l'accent garde néanmoins en partie ses qualités premières.

Autres observations générales.

En dehors de la distinction capitale que nous venons de faire entre les voyelles *toniques* et les *atones*, nous pouvons encore, avant de passer à l'étude des voyelles particulières, simplifier sensiblement la besogne par avance au moyen de deux observations générales concernant les voyelles toniques qui peuvent être ouvertes, *a*, *e*, *eu*, *o*.

C'est un fait constant que les groupes de consonnes abrègent la voyelle qui précède, et cela est vrai des toniques encore plus que des autres. Donc une voyelle tonique n'est jamais longue, et encore moins fermée, quand elle est suivie de deux consonnes articulées: *secte, golfe*. Je dis *articulées toutes les deux*, car d'une part une *consonne double* n'a jamais en fin de mot que la valeur d'une *consonne simple*; d'autre part, dans un mot tel qu'*amante*, on ne prononce qu'une seule consonne, l'*n* n'étant plus que le signe extérieur de la nasalisation; de même dans *Duquesne*, l'*s* ne sert plus qu'à allonger la voyelle. Mais si les deux consonnes sont articulées, elles produisent le même effet que l'atonie, et elles le produisent avec une régularité et une constance parfaites, que nous ne trouverons pas ailleurs. Par exemple, *apte, arc, arche, taxe* (car *x=cs*), etc., ou *secte, berge, ferme, reste, vexe*, etc., ou *docte, dogme, golfe, porche*, etc., ont la voyelle plus ou moins brève, suivant les cas, mais jamais longue et toujours ouverte, et ces finales n'ont jamais d'accent circonflexe[23].

Toutefois, ces groupes de deux consonnes ne comprennent pas ceux où la seconde, mais *la seconde seule*, est une liquide, *l* ou *r*, car ceux-là sont traités en français comme s'ils ne faisaient qu'une seule consonne[24]. Ainsi les finales en *-acle* ou *-adre*, par exemple, peuvent être, comme nous le verrons plus loin, longues ou brèves, ouvertes ou fermées, et ne doivent pas être confondues avec les finales en *-acte* ou *-apte*, ou même *-arle*, toujours ouvertes, et toujours brèves ou moyennes; de même *etre* peut être long ou bref (*être*, *mètre*), tandis que *-erte*, fait des mêmes lettres, n'est jamais long; l'*a* est long et fermé dans *sabre*, tandis qu'il est nécessairement ouvert et moyen dans *barbe*, qui a les mêmes consonnes, et même dans *marbre*, qui en a une de plus.

Malgré cette restriction, il reste un nombre considérable de finales toniques dont nous n'aurons pas à nous occuper: plus de trente pour chacune des voyelles *a*, *é*, *o*[25]. Nous n'aurons donc à étudier que trois catégories:

1° Les voyelles finales, avec ou sans consonne muette: *panam*a, *am*a(*s*), *clim*a(*t*), *estom*a(*c*);

2° Les voyelles suivies d'une seule consonne articulée, simple ou double, avec ou sans *e* muet: *cart*e*l*, *mart*è*le*, *mort*e*lle*;

3° Les voyelles suivies de deux consonnes articulées dont la seconde seule est *l* ou *r*, la première étant simple ou double: *maître*, *mètre*, *mettre*.

Notre seconde observation préliminaire à propos des voyelles toniques *a*, *e*, *eu*, *o*, c'est que, lorsqu'elles ont l'accent circonflexe, elles sont longues en principe, quand elles sont suivies d'une syllabe muette, sauf dans les formes verbales[26].

De plus, les voyelles *a*, *eu*, *o* sont fermées quand elles sont surmontées de l'accent circonflexe: *pâte*, *jeûne*, *rôle*, tandis que l'*e*, également fermé jadis, au moins dans certains mots, est aujourd'hui très ouvert presque partout dans le même cas: *pêche*, *frêle*, *tête*.

Nous verrons qu'il en est exactement de même de nos quatre voyelles devant l'*s* doux: *écrase*, *heureuse*, *chose* se prononcent comme *pâte*, *jeûne*, *rôle*; de même *trapèze* ou *française* comme *pêche* et *frêle*. Aussi les finales -*ase*, -*euse*, -*ose*, -*èse* ou -*aise* n'ont elles jamais d'accent circonflexe[27].

Au contraire, nous verrons l'*r* allonger toujours, et le *v* ordinairement, la voyelle qui précède, mais sans jamais la fermer: *char* et *cher*, *beurre* et *bord*, *brave* et *brève*, ont la voyelle longue, mais ouverte.

PREMIÈRE PARTIE LES VOYELLES

Pour étudier les voyelles, nous suivrons l'ordre du tableau. Nous examinerons donc successivement:

1° La voyelle *a*, à laquelle nous joindrons le groupe *oi*, diphtongue si l'on veut, puisqu'il exige deux sons vocaux, *ou* et *a*, mais qui est plus exactement un *a* précédé d'une semi-voyelle, *ou* ou *w*, et qui en tout cas peut avoir les mêmes nuances que l'*a*;

2° La voyelle *e*, ouverte ou fermée, en y joignant *œ* et *æ*, diphtongues latines, généralement fermées, ainsi que les groupes *ai* (ou *ay*) et *ei* (ou *ey*), qui sont généralement ouverts;

3° La voyelle *eu*, ouverte ou fermée;

4° La voyelle *o*, ouverte ou fermée, avec le groupe *au* (ou *eau*), généralement fermé;

5° Les voyelles extrêmes, *i*, *u*, *ou*, essentiellement fermées, et sur lesquelles il y a donc peu à dire, parce que la prononciation en diffère peu d'un mot à l'autre;

6° Les voyelles *nasales*, avec leurs graphies diverses, faites en principe des diverses voyelles, suivies d'un *n* ou d'un *m*;

7° L'*e muet*;

8° Les **semi-voyelles**, c'est-à-dire, si l'on préfère, les **diphtongues**.

I.—LA VOYELLE A.

1° L'A final.

L'*a* final n'est ni long ni fermé, sans être tout à fait bref ni tout à fait ouvert; il est, si l'on veut, moyen, quelle que soit d'ailleurs son origine, même l'ablatif latin: *camelia, paria, tapioca, falbala, panama, mea culpa, opéra, delta, il va.*

Il y a quelques exceptions, j'entends quelques **a** fermés. Ce sont:

1° Le nom même des lettres *a* et *k*, et les notes de musique *fa* et *la*: comparez *la lettre a* avec *il a*, et *c'est un la* avec *il est là*[28].

Toutefois, dans l'expression *a b c*, l'*a*, devenu atone, comme l'*à* de *à Paris*, est moins nécessairement fermé que quand il est seul.

2° Le mot *bêta*. On se demande pourquoi, si ce mot est vraiment une forme dialectale de *bétail*, où l'*a* s'est ouvert depuis longtemps. Nous noterons cependant que ce mot s'emploie surtout comme une espèce d'interjection, dont le son se prolonge.

3° Le mot *chocolat*, au moins à Paris. C'est peut-être à cause de son étymologie espagnole *chocolate*, mot qui a l'accent sur l'*a*; mais cet *a* est destiné à s'ouvrir, comme dans les autres mots en *-at*, et on n'est nullement obligé de le fermer.

4° Les interjections *bah* et *hourra*, dont le son se prolonge naturellement; mais si l'on fait de *hourra* un substantif, il rentre dans la règle générale. *Hourra* est d'ailleurs d'origine anglaise, et avait d'abord un *h* final; or l'*h* final, qui, en dehors des interjections *bah* et *pouah*, appartient uniquement à des mots d'origine étrangère, avait pour effet d'allonger et de fermer l'*a*; mais cet effet est aussi en voie de disparition, à mesure que les mots achèvent de se franciser[29].

Quand l'**a** est suivi d'une consonne qui ne se prononce pas, elle n'y change pas d'ordinaire grand chose; et surtout, ici comme partout ailleurs, les pluriels ne diffèrent plus en rien des singuliers: *un opéra, des opéras, une villa, des villas*[30].

Peut-être l'**a** s'ouvre-t-il un peu plus devant le *t* (avec ou sans *s*): *un candidat, des candidats*[31]. Peut-être aussi est-il encore un peu plus fermé dans les futurs, comme *tu aimeras*, que dans les prétérits, comme *tu aimas*, mais c'est peu de chose.

Toutefois, l'*a* est resté en général un peu long et fermé, au moins à Paris, dans la plupart des mots qui ont un *s* au singulier comme au pluriel: *bas, cas, las, lilas, trépas, tas*. Mais ici même, par analogie, l'*a* s'est ouvert ou tend à s'ouvrir dans un grand nombre de mots: *galimatias, tracas, chas*, et surtout les mots en **-las, -nas, -ras** et **-tas**: *matelas, chasselas, cervelas, entrelacs* et *verglas, ananas* et *cadenas, bras* et *embarras, taffetas* et *galetas*. Même des rimes comme *cas* et *avocats, bas* et *grabats* n'ont plus rien de choquant.

2° L'A suivi d'une consonne articulée.

Quand l'*a* est suivi d'une consonne articulée, en principe il s'ouvre et s'abrège plus ou moins. Le rôle que jouent ici les consonnes, ou du moins la plupart des consonnes, se marque nettement dans certains féminins: l'*a*, qui n'est encore que moyen dans *délicat, candidat, scélérat* ou *ingrat*, achève de s'ouvrir et de s'abréger dans *délicate, candidate, scélérate* ou *ingrate*[32]. Et ce qui prouve bien que c'est la consonne qui fait tout, et que l'*e* muet n'y est pour rien, c'est que *mate*, féminin de *mat*, ne se prononce pas autrement que le masculin, le *t* étant articulé dans les deux cas.

Cette ouverture de l'*a* se manifeste presque également dans la plupart des finales à consonne, qui ainsi ne diffèrent les unes des autres que par la quantité[33]. C'est donc la quantité qui nous permettra de les classer.

I. **A bref.**—Les finales les plus brèves sont celles dont la consonne est une des trois explosives brusques, *c, p, t*[34].

1° **-ac, -ak** et **-aque**: *cognac* et *lac, laque* et *baraque*[35].

2° **-ap** et **-ape**, ou **-appe**: *cap* et *cape, pape* et *frappe*[36]. On ferme souvent l'*a* dans *dérape*, par une fausse analogie avec *râpe*, qui est pour *raspe*, mais c'est une erreur.

3° **-at** et **-ate**, ou **-atte**, et même **-âtes**: *mat* et *tomate, rate, sonate* et *donnâtes*[37].

Ici encore, il ne faut pas qu'une fausse analogie fasse altérer les formes des deux verbes *mater*, qui n'en font qu'un: ils viennent de *mat*, terme du jeu d'échecs, dont l'*a* est ouvert et bref, et sans rapport avec *mâter*, terme de marine dérivé de *mât*.

Avec ces finales doivent figurer, étant brèves aussi, celles qui ont une spirante également brusque ou sourde, *f, ch, s*.

1° **-af, -afe** et **-aphe**: *gnaf, gaffe, orthographe.*

2° **-ache**: *h, tache, moustache, arrache*[38].

3° **-ace** et **-asse**, ou **-ass** (mais non **-as**): *dédicace* et *carcasse, chasse, face* et *fasse, terrasse* et *vorace, ray-grass*, etc., et les imparfaits de subjonctifs, autrefois longs. Mais, comme tout à l'heure pour les mots en *as* où l's ne s'articulait pas, il y a ici beaucoup d'exceptions parmi les mots en *-asse*.

L'*a* est fermé et long en principe, d'abord dans les dérivés des mots en **-as** qui ont l'*a* long, mais non pas dans tous. Il l'est dans les adjectifs féminins *basse, lasse* (et le verbe) et *grasse*, qui conservent l'*a* fermé du singulier; puis dans les verbes *amasse* et *ramasse, passe* et *trépasse* (avec *impasse*, quoique moins régulièrement), *sasse* et *ressasse* (pas toujours non plus), *tasse* et *entasse*, peut-être même *compasse, damasse, brasse* et le substantif *embrasse* (mais non le verbe). Il est fermé également dans *casse*, terme d'imprimerie, dans *prélasse*, par analogie avec *lasse*, dans *classe* et *déclasse*, et le substantif *tasse*. A Paris, on y ajoute généralement *calebasse, échasse, nasse, cadenasse* et *Parnasse* ou *Montparnasse*, et même des mots en **-ace**: *espace* et *lace*, avec ses dérivés; mais ceci n'est point du tout indispensable, pas plus que pour la *casse* du pharmacien, ou la *casse* de la cuisinière[39].

Quant aux mots en **-as** où l's s'articule, l'*a* y est fermé partout; mais il n'y a là de proprement français que le mot *as* (terme de jeu) et les interjections *las* ou *hélas*; les autres mots sont des mots grecs, latins ou étrangers, et surtout des noms propres anciens (y compris *atlas* et *hypocras*). Cette prononciation s'est imposée même à des mots récents, où l'étymologie semblait exiger un **a** bref et ouvert, comme *stras* et *vasistas*[40].

II. **A moyen.**—Immédiatement après ces finales viennent celles dont la consonne est une des trois explosives sonores ou retardées, **b, d**, et **g**[41]. La résonance qui précède le son, et qui en retarde l'explosion, a pour effet de rendre la voyelle un peu moins brève; mais elle est tout aussi ouverte dans chacune des finales.

1° **-ab** et **-abe**: *nabab, arabe, syllabe.* Pourtant l'*a* de *crabe* est généralement fermé à Paris et dans le Nord, quoique rien ne justifie cette prononciation[42].

2° **-ad** et **-ade**: *aubade, pintade, bravade*[43].

3° **-ag** et **-ague**: *zigzag, bague.* Beaucoup de gens ferment l'*a* dans *vague*, substantif ou adjectif, et même parfois dans *divague*: cela fait bien en vers, mais non ailleurs[44].

De même l'*a* est plutôt moyen que bref, mais toujours également ouvert, dans les finales à *l*, *m* ou *n*, qui peuvent aussi être considérées comme retardées.

1° **-al** et **-ale**, ou **-alle**: *chacal* et *animal, scandale* et *dalle, sale* et *salle.* Les poètes font volontiers rimer *exhale* avec les mots en *âle*[45]. D'autre part l'analogie de *hâle* fait quelquefois allonger outre mesure l'*a* bref de *hale*, du verbe *haler* (un bateau). Enfin, dans certaines provinces, *sale* se prononce *sâle*, mais cette prononciation est tout à fait mauvaise.

2° **-ame** ou **-amme**: *gamme* et *bigame, drame* et *gramme.* Il faut encore excepter *clame* et ses composés, où s'est maintenue, tant bien que mal, la quantité étymologique, comme autrefois dans *fame*; et aussi *flamme* et *enflamme*, avec *oriflamme*, sans doute parce qu'autrefois on prononçait *flan-me*, avec une nasale[46].

3° **-ane** ou **-anne**: *cane* et *canne, romane* et *panne, sultane* et *havane.* Il n'y a plus lieu d'excepter les mots savants, comme *profane*, malgré l'opinion de Thurot, qui fermait l'*a*, à cause de l'étymologie. D'autres ferment encore l'*a* dans *plane* ou *émane*, sans doute pour le même motif; d'autres, sans motif cette fois, dans *bibliomane* et d'autres composés en *-mane*, ou même dans *glane*; autant d'erreurs, d'ailleurs assez peu répandues; tout au plus peut-on admettre *plane* long, par emphase, surtout en vers.

Il y a pourtant deux ou trois exceptions. *Damne* conserve toujours l'a fermé (sans doute pour le même motif que *flamme*), mais déjà beaucoup moins, et surtout beaucoup moins généralement, dans *condamne*, qui est d'ailleurs plus employé. *Dame-Jeanne* le garde aussi, à cause de la fausse étymologie qu'on prête à ce mot. Les musiciens conservent volontiers l'*a* fermé de l'italien dans *soprane*, tandis qu'il s'ouvre dans *soprano*. Enfin, la *manne* (des Hébreux) a eu longtemps l'*a* fermé, probablement aussi pour la même raison que *flamme*, et l'Académie lui a conservé jusqu'à présent cette prononciation; mais la consonne double tend naturellement à abréger l'*a*, comme dans *manne* (panier), et l'*a* fermé paraît y devenir suranné[47].

A ces finales nous joindrons les finales mouillées, qui ont encore l'*a* un peu moins bref que les précédentes[48].

1° **-agne**: *bagne, campagne, montagne*. Mais on ferme encore l'*a* dans *gagne* le plus souvent[49].

2° **-ail** et **-aille**[50]: *sérail, bétail, médaille*.

Cependant *rail* prononcé à la française est presque fermé[51]. *Sérail* l'est aussi quelquefois, quoique un peu moins, et ce n'est pas à imiter.

Mais les mots en **-aille** méritent un examen particulier. A Paris, on fait encore une différence très nette entre **-ail** et **-aille**, qui autrefois était fermé et long presque partout. Toutefois cette prononciation n'est pas universelle aujourd'hui, tant s'en faut, ni applicable à tous les mots en **-aille**. Elle paraît assez justifiée, encore qu'elle ne soit pas toujours indispensable, dans les mots qui expriment une intention péjorative, qu'on marque précisément d'ordinaire en appuyant sur la finale, quelle que soit l'étymologie: *monacaille, racaille, antiquaille, frocaille, canaille, cochonnaille, ferraille, prêtraille, valetaille, crevaille* et vingt autres, qui d'ailleurs sont d'origine populaire, et ont droit de conserver la prononciation populaire[52]. De même les verbes en **-ailler**, de même intention, et qui ont l'*a* fermé, même à l'infinitif, ne peuvent l'avoir ouvert quand il est tonique: *piaille, criaille, se chamaillent, rimaille, tiraille, braille, se débraille, écrivaille*, et bien d'autres. On peut y ajouter certainement *raille* et *déraille*. Mais, d'autre part, l'*a* n'a jamais été fermé dans *médaille*, de l'italien *medaglia*; l'*a* fermé est également peu usité dans *faille* (soie) et *faille* (fente), moins encore dans les verbes qui correspondent à des substantifs en **-ail**: *baille* (ne pas confondre avec *bâille*), *émaille, détaille, travaille*, se prononceraient difficilement d'une autre manière que *bail, émail, détail* et *travail*; les subjonctifs *aille, faille, vaille*, se sont certainement abrégés, ainsi que *écaille* et *maille*, noms ou verbes, et aussi *tressaille*[53]. Pour les autres, on a parfaitement le droit d'hésiter, et la prononciation parisienne ne s'impose pas: *paille* lui-même n'est pas plus dialectal avec **a** ouvert qu'avec **a** fermé, d'autant plus que ceux-mêmes qui le ferment dans *la paille* tout court, l'ouvriront aussi bien dans *la paille humide des cachots*, au moins s'ils parlent vite. Il en est de même pour *taille*[54].

Ajoutons, pour compléter, que l'**a** est ouvert et bref dans les finales en **-aye** où l'**y** ne se dédouble pas: *cobaye, cipaye*[55].

III. **A long.**—Voici enfin des finales dont l'**a** peut être tenu pour tout à fait long, soit en restant parfaitement ouvert, soit en se fermant plus ou moins. Ce sont celles qui ont un **r**, ou une spirante sonore, **g, v, z.**

1° L'**a** est long, mais ouvert, dans les finales qui ont un **r**, **-ar** (avec ou sans consonne) et **-are** ou **-arre**: a*rt*, a*re*, a*rrhes* ou *hart*, c*ar*, q*uart* ou *placard*, m*arc*, m*are*, am*arre*, cam*ard* ou *cauchemar*, *tu pars*, *il part*, *je prépare*. Il n'y a point d'exception pour les finales masculines qui toutes ont l'**a** parfaitement ouvert. Il semble qu'autrefois l'**a** était souvent fermé dans les mots en **-are** ou **-arre**; il l'est encore un peu, et même un peu trop à Paris, dans *barre* et *rembarre*, *carre* ou *contrecarre*, *gare* et *bagarre*, et même *rare*[56].

2° Dans les finales en **-age**, autrefois irrégulières, l'**a** s'allonge aujourd'hui régulièrement, mais reste encore ouvert, exactement comme dans les finales en **-ar**: *mariage*, *ménage*, *étalage*[57]. Le mot *âge* lui-même a aujourd'hui l'**a** ouvert, malgré l'accent circonflexe, et se prononce comme les autres: *à mon âge* diffère bien peu de *ramonage*.

3° Le cas est presque le même pour les finales en **-ave**: *cave*, *lave*, *esclave*, *grave*; mais l'**a** a déjà une tendance à se fermer, au moins dans *grave* adjectif, et dans *esclave*[58].

4° L'**a** est tout à fait long et fermé dans les finales en **-ase**, **-az** et **-aze**, qui se prononcent comme si elles avaient un accent circonflexe: *base*, *blase* ou *extase*, *gaz* ou *gaze*[59].

En résumé, l'**a** reste bref ou moyen devant quatorze consonnes, sauf les exceptions, et s'allonge devant quatre ou cinq seulement. Mais il n'est fermé régulièrement que devant une seule, la sifflante douce.

3° L'A suivi des groupes à liquide.

Il ne nous reste plus à examiner pour l'**a** tonique que les groupes où il est suivi de deux consonnes, dont la seconde est une liquide, groupes qui sont tous très courts.

Quand la seconde consonne est un *l*, l'**a** s'allonge assez ordinairement et tend à se fermer; mais trois groupes seulement de cette espèce se sont formés en français.

1° Les mots en **-able** ont toujours été fort discutés. L'**a** est encore un peu fermé et assez long dans les substantifs *diable*, *jable*, *sable*, *fable*, *érable* et dans *affable* et *accable*: beaucoup de gens prononcent ces mots exactement comme *hâble*, *câble* et *râble*. C'est parfaitement correct, pourvu que cette prononciation ne passe pas à *table* ou *étable*, ni surtout aux adjectifs à suffixe *-able*, dont l'*a*, sans être bref, n'est pas non plus fermé. Toutefois on pense bien qu'en poésie, dans la rime *accable-implacable*, l'*a* doit être absolument fermé, pour être plus long[60].

2° Les mots en **-acle** ont été aussi fort discutés. L'*a* est ouvert généralement dans *macle* et les mots en **-nacle** et **-tacle**: *cénacle*, *pinacle*, *obstacle*, et c'est une erreur de le fermer dans *obstacle* ou *tabernacle*. Mais en revanche il est généralement fermé dans les mots en **-racle**: *racle*, *miracle* et *oracle*[61].

3° L'*a* est toujours fermé dans *rafle* et *érafle*[62].

Quand la seconde consonne est un *r*, l'*a* est en général ouvert ou fermé, suivant que l'*r* est précédé d'une *sourde* ou d'une *sonore*.

1° L'*a* est ouvert de préférence, et par suite bref ou moyen, quand l'*r* est précédé d'une *sourde*, c'est-à-dire, en principe, dans les finales **-apre**, **-acre**, **-atre** et **-afre**: *diacre*, *sacre*, *simulacre*, *nacre*, *sacre* et *massacre*; *battre* et ses composés, avec *quatre* et *barathre*; *affres* et *balafre*. Quelques personnes ferment encore l'*a* dans *affres*[63].

2° L'*a* est de préférence long et fermé, quand l'*r* est précédé d'une *sonore*. Pourtant il est encore ouvert dans la finale **-agre**: *podagre*, *onagre*[64]. En revanche il est fermé dans *cadre* et *escadre*[65]; et pourtant, dans *ladre*, il est plutôt ouvert[66]. Mais surtout l'*a* est long et assez fermé dans les finales **-abre** et **-avre**: *cabre*, *macabre*, *délabre*, *candélabre* ou *sabre*, *havre*, *cadavre* ou *navre*; toutefois cette prononciation n'est pas absolument générale, notamment pour *palabre et cinabre*, ni sans doute pour *glabre*[67].

4° L'A atone

Après l'*a* tonique nous devons parler de l'*a* atone, d'autant que, parmi les voyelles atones, c'est encore l'*a* qui offre le plus de variété.

Nous savons qu'en principe il est moyen et assez ouvert. Il lui arrive pourtant d'être fermé, et c'est cela seul qui importe ici, car la quantité des voyelles atones est toujours subordonnée à leur ouverture. Ainsi, tandis que l'*a* tonique peut être long même quand il est ouvert, comme dans *courage* ou *barbare*, l'*a* atone ne peut être long qu'autant qu'il est fermé. C'est pourquoi l'*a* long des finales ouvertes en *-age* et *-are* s'abrège régulièrement en devenant atone, au moins si la prétonique n'est pas initiale: *courage-courageux*, *barbare-barbarie*[68].

Quels sont donc les *a* atones qui sont fermés, puisque ceux-là seuls nous intéressent?

Comme on peut s'y attendre, ce sont surtout des *a* toniques fermés, devenus atones par suite de la flexion, de la dérivation ou de la composition, et qui ne peuvent pas perdre toujours et absolument tous les caractères de leur nature première.

Il y a d'abord les *a prétoniques qui ont l'accent circonflexe*, surtout si la prétonique est initiale comme dans *châtaigne, gâter* ou *pâlir*[69]. Encore l'*a* est-il alors un peu moins fermé et surtout moins long que quand il est tonique, par exemple dans *blâmer* que dans *blâme*, dans *hâler* que dans *hâle*. Quand il s'éloigne davantage de la tonique, il arrive parfois qu'il devient tout à fait moyen. Cela ne s'aperçoit pas dans des mots comme *ân(e)rie* ou *pâqu(e)rette*, qui n'ont que deux syllabes pour l'oreille; mais les trois degrés différents apparaissent assez bien dans *pâme, pâmer* et *pâmoison*, ou dans *pâte, pâté* et *pâtissier* ou *pâtisserie*[70]. On peut dire que ces deux derniers mots, et plus encore *pâmoison*, ne conservent leur accent circonflexe que par une pure convention, respectueuse de l'étymologie. En revanche, *tatillon*, qui se rattache à *tâter*, mais qui a l'*a* ouvert, n'a jamais eu d'accent. Il en est de même des mots *acrimonie, diffamer* et *infamie, gracieux* et *gracier*, malgré l'accent circonflexe arbitraire que les grammairiens ont mis à *âcre, infâme* et *grâce*[71].

Même quand ils n'ont pas d'accent circonflexe, les *a* qui étaient fermés et longs, étant toniques, s'abrègent bien un peu, mais ne s'ouvrent guère le plus souvent quand ils deviennent *prétoniques*, c'est-à-dire avant-derniers, comme dans *gagner*, de *gagne*, ou quand ils ne sont séparés de la tonique que par un *e* muet, ce qui est ordinairement la même chose pour l'oreille. Ainsi *grasse* et *grass(e)ment, grave* et *grav(e)ment* ou même *accable* et *accablement*[72].

A plus grande distance de la tonique, la voyelle s'ouvre davantage: les *a* de *barricade*, de *grasseyer*, de *damnation*, de *fabuliste*, de *cadavéreux* sont même tout à fait ouverts[73].

Un phénomène pareil se produit même dans des mots composés: l'*a* fermé et long de *passe*, déjà un peu flottant dans *passant*, s'ouvre tout à fait, non seulement dans *passementerie*, mais même, si l'on veut, dans *passeport* ou *passepoil*[74].

Mais voici qui est plus important: *certains a toniques fermés s'ouvrent même en devenant prétoniques*, comme dans *cadran* ou *classique*; ainsi dans *flammèche* ou *enflammer*, plus encore dans *inflammable* et les autres dérivés, ainsi que dans *diablesse, diablotin* ou *endiablé*, sauf par emphase. Dans *basset, bassesse, basson* ou *soubassement*, l'*a* paraît avoir aussi tendance à s'ouvrir[75].

A fortiori, s'il est déjà douteux qu'il faille fermer l'*a* de *matelas* ou de *cadenas*, on ne saurait évidemment conseiller de fermer celui de *matelasser* ou de *cadenasser*: ce sont des prononciations parisiennes fort peu recommandables. De même, il n'est pas indispensable de fermer l'*a* de *garer* ou *rareté*, ou celui de *cassette*, et je conseillerais encore moins de fermer celui de *casserolle*. La manière de prononcer *espacer*, *lacer*, *lacet* ou *enlacement*, *brasser* ou *brasseur*, dépendra de celle dont on prononce *espace*, *lace* ou *brasse*.

De même, pour les mots en **-ailler**, **-ailleur**, **-aillon**, etc., c'est la manière de prononcer *aille* qui décidera. Ainsi l'intention péjorative paraît se marquer par l'*a* fermé dans *écrivailler* ou *écrivailleur*, *brailler* ou *brailleur*, *graillon* ou *avocaillon*, etc. On ferme aussi l'*a* dans *railler* ou *dérailler* (et aussi dans *joaillier*), mais non pas dans *travailler* ou *travailleur*, *émailler*, *corailleur*, *détailler* ou *bailler* (donner). On le ferme dans *haillon*, et au besoin *paillon*, mais non dans *médaillon*, ni même dans *bataillon*, de quelque manière qu'on prononce *bataille*.

On prononcera *tailleur* suivant la manière dont on prononce *taille*. Surtout il n'y a aucun inconvénient à ouvrir l'*a* dans *poulailler*, dans *cailler* et *caillot*, et dans presque tous les dérivés et composés de *paille*, comme *paillard*, *rempailler*, *paillasse*, *paillette*, et surtout *paillasson*[76].

Il va sans dire que s'il n'y a pas de forme tonique en *-aille*, il n'y a plus aucune raison pour que *-ail-* prétonique soit fermé; aussi est-il ouvert de préférence dans tous les mots qui commencent par *cail-*, comme *caillette*, *caillasse* et *caillou*; de même, et plus sûrement encore, dans *ailleurs*, *maillet*, *maillot*, *saillir*, *jaillir* et leurs dérivés, et dans *crémaillère*[77].

En revanche, il peut arriver que l'*a* prétonique soit *fermé*, *même sans avoir été tonique*, et cela pour les mêmes raisons que l'*a* tonique. Ainsi on a vu que la sifflante douce fermait l'*a* tonique des finales en *-ase* ou *-aze*, et par suite l'*a* des verbes en *-aser* et de leurs dérivés; elle ferme aussi l'*a* atone, non sans quelque flottement, dans *alguazil*, *basalte*, *basane* et *basané*, *bazar*, *basilic* et *basilique*, *basoche*, *blason* et *gazon*, *jaseran*, *masure*, *mazette*, *nasal* et *naseaux*, *quasi*, et quelques autres, si l'on veut; sensiblement moins ceux des mots en *-asif* et *-asion*; très peu aujourd'hui ceux de *gazelle*, *gazette* ou *gazouiller*; plus du tout ou presque plus ceux de *faséole* et surtout *casemate*[78].

L'*r* aussi, surtout l'*r* double, sert à fermer l'*a* prétonique dans un certain nombre de mots, sans que ce soit indispensable, notamment dans les mots de deux syllabes en *-aron*, parce que la prétonique y est initiale: *baron*, *charron*, *larron*, *marron*, en opposition avec *fanfaron*, *macaron* ou *mascaron*, dont l'*a* est toujours ouvert[79]. L'*a* se ferme encore assez souvent dans *carriole*, *carrosse*, *chariot* et *charrue* (mais beaucoup moins dans *charrette*, *charrier* ou *charroyer*); aussi dans *sarrau*, *parrain* et *marraine*[80]; dans *madré*, dans *scabreux*, et, si l'on veut, dans *madrier* et *marri*. A Paris, on y ajoute même *carotte*, mais je ne conseille pas de fermer cet *a*, non plus celui de *jarret*, *baroque*, *haro*, *tarot* et même *garrot*, moins encore celui de *bigarré*, déjà signalé, ou même *bigarreau*[81].

L'*a* est encore long et fermé dans quelques mots comme *magot*, *maçon* et ses dérivés; et si *estramaçon* a gardé l'*a* bref et ouvert, *limaçon* suit parfois l'analogie de *maçon*. Il est encore plus ou moins fermé, mais il tend à s'ouvrir, dans *cassis*[82], *chalet, jadis, lama, maflu, maquis, naïades, praline* et *praliné, ramure, smala, tasseau, valet*; il est sûrement ouvert et bref aujourd'hui dans a*nis, pomme d'api, chassieux, madeleine, passereau*[83].

D'autre part, on contrarie mal à propos la tendance générale de la langue, quand on ferme l'*a* devant deux consonnes distinctes, comme dans *mardi, pascal, pastel, pasteur* et ses dérivés, où l'*a* est naturellement moyen, malgré l'usage parisien[84].

Le souvenir de la quantité latine fera fermer correctement l'*a* dans *stabat*, a*men, frater, alma mater*, et dans *ab irato, casus belli, de plano, sine qua non*, ainsi et que dans *postulatum, ultimatum* et autres mots en -*atum* et -*arium*, qui ont gardé l'allure du latin; mais il y a doute déjà pour *hiatus* et *stratus*, pour *gratis* et *in-plano*, plus encore pour *majeur* ou *major*[85].

La prononciation de l'*a* dans les mots en **-ation** ou **-assion** varie énormément, mais il tend à s'ouvrir; il est même certainement ouvert dans *nation*, et je ne conseille pas de le fermer dans *passion* et *compassion* et leurs dérivés. Quant aux mots en **-ateur, -atrice, -atif** ou **-ature**, ils ont l'*a* parfaitement ouvert, malgré l'étymologie, ainsi que *a priori* ou *a posteriori*[86].

L'*a* est encore fermé dans *pali*, langue de l'Hindoustan, quelquefois écrit *pahli*[87].

5° Quelques cas particuliers.

Dans *maman* et *nanan*, la première syllabe s'assimile à la seconde dans l'usage familier, par une sorte d'attraction, et l'on entend beaucoup plus souvent *man-man* et *nan-nan* que *maman* et *nanan*, qui même ont un air d'affectation[88]; on dit même sans sourciller *moman*, sans doute par l'intermédiaire de *mon-man*, sans parler de *m'man* qui rappelle exactement *m'sieu*.

Dans *août*, l'*a* a cessé de se prononcer depuis le XVIe siècle, à cause de la répugnance que le français a pour l'hiatus, absolument comme dans *saoul*, qui s'écrit encore mieux *soûl*. On a malheureusement continué d'écrire *août* avec un *a*, comme on a continué d'écrire l'*o* de *paon, faon* et *taon*, qui ne se prononce pas davantage[89]; mais la prononciation *a-ou* est aussi surannée et devrait paraître aussi ridicule que *pa-on*. La Fontaine écrivait même *oût*:

Je vous paierai, lui dit-elle,
Avant l'*oût*, foi d'animal,
Intérêt et principal[90].

Boileau ne prononce pas autrement:

Et qu'à peine au mois d'*août* l'on mange des pois verts.

On peut dire que, du XVIe au XIXe siècle, il n'y avait plus de discussion sur ce point. «*Août* se prononce *oût*», dit Voltaire, dans l'*Avertissement de Zaïre*. Jusqu'en 1835, l'Académie dit: «Prononcez *oût*.» Mais déjà l'antique prononciation avait reparu. D'où venait-elle? S'était-elle conservée dans quelques provinces, ou était-elle seulement la réaction de l'orthographe?

Déjà Domergue se plaignait que les orateurs démocrates, pour rappeler le 10 août 1792, prononçassent *a-ou*. Dans la première moitié du XIXe siècle, on trouve cette prononciation jusque chez les poètes, peut-être même surtout chez les poètes, dans Sainte-Beuve toujours, dans Victor Hugo presque toujours; et il en est de même aujourd'hui, notamment dans Henri de Régnier.

Elle n'en est pas meilleure. Elle s'est tellement répandue au cours du siècle dernier, que l'Académie en est venue à dire dans son édition de 1878: «On prononce souvent *oût*.» Ce *souvent* est délicieux. Peut-être faut-il lire: «On prononce souvent *a-oût*.» Cela au moins serait exact. Mais on serait dans la vraie tradition française en prononçant toujours et uniquement *ou*[91].

Le cas d'*aoriste* est sensiblement pareil à celui d'*août*. L'*a* avait cessé de se prononcer, sauf chez quelques puristes, pour qui *oriste* avait un sens opposé à celui d'*aoriste*; mais il a revécu de nos jours, et comme l'influence de la prononciation populaire n'est pas là pour contre-balancer celle de l'écriture, *a-oriste* paraît devoir l'emporter, malgré le désagrément de l'hiatus[92].

Enfin *extra-ordinaire* ne se maintient que dans le langage soutenu: on dit couramment *extrordinaire*[93].

6° L'A dans les mots anglais.

Ce travail ne serait pas complet, si l'on n'y parlait pas de l'*a* des mots étrangers adoptés par le français, et notamment des mots anglais, dont la prononciation est si différente de la nôtre[94].

Quelques mots, dus à la transmission orale, ont pu être francisés tant bien que mal avec la prononciation anglaise ou à peu près; ainsi *bébé*, qui vient probablement de *baby*, quoique Littré lui donne une autre étymologie. De même *bifteck*, *romsteck* ou *rosbif*.

Mais le plus souvent les mots étrangers, surtout les anglais, se francisent à moitié seulement. Cela tient à ce qu'au lieu de partir du son, comme pour les mots que nous venons de citer, on part généralement de l'écriture; or la masse, qui ignore les langues étrangères, conserve pourtant une sorte de scrupule malencontreux, et fait effort pour conserver quand elle peut une allure étrangère aux mots étrangers qu'elle adopte, et cela surtout dans la désinence.

On indiquera, ici et ailleurs, la prononciation qui prévaut dans l'usage le plus ordinaire. Nous nous excusons particulièrement auprès des professeurs d'anglais, à qui nous ne faisons nullement concurrence: il est bien entendu que ce n'est pas de prononciation *anglaise* qu'il est question ici. Et en effet, on ne s'adresse pas aux gens qui savent l'anglais, mais au contraire à ceux qui ne le savent pas, pour leur indiquer dans quelle mesure ils peuvent franciser les mots anglais sans être ridicules; on enseignera donc la prononciation à demi francisée que les Français adoptent le plus généralement.

Dans les mots anglais adoptés par le français, c'est précisément l'*a* qui est le plus ordinairement altéré; le reste du mot garde à l'occasion une apparence exotique, surtout à la finale. Ainsi nous avons francisé à moitié *square*, puisque nous ne prononçons plus *scouèr*, et moins encore *scar*, mais *scouar*, entre les deux; cela tient à ce que nous avons pris à l'étranger d'autres mots où *qua* se prononce aussi *coua*. Il en est de même de *bookmaker*; car si quelques-uns le prononcent à peu près à l'anglaise *boukmèkeur*, la plupart, sachant par ailleurs que *oo* se prononcent *ou*, acceptent cette prononciation, mais francisent la fin du mot d'après l'écriture, ce qui fait *boukmakèr*[95].

On peut franciser sans doute *cottage*, aussi bien que *lady* ou *macfarlane* et même *challenge* et *skating*, quoique beaucoup prononcent ce mot par *é*[96].

Dans les mots anglais qui ne sont pas francisés du tout, l'*a* se prononce à l'anglaise ou à peu près, c'est-à-dire entre *a* et *é*, plus près de *é*. Mais comme l'*e* n'est fermé en français que quand il est final, c'est plutôt un *e* ouvert que nous faisons entendre dans ces mots[97]. *Rallye* employé seul tend à se franciser[98].

Devant un *l*, l'*a* se prononce à peu près comme *o* ouvert, dans a*ll right* et *hall*, et *walk over*[99].

Yacht aussi, après s'être longtemps prononcé *yac*, est devenu au siècle dernier *yote* chez les personnes qui ont l'usage de l'anglais, chez les marins, et aussi chez les snobs. Un jour pourtant, les gens de sport se sont aperçus que *yacht*, emprunté à l'anglais, il est vrai, n'était pas anglais de naissance, mais hollandais. Or, précisément, les Hollandais prononcent à peu près *yact* à l'allemande. Les Anglais avaient sans doute eu raison d'angliciser le mot pour leur usage personnel; mais pour quelle raison devrions-nous prononcer comme eux, en leur empruntant un mot qui n'est pas à eux? Ne valait-il pas mieux ou bien faire comme eux, c'est-à-dire franciser le mot complètement et prononcer *yact*, ou bien conserver la prononciation *yac*, admise depuis longtemps et, par suite, francisée? C'est ce qui a paru à beaucoup de gens; si bien qu'aujourd'hui le mot a trois prononciations dont la plus ancienne, et peut-être la meilleure, est *yac*; et tel fut, sauf erreur, l'avis des hommes de sport les plus qualifiés, le jour où la question fut posée dans le journal le *Yacht*[100].

L'*a* précédé de l'*e* ne se francise pas; nous le prononçons tantôt *è* comme dans *break* ou *dead-heat*[101]; tantôt *eu* ouvert, comme dans *yearling*; plus souvent *i*, comme dans *clearing-house*, *dead-heat*, *greatevent*, *gulf-stream*, *leader*, *if you please*, *reader*, *season*, *speak* et *speaker*, *steamer*, *steamboat* et *teagown*[102].

Les deux sons *è* et *i*, réunis dans *Shakespeare*, sont si bien francisés dans cette prononciation, qu'on en a fait le mot français *shakespearien* (chexpirien).

Dans *cold-cream* (colcrem, par *è* au lieu d'*i*), le français a repris son bien (crème), mais en laissant au mot l'allure étrangère par la brièveté de la finale, comme dans *break*.

Oa sonne *o*, plus ou moins ouvert dans *boarding house*, *mail-coach* et *toast*, plus ou moins fermé dans *over-coat* et *cover-coat*, *coaltar* et *steamboat*[103].

Raout se prononce de préférence et s'écrit aussi *rout*.

Aw sonne comme *o* fermé dans *lawn-tennis*, *outlaw*, *drawback* et *tomahawk*[104].

7° Le groupe OI (oy).

Le son *oi* se prononce aujourd'hui *oua* ou *wa*[105]. Ce groupe n'est donc plus qu'un cas particulier de *a*, et les usages sont sensiblement les mêmes pour *oi* que pour *a*, avec cette différence que le nombre des finales où figure *oi* est beaucoup plus restreint, et que sa prononciation est beaucoup plus uniforme. Je ne parle pas de *oi* atone qui est généralement sans intérêt.

I. **OI tonique.**—Comme l'*a* final, *oi* final n'est ni long ni fermé, sans être tout à fait bref, ni tout à fait ouvert, et cela avec ou sans consonne indifféremment, et après un *r*, aussi bien qu'après une consonne quelconque: *un ab*oi, *des ab*ois, *p*ois, *p*oix et *p*oids, *je cr*ois, *il cr*oit, *la cr*oix, *effr*oi, etc.: *oît* même n'est pas plus long, et ceci rappelle les formes verbales en *-ât*: *tourn*oi, *dan*ois, *ben*oît diffèrent bien peu, s'ils diffèrent[106]. Pourtant *oi* est ordinairement plus fermé dans les substantifs *mois* et *bois*.

Oie même n'est pas plus long aujourd'hui que *oi*, sauf en vers, pour distinguer les rimes féminines des masculines: cette distinction a disparu de l'usage courant, même dans le mot *oie*[107].

*Harn*ois a été définitivement remplacé par *harn*ais; pourtant on peut encore prononcer *oi* à la rime, mais seulement au sens figuré:

Sire, ainsi ces cheveux blanchis sous le harn*oi*s,
Ce sang pour vous servir prodigué tant de f*oi*s...[108]

Passons à *oi* suivi d'une consonne articulée.

Devant une sourde, *oi* s'ouvre et s'abrège comme l'*a*: *c*oi est à *c*oite, comme *délic*at à *délic*ate; on ne prononce même plus guère une *b*oîte autrement que *il b*oite. De même *s*oif ou *c*oiffe; et la finale *-oisse*, de *par*oisse ou *ang*oisse, autrefois longue, comme sa sœur *-aisse*, s'est fort abrégée dans l'usage le plus général.

Comme l'*a* encore, *oi* est moins bref, mais tout aussi ouvert, *devant d, l, n*, et *gn* mouillé: *fr*oide, *p*oil, *ét*oile, *m*oine et *s*oigne. Quant à *r*oide et ses dérivés, il faut laisser cette prononciation d'il y a deux siècles à la Comédie-Française, à moins qu'elle ne soit nécessaire dans la lecture pour la rime *fr*oide; la seule forme usitée est *raide*, avec tous ses dérivés, et l'Académie française elle-même n'en connaît pas d'autre depuis un demi-siècle[109].

Comme l'*a* toujours, *oi* s'allonge dans *-oir* ou *-oire*, sans se fermer sensiblement: *voul*oir et *gl*oire, *dev*oir et *iv*oire[110].

Devant une spirante sonore, *oi* est plutôt moins long que l'*a*, et surtout il ne se ferme pas comme l'*a* devant *z*. Si *v*ois-*je* est à peu près pareil à *riv*age, *oi* est plus ouvert et plus bref dans *reç*oive que *a* dans *b*ave ou *gr*ave. De même et surtout, si autrefois *oi* a pu être fermé dans *-oise*, comme *a* dans *-ase*, il n'en reste plus grand'chose aujourd'hui, et il est plus ouvert, quoique plus long, dans les féminins que dans les masculins: *bourge*ois, *bourge*oise; *court*ois, *court*oise; *dan*ois, *dan*oise, et de même *framb*oise, *turqu*oise ou *appriv*oise.

Oi est un peu moins ouvert dans *goitre, cloître, croître* et ses composés, et *poivre*; mais même dans *-oître*, il n'est plus fermé comme *a* l'est encore dans *-âtre*.

En somme, on peut dire que *oi* n'est plus fermé nulle part, et l'accent circonflexe ne joue plus aucun rôle dans la prononciation de cette voyelle[111].

II. **Le groupe OIGN.**—Nous devons dire un mot, pour terminer, du groupe *oign*. A l'origine, la graphie de l'*n* mouillé n'était pas *gn*, comme aujourd'hui, mais *ign*[112]. Il en résulte que dans le groupe *-oign-*, c'est *o* et non *oi* qu'on prononçait normalement: *beso-igne, ivro-igne, po-ignard*. La suppression de l'*i* a conservé la prononciation d'un certain nombre de ces mots, d'abord *besogne* et *besogner, grogner, ivrogne, rogne, rogner, trogne, trognon, vergogne*, et un peu plus tard *rognon* et *cogner* ou *cognée*, avec *encognure*, qui s'écrit encore trop souvent *enco-*ign*ure*. Les autres ont gardé leur *i*, malheureusement, et leur prononciation s'est altérée: encore un des méfaits de l'orthographe! L'hésitation a été longue, mais les efforts des grammairiens n'ont rien obtenu. Il y a beau temps déjà qu'on prononce définitivement *oi* dans *joignons, soigner, éloigner, témoignage*[113]. Les autres ont suivi. *O*(i)*gnon* seul a résisté victorieusement, et se prononce exclusivement par *o*: cela tient évidemment à ce qu'il est très populaire et enseigné presque uniquement par l'oreille; *oi-gnon* est donc ridicule[114]. On prononce encore assez souvent *mo*(i)*gnon*, et le peuple dit fort justement *po*(i)*gne* et *empo*(i)*gner*; mais ceci passe déjà pour familier, ainsi que *la foire d'empo*(i)*gne*, ces mots étant d'ailleurs plutôt d'usage populaire. Quant à *poi-gnet, poi-gnée, poi-gnard*, qui sont d'usage littéraire aussi bien que populaire, et plus encore *poi-gnant*, qui est plutôt littéraire, on peut dire que leur prononciation est définitivement altérée. Il est assurément fâcheux que l'*i* de ces mots n'ait pas été supprimé à temps; mais ce qui est fait est fait, à tort ou à raison, et *pognard* ou *pognet* sont absolument surannés, au moins dans l'usage des personnes instruites[115].

De ces mots on peut en rapprocher deux ou trois autres. *Poireau*, dont la forme nouvelle n'est pas expliquée, s'écrivait autrefois *porreau*, et peut encore s'écrire ainsi et se prononcer de même, du moins au sens propre; mais on prononce toujours *oi* dans l'expression populaire *faire le poireau*, ainsi que dans *poireau*, désignant la décoration du *Mérite agricole*. D'autre part *poitrine* et *poitrail* ne peuvent plus se prononcer correctement par *o* tout seul[116].

L'anglais *boy* se prononce *boï*, mais en une syllabe. Il devrait en être de même dans *boycotter*; mais le mot est à peu près francisé avec le son *oi*[117].

II.—LA VOYELLE E

Il ne sera pas question ici de l'*e* muet proprement dit, qui sera l'objet d'un chapitre spécial, et qui d'ailleurs *n'est jamais tonique*[118]. Nous parlerons seulement de l'*e* accentué. Peu importe d'ailleurs qu'il soit ou non surmonté du signe qu'on appelle accent: *aimé* ou *aimer*, *succès*, *mortel* ou *rebelle* appartiennent également à ce chapitre[119].

1° L'E final.

En règle générale, l'*e* tonique est fermé quand il est final, ou suivi d'un *e* muet, ou d'une consonne qui ne se prononce plus (sauf dans les finales *-et* et *-ès*); il est au contraire toujours plus ou moins ouvert quand il est suivi d'une consonne articulée[120]. L'*e* est donc ouvert en somme dans presque toutes les catégories; mais les catégories, en très petit nombre, où il est fermé, ont beaucoup plus de mots que toutes les autres ensemble.

I. **E final fermé.**—Les mots qui ont l'*e* final fermé sont les suivants:

1° La lettre *e* elle-même et les noms des consonnes *b, c, d, g, p, t, v*, et les innombrables mots en *-é*, substantifs, adjectifs, participes: *bont*é, *zél*é, *aim*é, etc., etc.

Il faut y joindre les mots latins, francisés ou non, c'est-à-dire écrits ou non avec l'accent aigu[121]. Par suite *vic*(e) *versa*, qu'on entend parfois, est aussi inacceptable que *fac-simil*(e).

Nous devons parler aussi des mots italiens à *e* final. Quand nous ne les francisons pas du tout, nous leur conservons l'accent italien, qui est ordinairement sur la pénultième, et nous faisons très peu sentir l'*e*, comme dans *lazaron*e, *ciceron*e, *farnient*e, *sempr*e, *con amor*e, *furia frances*e, *anch' io son pittor*e, *e pur si muov*e. D'autres mots sont francisés, mais nous avons pour cela deux méthodes. Ou bien c'est la francisation complète, avec *e muet*, comme dans *dilettant*(e), et aussi *andant*(e), si bien francisé avec *e muet*, qu'on le prend comme substantif: *un andant*e; on peut y joindre *canzon*(e), et même *vivac*(e), qui s'est naturellement confondu avec le français *vivace*: c'était fatal. Ou bien, et c'est le cas le plus fréquent, nous ne francisons les mots qu'à demi, et c'est alors un *e* fermé que nous prononçons, comme dans *piano fort*e, *cantabil*e, *a piacer*e, *dolc*e, *mezzo-termin*e. Dans *fara da s*e, l'*e* est accentué, même en italien[122].

2° A la catégorie de l'*e* final fermé appartient aussi: *pied*, qui devrait s'écrire et s'est longtemps écrit *pié*, même en prose, et non pas seulement pour la rime; puis *sied* et *messied*, *assied* et *assieds*. Mais la prononciation d'*assied* est moins sûre que celle de *pied*. Elle paraît flotter entre l'*e* fermé de *pied* et l'*e* ouvert des mots en *et*. Peut-être est-ce l'*s* d'*assieds* qui en est cause; en tout cas l'*e* d'*assieds-toi* est plutôt moyen.

Je ne parle pas de *clef*, qui s'écrit aussi *clé*.

3° Les innombrables mots en **-er**, ou **-ier**, dans lesquels l'*r* ne se prononce pas: *aimer*, *prier*, *pommier*, *meunier*, *régulier*, *archer*, *messager*, *léger*, etc.[123].

4° Les mots en **-ez** où le *z* ne se prononce pas, à savoir: les formes verbales de la seconde personne du pluriel, *aimez*, *aimiez*, *aimeriez*; le substantif *nez*; la préposition *chez*; l'adverbe *assez*; enfin l'ancienne préposition *lez* (près de), des noms de lieux[124].

Il y avait aussi autrefois un adverbe *rez* (au niveau de), qui était également fermé: il n'existe plus que dans le substantif *rez-de-chaussée*, où il s'est ouvert et abrégé, en devenant atone[125].

La distinction entre l'*e* final, qui est fermé, et l'*e* suivi d'une consonne articulée, qui est ouvert, est si marquée et si constante, que quand les infinitifs en **-er** (*é*) se lient avec la voyelle suivante, liaison qui se maintient au moins en vers pour éviter l'hiatus, l'*e* s'ouvre aussitôt, au moins à moitié: tous les efforts des grammairiens, comme Domergue, pour maintenir l'*e* fermé, ont échoué. Ainsi dans l'hémistiche *pour aller à Paris*, avec liaison, l'*e* est intermédiaire entre l'*é* fermé d'*aller* et l'*è* ouvert de *colère*. Peut-être aussi l'affaiblissement de l'accent contribue-t-il à cette ouverture.

Les finales masculines en **-é** sont fermées en quelque sorte si nécessairement, que même des finales qui furent longtemps ouvertes—par la volonté des grammairiens beaucoup plus que par une tendance naturelle—ont fini par se fermer de nouveau définitivement: ce sont les articles et pronoms monosyllabiques *les*, *des*, *ces*, et *mes*, *tes*, *ses*[126]. A la vérité, beaucoup d'acteurs, de professeurs, d'orateurs, s'efforcent encore d'articuler *lès hommes*, et essayent de résister à l'usage universel, mais cette prononciation est absolument conventionnelle. Elle est bonne tout au plus dans le chant, qui a des exigences propres: quand on parle, on ne saurait prononcer *mes* dans *mes sœurs* autrement que dans *mesdames*, où il est certainement fermé. Même après un impératif, le pronom *les*, devenu tonique, est aussi fermé que l'article dans l'usage universel. Sans doute les poètes continuent à faire rimer *donne-les* avec *poulets* ou *balais*, mais c'est affaire à eux, et on ne voit pas pourquoi *les* aurait deux prononciations, une en prose, une en vers[127].

II. **E final ouvert.**—Ainsi le français ignore l'*e* *ouvert* final. Il y a pourtant, nous l'avons dit, deux exceptions, non pas pour *é* tout seul, mais pour l'*e* suivi de consonnes non articulées.

1° Les mots en **-et**, assez nombreux, avec ou sans *s*: *gib*et, *cad*et, *m*ets, *r*ets, etc. Il faut excepter encore la conjonction *et*, qui est toujours fermée, mais qui pourtant semble avoir tendance à s'ouvrir par analogie.

L'*e* est tellement ouvert dans les mots en **-et**, qu'il ne l'est pas sensiblement plus dans les mots en **-êt**[128]: *ben*êt et *bonn*et, *for*et et *for*êt riment parfaitement ensemble. *Il est*, qui a gardé son *s*, est de la même famille, mais son *e* est moyen, même quand il est tonique, à fortiori quand il est atone, c'est-à-dire le plus souvent: *qu'*est-*ce que c'*est? *c'*est *lui*, ainsi dans *c'*est *vrai*, *est* est moins ouvert que *vrai*.

Fouet s'est longtemps prononcé *foi*, mais l'orthographe a réagi sur la prononciation.

2° Un certain nombre de mots en **-cès, -grès** ou **-près**, dérivés de mots latins en *-cessus, -gressus* et *-pressus*, à savoir: *déc*ès, *proc*ès, *abc*ès, *exc*ès et *succ*ès; *progr*ès et *congr*ès; *pr*ès, *apr*ès, *aupr*ès, *expr*ès, et le substantif *cypr*ès[129]. De plus, sans doute par analogie, *gr*ès, *agr*ès et *tr*ès; enfin *d*ès et *prof*ès. *Tu es* a plutôt l'*e* moyen, un peu plus ouvert dans *folle que tu es* que dans *tu es folle*.

La tendance à fermer l'*e* final est si marquée en français que, même pour ces deux catégories, *-et* et *-ès*, dans beaucoup de provinces on ferme l'*e*, comme dans *mes* ou *les*. Cette prononciation, qui n'est pas nouvelle, est peut-être destinée à triompher un jour de nouveau; en attendant, elle est tout à fait vicieuse, et c'est un des défauts dont il faut se garder le plus.

En parlant de l'*e* fermé, ou plutôt de l'*e* final, même ouvert, nous n'avons rien dit de la quantité. C'est qu'elle est la même partout: sans être tout à fait bref, l'*e* final n'est jamais long; comme l'*a* final, il est moyen partout, dans *succ*ès, *cabin*et ou même *for*êt, comme dans *aim*er, *aim*é ou *aim*ez. La question est donc sans intérêt[130].

Pourtant les finales féminines en **-ée** et **-ées** furent jadis et peut-être même devraient être un peu plus longues que les masculines. Elles ont fait comme les finales en **-oie**, et nous retrouverons le même phénomène dans les finales en **-aie, -eue, -ie, -ue, -oue**. Dans toutes ces finales, sauf tout au plus les finales en **-ie** (et encore!), la distinction d'avec la finale masculine a complètement disparu de l'usage courant: elle ne se maintient plus que dans une prononciation très soutenue, et surtout en vers, où le prolongement du son a pour but de faire encore distinguer, *s'il est possible*, les rimes masculines des rimes féminines. Ce n'est plus qu'un artifice de diction[131].

2° L'E suivi d'une consonne articulée.

Ainsi l'*e* fermé français n'est jamais long, mais toujours moyen. Au contraire l'*e* ouvert peut être, suivant les cas, bref, moyen ou long. C'est ce que nous allons voir en étudiant l'*e* suivi d'une consonne articulée. Cet *e*, comme nous avons dit, est toujours plus ou moins ouvert[132]. Mais il est surtout beaucoup plus ouvert quand la voyelle est longue que quand elle est brève ou moyenne: *ouvert* et *long* sont ici proportionnels[133].

L'ordre adopté pour la voyelle *a* s'impose également pour l'*e*.

I. **E bref.**—Les finales brèves sont celles qui ont une explosive brusque, *c*, *p*, *t*, ou une spirante sourde, *f*, *ch*, *s*.

1° *-ec* (avec *-ech* non chuintant ou *-eck*) et *-èque*: be*c*, éche*c*, vare*ch*, bifte*ck*, chè*que*, pastè*que*[134].

2° *-ep* et *-eppe*: ju*lep*, ste*ppe*. Cè*pe*, qui n'a qu'un *p* devant l'*e* final, est resté plus long et plus ouvert que *steppe* ou *œp*: nous retrouverons ailleurs cette différence entre la consonne simple et la consonne double[135].

3° *-et* et *-ète* ou *-ette*: ne*t* et ne*tte*, se*pt*, diè*te* et mie*tte*, cachè*te* et cache*tte*, complè*te* et emple*tte*, secrè*te* et regre*tte*[136].

Naguère encore la finale *-ète* était moins brève que *-ette*: il est bien difficile de saisir aujourd'hui une différence entre les mots qu'on vient de lire[137]. *Vous êtes* s'est lui-même fort abrégé, malgré l'accent circonflexe, surtout devant un mot, parce qu'il perd l'accent: *vous êtes fou*. En vers pourtant, la finale *-ète* reste souvent plus longue et plus ouverte, au moins pour rimer avec *-ête*, et cette ouverture se maintient parfois dans la diction soutenue pour certains mots, comme *prophète* et surtout *poète*[138]. Mais quand on dit dans le langage courant *les poètes français*, il est bien certain que l'*e* de *poète* n'est pas plus ouvert que celui de *muette*.

Couette et *bouette* s'écrivent aussi *coite* et *boite*, et se prononcent ainsi. Quelques-uns prononcent encore *foite* et *foiter* pour *fouette* et *fouetter*, mais cette prononciation est désormais surannée, presque autant que celle de *foi* pour *fouet*: c'est toujours la réaction fâcheuse de l'orthographe sur la prononciation, mais on n'y peut rien[139].

4° *-ef* et *-effe* ou *-èphe*: *f*, reli*ef*, che*f*, gre*ffe*[140].

5° *-èche*: bobè*che*, sè*che*. Malgré l'accent circonflexe, *pimbêche* a aussi l'*e* bref. Pourtant il s'écrivait autrefois avec un *s*[141]; ainsi:

Haute et puissante dame Yolande Cudasne
Comtesse de *Pimbesche*, *Orbesche*, et cætera;

mais il faut croire que l'*e* s'est abrégé, ou bien cet *sch* venait de l'allemand, et équivalait au *ch* français: l'accent circonflexe ne serait donc pas justifié. En revanche on allonge quelquefois l'*e* dans *crèche* et *brèche*, en achevant de l'ouvrir[142].

6° **-èce** et **-esse** ou **-esce**, mais non **-ès**: la lettre *s* (écrite aussi *esse*), *nièce* et *vieillesse*, *espèce* et *papesse*, *noblesse*, *allégresse*, *vesce*, etc. Les verbes *œsse* et *presse* et leurs dérivés ont conservé généralement un *e* un peu plus long; les autres se sont abrégés[143].

Quant aux mots en **-ès** à *s* articulé, ils ont tous l'*e* long, comme les mots en **-as**, dans le même cas; mais, de même que les mots en **-as**, ils ne sont pas français: ils sont latins, comme *palmarès* ou *facies*, ou étrangers, comme *londrès* ou *cortès*[144]. L'*e* n'est bref ici que quand il est suivi de deux *s*, comme dans *express* et *mess*, et ces mots sont aussi étrangers.

Est-ce devrait être long, mais il ne l'est guère, même quand il est tonique: *à qui est-ce* diffère peu de *acquiesce*; à plus forte raison quand il ne l'est pas: *est-ce à lui?* D'autre part l'article pluriel composé archaïque *ès* (en les) avait autrefois l'*s* muet et l'*e* ouvert, comme dans la préposition *dès*; on prononce aujourd'hui l'*s*, mais l'*e* reste bref et n'est qu'à demi-ouvert: *bachelier ès lettres*. Ces deux mots rentrent donc dans la règle générale.

Pour ce qui est de *pataquès*, une anecdote bien connue, racontée par Domergue, le tire de la phrase *je ne sais pas-t-à-qu'est-ce*, pour *je ne sais pas à qui c'est*[145]. A ce compte, il devrait avoir l'*e* bref; mais il a suivi l'analogie de tous les mots en *ès*[146].

II. **E moyen.**—L'*e* est un peu moins bref devant une explosive retardée, *b*, *d*, et *g* guttural, devant *l*, *m* et *n*, et devant les consonnes mouillées, ainsi que devant la spirante sonore *j* (ou *g* devant *e* et *i*).

1° **-eb** et **-èbe**: *éphèbe*, *glèbe*. On allonge quelquefois les monosyllabes *glèbe* et *plèbe*, mais ceci n'est pas d'un bon exemple[147].

2° **-ed** et **-ède**: *z*, *remède*, *possède*[148].

3° **-eg** et **-ègue**: *bègue*, *grègues*[149].

4° **-el** et **-èle** ou **-elle**: *l*, *appel*, *appelle* ou *épèle*, *tel*, *telle* ou *attelle*, *marièle* ou *immortelle*[150]. On voit que la différence entre les formes verbales en *-èle* et *-elle* est une simple question d'orthographe, assez ridicule d'ailleurs et souvent douteuse[151].

Pourtant le monosyllabe *hèle* est généralement long; de même *zèle* et aussi *stèle*, qui garde la quantité grecque. Ces mots se prononcent comme ceux qui ont l'accent circonflexe[152].

En revanche, le substantif *grêle*, autrefois *gresle*, comme l'adjectif, s'est différencié de lui en s'abrégeant.

D'autre part le pronom *elle* s'allonge aussi quand il est tonique, mais seulement à la suite d'une préposition: bref ou moyen dans *dit-elle*, aussi bien que dans *elle dit*, il paraît long dans *pour elle, sur elle, avec elle,* etc. De même *réelle*, à cause de la nécessité de distinguer les voyelles identiques, et quelquefois *pelle*.

Il y a la même différence entre *moelle* et *poêle* qu'entre *belle* et *bêle*, mais c'est *oua* qu'on entend, ouvert dans *moelle* (mwal) et dans ses dérivés, ainsi que dans *moellon*, fermé dans *poêle* (pwâl) et ses dérivés[153].

5° *-em* et *-ème* ou *-emme*: *m, harem, sème, dilemme, centième.*

Toutefois, dans beaucoup de mots en *-ème*, surtout des mots savants, la prononciation soutenue, un peu oratoire, fait l'*e* aussi long que dans les mots en *-ême*[154]. On ne perçoit guère de différence entre *blême* et *emblème, carême* et *théorème, baptême* et *anathème*. De même, en vers, on allonge généralement *poème* et *diadème*, surtout à la rime, sans parler de *crème* ou *stratagème*[155]. L'étymologie grecque, d'une part, la poésie et la rime d'autre part, et l'enseignement, qui insiste outre mesure sur l'accent grave, ont dû contribuer à amener cette confusion. Les seuls mots, ou à peu près, qui ne soient pas atteints, sont les adjectifs numéraux en *-ième*, où l'*e* reste toujours moyen, et surtout *sème* et ses composés, qui suivent l'analogie des verbes en *-eler* et *-eter*. On pense bien d'ailleurs que dans *système métrique*, l'*e* ne peut être que moyen, de même que dans *les poèmes français*[156].

Quant à *femme*, il se prononçait autrefois *fan-me*, avec son nasal, comme *flan-me*. La syllabe s'est dénasalisée de la même manière que celle de *flamme*, puisque la prononciation était la même, et voilà pourquoi on prononce *femme* par un *a*, mais cet *a* est plus bref que celui de *flamme*[157].

6° *-en* et *-ène* ou *-enne*: *n, cyclamen, ébène* et *benne, étrenne* et *gangrène*[158]. Mais, ici aussi, sans doute pour les mêmes raisons que *-ème, -ène* se prononce très souvent comme *-êne*[159]. Par exemple on voit peu de différence entre *rênes* et *arène*, entre *gêne* et *indigène*[160]. Les seuls mots, ou à peu près, qui ne soient pas atteints, sont les formes verbales des verbes en *-ener* et même *-éner*, qui suivent aussi l'analogie des verbes en *-eler* et *-eter*: *emmène, égrène, assène,* etc., avec *aliène, rassérène, réfrène*[161]. Mais on allonge parfois jusqu'à *ébène* et *gangrène*, ce qui est excessif.

Couenne se prononce encore *coine*, mais est en voie de s'altérer[162].

7° *-ègne*, avec trois mots: *duègne, règne* et *imprègne*, qui s'allongent quelquefois, mais sans nécessité[163].

8° **-eil** et **-eille**[164]: *sommeil* et *sommeille*, *pareil* et *pareille*, *orteil* et *merveille*, sans qu'il y ait aucune distinction entre les deux comme il y en a entre -*ail* et -*aille*[165].

On ferme encore l'*e* dans *vieille*, comme autrefois, au moins dans la conversation.

9° **-ège**: *piège*, *collège*, *abrège*, et aussi *puissé-je* et *dussé-je*, malgré l'accent aigu, qui se conserve par tradition, mais qui ne saurait empêcher l'*e* de s'ouvrir dans cette finale[166].

On notera en outre que l'*e*, en s'ouvrant dans la finale -*ège*, s'est en même temps abrégé, tandis que l'*a* s'allongeait dans la finale -*age*. La spirante sonore *j* se sépare donc ici de ses sœurs *v* et *z*[167].

III. **E long.**—Voici enfin les consonnes qui achèvent d'ouvrir et allongent tout à fait l'*e* qui les précède. Il n'y en a plus que trois: *r*, *v* et *z*.

1° **-er** (avec ou sans consonne) et **-ère** ou **-erre**: *r*, *fier*, *tiers* et *entière*, *fer*, *offert* et *enferre*, *clerc*, *nerfs*, *vénère* et *tonnerre*. Il n'y a qu'une prononciation pour *ver*, *vers*, *vert* et *verre*; et, de même que pour la finale **-ar** ou **-are**, il n'y a aucune exception[168].

Cette prononciation de la finale -*er*, avec *e* ouvert et *r* sonore, est purement française (ou latine); elle n'est la même pour les mots étrangers en -*er* que quand ils sont francisés ou à peu près. Ainsi l'anglais *placer*, *spencer*, *tender*, *porter*, *reporter*, *ulster*, *revolver*, au besoin *outsider* et *starter*[169]; l'allemand *thaler* ou *bitter*[170]; le hollandais *stathouder* et *polder*; le danois *geyser*; le suédois *eider*, sans compter *vétiver*, qui vient du tamoul, et *messer*, qui vient de l'italien. Tous ces mots s'accommodent parfaitement de notre *e* ouvert, ou même n'en ont plus d'autres chez nous[171].

Au contraire, beaucoup de mots anglais d'usage peu populaire conservent plutôt le son *eur* ouvert: *canter*, *clipper*, *coroner*, *farmer*, *for ever*, *globe-trotter*, *highlander*, *over-coat* et *leader*, *cover-coat*, *porter*, *rally-paper*, *remember*, *schooner*, *settler*, *stepper*, *walkover*, *water*. *Cutter* s'est francisé en *cotre*. *Quaker* et même *bookmaker* font entendre quelquefois la finale *ècre*[172]. Quant à *fox-terrier*, il est complètement francisé et identifié au français *terrier*. *fox-terrieur* est assez ridicule, même chez les personnes qui savent l'anglais.

2° **-ève**: *fève*, *brève*, *grève*, *sève*. On notera que les *e* de *bref* et de *brève* sont presque aux deux extrémités[173].

Toutefois les formes verbales, *achève*, *lève*, *crève* et *grève*, et leurs composés (et par conséquent les substantifs *élève* et *relève*), ont l'*e* plutôt moyen, suivant l'analogie des verbes de même forme: *achète, gèle, sème* ou *égrène*, et cela surtout quand ils perdent l'accent, comme dans *relève-t-il*[174].

3° **-èse, -ez** et **-èze**: *dièse, obèse, fez, mélèze* et *trapèze*[175]. Toutefois les verbes *pèse* et *empèse* ont l'*e* moyen, comme *lève* et *crève*.

En résumé l'*e* reste bref, ou tout au plus moyen, devant quinze consonnes, sauf les exceptions, et s'allonge devant trois; et plus il est long, plus il s'ouvre.

3° L'E suivi des groupes à liquides.

Les groupes de deux consonnes que terminent des liquides sont encore moins abondants et sont aussi plus réguliers pour *e* que pour *a*.

Ceux dont la seconde consonne est un *l* sont quatre: **-èble, -ècle, -èfle, -ègle** (-*èple* n'existe pas), avec six mots en tout: *hièble, siècle* (et *Thècle*), *nèfle* et *trèfle, espiègle* et *règle*. Ces mots correspondent exactement, et appartiennent même, si l'on veut, aux finales en *-eb, -ec, -ef* et *-eg*, sauf que leur *e* est un peu moins bref; mais nulle part il n'est long[176].

Parmi les finales dont la seconde consonne est un *r*, les plus brèves sont **-ècre, -èfre** et **-èpre**: *exècre* et *lèpre*[177].

Les mots en **-èbre, -èdre, -ègre**, ont l'*e* moins bref: moins bref que *-eb, -ed, -eg*, moins bref aussi que *-ècre, -èfre, -èpre*, mais non pas long tout à fait pour cela, sauf en vers, bien entendu, où les poètes se plaisent à prolonger la rime *funèbres-ténèbres*; mais je ne vois pas que, dans la conversation ordinaire, on prononce *célèbre, algèbre* ou *vertèbre* autrement que *zèbre*[178]. *Cèdre* s'allonge volontiers en poésie; mais en prose l'*e* de *cèdre* est aussi moyen que celui des mots géométriques en-*èdre, dièdre, trièdre*, etc.[179]. Enfin l'*e* est également moyen dans *allègre, nègre, intègre* et *pègre* (haute et basse).

Il ne reste plus dans cette catégorie que les finales en **-être** ou **-ettre** et en **-èvre**, les plus abondantes de toutes, et celles où l'*e* est le plus bref ou le plus long.

L'*e* est bref dans *mettre* et *lettre* et leurs composés; mais je ne vois pas que *mètre* se prononce autrement que *mettre*[180]; et les deux *e* de *pénètre* sont, si on le veut, presque identiques. Il faut bien allonger *urètre* quand Victor Hugo le fait rimer avec *prêtre*; mais en dehors des cas pareils, **-être** doit être tenu pour pareil à *-ettre*, de même que *complète* et *emplette*, *épèle* et *appelle*. La seule différence est la faculté qu'ont les mots en **-être** d'allonger leur finale en cas de besoin[181].

Quant aux mots en **-èvre**, en principe ils ont l'**e** long, comme les mots en **-ève**, mais moins sans doute que les mots en **-èse**. Et il y a des distinctions à faire[182]: *orfèvre* et *lèvre* paraissent avoir l'*e* plus constamment ouvert que les autres; *chèvre* l'a beaucoup moins, et aussi *sèvre*, qui a l'*e* plutôt moyen, comme *lève* et *crève*; *plèvre* est douteux, et aussi les mots en *-ièvre*: *fièvre*, *lièvre*, *mièvre* et *genièvre*, du moins en prose, car en vers on tend à les ouvrir[183].

*
* *

Remarque.—Cette observation à propos des vers, déjà faite plusieurs fois, ne veut pas dire du tout qu'il faille en principe prononcer les mots autrement en vers qu'en prose. Et je veux bien qu'il y ait tout de même une prononciation oratoire ou poétique, qui ouvre les *e* un peu plus que ne fait l'usage courant. Mais c'est de la rime surtout qu'il faut tenir compte, car les poètes font volontiers rimer des mots dont la quantité n'est pas la même. Or il importe beaucoup de distinguer les cas.

Race et *grâce*, malgré la consonne d'appui, font une rime médiocre et que rien ne peut pallier, car les voyelles diffèrent à la fois de timbre et de quantité, et on ne peut ni allonger et fermer *race*, ni abréger et ouvrir *grâce*; de même *trône* et *couronne*, rime si fréquente chez Victor Hugo. *Fleurette* et *arrête* diffèrent déjà un peu moins; mais il est encore impossible d'identifier les sons, de même que ceux de *mettre* et *maître*, et la rime reste médiocre.

Au contraire, les finales qui ont un accent grave sur l'**e** ont la faculté de s'ouvrir davantage pour se rapprocher de celles qui ont l'accent circonflexe. Or il n'y a pas assez de mots en **-êche**, **-êle**, **-ême**, **-êne** ou **-être**, pour que les poètes ne soient pas amenés à les faire rimer avec des mots à accent grave. En ce cas, il faut bien faire quelque chose pour eux. On ne doit donc pas souligner fâcheusement des licences nécessaires, en accentuant la différence de prononciation, mais au contraire rapprocher l'*è* de l'*ê*, et en général l'*e* qui peut s'ouvrir davantage de l'*e* très ouvert, qui ne peut guère s'ouvrir moins. Par exemple, si le poète fait rimer *crèche* et *prêche*, *cisèle* et *zèle*, *centième* et *Bohême*, *gangrène* et *frêne*, *pénètre* et *fenêtre*, rimes excellentes d'ailleurs et peu discutables, ce serait le trahir que de ne pas ouvrir l'*e* partout aussi également que possible, comme il a probablement voulu qu'on l'ouvrît. Et si même il a fait une erreur, il faut pallier cette erreur quand on le peut.

Il résulte aussi de toutes nos observations que le degré d'ouverture de l'*e* est souvent discutable, et qu'on a le droit de différer d'opinion sur ce point.

Il ne faut donc pas attacher à ce détail trop d'importance: on ne sera jamais ridicule parce qu'on l'ouvrira un peu plus ou un peu moins, et il y a des fautes beaucoup plus graves. La faute grave ici consiste à fermer des *e* qui sont certainement ouverts. On a pu voir que la tendance générale, due peut-être à la poésie, est de les ouvrir, et beaucoup sont ouverts qui jadis étaient fermés, comme ceux des mots en *-ège*. Or dans beaucoup d'endroits on continue à les fermer: on prononce *collége*, *bonnét* et même *bônêt*, *achéte* et *emméne*; c'est là une prononciation dialectale, qui est tout à fait vicieuse.

4° L'E atone.

Nous savons déjà qu'en principe l'*e* atone est moyen dans tous les sens; du moins il n'est jamais complètement fermé, notamment devant un *r*. Et il n'est pas plus fermé quand il a l'accent aigu que quand il est suivi de deux consonnes: *révéler* ou *dégeler* n'ont de vraiment fermé que l'*e* final, dont les autres diffèrent peu ou prou; il en est de même de *desseller* ou *effréné*. Beaucoup de ces *e* ont été fermés autrefois, notamment tous ceux qui ont l'accent aigu, et particulièrement les préfixes *é-* et *dé-* (autrefois *es-* et *des-*): *élèves*, *défaire*; ils s'ouvrent aujourd'hui de plus en plus, au moins à demi, et plus qu'à demi[184]. Nous avons vu l'*e* fermé de *rez* s'ouvrir à moitié dans *rez-de-chaussée*, aussi bien que celui de *pied* dans *piéton*; et quoique l'*e* généralement fermé de *mes*, *les*, *des*, reste fermé aussi dans les composés, *mesdames*, *lesquels*, *desquels*, etc., il s'ouvre à demi dans *messieurs*, parce que les composants n'y sont plus reconnus. Inversement, celui de *fièvre* ou *nègre* se ferme légèrement dans *fiévreux* ou *négresse*.

Toutefois, de même que l'*a* tonique fermé restait souvent fermé en devenant prétonique par suite de la flexion, de la dérivation ou de la composition, de même l'*e* tonique ouvert et long reste souvent tel ou à peu près dans les mêmes conditions.

Ainsi l'**e** *prétonique* est ouvert et long d'abord quand il a l'accent circonflexe, mais naturellement un peu moins dans *pêcher* ou *pêcherie* que dans *pêche*, beaucoup moins même dans *prêter*, *revêtir* ou *traîtresse* que dans *prête*, *revête* ou *traître*.

Cette conservation de l'*e* ouvert est d'ailleurs combattue par la tendance que l'*e* prétonique paraît avoir à se fermer devant une tonique fermée: phénomène d'assimilation ou d'accommodation. Ainsi l'*e* se ferme tout en restant long dans *fêlure*, *bêtise*, *têtu* et même *entêté*, malgré l'*e* ouvert de *fêle*, *bête*, *tête*. Toutefois cette prononciation appartient presque uniquement à la langue courante et familière, et ne serait point admise par exemple en vers[185].

L'*e* prétonique est encore fermé, sans être proprement long, devant un *e* muet: *fé(e)rie, gré(e)ment.*

Beaucoup d'*e prétoniques* sans accent circonflexe restent aussi ouverts et longs un peu plus qu'à demi: *zèle, pierreux* ou *empierrer, serrer* ou *serrure, terreau, terrer* ou *enterrer, verrée, brièvement, grièvement* et les adverbes en *-èrement* rappellent d'assez près *zèle, serre, terre, brève,* etc. On y joindra *perron, je verrai, j'enverrai, la bobinette cherra.*

On notera que l'*e* des verbes en *-érer,* comme celui des verbes en *-arer,* est tout à fait moyen, ce qui met une assez grande distance entre *libérer* et *libère, tolérer* et *tolère;* cela tient sans doute à ce que l'*e* des formes toniques a dû être ouvert et allongé par l'*r* final, tandis que l'*e* atone gardait sa quantité normale.

Il en est de même de *ferrer, ferrure, guerrier, verrière,* et des mots où deux *r* se prononcent, comme *terreur.* Par analogie peut-être, des mots comme *maniéré* ou *arriéré* ont pris aussi l'*e* moyen[186]; à fortiori *ferrailler, guerroyer, terrasser* ou *atterrissage, verroterie,* etc., où l'*e* est plus éloigné de la tonique.

5° Quelques cas particuliers.

Fainéant se prononce *fégnan* dans le peuple; mais les personnes cultivées ont droit d'articuler *fai-né-ant*[187].

On a vu plus haut que l'*e* de *femme* se prononçait *a,* et pourquoi. Il en est de même de celui de *solennel* ou *solennité,* de *rouennais* et *rouennerie,* et des adverbes en *-emment,* comme *fréquemment* et *ardemment,* etc.: dans tous ces mots aussi, le son primitif *an* s'est dénasalisé en *a* et en même temps s'est abrégé[188].

Le même phénomène s'est produit dans bien d'autres mots, comme *ennemi,* passé de *en-nemi* nasal à *a-nemi;* mais *a-nemi* est devenu depuis *e-nemi,* à cause de l'orthographe. C'est ce qui s'est fait aussi, malgré les efforts désespérés des grammairiens, dans *nenni* et dans *hennir* ou *hennissement,* qui, après être passés de *an* à *a,* sont aussi passés de *a* à *e*[189].

Dans *indem-niser* ou *indem-nité,* il en est de même, et la prononciation *indamnité,* qui n'est pas rare, sera bientôt aussi surannée que *hanir:* toujours l'influence de l'orthographe. Cette influence commence même à se faire sentir, non pas peut-être dans *solennel,* mais du moins dans *solennité*[190].

Il faut éviter avec soin de traiter l'*é* de *déjà* comme un *e muet*: *il est d'jà venu*[191].

L'*e* intérieur latin, qui ne prend pas d'accent, est aussi généralement un *e* moyen, plus ou moins ouvert[192].

Il en est de même des diphtongues *œ* et *æ*: *œsophage, œdème, œcuménique, œnophile, ærarium, ad vitam æternam*, etc.[193]. Toutefois on ferme *œ* dans *fœtus* ou *œcum, æ* dans *ex æquo* ou *æquo animo*.

6° L'E des mots étrangers.

Dans les mots étrangers, l'*e intérieur*, aussi bien que l'*e* final, n'a pas d'accent aigu dans les cas où nous en mettrions un; mais il se prononce comme s'il l'avait, surtout s'il porte l'accent tonique. Ainsi l'*e* est à demi ouvert dans *impresario* ou *mezzo*, dans *brasero, romancero, torero*, et aussi dans *event, revolver, remember*; il est même fermé dans *peseta*; mais il est muet dans *record*, qui est complètement francisé, si bien qu'il ne se prononce même pas dans *recordman*, qui est manifestement étranger[194]. D'autre part, quand l'*e* intérieur est atone, il est souvent presque muet, surtout en allemand[195].

L'*o* germanique surmonté d'un tréma se prononce *eu* en allemand et aussi en suédois. L'*œ*, par lequel nous le représentons, faute de caractère typographique spécial[196], se francise quelquefois en *é* dans certains noms propres[197]. D'autres fois, mais rarement, il se décompose en *o-é*[198]. Mais le plus souvent il garde le son germanique *eu*, comme dans *fœhn*[199].

Dans beaucoup de mots étrangers, surtout allemands, l'*e* ne sert qu'à allonger l'*i* qui le précède, comme dans *lied*, mot savant qui a pu garder sa prononciation originale *lîd*[200].

L'*e* double germanique n'est qu'un *e* fermé long[201].

L'*e* double anglais, final ou non, se prononce encore *i*, par exemple dans *meeting, sleeping, queen, spleen, keepsake, yankee, pedigree, street, speech* ou *steeple*[202]. Cet *i* est long; mais nous l'abrégeons souvent, notamment dans *keepsake*, parce que nous déplaçons l'accent[203].

7° Les groupes AI (ay) et EI (ey).

Ai ou *ei*, ainsi que *ay* ou *ey*, se prononcent généralement comme *è* ouvert[204].

I. **AI final.**—*Ai* final, sans consonne, était jadis fermé comme *é*. Il ne l'est plus guère aujourd'hui que dans j'*ai*, mais non pas dans *ai-je*, qui suit l'analogie des mots en *-ège*.

A Paris, on continue à fermer la finale dans *geai, gai* (avec *gaie, gaiement, gaieté*) et *quai*, au pluriel comme au singulier; mais cela n'est point indispensable: cela devient même dialectal[205]. D'ailleurs, cette prononciation est probablement destinée à disparaître dans ces mots comme dans les autres. *Mai* prononcé *mé* est tout à fait suranné, et aussi incorrect que *vrai* prononcé *vré*[206]. Dans *je sais*, le son fermé, qui remonte sans doute à l'époque où l'on écrivait *je sai*, n'est guère meilleur aujourd'hui que dans *mai*[207]. Enfin les futurs, qui jadis se distinguaient des conditionnels (*aimerai* par *é*, *aimerais* par *è*), ne s'en distinguent plus aujourd'hui que par un effort volontaire, qu'il est inutile de s'imposer[208].

Même les mots anglais en **-ay** et **-ey**, qui se prononcent *é* en anglais, se francisent parfaitement, mais ne le font qu'en s'ouvrant: *tramw*ay, *jock*ey, *troll*ey, *pon*ey, *jers*ey, comme *bogh*ei, transcrit de l'anglais *buggy*, et parfois écrit *boghet* ou *boguet*[209].

Donc, d'une façon générale, **ai** final est devenu sensiblement identique à **ais**, qui est très ouvert, quoique le peuple le ferme souvent, à Paris et ailleurs; et l'on peut dire qu'en définitive *ai* est ouvert à peu près partout et se prononce *è*, qu'il y ait ou non une consonne, et quelle que soit la consonne, *-aid, -ais, -ait, -aix*, et aussi *-aît*; car les mots en *-aît*, comme les mots en *-êt*, ne se distinguent guère des autres, et *conn*aît ou *par*aît, comme *ben*êt ou *for*êt, ne se prononcent pas autrement que *bonn*et ou *cabar*et.

Ainsi entre *fa*is, *parf*ait, *portef*aix, *préf*et, *prof*ès, il n'y a que des différences d'orthographe; de même entre *ess*ai, *je s*ais, *déc*ès, *franç*ais, *forç*ait, *cors*et, entre *bal*ai, *pal*ais, *gal*et, *égal*ait, *l*egs, *troll*ey, *dépl*aît: les mots de tous ces groupes riment parfaitement ensemble pour l'oreille, et même richement[210].

Comme les finales en *-é* ou *-et*, toutes ces finales sont également moyennes pour la quantité. La finale **-aie** ou **-aies** s'allonge un peu en vers, mais cette différence est insensible dans l'usage courant: *est-ce v*rai ou *est-elle v*raie ne se prononcent pas de deux manières, et le subjonctif *j'aie* ne diffère de *j'ai* que par le timbre, c'est-à-dire par l'ouverture[211]. Il faut seulement éviter de changer *-aie* en *-aye* (*ai-ye*).

II. **AI suivi d'une consonne articulée.**—Suivis d'une consonne articulée, **ai** ou **ei** suivent naturellement le sort de l'*e* dans les cas correspondants, c'est-à-dire qu'étant toujours ouverts, ils peuvent être néanmoins plus ou moins brefs ou longs; mais ils sont quelquefois un peu plus longs que l'*e*.

1° Devant une sourde, *c*, *t*, *ch* ou *s*, il y a peu de différence. On ne prononce pas de deux manières *échec* et *cheik*, ni *estafette* et *parfaite*[212]; de même *soubrette* et *distraite*, *sèche* et *seiche*[213]; et la différence est mince, s'il y en a une, entre *abbesse* et *bouillabaisse*[214]; entre *fesse* et *affaisse*, peut-être même entre *paresse* et *paraisse*, avec *serait-ce*, ou encore *était-ce* et *politesse*[215].

Toutefois les finales en **-aisse**, autrefois longues, ont encore une tendance à s'ouvrir plus que les autres: *ai* est resté certainement long dans *baisse*, *caisse* et *graisse*, et leurs composés; les autres, *laisse*, *naisse*, *connaisse*, *paisse*, *épaisse*, sont devenus douteux: notamment quand on dit *caisse d'épargne*, ou *baisse de fonds*, ou *graisse d'oie*, on ne se soucie guère d'allonger *aisse*[216].

Devant *d* et *j*, **ai** ou **ei** sont encore sensiblement pareils à *è*, et *raide* se prononce comme *remède*[217]; on ne distingue pas *neige* et *beige* de *manège* et *arpège*, ni *fais-je* et *vais-je* de *solfège* ou *collège*. Pourtant *aide* et *plaide* s'allongent assez facilement; *sais-je* aussi.

De même *paye*, *raye*, *bégaye*, *grasseye* riment très exactement avec *oreille* et *Marseille*[218]; *baigne*, *daigne*, *saigne* et *châtaigne*, aussi bien que *peigne*, *empeigne*, *enseigne* et *teigne*, et tous les subjonctifs en *-aigne* et *-eigne*, ne se distinguent pas davantage de *duègne* et *règne*, et s'allongent même moins facilement, sauf tout au plus *baigne*, *daigne*, *saigne* et peut-être *craigne*, dans la prononciation oratoire[219].

2° En revanche, le mot *aile* s'est allongé, comme *elle* après une préposition[220]. Le mot *aime* aussi, du moins à la rime, mais non pas *essaime*. Et ces finales n'ont pas d'autres mots.

Les finales **-aine** et **-eine** sont au contraire très fréquentes, et celles-là, souvent brèves autrefois, sont aujourd'hui plutôt longues, comme celles de beaucoup de mots en **-ène**: *prochaine* rime très exactement avec *chêne*, comme avec *chaîne* et *Duchesne*[221]; de même *reine* et *marraine* avec *rênes* et *sirène*. Pourtant *graine* et *migraine* ont plutôt **ai** bref ou moyen, et aussi *daine* (féminin de *daim*), et *bedaine*, et peut-être *naine*[222].

Les finales **-air** et **-aire**, **-aise** et **-eize** sont longues à fortiori, sans exception, ainsi que le mot *glaive*[223]. Il n'y a qu'une prononciation pour **r**, **air**, **ère**, **hère**, **erre**, **aire** et **haire**, et lorsque *grammaire* avait encore le son nasal, il se confondait avec *grand'mère*, au moins à partir du XVIIe siècle[224]. De même c'est l'identité de prononciation qui a fait transformer les pantoufles de *vair* de Cendrillon, qui étaient des pantoufles de fourrure, en absurdes pantoufles de *verre*.

Il n'y a pas d'avantage de différence possible entre *treize*, *fraise* et *diérèse*, *seize*, *française* et *diocèse*[225].

Les mots *faible*, *aigle* et *seigle*, *aigre*, *vinaigre* et *maigre* ont également la finale longue, plus longue que les mots correspondants en *-èble*, *-ègle* et *-ègre*; toutefois cette quantité ne s'impose ni pour *faible* ni pour *seigle*.

Les mots en **-aître** ont tous l'accent circonflexe[226].

III. **AI atone.**—*Ai* tonique long et ouvert garde assez facilement sa quantité, à peu près du moins, en devenant atone: *fraîcheur*, *maigrir*, *aider*, *aimer*, *abaisser*, *laisser*, *fraisier*, *paisible*, *vous vous tairez*, et tous les mots en *-airie*, rappellent suffisamment *fraîche*, *maigre*, *aide*, etc.; l'orthographe y aide beaucoup, l'*r* et l'*s* encore plus peut-être.

Mais les exceptions sont nombreuses. Dans *affairé*, *ai* est aussi moyen que dans *parfaitement*. Même dans *gâté*, malgré l'accent circonflexe, *ai* est à peu près identique à l'*e* bref, à peine ouvert, de *guetter*[227]. Ici aussi on peut voir trois degrés différents pour la quantité, par exemple *daigne*, *daigner* et *dédaigner*.

De plus, **ai** prétonique, comme **ê**, a une tendance assez marquée à se fermer *devant une tonique fermée*, mais généralement sans s'abréger; ainsi dans *aimer*, *aisé*, *laisser*, *saigner*, etc., et même dans *plaisir*, *saisir*, *épaissir*, ou dans *aigu*, *laitue*, *rainure*. Il n'y a lieu ni de lutter contre cette tendance, ni de se croire obligé de s'y conformer; mais elle appartient plutôt à la conversation très familière[228].

Mais voici qui est plus particulier. Aujourd'hui encore, **ai** se réduit à un simple *e muet* dans les formes de *faire* et les mots dérivés où **ai** atone est suivi d'un *s*: *nous faisons*, *je faisais*, *nous faisions*, *faisant*, et aussi *bienfaisant* et *malfaisant*, *faisable* et *faiseur*, qui doivent se prononcer fe*sais*, fe*sons*, etc., en opposition avec *bienfaiteur* et *malfaiteur*, où *ai* est suivi d'un *t*.

C'est encore une des bizarreries de notre orthographe; nous écrivons bien *je ferai* au futur, comme nous prononçons, et non pas *fairai*, malgré l'identité constante d'orthographe entre le futur et l'infinitif; pourquoi pas aussi bien *je fesais*? C'est ce que *faisait* ou *fesait* Voltaire. Pourquoi l'Académie n'a-t-elle pas suivi son autorité, comme elle s'est décidée à le faire pour les mots en *-ais*, au lieu de *-ois*? La conséquence, c'est qu'on se met de plus en plus à prononcer *faisais*, *faisons*, et surtout *bienfaisant* et *bienfaisance*, comme on écrit, et il y a des chances pour que cette prononciation fautive finisse un jour par prévaloir.

Cette prononciation d'*e* pour *ai* a été longtemps aussi la seule correcte pour *faisan*, *faisane*, *faisandeau*, *faisander*; mais elle tend déjà à disparaître dans ces mots, en attendant qu'elle disparaisse dans les autres.

Le groupe *ouai* s'est prononcé *oi* dans certains mots, comme le groupe *oue*: on disait *doirière*, comme on disait *foiter*; mais cette prononciation est aussi surannée aujourd'hui dans *douairière* que dans *souhait* et *souhaiter*, ou dans *fouet*[229].

IV. **Le groupe AIGN.**—Il en est du groupe *aign* comme du groupe *oign*, non pas partout, mais dans beaucoup de mots; il contenait à l'origine une voyelle simple, *a*, suivie d'un *n* mouillé, qui s'écrivait *ign*[230].

Ceux de ces mots qui ont perdu leur *i*, *ga-(i)gner*, *monta-(i)gne*, *a-(i)gneau*, *compa-(i)gnon*, ont sauvé leur prononciation; ceux qui ont gardé leur *i*, *ara-igne*, *châta-igne* se sont altérés, l'*i* s'étant joint indûment à l'*a*: *arai-gnée*, *châtai-gne*. Tous ces mots se prononcent depuis longtemps comme ils s'écrivent[231].

V. **Les mots étrangers.**—Nous avons vu les finales anglaises *-ay* et *-ey* se prononcer en français comme *e* ouvert et non fermé; nous ouvrons aussi *ai* dans *bar-maid*, *cock-tail*, *mail-coach*, *daily*(-News) ou *rocking-ch*air. Quelques-uns prononcent de même *rail* ou *railway*.

Au contraire, *bairam* se prononce *baïram* (quelquefois *béïram*), *aï* faisant une seule syllabe, comme dans l'allemand *kaiser*. Mais *scheik* est francisé en *chèc* et non en *cheïc*. *Vayvode* a été remplacé par *voïvode*[232].

Le groupe allemand *ei* est une diphtongue qui se prononce à peu près *aï*, monosyllabique. On le francise à moitié dans *gneiss* ou *edelweiss*, où l'on fait sonner tout au moins une semi-voyelle (*eye* au lieu de *aye*). Mais il importe d'articuler nettement et à l'allemande, c'est-à-dire *aï* ou *aye*, dans *reichstag* ou *reichsrath*, dans *vergiss mein nicht*, dans *leit-motif*, *zollverein*, etc.; et cela vaut mieux également pour *edelweiss*[233].

Le mot *geyser*, qui devrait se prononcer comme *kaiser* (beaucoup, néanmoins, prononcent *ka-i-ser*, à l'allemande), est un des exemples les plus curieux de l'habitude que nous avons de franciser à demi; le *g* a gardé le son guttural et la diphtongue *ey* est restée diphtongue, mais en se francisant par *e*, et la finale a pris l'*e* ouvert et long qui est purement français: *gheïzèr*[234].

III.—LA VOYELLE EU.

Le groupe *eu* est depuis longtemps une voyelle simple, ouverte et fermée, dont le son se rapproche de celui qu'a l'*e muet* quand il n'est pas muet[235].

1° EU final.

Eu final est fermé partout comme **é** final, et de plus moyen comme toutes les voyelles finales. Il y a d'ailleurs peu de mots en *-eu* sans consonne à la suite; une dizaine de mots en *-ieu*: *dieu, lieu, pieu*, etc., et une douzaine d'autres en *-eu*: *feu, jeu*, etc., avec quelques mots en *-eue*, où l'*e* muet ne change rien: *lieue, banlieue, queue* et les féminins *feue* et *bleue*[236].

Avec une consonne non articulée à la suite, il y en a davantage et le son *eu* y est toujours fermé. Ce sont d'abord et surtout les adjectifs et substantifs en *-eux*, qui sont fort nombreux, sans compter les pluriels comme *dieux* et *bleus*[237]. Il y faut joindre les mots suivants:

1° Le mot *nœud*, qui devrait naturellement s'écrire et s'est longtemps écrit *neu*, tout simplement, comme *nu*.

2° Les pluriels *œu(fs)* et *bœu(fs)*, et aussi le singulier *bœu(f)*, à Paris du moins, dans l'expression carnavalesque *bœu(f) gras*, où l'*f* final est muet devant une consonne, suivant la règle d'autrefois[238].

De plus et surtout, malgré l'affaiblissement de l'accent, l'adjectif numéral *neuf* devant un pluriel commençant par une consonne: *les neu(f) muses, neu(f) cents, neu(f) mille*, ainsi que dans *neuf heures* et *neuf ans*, où il y a seulement liaison, avec changement de l'*f* en *v*; toutefois, dans ces deux expressions, *eu* tend déjà à s'ouvrir[239].

3° *Monsieur*, comme *messieurs*, souvenir de l'époque où l'*r* avait cessé de se prononcer dans tous les mots en *-eur*[240].

4° Les formes verbales *pleut, meux* et *meut, peux* et *peut, veux* et *veut*. Cependant *veux* et *veut* tendent parfois à s'ouvrir.

2° EU suivi de consonnes articulées.

I. **EU fermé.**—Quand **eu** est suivi d'une consonne articulée, il est assez généralement ouvert; mais il est encore fermé dans certains cas, et alors il n'est plus moyen, mais long, notamment dans tous les mots en **-euse**, comme dans les mots en *-ase*: *baigneuse, glaneuse, vareuse*, etc.[241]. Ceci est très important, car c'est un des points sur lesquels les prononciations dialectales sont le plus incorrectes, et l'incorrection est bien plus sensible dans *-euse* que dans *-ase*.

Outre les mots en **-euse**, *eu* tonique avec consonne articulée est encore long et fermé dans les mots suivants:

1° Les onomatopées *beugle* et *meugle*; on peut d'ailleurs ouvrir ces mots quand ils riment avec *aveugle*: cela vaut mieux que de fermer *eu* dans *aveugle*.

2° Le mot *veule*, auquel *meule* s'est ajouté depuis un siècle, malgré l'étymologie.

3° Le substantif *jeûne*, que la prononciation aussi bien que l'accent distingue de l'adjectif, *jeûne* ouvert étant tout à fait incorrect. Mais *déjeune*, qui n'a plus d'accent, est beaucoup moins fermé, et s'ouvre même un peu trop[242].

4° Les mots en **-eute** et **-eutre**, contrairement aux principes ordinaires: *meute*, *bleute*, etc., et *feutre*, *calfeutre*, *neutre*, *pleutre*.

5° Un certain nombre de mots savants ou techniques, à finales uniques ou rares: *phaleuce*, *leude*, *neume* et *empyreume*[243].

II. **EU ouvert.**—Partout ailleurs *eu* tonique est ouvert, avec quelques différences de quantité.

Il est bref, ou tout au plus moyen, quand il est suivi d'une consonne autre que *r* et *v*, notamment dans les mots en **-euf** (sauf les exceptions indiquées plus haut): *œuf*, *neuf*, *veuf*[244]; dans les mots en **-eul** et **-eule** (sauf *meule* et *veule*): *seul*, *filleul*, *gueule*, *veulent*[245]; enfin dans l'adjectif *jeune*. Il n'est guère plus long dans *peuple*, *meuble*, *esteuble*, et même *aveugle*[246].

Les finales mouillées, **-euil** et **-euille**, sont un peu moins brèves: *deuil* et *seuil*, *feuille* et *veuille*. A cette catégorie appartiennent les mots en *-cueil* et *-gueil*, où la présence nécessaire d'un *u* à côté du *c* ou du *g* empêche d'en mettre un second après l'*e*: *accueil*, *écueil*, *cercueil*, *orgueil*, et aussi le mot *œil*, qui s'est longtemps écrit *ueil*[247].

Les consonnes qui allongent réellement *eu* ouvert sont seulement *r* et *v*, car nous avons vu que les finales en *-euse* étaient, de plus, fermées[248]. Il ne reste donc plus que les finales suivantes:

1° **-eur** (avec ou sans *s* ou *t*) et **-eure** ou **-eurre**: *labeur* et *beurre*, *cœur* et *chœur*, *écœure* et *liqueur*, *leurre*, *leur* et *leurs*, *sieur* et *plusieurs*, *pleurs* et *pleure*, *meurt* et *meurent*, *sœur*, etc.[249].

Nous avons vu plus haut que *monsieu*(r) et *messieu*(rs) faisaient exception, et pourquoi. Cet amuissement de l'*r* s'est maintenu dans les équipages de chasse à courre, pour le mot *piqu*eu(r), qu'on écrit même quelquefois *piqueux*; et dans certains milieux de sport aristocratique, ce serait un signe de roture indélébile que de prononcer *piqu*eur comme le vulgaire[250].

2° **-euve** et surtout **-euvre**: *fl*eu*ve* et *abr*eu*ve*, œu*vre* et *pi*eu*vre*[251].

Nous avons parlé plus haut des prononciations dialectales qui ouvraient *eu* partout, et notamment dans les finales en *-euse*. D'autres, au contraire, ferment *eu* partout, même dans *-eur* et *-euve*, et le défaut est tout aussi grave[252].

Remarque.—Il ne faut pas confondre le son **eu** avec l'**u** des mots comme *gag(e)ure*, où un *e* s'est intercalé dans l'orthographe, entre le *g* et l'*u*, pour garder au *g* le son chuintant du radical[253].

C'est également le son *u*, et non *eu*, qu'on a dans le participe (e)*u*, du verbe *avoir*, ainsi que dans le prétérit et l'imparfait du subjonctif, *j'*(e)*us, que j'*(e)*usse*: l'*e* conservé par ces formes faisait diphtongue autrefois dans beaucoup de verbes, comme *receu, peu*; mais il a disparu partout, depuis que la diphtongue s'est réduite à *u*, et son maintien dans le seul verbe *avoir* est assez ridicule[254].

3° EU atone.

Eu tonique fermé, devenu atone par flexion ou dérivation, se maintient fermé et long dans la plupart des cas: *b*eu*gler* et *b*eu*glement*, m*eu*lière, *j*eû*ner*, *cr*eu*ser*, *bl*eu*ir* et *bl*eu*ter*, *d*eu*xième*, *am*eu*ter*, *f*eu*trer* et *calf*eu*trer*, *n*eu*tralité*, *li*eu*tenant*, et les adverbes en *-eusement*.

Nous avons vu plus haut *eu* ouvert suivi d'**f** se fermer quand *f* se changeait en *v* par liaison: *n*eu*f ans, n*eu*f heures*. Nous retrouvons le même phénomène dans *n*eu*vième* et *n*eu*vaine*, où il tend aussi à s'affaiblir. Nous le retrouvons encore, et même plus nettement, dans *hareng* œu*vé* et *terre-n*eu*vas*, malgré l'*eu* ouvert d'œu*f* et *n*eu*ve*[255].

Au contraire, *bl*eu*et* abrège *eu*, qui même se réduit à *u* dans *bl*u*et*. D'autre part, *peu* s'ouvre sensiblement dans *à peu près*, encore plus dans *peut-être*, étant abrégé par le voisinage de la tonique qui est longue. Il devient même si bref et si rapide, qu'il disparaît souvent complètement dans la conversation très familière, comme si c'était un *e* muet: *p*(eu)*t-êt*(re) *qu'il est venu*[256].

Eu atone est encore fermé en tête des mots, dans *eu*r*ythmie*, où il est suivi d'un *r*, aussi bien que dans *eu*n*uque*, *eu*phémisme ou *eu*p*honie*[257].

Eu est encore fermé dans *j*eu*di*, dans *m*eu*nier*, et parfois dans *f*eu*illage* et *f*eu*illée*, malgré l'ouverture de *f*eu*ille*; enfin dans des mots techniques ou savants, comme *feudiste* et *feudataire*, *deutéronome*, *ichneumon*, *pneumonie*, *pseudonyme*, *teuton* et *teutonique*, et les mots en-*eutique* et-*eumatique*[258].

Malgré ces exemples, on peut dire qu'en général *eu* atone est ouvert, notamment devant un *r*, mais naturellement plus bref, et par suite moins ouvert, dans *abreuver* que dans *abreuve*, dans *heureux* ou *malheureux*, *fleurdelisé* ou *effeuiller* que dans *heur*, *fleur* ou *feuille*; il reste pourtant ouvert et long, comme la tonique, dans la plupart des verbes en -*eurer*: *beurrer*, *écœurer*, *désheurer*, *leurrer* et *pleurer*, tandis qu'il est bref dans *demeurer*, *fleurer*, *effleurer*.

Signalons, pour terminer, une faute de prononciation qui ne date pas d'aujourd'hui, que des grammairiens même ont cru devoir autoriser: c'est celle qui consiste à prononcer *eil* au lieu de *euil*, à cause de l'orthographe, dans *orgueilleux* ou *enorgueillir*, qui, évidemment, ne sauraient se prononcer autrement qu'*orgueil*. Il est vrai qu'*orgueil* lui-même est parfois assez altéré; mais ceci est plus extraordinaire, et même assez ridicule. Tout de même, on est surpris d'entendre *enorghé-yir* jusqu'à la Comédie-Française.

IV.—LA VOYELLE O

1° L'O final.

L'*o* final est fermé, comme *é* et *eu*, et moyen, comme *a*, *é* et *eu*: adag*i*o, numér*o*, domin*o*[259].

L'*s non articulé* ne saurait ouvrir l'*o*: chao*s*, repo*s*, gro*s*, des domino*s*. No*s* et vo*s* eux-mêmes, quoique proclitiques, et par suite dénués d'accent, restent fermés, et leurs *o* sont même plus longs que les autres.

Il n'en est pas tout à fait de même du *t non articulé*, quoique les mots en -*ot* se soient progressivement fermés: sans être assurément ni ouverts ni brefs, ils sont cependant un peu moins fermés en moyenne que les précédents. Je dis en moyenne, car il faut distinguer.

Ceux qui ont une voyelle devant l'*o* ont toujours l'*o* fermé, ou à peu près: cah*o*t, id*i*ot, char*i*ot, et, par analogie, fay*o*t, caill*o*t, maill*o*t. D'autres encore font comme eux: még*o*t, marg*o*t, serg*o*t, livar*o*t, palet*o*t, pav*o*t; mais c'est la minorité[260].

La plupart des autres sont souvent beaucoup moins fermés, au moins hors de Paris. Le moins qu'on puisse dire est que leur prononciation est un peu flottante: ainsi jab*o*t, cali*c*ot, cach*o*t, fag*o*t, gig*o*t, grel*o*t, m*o*t, can*o*t, p*o*t, pierr*o*t, dév*o*t, et aussi bien leurs pluriels[261]. Sans doute, l'*o* de ces mots n'est jamais proprement ouvert chez les personnes qui prononcent correctement, mais il arrive souvent qu'il n'est pas fermé non plus, même chez ceux qui ont l'habitude de fermer l'*o* final. La différence est rendue particulièrement sensible par le voisinage immédiat de mots à son fermé:

Et Malherbe et Balzac, si savants en *beaux* m*o*ts,
En cuisine peut-être auraient été des *s*o*ts*.

Beaux est ici fermé, comme partout: quoiqu'il soit moins accentué que m*o*ts, ce qui aurait pu contribuer à l'ouvrir un peu, c'est pourtant lui qui est le plus fermé des deux. La différence est moindre assurément que dans *beaux hommes*; elle est cependant certaine, et la demi-ouverture de *mo*ts entraîne celle de *s*o*ts[262]. Il se pourrait, d'ailleurs, que le mot *mo*t fût précisément celui qui s'ouvre le plus fréquemment ou le plus facilement, sans qu'il y ait lieu de distinguer comme autrefois entre le singulier et le pluriel. Toutefois, celui-là même n'est jamais ouvert qu'à moitié.

Il n'y a qu'un seul mot en -*ot* dont l'*o* soit tout à fait ouvert et bref, mais c'est parce que le *t* se prononce: c'est d*o*t, la prononciation *do* étant dialectale.

Il va sans dire que cet *o*, même fermé, s'ouvre dans les composés, où il cesse d'être tonique, et où, très souvent, le *t* se lie avec le mot suivant: *sot-l'y-laisse*, *mot-à-mot*, *pot-à-l'eau*, *pot-au-lait*, *pot-au-feu*, *pot-aux-roses*, et même, sans liaison, *pot à tabac*.

Aux mots en **-ot** se joignent quelques autres mots à consonne non articulée, dont la finale n'est pas non plus tout à fait ou toujours fermée. Ce sont: *broc*, *croc*, avec *accroc* et *raccroc*, *escroc*, *galop*, *sirop*, et *trop*[263]. On notera que *trop* est presque toujours proclitique, et, par suite, a tendance à s'ouvrir tout à fait: *c'est trop juste*, ou mieux encore avec liaison: *vous êtes trop aimable*; aussi est-il bien difficile de ne pas l'ouvrir un peu, même quand il est tonique: *j'en ai beaucoup trop*. De même l'*o* est ouvert dans le composé *croc-en-jambe*, où le *c* sonne.

Malgré ces restrictions, on peut maintenir néanmoins que le son *o* final est, en général, fermé ou à peu près, surtout à Paris. Et la tendance est si marquée que, dans les mots raccourcis de la fin, qui se créent précisément à Paris, l'*o* intérieur, qui était au moins à demi ouvert dans le mot complet, se ferme en devenant final: on peut comparer *kilogramme* et *kilo*, *typographe* et *typo*. De même *mélo*, *chromo*, *métro*, *photo*, *hecto*, *aristo*, *Méphisto*, et même *auto*, malgré le son fermé qui précède l'*o*[264].

2° L'O suivi d'une consonne articulée.

Quand l'*o* est suivi d'une consonne articulée, il est, comme *eu*, assez généralement ouvert; mais lui aussi est fermé dans certains cas et, de plus, long.

I. **O fermé.**—L'*o* est fermé et long, avant tout, dans tous les mots en -**ose**, comme *eu* dans la finale *-euse*: on peut comparer *chose* et *fâcheuse*, *dose* et *hideuse*, *rose* et *peureuse*; et, de même que pour *-euse*, c'est un des points sur lesquels il importe le plus de corriger certaines prononciations dialectales, qui ouvrent partout *o* et *eu*[265].

A part les mots en **-ose**, *o* tonique avec consonne articulée n'est plus fermé et long qu'avec l'accent circonflexe, et dans un certain nombre de mots en **-ome**, **-one**, **-os** et **-osse**, que nous allons voir dans leurs catégories respectives.

Partout ailleurs l'*o* tonique est ouvert, mais, comme *a*, *e* et *eu*, avec certaines différences de quantité[266].

II. **O ouvert bref.**—L'*o* est naturellement bref devant une explosive brusque, *c*, *t*, *p*, ou une spirante sourde, *f*, *ch*, *s*: *roc*, *coke*, *baroque*, *loch* et même *l*(o)*och*, en une syllabe; *dot*, *radote* et *carotte*; *stop*, *stoppe* et *métope*; *sous-off*, *étoffe* et *philosophe*; *roche*; *rosse* et *féroce*[267].

Il n'y a d'exceptions que pour l'*s*.

D'abord l'*o* est long et fermé dans *adosse* et *endosse* (de *dos*), dans *grosse* et *engrosse* (de *gros*), dans *fosse* (on ne sait trop pourquoi), et aussi *désosse* (du pluriel *os*).

Mais surtout les mots en **-os** demandent un examen particulier. En principe, l'*o* y est ouvert et bref, mais il y a une tendance manifeste à le fermer et à l'allonger, peut-être par analogie avec les mots en *-os* à *s* non articulé. On dit, et on doit dire de préférence: *un os*, avec *o* ouvert et en faisant sonner l'*s*, *des* o(s), avec *o* fermé, comme *do*(s) et *gro*(s); toutefois, on dit de plus en plus *des os* avec *o* fermé et *s* articulé; et cette prononciation réagit parfois sur le singulier: *un os*, avec *o* fermé[268]. D'autre part, les avis sont partagés sur *rhinocéros*, *mérinos*, *albatros*, et même *albinos*; je pense qu'il vaut mieux fermer l'*o* dans ces quatre mots[269].

A vrai dire, les mots en **-os**, dont le nombre s'est fort augmenté, sont empruntés au grec le plus souvent, et la plupart sont des noms propres. Ceux qui n'en sont pas, mots savants, comme *pathos*, *tétanos*, *peplos*, *cosmos*, ou *sphynx atropos*, devraient tous avoir l'*o* bref, en vertu de l'étymologie. Mais cette prononciation, qui est de pure érudition, est en contradiction avec la tendance du français pour les mots en *-os*. Dès lors, une foule de gens fort instruits, et même sachant du grec (il est vrai qu'ils le prononcent fort mal), ferment l'*o* sans hésitation, par exemple, dans ce vers de Molière:

On voit partout chez vous l'*ithos* et le *pathos*!

Il en est de même pour *tétanos*, et cette prononciation est peut-être destinée à l'emporter sur la bonne. Elle ne peut, d'ailleurs, choquer que les érudits[270].

III. **O ouvert moyen.**—L'*o* est un peu moins bref devant une sonore, soit explosive, *b*, *d*, *g*, soit surtout spirante, *j*, *v* (et même parfois *z*), et devant *l*, *m*, *n*, et *gn* mouillé: ainsi *snob* et *robe*, *pagode* ou *rapsode*, *grog* et *drogue*; puis *col*, *école*, *décolle*, et même *alc*(o)*ol*, réduit à deux syllabes[271]; *homme* et *métronome*; *micron*, *matrone* et *patronne*; enfin, *horloge*, *innove* et *ivrogne*[272].

Seules les finales **-ome**, **-one** et **-oz** appellent quelques observations.

1° Autrefois on distinguait les finales *-omme* et *-ome*: les mots en -*omme*, mots de la langue commune, qui sont bien huit ou dix, avaient seuls l'*o* ouvert[273]; les mots en *-ome*, mots savants, avaient au contraire l'*o* fermé, au moins à partir du XVIIe siècle. Cette prononciation était justifiée dans beaucoup de cas par l'étymologie, notamment dans *symptôme* et *diplôme*, qui ont pris l'accent; dans *idiome* et *axiome*, qui ne l'ont pas pris, et aussi dans *brome*, *chrome*, *amome*, *gnome* et *arome*. Est-ce par analogie que tant d'autres suivirent? Toujours est-il que *prodrome* et *hippodrome*, *tome*, *atome* ou *épitome* (remplacé depuis par *épitomé*), *nome*, *économe*, et même *astronome*, et aussi *majordome*, n'avaient aucune raison de fermer leur *o*[274]. Ils le fermèrent pourtant, sans doute en qualité de mots savants. Que dis-je? On en vit deux, à *o* également bref d'origine, qui allèrent jusqu'à prendre l'accent circonflexe: *dôme* et *monôme*, avec *binôme* et *polynôme*[275]. Ceux-là sont altérés pour longtemps par l'orthographe. Pour les autres, on est revenu en arrière, mais on y a mis le temps, et il en reste encore quelque chose.

Quoiqu'il n'y ait plus guère de divergence sur la prononciation de *métronome*, *astronome*, *autonome*, qui ont certainement l'*o* ouvert, on trouverait sans peine des vieillards qui ferment encore l'*o* dans *économe*; et l'on hésite souvent sur les autres[276]. La tendance à ouvrir est cependant très marquée; et même on voit se produire depuis une génération le phénomène inverse: on avait fermé des *o* légitimement ouverts; on a ouvert des *o* légitimement fermés. *Amome*, ou du moins *cinnamome*, ne se dit plus guère avec *o* fermé[277]; *gnome* et *arome* ouvrent leur *o* de plus en plus souvent, et *polychrome* encore davantage. Je ne vois guère, sans accent circonflexe, que *idiome* et *axiome* qui résistent avec succès; et encore ils sont certainement touchés[278].

2° C'est une observation toute pareille qu'on peut faire sur les mots en *-one*, mots savants ou noms propres, qui autrefois avaient l'*o* long et fermé, par opposition aux mots en *-onne*, mots de la langue vulgaire, qui l'avaient bref et ouvert. Ici aussi, l'*o* fermé pouvait se comprendre dans des mots comme *carbone*, *aphone*, *polygone*, *anémone*, *matrone*, mots savants où se conservait la quantité étymologique[279]; ou encore dans *automne*, autrefois nasal, comme *damne*; il ne s'expliquait ni dans *madone* ou *belladone*, de l'italien *donna*, ni, et moins encore, dans *atone* ou *autochtone*, et pas davantage dans *prône* et *trône*, qui ont imité *dôme* et *monôme*[280]. Aujourd'hui, à part les mots que l'orthographe a altérés, *prône* et *trône*, cette prononciation a disparu à peu près, par assimilation de *-one* à *-onne*: sans parler d'*anémone* et *matrone*, qu'on ne discute pas, *atone* ne saurait garder l'*o* fermé à côté de *monotone*, ni *aphone* à côté de *téléphone* ou *saxophone*. *Carbone* et les termes mathématiques de la famille de *polygone* résistent encore, mais pas pour longtemps[281]. Je ne vois plus avec *o* long fermé d'une façon assez générale que *zone* et *amazone*, *cyclone* et *icone*; encore ces mots sont-ils atteints, surtout *amazone*[282].

3° Pour ce qui est de l's doux, nous avons vu plus haut que les mots en *-ose* avaient l'*o* fermé. Comme il n'y a pas de finale féminine en *-oze*, il ne reste que les mots en *-oz*, sur lesquels l'accord n'est pas parfait; mais cette finale appartient exclusivement aux noms propres[283].

IV. **O ouvert long.**—De même que *a*, *e* et *eu* devant *r*, l'*o* est allongé dans *-or* (avec ou sans seconde consonne non articulée) et dans *-ore* (ou *-orre*), tout en restant très ouvert sans exception: *or* et *hors*, *abord* et *abhorre*, *cor*, *corps*, *recors*, *accord*, *encor* et *encore*, *porc*, *port* et *pore*, *tord*, *tords*, *tort*, *retors*, *store* et *mentor*, ne se prononcent pas de deux manières[284].

3° L'O suivi de groupes à liquides.

Dans les groupes à liquides, l'*o* est également ouvert. Il est plus ou moins bref ou moyen dans les finales en *-ocle* et *-ocre*, *-ople* et *-opre*, *-otre*, *-ofle* et *-ofre*, où l'*o* est suivi d'une sourde: *socle* et *médiocre*, *sinople* et *propre*, *notre* et *votre*, *girofle* et *coffre*[285]; il est un peu plus long dans les finales en *-oble*, *-obre* et *-ogre*: *noble*, *sobre*, *ogre*[286].

4° L'O atone.

L'*o* atone est exactement dans le même cas que l'*a*: tandis que l'*o* tonique peut être long en restant ouvert, l'*o* atone ne peut être long qu'autant qu'il est fermé, et ce n'est pas très fréquent. Ainsi l'*o* de *dore* ou *dévore*, n'étant pas fermé, s'abrège dans *dorer* ou *dévorer*.

L'*o* reste long pourtant, d'abord quand il conserve sur la prétonique l'accent circonflexe de la tonique: *enjôler*, *enrôler* (ou *enrôlement*), *frôler*, *chômer*, *prôner*, *trôner*, *aumônier*, *ôter*, *côté*, *hôtel*, *prévôté*, rappellent sensiblement *geôle*, *rôle*, *prône*, *trône*, etc., quoique l'accent circonflexe ne soit pas toujours justifié[287].

La prononciation de *coteau*, dérivé de *côte*, comme *côté*, a quelque chose d'irrégulier, car l'*o* de ce mot est tout à fait bref et ouvert; aussi a-t-il perdu son accent. Il est vrai que beaucoup de gens ouvrent aussi celui de *côté* (cf. *accoter*); et même il est assez rare qu'on maintienne fermé celui de *côtelette*, qui n'a pourtant que deux syllabes pour l'oreille.

A plus forte raison, quand l'accent circonflexe est plus éloigné, l'*o* reste difficilement fermé: il peut l'être dans *fantômatique*, qui est savant, et d'ailleurs fort peu usité, et aussi dans *Hôtel-Dieu*, car *hôtel* ne peut y changer de nature; mais l'accent d'*hôpital*, qui est le même mot qu'*hôtel*, ne sert plus absolument à rien[288].

On ouvre aussi assez généralement l'*o* de *rôtir* et de ses dérivés.

Même sans accent circonflexe, l'*o* reste ordinairement fermé et long dans *ossements* ou *désosser*[289]; dans *dossier, adosser, endosser*, dans *grosseur, grossir* ou *grossier*; dans *fossé*[290].

L'*o* est surtout fermé devant *s* doux ou *z*: *oseille, groseille, osier, gosier, égosille, rosier, rosée, arrosoir, explosif, corrosif*, et tous les verbes en *-oser*, avec les substantifs en *-osion* et même *-osité*, comme *arroser, érosion* ou *générosité*[291]. Il est moins fermé dans les mots en *-osition*, notamment dans *préposition*. Il est naturellement plus ouvert dans *hosanna, mosaïque* et *prosaïque*, et tous les mots qui commencent par *pros-*, ou même plus généralement par *pro-*.

L'*o* prétonique est encore fermé dans *momier, momerie* et *momie*, et dans les mots en *-otion*: *lotion, émotion, notion, potion, dévotion*[292]. Il est encore à peu près fermé, mais avec tendance à s'ouvrir, dans *obus* et *odeur*, et il s'ouvre naturellement dans leurs dérivés, qui sont polysyllabiques. Il est douteux et plutôt ouvert dans *toper*, dans *vomir* et ses dérivés, dans à l'*orée*, dans *motus*.

Malgré l'étymologie, l'*o* est tout à fait ouvert et bref dans *disponible* et *poney*[293]; de même dans *moteur* et *motrice*; il l'est surtout dans les verbes en *-orer*, et dans les dérivés des mots en *-ot*, suivant l'analogie des mots en *-ote*: *cahoter, saboter, tricoter, flotter, voter* ou *votif*, et même *numéroter*; de même *abricotier* ou *idiotisme*, tout comme *escroquer* ou *galoper*; et encore, peut-être par analogie, *malotru* ou *otage*.

Beaucoup de Parisiens ferment l'*o* dans *ovale*, mais ceci est purement dialectal, car *o* est ouvert partout devant *v*, comme devant *r* (à part *alcôve*, bien entendu).

Le souvenir de la quantité latine fera fermer correctement l'*o* dans *variorum* ou *quorum* (en opposition avec *décorum* ou *forum*, dont l'*o* est ouvert et bref); de même dans *olim*, dans *ex voto* ou *ab ovo*, dans le premier *o* de *pro domo*, qui est un *o* final; mais il est ouvert dans *factotum* et *toton*, dans *soliste*, et souvent même dans *solo*, dans *quiproquo, oratorio* et *sanatorium*, et naturellement les polysyllabes qui commencent par *dodéca*[294].

Remarque.—Par un phénomène d'assimilation que nous avons déjà constaté pour *e* ou *ai*, qui se fermaient devant une tonique fermée, la répétition de la même syllabe fait que l'*o* prétonique est presque aussi fermé que l'*o* tonique dans *bobo, coco, rococo, dodo, gogo* et *lolo*. Même le premier *o* de *rococo*, qui est le même que l'*o* ouvert de *rocaille*, tend à se fermer comme les deux autres. Ces mots étant uniquement du style familier, il n'y a pas lieu de réagir ici[295].

Devant une voyelle aussi, l'*o* tend à se fermer à demi: *co-alition*, *co-habiter*, *co-efficient*, *bo-a*, *clo-aque*, *oa-sis*, *poème*, assourdiraient leur syllabe initiale, si l'on ne veillait à la distinguer de la suivante; et cette tendance, livrée à elle-même, irait jusqu'à changer *o* en *ou* consonne, ainsi que cela s'est fait plus d'une fois, notamment dans *moelle*[296]. On fera bien d'y résister et d'ouvrir l'*o*. De plus, on doit prononcer les deux *o* séparément et ouverts dans quelques mots savants où on les trouve: *co-opération*, *épizo-otie*, *zo-ologie*, etc.[297].

5° L'O de quelques mots étrangers.

L'*o* est fermé dans l'anglais *home*, *at home*, et l'allemand *kronprinz* (sans nasale), mais l'*r* l'a ouvert dans *folk lore*; il est assourdi en *ou* dans *time is money*, ou *to be or not to be*[298].

L'*o* double anglais se prononce *ou* dans *coolie*, qu'on écrivait jadis *couli*, fort justement; dans *book*, *arrow-root*, *foot-ball*, *groom*, *sloop*, *schooner*, *snowboot*, *waterproof*[299].

L'*o* double flamand n'est qu'un *o* long, comme dans *vooruit*[300].

6° Le groupe AU.

Le groupe *au* (ou *eau*) se prononce généralement comme *o* fermé[301].

I. **AU tonique.**—*Au* final est pareil à *o* final: *radeau*, *landau* ou *eldorado*, *panneau* et *piano*, *marteau* et *in-quarto* ne se prononcent pas de deux manières. Il en est de même quand il y a une consonne non articulée: *faux*, *défaut*, *échafaud*, avec cette différence que *-aut* (ou *-aud*) est un peu plus long et surtout plus fermé que *-ot*[302].

Devant une consonne articulée, tandis que les groupes *oi* ou *ai* sont toujours ou presque toujours ouverts, et souvent brefs, comme *a* ou *e*, au contraire le groupe *au* est régulièrement et très également fermé et long comme *ô*: *aube*, *débauche*, *émeraude*, *chauffe*, *gaufre*, *sauge*, *saule*, *baume*, *faune*, *taupe*, *rauque*, *cause*, *fausse* et *sauce*, *faute* et *pauvre*.

On ouvre quelquefois *sauf*, qui devient bref, surtout employé comme préposition, et aussi *holocauste*, en vertu du principe général des deux consonnes[303].

Mais l'exception capitale, c'est la finale *-aur* ou *-aure*: *au* y est toujours long, plus long que jamais, mais il y est ouvert autant et plus que fermé, car c'est le propre de l'*r* d'ouvrir les voyelles.

Ainsi *au* est ouvert d'abord dans *s*au*r*, qui est pour *sor* (comme *Paul* pour *Pol*), et dans *t*au*re*, qui est aussi pour *tore* (comme *taur*eau est pour *toreau*), car *au* n'est dans ces mots que par réaction étymologique[304].

Et partout le groupe latin *aur* serait devenu *or* si on l'avait laissé faire, ce qui veut dire aussi que partout *aur* se prononcerait *or* ouvert, si l'érudition ne maintenait parfois le son *o* fermé. Ainsi l'usage le plus ordinaire ouvre la finale de *cent*aure et *Minot*aure, proches parents de *t*aure, et que les érudits seuls continuent à fermer, et plus encore celle de *rest*aure, sur qui l'érudition n'a pas de prise. La finale -*aure* s'ouvre même dans des termes techniques, comme *ichtyos*aure ou *plésios*aure[305].

II. **AU atone.**—*Au* atone est généralement fermé aussi, surtout quand il est prétonique, sauf devant un *r*: au*bépine*, au*berge*, au*dace*, au*tel*, etc., *c*au*chois*, *c*au*tion*, *cl*au*der*, *ch*au*ffer*, *ch*au*sser*, *f*au*ssaire*, *m*au*viette*, *pe*au*ssier*, etc., et les finales en -*auté*: *cr*au*té*, *loy*au*té*. Il est fermé même dans *s*au*rien*, *t*au*romachie* et *cent*au*rée*, malgré l'*r*, parce que ce sont des mots savants, et aussi dans *v*au*rien*, où le verbe primitif se reconnaît toujours.

Mais les exceptions sont fort nombreuses.

Au atone est ouvert d'abord devant un *r*, dans *t*au*reau*, comme on vient de voir, et *s*au*ret*; généralement aussi dans les futurs et conditionnels d'*avoir* et *savoir*[306]; dans au*rore*, au*réole*, au*rifère* ou au*rifier*[307]; et tout au plus est-il douteux dans *l*au*rier* (pour *lorier*), *l*au*réat*, *l*au*réole*.

En second lieu il tend naturellement à s'ouvrir devant deux consonnes, non seulement dans au*gment* et au*gmenter*, où le phénomène est général, mais souvent aussi dans des mots comme au*sculter* ou au*xiliaire*, où il s'impose beaucoup moins, et même dans des mots où il est prétonique: au*spice*, au*stère*, au*stral*, *c*au*ch*(e)*mar* ou *enc*au*stique*.

Il s'est même ouvert sensiblement aussi devant une seule consonne, dans au*toriser* et au*torité* (mais non dans au*teur*), et surtout dans *m*au*vais*, sans parler de *rig*au*don*, qui s'écrit aussi *rigodon*. D'une façon générale, il tend à s'ouvrir dans quelques mots très usités, d'abord dans les polysyllabes, au*thentique*, au*tomate*, au*tonome*, au*topsie*, *c*au*tériser*, et aussi dans au*mône*, où il se distingue ainsi de l'*ô* qui suit, dans au*guste*, au*tomne*, *épau*lette (malgré *épaule*), *paupière*, ou même nau*frage*. Toutefois on prononce encore la plupart de ces mots plus correctement en fermant *au*, aussi bien que dans au*jourd'hui*, où il est tout à fait incorrect de l'ouvrir[308].

La diphtongue allemande ***au*** se prononce comme *o* fermé quand elle se francise: *block*au*s*[309].

V.—LES VOYELLES I (y), U, OU.

Les voyelles *i, u, ou*, étant fermées par définition, ne se prononcent pas de deux manières. Les instruments délicats de la phonétique expérimentale constatent bien une petite différence de timbre, mais encore n'est-ce guère qu'entre les voyelles atones et les toniques, celles-ci étant un peu plus fermées[310].

Au point de vue de la quantité, nous ferons les mêmes distinctions que pour les autres voyelles.

1° La voyelle I.

L'*i final* est moyen, seul ou avec consonne non articulée, avec ou sans accent: *hardi, crédit, rendit* ou *rendît, radis, outil, crucifix, riz, jury, Jésus-Christ* ont la finale identique. *Pis*, adverbe, est un peu plus long. D'autre part, dans *ui* final, la brièveté du premier élément paraît allonger le second: *appui, minuit, muid*[311].

Parmi les voyelles finales qui peuvent être suivies de l'*e muet*, l'*i* se distingue particulièrement, au moins en vers, parce que là *ie* devient facilement *i-ye*, et se trouve, par suite, singulièrement allongé:

Adieu: je vais traîner une mourante *vi-ye*,
Tant que par ta poursuite elle me soit *ravi-ye*[312].

Mais il y a quelque affectation à prononcer ainsi: il faut laisser cela aux chanteurs. En tout cas, on ne le fait jamais dans l'usage courant, où il est difficile de distinguer par exemple: *elle est partie ce matin*, de *il est parti ce matin*, ou *mon amie est venue* de *mon ami est venu*. On maintient sans doute une légère différence quand on rapproche un masculin d'un féminin: *un ami, une amie*, et ce n'est pas grand'chose[313].

Devant la plupart des consonnes articulées, l'*i* est bref ou moyen: *trafic* et *trafique, pipe, huit, profite* et *fites; riche, captif* et *calife; vice, visse* et *vis*[314]; *diatribe, aride* et *fatigue; habile, anime, fîmes* et *cabine*. Il est plus long devant *g* et *n* mouillé: *vertige* et *indigne;* plus encore devant *r, s* doux et *v: rire, mourir, finirent, merise* et *arrive*. Mais surtout, contrairement aux cas des autres voyelles, la finale mouillée *-ille*, autrefois brève, quand on connaissait l'*l* mouillé, est devenue longue, depuis qu'on la prononce *i-ye*.

Même gradation de quantité dans *cycle, disciple, gifle, litre* et *chiffre; libre, hydre, tigre* et *vivre*.

Huile a encore l'*i* un peu plus long qu'*habile*, peut-être à cause du groupe *ui*; mais l'accent circonflexe ne sert plus à rien, non seulement dans les prétérits, *fîmes* ou *fîtes*, pareils à tous les prétérits, mais aussi bien dans *île*, *huître*, *épître* et *bélître*, et souvent même dans *âne*. La prononciation oratoire ou poétique appuie également sur *abîme* et *sublime*: on voit que l'accent circonflexe n'y est pour rien. On appuie de même sur *fils* en poésie, et sur *bis*, mais seulement quand on applaudit.

L'*i* atone est rarement long; tout au plus est-il moins bref quand il est suivi d'un *s* doux, comme dans les verbes en *-iser*. Pourtant l'*i* long de *pire* se conserve exceptionnellement dans *empirer*, contrairement à l'usage des verbes en *-rer*, qui ont presque tous la prétonique brève, comme *admirer*.

L'*i* est également long dans les verbes en *-i-er*, à l'imparfait et au subjonctif présents, devant les finales *-ions* et *-iez*: *pri-ions*, *pri-iez*; c'est la seule manière de distinguer ces formes de celles de l'indicatif présent. En fait, on prononce presque *priy-yons*; mais le nombre des syllabes n'est pas augmenté pour cela[315].

L'*i* final avec tréma fait une syllabe à part en français: *ha-ï*, *ou-ïe*; mais, dans certains mots étrangers, comme le japonais *banzaï* ou *samouraï*, il vaut mieux considérer *aï* ou *oï* comme des diphtongues, où le tréma sert uniquement à empêcher de prononcer *ai* (*è*) ou *oi* (*wa*) à la française, sans pour cela séparer l'*i*[316].

2° L'I dans les mots étrangers.

L'*i* anglais se prononce *i* dans *gin*, *miss* et *mistress* (missess), dans *clipper*, *pickles* (ess) et *cricket*, dans *gipsy*, *whisky* et *whig*, dans *bridge*, dans les mots en -*ing*, etc. D'autre part, on francise encore assez généralement *esquire* (*ki*) et *rifle*, et surtout *outsider*. Enfin, beaucoup de personnes prononcent encore *flirt* par *i*, aussi bien que par *eu* ouvert, d'autant plus que de *flirt* nous avons fait *flirter*: toutefois, la diffusion progressive de l'anglais tend à faire prévaloir *fleurte* et même *fleurter*, ce qui est presque aussi absurde qu'*interviouver*[317].

Mais il y a beaucoup d'autres mots qui ne sauraient être francisés, et on doit se résoudre à donner à l'*i* de ces mots un son intermédiaire entre *aï* (ou *aye*) et *aë*, notamment dans *all ri(gh)t* (olraït en deux syllabes), *ri(gh)t man at the ri(gh)t place* (atzéraïtplèce), *hi(gh)life* ou *hi(gh)lander*, *times* (taïms) et *time is money*, ou *five o'clock*[318]. Pourtant rien n'empêche un fantaisiste de s'amuser à faire rimer *high life* (iglife) avec *hiéroglyphe*. On peut même se demander si, avec toutes les *Chapelleries*, *Draperies* ou *Épiceries du high life* qu'on trouve partout maintenant, l'obligation d'employer ce mot, imposée à tant de gens qui ne savent pas l'anglais, n'arrivera pas à le franciser tel quel à bref délai.

L'*y* final, ou intérieur, devant une consonne, n'existe plus en français que dans des noms propres, et naturellement se prononce *i*. L'*y* final anglais se prononce *i* ou *e*; mais beaucoup de mots en *y* sont suffisamment francisés pour que ceux qui ne savent pas l'anglais puissent prononcer un *i* indifféremment et sans scrupule dans *brandy, lady, penny, nursery, tilbury, dandy, whisky, tory, gipsy, derby, gentry, garden-party,* et *clergyman*; on prononcera de préférence *aï* dans *dry farming,* et *cross-country* se prononce *keuntré*[319].

3° U et OU.

Il est inutile de répéter littéralement pour *u* et *ou* ce que nous avons dit pour *i*.

Ils sont également moyens dans *fus, fut, reflux* et *touffu,* dans *j'eus,* il eu*t*, dans *mou, moud, mout, remous, joug, loup* et *caoutchouc*[320].

Brefs ou moyens devant la plupart des consonnes finales articulées, ils sont longs, comme toutes les voyelles, devant *r: jour, bravoure, obscur, blessure*[321]; devant *s* doux: *épouse, douze, ruse*; devant *v: louve, étuve, découvre,* sauf pourtant les verbes *prouve* et *trouve,* qui paraissent plus brefs.

Devant *s* dur, *u* et *ou* ne s'allongent pas, sauf dans le mot *tous,* quand il est tonique, en opposition avec *tou*(s) atone, qui est très bref: *tous les hommes, il tousse,* pour *tous,* font trois degrés très distincts[322].

Un certain nombre de mots en -*ouille* ont aussi généralement la finale longue: *fouille, rouille, brouille, souille*; on y joint quelquefois *houille* et *dépouille*[323].

On allonge aussi ordinairement *roule* et *croûte*; quelquefois *rouge* et *bouge,* du moins en poésie.

L'accent circonflexe se fait encore un peu sentir dans *brûle* et *affûte,* beaucoup moins dans *flûte,* quelquefois dans *coûte, goûte, croûte, voûte* et *soûle,* au moins quand ils ne sont pas liés au mot qui suit, car *cela coûte cher* n'a pas toujours le même son que *cela me coûte*[324].

La voyelle prétonique reste à peu près longue dans les verbes qui ont l'accent circonflexe, comme *brûler, mûrir* ou *coûter*; exceptionnellement aussi dans deux ou trois verbes en -*rer: murer, bourrer, fourrer, lourer.* Elle est flottante, mais plutôt longue que brève, dans *fouiller, rouiller, brouiller, souiller,* avec *brouillard* et quelquefois *brouillon,* mais non *souillon*; dans *rouiller, rouler,* rou*lure* et cr*ou*ler, et dans la plupart des verbes en -*user* et -*ouser*; voire même dans pou*rrir* et les mots en -*urie*[325].

L'*u* ne s'entend pas dans l'interjection c*h*(u)*t*, où le *ch* est ordinairement prolongé; *chut* est donc une orthographe conventionnelle, qui a paru nécessaire pour désigner l'interjection, quand on en fait mention dans une phrase: *on entendit plusieurs ch*u*t*, et aussi pour la rime. On en a fait d'ailleurs le verbe *ch*u*ter*, dont l'*u* se prononce toujours[326].

L'*u* se prononce *o*, ouvert et bref, dans la finale latine **-*um***, suivant la manière française de prononcer le latin, et cela, même dans les mots complètement francisés, comme al*bum*, fo*rum*, post-scri*ptum*, géra*nium*, etc.; et aussi bar*num*[327].

On prononce l'*u* de la même manière à l'intérieur de certains mots composés, d'origine latine, comme tri*umvirat* ou circ*umnavigation*[328].

L'*u* se prononce encore en *o* dans r*hum* et r*hummerie*.

Dans par*fum* seul, la finale est restée nasale[329].

4° L'U dans les mots étrangers.

L'*u* se prononce *ou* dans les groupes -*gua*- et -*qua*-, surtout dans les mots d'origine étrangère: nous en parlerons aux lettres *G* et *Q*.

D'ailleurs l'*u* se prononce *ou* presque partout ailleurs qu'en français[330]. Mais, à part la finale -*um*, nous le francisons infailliblement en *u* dans tous les mots étrangers que nous adoptons. Ainsi dans u*hlan*, où l'*u* non seulement se prononce *u*, mais est devenu bref; de même dans tra*buco*. On peut hésiter pour certains mots, comme né*gus*, qu'on prononce par *u* et *ou*, ou bu*lbul*, qu'on prononce plutôt par *u*; comme *puff*, dont nous avons fait *puffisme* et *puffiste*, alors que nous avions déjà *pouff*.

Il vaut mieux prononcer *ou* dans les mots qui ne sont pas certainement francisés, comme l'italien jetta*tura*, f*uria francese*, e p*ur si m*(u)*ove*, et les termes de musique opera b*uffa*, riso*luto*, rite*nuto*, soste*nuto*, u*n poco p*i*u*, t*utti*[331]. De même l'espagnol c*uadrilla*, c*hulo*, f*ueros*, m*uleta*, ay*untamiento* et pron*unciamiento*; l'allemand b*urg*, k*ulturkampf* et landst*urm*; l'anglais home r*ule*, b*ull full* (au poker), homesp*un*, pl*umcake*. Mais on prononcera: *bleu* dans bl*u* (e) *book* et *pleum-poudding* (*plum-pudding*)[332].

Quoique l'*u* anglais se prononce quelquefois *ou*, il se prononce plus souvent comme *eu* ouvert: c'est le cas, par exemple, dans cl*ub*, t*ub*, st*udbook*, *rush* et *struggle for life*[333]. Toutefois *club* était déjà francisé sous la Révolution, et, en histoire, on prononce plutôt *club*, *cleub* étant réservé aux cercles plus ou moins aristocratiques qui trouvent ce mot plus élégant que *cercle*. D'autre part, on le prononce sensiblement comme un *o* au poker, dans *flush* et *bluff*, d'où le verbe *bluffer*. L'*u* de *gulf-stream* se francise aussi en *o*, sous l'influence de *golfe*, dont il vient. Enfin *budget* et *tunnel* sont francisés complètement depuis longtemps; *turf* l'est sans difficulté, ainsi que u*lster, tilbury, humour, gutta-percha, nurse* et *nursery*; *trust* lui-même est en voie de l'être.

Ou anglais se prononce *aou* dans *boarding-hous*(e) ou *clearing-hous*(e); mais on se contente généralement de *ou*, sinon dans *stout*, au moins dans ou*tlaw* et ou*tsider*. Il se prononce *o* dans *four in hand*.

VI.—LES VOYELLES NASALES

1° Comment se prononcent et s'écrivent les voyelles nasales.

Quand la consonne **n** (ou **m**) est entre deux voyelles, elle se groupe naturellement avec la voyelle qui suit, et celle qui précède reste pure. Mais quand elle s'est trouvée placée dans les mots français à la suite d'une voyelle, devant une consonne autre que *m* ou *n*, ou à la fin d'un mot, la voyelle s'est d'abord nasalisée, puis l'*n* (ou l'*m*) a peu à peu cessé de se faire entendre (sauf dans le Midi). Il s'est maintenu toutefois dans l'orthographe, comme signe de la nasalisation de la voyelle qui précède: an*ge*, *ch*am*bre*, *p*in. Ainsi il n'y a plus que trois sons dans *enfant*, qui en avait six autrefois.

Cette conservation de l'*n* comme signe orthographique n'est pas sans inconvénient, car on ne sait pas toujours dans quels cas l'*n* est une consonne, ou un simple signe de nasalisation.

Pas plus que les voyelles fermées, les voyelles nasales ne peuvent se prononcer de deux manières. Une seule différence est à faire, pour la quantité. Quand elles sont finales, elles sont moyennes, comme toutes les autres voyelles: *rom*an, *chem*in, *mout*on, *aucu*n; quand elles sont suivies d'une consonne articulée, elles s'allongent très sensiblement, surtout si elles sont toniques: *rom*an*ce*, *bon*-*s*en*s*, *m*in*ce*, *t*on*dre*, *empr*unte; quand elles sont atones, elles sont moins longues: on peut comparer *r*ang, *r*ange, et *r*anger, qui est entre les deux; de même *l*ong, *l*ongue et *l*onger.

Il y a en français quatre nasales, c'est-à-dire quatre sons distincts qui ne sauraient se confondre; mais un même son nasal peut s'écrire de plusieurs façons. Outre que *en* se prononce tantôt *an*, tantôt *in*, que *ain* et *ein* ont le même son que *in*, il faut ajouter à cela la différence de l'*m* et de l'*n*; et si l'on tient compte, en outre, des consonnes non articulées, on obtient pour chacun des quatre sons un très grand nombre de graphies, que l'orthographe a conservées, à propos ou hors de propos.

Pour la voyelle **an**, voici d'abord *rom*an, *am*ant, flam*and*, c*amp*, fr*anc*, *r*ang, et naturellement leurs pluriels; puis Rou*en*, différ*ent*, différ*end*, har*eng*, et leurs pluriels; de plus am*bition*, em*mener*, t*emps*, ex*empt* ou ex*emp*te, sans compter J*ean*, C*aen*, L*aon*, *h*an*t*er et H*en*ri, ce qui fait bien trente manières d'écrire le seul et unique son *an*.

Il n'y en a pas moins pour la voyelle **in**: voici d'abord v*in*, v*in*s, prév*int*, v*ingt*, et quatre-v*ingts*, inst*inct*, et même c*in*q, dans *cinq sous*; puis *s*ain, *s*aint, *s*ein, *s*eing, ess*aim*, et leurs pluriels, *f*eint, th*ym*, avec v*ainc* et v*aincs*; de plus, exam*en*, v*ien*s et v*ien*t; sans compter l*im*pide, sy*n*taxe et R*eim*s; et j'en passe peut-être.

Et encore faut-il considérer à part s*oin* ou mars*ouin*, p*oint*, p*oing*, et leurs pluriels.

La voyelle **on** se trouve à son tour dans chiff*on*, prof*ond*, affr*ont*, j*onc*, l*ong*, n*om*, pl*omb*, pr*ompt*, et leurs pluriels, et dans r*omps*, sans compter p*unch*; la voyelle **un**, dans trib*un*, déf*unt*, parf*um*, et leurs pluriels, et dans à j*eun* ou Jean de M*eung*.

Mais l'*n* et l'*m* ne s'emploient pas indifféremment: l'*m* ne fait généralement que remplacer l'*n* dans certains cas. En principe, l'*m* ne peut terminer une nasale qu'à l'intérieur des mots, devant une labiale, *b* ou *p*, ou dans le préfixe -*em* (pour *en*-) suivi d'un *m*. Le phénomène se produit même dans des syllabes masculines finales: *camp*, *champ*, *exempt* et *temps*, *plomb*, *prompt* et *rompt*, ou *romps*[334].

Il faut y ajouter *comte* et ses dérivés auxquels on a conservé l'*m* tout à fait exceptionnellement, devant un *t*, sans doute pour éviter une confusion avec *conte*[335].

La prononciation est d'ailleurs exactement la même aujourd'hui, que la consonne qui termine la nasale soit *m* ou *n*: *camp*, *champ* et *temps*, *camper* et am*bition*, *membre*, *tempe* et em*mener*, *nimbe* et *simple*, *plomb* et *nombre*, *rompre* et *rompt* ou *romps*, et *humble*, prononcent leurs nasales exactement comme an*ge*, *cintre*, *ronde* ou déf*unt*.

A la fin des mots s'il n'y a pas de consonne à la suite, la voyelle nasale est toujours écrite avec un *n*, les finales en *m* ayant perdu le son nasal. Il faut excepter:

1° *Dam* et au besoin *quidam*[336];

2° *Daim*, *faim*, *essaim*, *étaim*[337]; de plus, *thym*;

3° *Nom* et ses composés avec *dom*, qui est le même mot que l'espagnol *don*[338];

4° *Parfum*[339].

Dans tous les autres mots, l'*m* final se prononce à part, mais d'ailleurs tous ces mots sont des mots étrangers, prononcés comme ils sont écrits, ou des mots latins: *harem*, *intérim*, *album*, etc.[340].

2° De quelques nasales intérieures, disparues ou conservées

Outre les finales en *m*, il y a encore d'autres syllabes qui ont perdu en français le son nasal. On parlera plus loin des finales en -*en*. Je veux parler ici de certaines syllabes intérieures, où la nasale *n* ou *m* était suivie d'un autre *n* ou *m*.

Nous avons déjà vu précédemment la nasale primitive se réduire à une voyelle dans *fla*(m)-*me* et *fe*(m)-*me*[341]. Il en fut de même de beaucoup d'autres mots, notamment *gra*(m)-*maire*[342].

Beaucoup de personnes conservent encore, très malencontreusement, le son nasal dans an-*née*, dans *solen-nel* et *solen-nité*, ou dans les adverbes en -*amment* ou -*emment*[343]. Dans tous ces mots la décomposition est définitive depuis longtemps; et comme la nasale avait partout le son *an*, c'est l'*a* qui a prévalu partout après décomposition; c'est pourquoi *impudemment* et *abondamment* se prononcent de la même manière, *impudent* et *abondant* ayant la même finale pour l'oreille[344].

Il est resté toutefois quelques spécimens de cette catégorie de nasales. Par exemple, il faut bien se garder de remplacer néan-*moins* par néa-*moins*, qui est devenu une prononciation purement dialectale; *néant*, qui a gardé ici son *n* à défaut du *t*, a gardé aussi sa prononciation. Le son nasal s'est maintenu également dans fîn-*mes* et vîn-*mes*, formes exceptionnelles et bizarres, dont l'orthographe et la prononciation sont dues à l'uniformité de la conjugaison.

Mais surtout le son nasal s'est maintenu dans les mots de la famille d'*en-nui* et dans les composés de la préposition *en*: en-*noblir*, em-*mener*, em-*ménager*, etc., y compris le vieux mot em-*mi*[345].

Il y a mieux, et voici une observation capitale: la préposition *en* a gardé parfois le son nasal, non seulement devant *n* ou *m*, mais même *devant une voyelle*, dans des composés d'origine purement française, sans que l'*n* se soit doublé: en-*ivrer*. Ce n'est pas sans peine, car le voisinage de mots tels que *énigme, énergie, énoncer*, tend continuellement à décomposer la préposition. La présence d'un *h* contribue peut-être à la maintenir dans *enherber* ou *enharmonie* qui d'ailleurs ne sont pas d'usage courant[346]. Mais il y a trois mots capitaux, trois mots très usités, trois mots nécessaires, où il est indispensable de maintenir la préposition *en* avec le son nasal, malgré le voisinage immédiat de la voyelle, sous peine de faire de véritables barbarismes. Ce sont en-*ivrer*, en-*amourer* et en-*orgueillir*, qui doivent se prononcer comme *s'en aller*, avec nasale et liaison.

Les fautes sur ce point sont si fréquentes que je ne sais trop quel avenir est réservé à ces mots[347]. En-*orgueillir* se tient encore assez bien[348]; mais que de gens même fort instruits, et même des typographes, vont jusqu'à mettre un accent sur *énamourer*, voir sur *énivrer*! Écriture et prononciation également barbares, auxquelles il faut résister de toutes ses forces, aussi longtemps qu'on le pourra.

Passons aux observations particulières à chaque nasale.

3° Les cas particuliers de la nasale AN

I. C'est à la nasale *an* que se rattachent trois monosyllabes d'orthographe irrégulière: *fa*(o)*n*, *pa*(o)*n*, *ta*(o)*n*. Pour *taon*, c'est *ton* et non *tan* qui s'est prononcé longtemps et se prononce encore dans certaines provinces, mais cette prononciation, admise par Domergue et Mme Dupuis, est aujourd'hui dialectale[349].

Il va sans dire que dans les cas où la dérivation dénasalise la syllabe, c'est l'*a* seul qui s'entend: *pa*(o)*n* et *fa*(o)*n* ne peuvent donner que *pa*(on)*ne*, *pa*(on)*neau*, *fa*(on)*ner*, prononcés également sans *o*[350].

Autre observation sur *an*: nous nasalisons presque toujours le groupe *an*, et aussi *am* intérieur, dans les mots étrangers, même quand ces mots ne sont pas francisés par ailleurs. Il y a là un phénomène général très curieux.

Pour la finale, d'abord, il n'y a guère que les mots anglais en -*man* qui fassent exception; après avoir nasalisé autrefois *drogm*an, *dolm*an, *landamm*an, avec *parmes*an et d'autres, nous respectons aujourd'hui, par suite de la diffusion de l'enseignement, et aussi par un certain snobisme, la finale sonore de *policem*an, *clubm*an, *sportsm*an, etc.[351].

Pour *an* intérieur, il y a d'abord quelques mots qui sont entièrement francisés: *dandy*, *perform*ance, et même *h*andicap, puisque nous en avons fait le verbe *h*andicaper; de même and*ante* ou and*antino*, *f*antasia, *fr*anco ou *dil*ettante. Il y a ensuite les mots dans lesquels *an* seul est francisé: ainsi *c*ant, où nous prononçons le *t*, contrairement à l'usage français, et *c*antabile, où nous prononçons l'*e* final; c'est toujours la demi-francisation. De même *l*andwehr ou *l*andsturm, *st*and, *s*andwich ou *sh*ak(e)*h*and, *c*anzone ou *b*anderillero, et aussi *w*arrant, où le *t* final ne se prononce plus, quoique le *w* se prononce encore quelquefois *ou*.

En revanche, on ne nasalise guère *an* dans *c*anter, *h*ighlander ou *four in h*and, dans *f*antoccini, *bel c*anto, *accel*erando, *ritard*ando, *tutti qu*anti, *furia fr*ancese, *lasciate ogni sper*anza, qui sont trop manifestement étrangers. Ou plutôt on nasalise bien un peu la syllabe, mais en faisant néanmoins sonner l'*n*, ce qui n'est pas la nasale proprement française[352].

*Tr*amway a pu se franciser sans se nasaliser. Cela tient à ce que le *w* ayant le son *ou*, l'*m* a l'air de sé-parer deux voyelles; mais on entend souvent dans le peuple *tran-vè*.

4° Quand le groupe EN se prononce-t-il *an* ou *in*?

Nous passons à *en*. Ici se pose la question la plus importante peut-être de celles qui concernent les nasales en français: quand *en* se prononce-t-il *an*? quand se prononce-t-il *in*? Car c'est le seul groupe à *n* final qui se prononce de deux manières, autrement dit qui appartienne à deux nasales. A l'origine, l'*e* n'avait pu se nasaliser qu'avec le son *in*, qui correspond phonétiquement à *e* ouvert et non à *i*. Mais il semble bien qu'à une certaine époque le groupe *en* était passé de *in* à *an* à peu près partout, et aujourd'hui encore *en se prononce normalement* **an**, ainsi qu'on va voir.

Mais les exceptions sont devenues assez nombreuses.

I. **EN final.**—C'est ici que le son *in* s'est le plus généralisé. Le changement ou le retour de *an* à *in* a dû se produire en premier lieu dans la diphtongue finale accentuée **-ien**. On la trouve d'abord dans *bien*, *chien* et *rien*, avec tous leurs composés[353]; puis dans *mien*, *tien* et *sien*; enfin dans les formes de *venir* et *tenir*, *viens*, *viendra*, *tiendrait*, etc., avec leurs composés, et aussi leurs dérivés: *soutien*, *maintien*, *entretien*. L'altération du son primitif est passée de là à tous les mots où la finale **-en**, dérivée du suffixe latin *-anus*, était précédée des voyelles *i* (et *y*) ou *e*: *païen*, *moy*-en, *chréti*-en (autrefois de trois syllabes), *patrici*-en, etc., *europé*-en, *chaldé*-en, etc.

Ce ne fut pas sans résistance. Beaucoup de mots, au moins les noms propres, ont hésité longtemps entre *an* et *in*. Voltaire, qui faisait parfois des efforts pour rapprocher l'orthographe de la prononciation, et qui écrivait fort judicieusement *fesons* et *bienfesant*, écrivait aussi *européan*. Aujourd'hui il n'y a plus d'hésitation: tous les mots en **-éen** et **-ien** ou **-yen** se prononcent *é-in* et *i-in* ou plutôt *yin*, quoique les poètes s'obstinent à séparer l'*i* la plupart du temps: *tragédi*en, *bohémi*en, *aéri*en, *parisi*en, etc., etc.[354].

Si nous passons aux autres mots terminés en *-en*, nous constatons que le son *an* ne se retrouve plus que dans la préposition *en*[355]. Il est vrai que dans la plupart des autres (ils ne sont d'ailleurs pas nombreux), la finale n'est plus nasale: ainsi *abdomen* ou *gluten*. Ces mots ont subi l'analogie des mots latins ou étrangers, et surtout des noms propres qui sont fort nombreux; nous les retrouverons quand nous parlerons de l'*n* final. Seul, *examen* s'est complètement détaché du groupe: sa finale, qui n'avait d'ailleurs jamais perdu complètement le son *in*, l'a repris définitivement depuis un siècle[356].

De plus, les poètes ont fait longtemps et font souvent encore rimer *hymen* avec *main*; mais comme le mot n'est plus d'usage courant et prend une apparence un peu scientifique, il est fort rare qu'on nasalise sa finale en prose[357].

II. **EN tonique suivi d'une consonne.**—La finale -*ent* ou -*end*, à consonne muette, a partout le son *an*: pru*dent*, a*gent*, *m*en*t*, sus*pend*, at*tend*, etc., etc., et même les mots en -*ient*, même in*grédi*ent, qu'on écorche parfois[358].

Il faut excepter toutefois *tient* et *vient* et leurs composés, qui ne peuvent pas se prononcer autrement que les formes voisines de *tenir* et *venir*[359].

Il en est de même de -*ens*, qui en principe se prononce également *an* dans les mots proprement français, où l'*s* ne se prononce pas[360]. Mais ces mots sont en fort petit nombre: *g*en*s*, *guet-apens*, *dépens*, *suspens*, avec le substantif *sens*, dont l'*s* se prononce aujourd'hui presque partout, et les formes verbales *sens*, *mens*, *repens*.

Les autres mots sont des mots latins, et sont naturellement prononcés comme en latin, c'est-à-dire que *en* se nasalise en *in* et que l'*s* se prononce (*ince*): *g*en*s*, *delirium trem*en*s*, *alma par*en*s*, *semper vir*en*s*, *horresco refer*en*s*, d'où, par analogie, *labad*en*s*, inventé par Labiche. Pourtant le mot technique *cens* a gardé le son *an*, sans doute par analogie avec *sens* et *bon sens*, qui n'ont jamais varié sur la nasale[361].

C'est aussi *an* tout court qui sonne dans *t*em*ps* ou *har*eng[362].

Enfin c'est encore *an* qu'on prononce toutes les fois que *en* est suivi d'une syllabe muette: ainsi les finales -*ente*, -*ence* ou -*ense*, -*ende* et -*endre*, -*emble*, -*embre*, -*empe* et -*emple*, etc.[363].

III. **EN atone.**—Si nous passons à *en* atone, nous constatons encore que c'est le son *an* qui est le son propre du groupe dans les mots proprement français.

En tête des mots, il n'y a pas d'exception[364].

A l'intérieur, le son *an* s'est maintenu non seulement dans les finales -*ention*, -*entiel*, etc., mais même dans des mots plus ou moins techniques ou savants qui étaient déjà anciens: d'abord les dérivés de *cent*, comme *c*en*turie* ou *c*en*turion*[365]; par analogie, *c*en*taure*; puis adv*en*tice et adv*en*tif, app*en*tis et perp*en*diculaire, cal*en*der et cal*en*drier, comm*en*sal, comp*en*dieux, dys*en*terie et li*en*terie, *en*tité, m*en*dicité, m*en*strues, sept*en*trion, stip*en*dier, etc. C'est la vraie tradition française[366].

Au contraire, dans les mots plus ou moins savants, plus ou moins techniques, qui sont entrés dans la langue assez récemment, c'est-à-dire depuis la Renaissance, la prononciation moderne du latin a amené l'emploi du son *in*. Ce sont d'abord des mots purement latins, ag*en*da, p*en*sum, mem*en*to, comp*en*dium, s*en*sorium, in ext*en*so, modus viv*en*di[367]; puis les mots tirés du grec, qui commencent par *hendéca-* ou par *pent-*, comme *pentagone*[368]; en outre *bembex*, *rhododendron* et *placenta*, avec *mentor* et *menthol*, etc.

En outre *appendice* et *sempiternel*, quoique anciens, ont à peu près passé de *an* à *in*, sous l'influence du latin *appendix* et *sempiternus*, et *appendicite*, mot savant, qui se prononce fatalement par *in*, achève l'altération d'*appendice*. *Chrétien* a fini aussi par entraîner *chrétienté*, qui a été longtemps discuté.

D'autres mots flottent déjà, comme *adventice* ou *menstrues*. *Sapientiaux* est exposé à passer de *an* à *in*, étant mal protégé par *sapience*, qui est peu usité, tandis que *obédientiel*, *pestilentiel*, et surtout *scientifique*, le sont beaucoup mieux par *obédience*, *pestilence* et *science*, dont la finale est inaltérable actuellement.

En revanche, quelques mots plus ou moins récents ont pris ou gardé le son *an* par analogie, ou pour des raisons qui échappent, car une logique parfaite ne préside pas toujours à la répartition des sons.

Pendentif a suivi l'analogie de *pendre* et *pendant*; *tentacule*, celle de *tenter* et *tentative*. *Tarentelle* et *tarentule* ont suivi *Tarente*, qui était ancien. Quand Fabre d'Églantine inventa *vendémiaire*, il le tira du latin *vindemia*, mais s'il l'écrivit *ven* et non *vin*, c'est qu'il voulait en faire un mot populaire comme *ventôse*, et pour cela le rapprocher de *vendange*; c'est donc à tort que quelques-uns le prononcent par *in*[369].

Tous ces mots s'expliquent assez bien. Mais pourquoi *stentor* avec *an* à côté de *mentor* avec *in*? Je ne sais si *stentor* est ancien dans l'usage; en tout cas, les grammairiens n'en parlent pas[370]. Pourquoi prononce-t-on *épenthèse* par *an*? Pourquoi, à côté de *rhododendron* prononcé par *in*, prononce-t-on *dendrite* par *an*? Que dis-je? A côté de *térébinthe*, non seulement prononcé, mais écrit par *in*, on a *térébenthine*, prononcé par *an*; et au contraire, de *menthe*, qui a naturellement gardé le son de son orthographe primitive *mente*, on a tiré *menthol*, à qui on a imposé le son *in*, à titre de mot savant![371].

IV. **Les mots étrangers.**—On sait que les voyelles nasales appartiennent presque exclusivement au français. Quand on ne francise pas du tout un mot étranger, et il y a des cas où cela n'est guère possible, on doit se garder de nasaliser le groupe *en*, aussi bien que les autres. Ainsi l'anglais *pence*, *english*, *great event* ou *self government*, *gentry* ou même *gentleman* et *remember*; de même l'italien *lento*, *a tempo* ou *senza tempo*, *rallentando*, *risorgimento*, et aussi l'espagnol *ayuntamiento* ou *pronunciamiento*.

Mais si on francise, ne fût-ce qu'à moitié, c'est toujours par la nasale qu'on commence; or *en* ne peut se nasaliser directement qu'en *in*, seule nasale correspondant à *e*. Ainsi dans *bengali*, dans *benjoin*, d'où *benzine* avec ses dérivés; dans *effendi*; dans *farniente* (que l'*e* final soit muet ou non), *polenta*, *vendetta* et *crescendo*[372]. Ainsi encore dans *blende* et *pechblende*, qu'on prononce quelquefois par *an*, à cause de la finale *ende*; et encore dans *spencer*. A *spencer* on devrait joindre *tender* et *challenge*, mais l'usage des employés de chemins de fer a définitivement francisé *tender* par *an*, évidemment par l'analogie des mots *tendre*, *tendeur* et autres, et de son côté *challenge* a pris le son des finales en *-ange*, comme *venge*.

D'autre part, beaucoup de gens prononcent aussi *vendetta* par *an*, et cette prononciation s'imposera fatalement un jour[373].

5° Les cas particuliers de la nasale IN.

Sur la nasale *in*, il y a moins à dire[374].

La préposition latine *in*, qui n'est pas nasale en latin, parce que l'*n* est final, s'est nasalisée en français devant une consonne, dans les termes qui désignent les formats de livres, in-*folio*, in-*quarto*, comme in-*douze*, in-*seize*, etc., et le plus souvent aussi in-*plano*; mais on ne nasalise pas in-*octavo* à cause de la voyelle, pas plus que i*n extremis* ou i*n extenso*, qui sont en deux mots; pas davantage i*n partibus*, non plus que l'italien i*n petto*.

D'autre part, dans les mots étrangers, c'est le groupe *in* qui se conserve le mieux en français sans se nasaliser. Ainsi on ne doit pas nasaliser la finale anglaise *-ing*, sauf dans *schampoin(g)*, qui est tout à fait francisé. Il est vrai que *shelling* et *sterling* peuvent encore se prononcer *chelin* et *sterlin* sans *g*, et d'autre part on nasalise encore quelquefois *shirting*, *lasting* et *pouding* (sans parler de *meeting*) en prononçant le *g* guttural, mais il semble qu'on cesse peu à peu de nasaliser ces mots. On ne doit pas non plus nasaliser *flint-glass*, i*ncome-tax*, *mackintosh*, *kronprinz*, *hinterland*, *tchin*, *khamsin*.

On nasalise quelquefois *gin*, et ordinairement *mue(z)-zin*, toujours i*ncognito*, i*mpresario*, *peppermint*, *aquatinte* (à côté de *aqua-tinta*); généralement aussi i*nterview*, suffisamment francisé, puisqu'on en a fait i*nterviewer*. [375]

Le groupe *oin* doit se prononcer *ouin* et non ou*an*, comme on fait dans certaines provinces, et *moindre* peut rimer avec *cylindre*, mais non avec *entendre*.

J'ajoute que *oin* est toujours *monosyllabe*. V. Hugo a cru, et il n'était pas le premier, que les nécessités ou les commodités de la versification l'autorisaient à scinder en deux le mot *groin*:

... eux, déchiffrer Homère, ces gens-là!
Ces diacres, ces bedeaux dont le *gro-in* renifle[376].

Mais alors on est obligé de prononcer *gro-in*, ce qui altère le mot sensiblement[377]. Ailleurs, il écrit *grou-in* pour la rime[378]: cela vaut encore mieux; d'autres l'avaient fait avant lui, et quelques personnes prononcent ainsi. Mais c'est une erreur, et, malgré les trois consonnes initiales (grw), *groin* n'est pas plus difficile à prononcer en une syllabe que *bruit*, *instruit* ou *croix*, qui en ont autant[379]. Voyez Saint-Amant, dans *le Melon*:

Et des truffes... qu'un porc.....
Fouille pour notre bouche et renverse du *groin*.

Le groupe **ouin**, dissyllabe autrefois, est aujourd'hui monosyllabe, comme *oin*[380].

6° Les cas particuliers de la nasale ON.

La nasale **on** n'a d'intéressant que *monsieur*, où *on*, réduit d'abord à *o*— on dit encore parfois *mosieu* par plaisanterie—s'est réduit en définitive à un *e* muet (*mesieu*) qui, comme la plupart des *e* muets, disparaît ordinairement dans la prononciation rapide[381].

Nous avons parlé plus haut des mots en *-aon*, à finale monosyllabique, prononcée *an*[382].

On final ne se nasalise pas dans quelques mots empruntés au grec: *epsilon*, *omicron*, *kyrie eleison*, *gnôthi seauton*, etc., ni dans *sine qua non* ou *baralipton*, ou les expressions italiennes *con brio*, *con moto*, etc.; mais en physique on nasalise *micron*[383].

7° Les cas particuliers de la nasale UN.

La nasale *un* (ou *um*) se prononce *on* dans les mots latins: *secundo*, *conjungo*, *de profundis*; dans *rhumb*, *lumbago* et *plumbago*, dans *jungle* et *junte*, et dans *punch*[384]. Mais pourquoi *ponch*, qui n'est ni anglais, ni français? et pourquoi *ponch* à côté de *lunch*, qui se francise avec la nasale *un*, si bien que nous en avons fait *luncher*? Ce sont des mystères que nul ne peut expliquer.

Mais le point capital à propos de la nasale *un*, c'est de ne pas la prononcer *in*! On entend trop souvent *in jour*, *in homme*. Heureusement ce n'est pas encore chose très fréquente chez les gens qui ont quelque instruction; mais il est peu de fautes plus choquantes.

VII.—L'E MUET[385]

1° Considérations préliminaires sur l'E non muet et l'élision.

L'*e* muet est ainsi nommé parce qu'on le prononce le moins possible, et le plus souvent pas du tout; mais il s'en faut bien qu'il soit toujours muet: s'il l'était toujours, il n'y aurait rien à en dire, et il s'agit précisément de savoir quand il est réellement muet, et quand il ne l'est pas.

Éliminons d'abord ce qui n'est pas dans le sujet proprement dit.

Il y a, d'une part, un cas où l'*e* dit *muet* est tellement loin d'être muet, qu'il est même *tonique*; c'est dans le pronom *le* précédé d'un impératif: *dis-le*[386]. L'*e* dit *muet* est alors ouvert et bref, moins ouvert, mais aussi bref que *eu* dans *œuf*. Et de même toutes les fois qu'il se prononce: il y a, par exemple, une différence très sensible entre *le rôt* et *leur eau*, où *leur* est long et *le* très bref. C'est encore ainsi qu'il se prononce constamment devant une *h* aspirée: *le haut*, ou en épelant: *l, e, d, e*, tandis qu'on prononce *é* dans *e muet*.

On sait, d'autre part, que l'*e* n'est jamais muet ni devant *z* final, ni devant deux consonnes, quoique, dans ces cas-là, il ne porte pas d'accent. Nous n'avons donc point à parler non plus de celui-là[387].

Ce n'est pas tout: il y a encore et surtout l'*élision*, où l'*e* ne compte plus pour rien du tout. On sait que l'*e* final s'élide devant un mot commençant par une voyelle, même précédée de l'*h* muet: *l'état, l'herbe, il aim*(e) *à rire, plein d'honneur, la vi*(e) *est courte*. On voit qu'il n'importe pas que cette élision soit notée par l'écriture[388].

On doit noter ici toutefois, avant de passer outre, un certain nombre d'élisions qui ne se font pas dans l'usage courant, ce qui oblige à prononcer l'*e muet*: ce sont, la plupart du temps, des hiatus seulement apparents, que la versification elle-même admet ou devrait admettre.

1° On parlera tout à l'heure des semi-voyelles, et notamment du **yod**. L'*y* grec appuyé sur une voyelle devient *yod*, c'est-à-dire consonne, aussi bien en tête que dans le corps des mots, et l'on dit, sans élision, *le yatagan*, comme *la yole*. C'est une idée que les poètes acceptent difficilement. V. Hugo, notamment, par crainte de faire un hiatus, ne manque pas de dire *l'y-ole* ou *l'y-atagan*; et l'erreur est double, car il fait une élision qui n'est point à faire, et cette élision l'amène à donner aux mots victimes une syllabe de trop. Les poètes devraient bien parler comme tout le monde, et dire *le ya-tagan* (et *les* *yatagans*, sans liaison), comme *le yacht, le yak, le yucca, le yod, le youyou, le youtre*, car il n'y a là aucun hiatus[389].

2º Le groupe *ou* initial est également consonne devant une voyelle. Cela n'empêche certainement pas de dire *à l'ouest, un(e) ouaille, un(e) ouïe*. Mais devant *oui* pris substantivement, on n'élide ni *le*, ni *de*, pas plus qu'on ne lie *un, les, ces*, etc., ou qu'on ne remplace *ce* par *cet*, même en vers, malgré l'hiatus apparent:

Oui, ma sœur.—Ah! *ce oui* se peut-il supporter?[390].

Il est vrai qu'on dit fort bien, familièrement, *je crois qu'oui*; mais cette élision ne s'impose pas toujours, et les poètes eux-mêmes s'en abstiennent souvent. Ainsi, La Fontaine, dans un vers de *Clymène*, souvent cité:

Qu'on me vienne aujourd'hui
Demander: «Aimez-vous?» Je répondrai *que oui*[391].

On dit aussi plus volontiers *le ouistiti* que *l'ouistiti*, quoiqu'on fasse fort bien la liaison dans *un ouistiti* ou *des ouistitis*.

Pour *ouate*, l'usage est flottant. Il est vrai qu'on dit plus ordinairement aujourd'hui *de la ouate* que *de l'ouate*, malgré une tendance fâcheuse à revenir à l'ancienne prononciation: scrupule de purisme fort déplacé, qui se manifeste, paraît-il, chez certains médecins et chez les *premières* des *grandes* maisons de couture. Mais dire *la ouate* n'empêche pas du tout de faire l'élision de l'*e* muet: *un(e) ouate, plein d'ouate*, sont généralement usités[392].

3º L'habitude d'isoler les noms de nombre, qui commencent généralement par des consonnes, fait qu'on traite souvent comme les autres ceux qui commencent par des voyelles, *un* et *onze*, et aussi *huit*, dont l'*h*, naturellement muet, ne s'est aspiré (et encore pas toujours) que par suite de cette convention spéciale[393]. On dit donc *le onze* et *le onzième*, et non pas *l'onze* et *l'onzième*, témoin la complainte du *Vengeur*:

Le onze, un gabier de vigie
S'écria: Voile sous le vent.

On n'a probablement jamais dit *une lettre de l'onze*, et pas souvent sans doute *à l'onzième siècle*, quoiqu'on trouve cette façon de parler dans Th. Corneille[394]. Pourtant on dit à peu près indifféremment *le train de onze heures* ou *le train d'onze heures*; et Littré écrira dans son dictionnaire: *bouillon d'onze heures*.

Les astres aujourd'hui, sous le soleil *d'onze heures,*
Brillent comme des prés[395].

Ceci est un cas spécial, qui permet même la liaison du *t* du verbe *être*: on dit presque uniquement *il est onze heures* avec liaison, et c'est la seule liaison qu'on fasse avec *onze*; l'élision *d'onze heures* en est la conséquence naturelle. Mais on ne dirait pas avec Corneille, *l'œuvre d'onze jours*[396].

L'élision est beaucoup plus libre avec *un* qu'avec *onze*. Cependant, on dira uniquement *le un*, soit pour numéroter, soit pour dater, en opposition avec *l'un*, où *un* n'est plus le nom du nombre[397]. On dit aussi fort bien *livre un, chapitre un*, comme *chapitre onze*, quoiqu'on élide parfois dans ces deux expressions, et qu'on dise plutôt *pag(e) un* et *pag(e) onze*. On dit de même, *le huit, livre huit, chapitre huit*, quoiqu'on dise *quarant(e)-huit*, et que *mill(e) huit cents* soit identique à *mil huit cents*.

4° Enfin, on dit aussi *le uhlan* et non *l'uhlan*. C'est peut-être pour des raisons d'euphonie; mais on dira tout aussi bien *du uhlan*, qui n'est pas plus harmonieux que *l'uhlan*, et V. Hugo lui-même a osé risquer cet hiatus nécessaire:

Quand Mathias livre Ancône au sabre *du uhlan*[398].

Ce mot est donc traité comme s'il avait un *h* aspiré sans qu'on sache pourquoi (en allemand: ulan).

Nous venons d'examiner les cas où l'*e* muet ne s'élide pas devant une voyelle. Il y en a un où il s'élide encore en réalité devant une voyelle, mais en apparence devant une consonne: c'est quand on désigne par leurs noms les sept consonnes dont l'articulation est précédée d'un *e*: l'*f*, l'*h*, l'*l*, l'*m*, l'*r*, l's, l'*x*, *plein d'm, beaucoup d'r*, etc.; mais on dira au contraire *suivi* ou *précédé de r* ou *s*, comme *de a* ou *i*, parce que les lettres sont ici comme des mots qu'on cite; de même *je crois que r* ou *s*..., comme *je crois que a*..., ou *je dis que x*....

2° La prétendue loi des trois consonnes.

Ces questions étant éliminées, arrivons au vrai sujet, l'*e muet*.

Sur ce point, un certain nombre de philologues font grand état, depuis une vingtaine d'années, d'une prétendue *loi des trois consonnes*, qui dominerait toute la question de l'*e* muet; cette loi peut se formuler ainsi:

Lorsqu'il n'y a que deux consonnes entre deux voyelles non caduques, elles ne sont jamais séparées par un *e* muet; mais lorsqu'il y en a trois ou plus, il reste *(ou il s'intercale)* un *e* muet après la seconde, et de deux en deux, s'il y a lieu[399]. Ainsi *la f'nêtre*, mais *un' fenêtre*, et *qu'est-c' que j' te disais*.

A vrai dire, l'auteur commence par déclarer que sa «loi» ne vaut, à Paris, que «pour le français de la bonne conversation», et non pour «de parler populaire», et il oppose *ça ne m' fait rien*, qui est, dit-il, populaire, à *ça n' me fait rien*. Mais alors on se demande ce que c'est qu'une loi phonétique régissant un parler qui doit avoir, qui ne peut pas ne pas avoir quelque chose d'artificiel, au moins sur certains points, et à laquelle se dérobe précisément le parler le plus naturel, le plus spontané, celui qui, en principe, obéit le plus rigoureusement aux *lois* phonétiques. D'autre part, on se demande en quoi *veux-tu te l'ver* est plus populaire et de moins «bonne conversation» que *veux-tu t'lever*? Et moi-même, ai-je dit *on se d'mande* ou *on s' demande*? L'auteur traite ici les monosyllabes absolument comme les autres *e muets*, ce qui est une grave erreur. Il reconnaît d'ailleurs plus loin que les monosyllabes mettent à chaque instant sa «loi» en défaut.

Mais, même à l'intérieur des mots, «sa loi» n'est pas plus sûre, et il doit reconnaître que les liquides, *l* et *r*, y font de perpétuels accrocs.

D'abord les groupes de trois consonnes ne sont pas rares, quand la seconde est une *muette* ou *explosive* (*b, c, d, g, t, p*), ou une *fricative* (*f, v*), suivie d'une *liquide*, *l* ou *r*, ces groupes étant presque aussi faciles à prononcer qu'une consonne seule: *arbre, ordre, pourpre, tertre, astre, terrestre*, etc. Ils ne sont guère plus rares quand la seconde consonne est un *s*: *lorsque, obscur, texte (tecste)* ou *expédier*. On peut même avoir quatre consonnes consécutives, si les deux conditions sont réalisées simultanément, comme dans *abstrait, extrême* ou *exprimer*. Et jamais on n'a éprouvé le besoin d'intercaler un *e muet* après la seconde ou la troisième consonne de *ast(e)ral* ou abst(e)rait, pas plus que dans *un' planche*.

Les innombrables mots du type *chapelier, aimerions, aimeriez*, contredisent aussi la «loi», en maintenant l'*e muet* entre les deux consonnes, si l'on n'en voit que deux dans ces mots, ou plutôt après la première, et non la seconde, si, comme il convient, on prend l'*i* pour une troisième consonne.

D'autre part, il y a des phénomènes que l'auteur n'a point aperçus. Je ne parle pas des mots du type *achèt'rai*, qui maintiennent l'*e* après la première consonne: on pourrait me dire que cette prononciation est artificielle. Mais pourquoi dit-on uniquement *échev'lé*, quand la «loi» exigerait *éch've lé*[400]? Pourquoi, à côté de *pell'terie*, ou plutôt *pel't'rie*, avec trois consonnes, a-t-on *papet'rie*, avec maintien du premier *e muet*, qui même devient le plus souvent un *e* à demi ouvert?

Ainsi nous ne nous embarrasserons pas de cette fausse loi. Nous constaterons, si l'on veut, qu'il y a là une tendance très générale, nécessaire même, en français, du moins, et qui se manifeste certainement dans la pluralité des cas[401]. Mais une tendance n'est pas une loi. Nous nous bornerons donc à examiner sans prévention les faits, dont la variété est presque infinie, et nous nous efforcerons d'y mettre le plus d'ordre et de clarté que nous pourrons, sans méconnaître qu'on peut différer d'avis sur beaucoup de points de détails.

3° L'E muet final dans les polysyllabes.

I. **Dans les mots isolés.**—A la fin des mots pris isolément, ou s'il n'y a rien à la suite, l'*e* non accentué est réellement muet, c'est-à-dire qu'on ne l'entend plus[402]. Les instruments délicats de la phonétique expérimentale peuvent bien en constater encore l'existence après certaines consonnes ou certains groupes de consonnes (je ne parle pas de la consonne double, qui compte comme simple); mais alors il est involontaire, car ces instruments le constatent, après les consonnes dont je parle, aussi bien quand il n'est pas écrit que quand il est écrit; autrement dit, *est*, point cardinal, et la finale -*este* se prononcent de la même manière, tout aussi bien que *beurre* et *labeur*, *mortel* et *mortelle*, *sommeil* et *sommeille*[403].

Nous avons vu au cours des chapitres précédents que la présence même de l'*e* muet après une voyelle finale ne change plus rien ni au timbre ni à la quantité de la voyelle qui précède, au moins dans la conversation courante. Il y a exception pour la rime, mais ceci est voulu, et par suite artificiel[404]: on ne parle ici que de la prononciation spontanée[405].

Ce n'est pas tout. Quand la consonne qui précède l'*e muet* final est une liquide, *l* ou *r*, précédée elle-même d'une explosive ou d'une fricative, la prononciation populaire supprime souvent la liquide avec l'*e*: *du suc*(re), *du vinaig*(re), datent de fort loin, mais cette prononciation n'est plus admise dans la bonne conversation. Pourtant *mart*(r)*e* a fini par avoir droit de cité.

II. **Devant un autre mot.**—Considérons maintenant l'*e* muet final dans un mot suivi d'un autre mot.

Si le second mot commence par une voyelle ou un *h* muet, nous savons que l'*e* s'élide. Mais si le second mot commence par une consonne (autre que l'*h* aspiré), l'*e* muet n'en tombe pas moins: *el*(l)' *m'a dit*[406].

Le phénomène est le même si les consonnes qui se rencontrent sont pareilles: *el*(l)' *lit*[407].

L'*e* tombe encore s'il y a deux consonnes en tête du second mot: *el*(l)' *croit*, *el*(l)' *scandalise*, *un' statue*.

Toutefois l'*e* se prononce, si le mot suivant commence par *r* ou *l*, suivi d'une diphtongue: *il ne mange rien*[408]. On dit même, sans élision, *qu'il devienne roi*, les trois consonnes *nrw* s'accommodant mal ensemble, tandis qu'on dit avec élision, *si j' crois*, qui, pourtant, réunit quatre consonnes, *jcrw*: nous verrons plus d'une fois que la liquide ne peut figurer dans un groupe de trois consonnes réelles que si elle est première (*lorsque*) ou troisième (*si j' crois*) et non seconde[409].

Ici encore ce n'est pas tout. Si l'*e* muet final est lui-même précédé de deux consonnes différentes devant la consonne initiale du mot suivant, en principe l'*e* se prononce: *reste là*, *pauvre femme*, *Barbe-bleue*. Mais il s'en faut bien que le phénomène soit général.

D'une part, on dit fort bien, en parlant vite: *rest' là*.

D'autre part, devant un autre mot encore mieux qu'isolément, la prononciation populaire, ou simplement familière, supprime à la fois, et depuis des siècles, l'*e* et la liquide qui précède, *l* ou *r*, à la suite d'une muette ou explosive ou d'une fricative: *pauv' femme*, *bouc' d'oreille*.

Ce phénomène affecte surtout l'*r*; et on peut dire que l'*r* tombe régulièrement dans *maît' d'hôtel*, *maît' d'étude*, *maît' de conférences*, où il est rare qu'on le fasse sonner; cela est même tout à fait impossible dans telle expression uniquement familière, comme *à la six quat*(re) *deux*. Dès longtemps, les grammairiens ont constaté et apprécié diversement cet usage avec les mots *notre*, *votre* et *autre*. Aujourd'hui cette prononciation n'est jamais considérée comme tout à fait correcte. Elle est, il est vrai, seule usitée dans la conversation courante, mais non dans la lecture, ni simplement quand ou parle à quelqu'un à qui l'on doit des égards, et devant qui on ne veut pas se négliger: je citerai, comme exemples plus particulièrement probants, *Notr*e *Père, qui êtes aux cieux*, ou *Notr*e-*Dame*. On dit aussi uniquement *quatr*e-*vingts*.

Ajoutons que la présence d'un *s* après l'*e* muet ne change rien à l'élision, et pas davantage celle de *nt* dans les troisièmes personnes du pluriel: *j'aim*(e) *bien, tu aim*(es) *bien* ou *ils aime*(nt) *bien, la ru*(e) *de Paris* ou *les ru*(es) *de Paris, tombait dru* ou *tombai*(en)*t dru*, ont des prononciations identiques[410].

4° L'E muet à l'intérieur des mots.

I. **Entré voyelle et consonne.**—Entre une voyelle et une consonne, l'*e* muet ne se prononce plus depuis bien longtemps, et, pour ce motif, il est tombé dans un grand nombre de mots, sans qu'on puisse savoir pourquoi il s'est maintenu dans les autres. Aussi n'y a-t-il pas de raison pour prononcer *gai*(e)*ment*, qui a gardé son *e*, autrement que *vraiment*, qui a perdu le sien. D'ailleurs, quand l'*e* s'est maintenu, on peut le remplacer à volonté dans la finale **-ement** (substantifs et adverbes) par un accent circonflexe sur la voyelle qui précède: *gai*(e)*ment* ou *gaîment*, *remerci*(e)*ment ou remercîment*, *dénou*(e)*ment* ou *dénoûment*, *dénu*(e)*ment* ou *dénûment*.

Mais ceci pourrait faire croire que la voyelle qui précède l'*e* est réellement allongée par lui; en réalité, elle ne l'est pas plus ici qu'à la fin des mots, et la prononciation est la même partout, avec ou sans accent, avec ou sans *e*, dans *remerci*(e)*ment* et *poliment*, dans *assidûment* et *ingénu*(e)*ment*[411].

Le même phénomène se produit avec la finale **-erie** précédée d'une voyelle: *soi*(e)*rie*, qui a gardé son *e*, se prononce comme *voirie* ou *plaidoirie*, qui ont perdu le leur; *sci*(e)*rie* est identique à *Syrie*, et l'*u* est à peu près le même dans *furie*, qui n'a jamais eu d'*e*, *tu*(e)*rie*, qui a gardé le sien, ou *écurie*, qui l'a perdu[412].

Enfin, le cas est encore le même dans les futurs et conditionnels des verbes en **-ier** et **-yer**, ceux-ci changeant régulièrement leur *y* en *i* devant l'*e* muet: *j'étudi*(e)*rai*, *je balai*(e)*rai*, *j'aboi*(e)*rai*, *j'appui*(e)*rai*. Tout au plus y a-t-il ici cette différence, que l'*e*, qui ne peut pas disparaître, allonge assez facilement la voyelle précédente, surtout dans les mots de deux syllabes: je *pai*(e)*rai*, je ne *ni*(e)*rai* pas; dans les autres, l'allongement tend aussi à disparaître.

Les verbes en **-ayer** ou **-eyer**, quelques-uns du moins, ont gardé la faculté de conserver leur *y* dans les mêmes temps, et aussi au présent, je *pay*(e), je *pay*(e)*rai*. En ce cas, on entend une consonne de plus, le *yod*, comme dans *sommeil* et *sommeil*(le)*rai*; mais on n'entend pas davantage l'*e* muet[413]. Cette faculté est complètement perdue pour les verbes en **-oyer**: *flamboyent*, qu'on trouve dans Leconte de Lisle, en trois syllabes:

Au fond de l'antre creux *flamboyent* quatre souches,

est presque un barbarisme[414]. De telles formes ne valent pas mieux que *soyent* ou *ayent*, qu'on entend parfois dans le peuple[415].

II. **Entre consonne et voyelle.**—Entre une consonne et une voyelle, comme devant une voyelle en tête du mot, l'*e* muet n'est plus qu'un résidu inutile d'anciennes diphtongues, conservé malencontreusement dans quelques formes du verbe avoir: (e)*u*, j'(e)*us*, j'(e)*usse*, dans *ass*(e)*oir*, dans *à j*(e)*un*[416].

Il en est de même dans le groupe *eau*: (e)*au*, *tomb*(e)*au*, *ép*(e)*autre*, etc.[417].

Ou bien l'*e* muet n'est qu'un simple signe orthographique destiné à donner à la *gutturale* douce *g*, devant les voyelles *a*, *o*, *u*, le son qu'elle a normalement devant *e* et *i*, c'est-à-dire celui de la *spirante* palatale douce, *j*: *mang*(e)*a*, *g*(e)*ai*, *afflig*(e)*ant*, *g*(e)*ôlier*, *pig*(e)*on*, *gag*(e)*ure*[418].

III. **Entre deux consonnes.**—Entre deux consonnes, dont la première peut être indifféremment simple ou double, l'*e* muet tombe régulièrement, à condition que les consonnes ainsi rapprochées puissent s'appuyer sur deux voyelles non caduques, une devant, une derrière; ainsi dans *ruiss'ler* ou *chanc'ler*, aussi bien que dans *app'ler* ou *ép'ler* (où *pl* font un groupe naturel); de même dans *gab'gie*, *épanch'ment*[419], *command'rie*, *échauff'ment*, *jug'ment*, *longu'ment*, *mul'tier*, *raill'rie*, *parfum'rie*, *ân'rie*, *group'ment*, *craqu'ment*, *dur'té*, *honnêt'ment*, *naïv'té*, et même *lay'tier*, aussi bien que dans *prud'rie*, *moqu'rie* ou *pot'rie*[420].

On voit qu'il n'est pas du tout nécessaire qu'il y ait affinité entre les consonnes[421]. Mieux encore: l'*e* muet tombe aussi, comme entre deux mots, même si les consonnes sont identiques: *honnêt'té*, *là-d'dans*, *extrêm'ment*, *verr'rie*, *trésor'rie*, *serrur'rie*[422]. Quelques personnes répugnent à laisser tomber l'*e* après *gn* mouillé; mais c'est une erreur: *renseign'ra* ou *renseign'ment* se prononcent comme *pill'ra* ou *habill'ment*, car la difficulté n'est pas plus grande.

Toutefois, quand l'*e* muet est suivi d'une liquide qui s'appuie sur les finales **-ier**, **-iez** et **-ions**, il se prononce ordinairement: *bachelier*, *chandelier*, *chapelier*, *muselière*, *hôtelier*, etc.; de même, *appelions*, *appeliez* (avec *e* muet et non *e* fermé), *aimerions*, *aimeriez*[423].

Ce qui empêche l'*e* muet de tomber devant ces finales à liquide, c'est que, s'il tombait, il arriverait ici ce qui est arrivé aux mots tels que *meurtr-ier*, *ouvr-ier*, *tabl-ier*, *voudr-ions*, *voudr-iez*, où les groupes de consonnes que terminent *l* ou *r* ont diérésé les finales *-ier*, *-ions*, *-iez*, en *-i-er*, *-i-ons*, *-i-ez*[424]. Or, le français aime encore mieux conserver une diphtongue que de laisser tomber un *e* muet; et alors plutôt que d'avoir *chandli-er* ou *chapli-er*, on préfère articuler l'*e* muet[425].

Exceptionnellement, l'*e* muet tombe dans *bourr'lier*, parce que rien ne s'y oppose: c'est ainsi qu'on a, sans diérèse, *ourl-iez* ou *parl-iez*[426].

En revanche, on prononce assez généralement l'*e* muet dans *centenier* ou *souteniez*, et même dans *un denier*[427].

D'autre part, si l'*e* muet est précédé de deux consonnes différentes, en principe il ne tombe pas non plus, puisque le français tolère mal trois consonnes de suite: ainsi *fourberie*, *supercherie*, *débordement*, *bergerie*, *aveuglement*, *fermeté*, *ornement*, *escarpement*, *propreté*, *appartement*.

A vrai dire, là même, quand on parle vite, il y en a bien quelques-uns qui tombent encore, toutes les fois qu'il n'y a pas incompatibilité entre les consonnes; et si cela est impossible après une liquide, comme dans *propreté*, cela peut se faire par exemple dans *appart'ment* ou *pard'sus*, et surtout quand l'*e* muet sépare les groupes *br*, *cr*, etc., comme dans *fourb'rie*, *étourd'rie* ou *lampist'rie*; mais cette prononciation n'est plus considérée comme correcte, et quand on parle posément on ne l'emploie pas.

IV. **Dans la syllabe initiale.**—En tête des mots, l'*e* muet se prononce en principe, faute d'appui en arrière pour la consonne initiale: *belette*, *refaire*, *tenir*; mais aussi, que devant le mot il y ait un son vocal, l'*e* tombe aussitôt, dans les mêmes conditions qu'à l'intérieur du mot: *la b'lette*, *à r'faire*, *vous t'nez*, à côté de *pour refaire*, ou *il tenait*. Naturellement, s'il y a une *finale* muette devant la muette *initiale*, c'est la finale qui cède la place, car l'*e* muet *final* tombe, toutes les fois qu'il peut: *ell' tenait* ou *ell' tenaient*, et jamais *elle t'nait*[428].

D'ailleurs, même sans un son vocal placé devant le mot, l'*e* muet de la syllabe initiale tombe encore assez facilement dans la conversation courante, pourvu qu'il y ait affinité suffisante entre les consonnes qui l'enferment: *b'lette ou rat*, *rat ou b'lette* se disent presque aussi facilement l'un que l'autre, à cause du groupe naturel *bl*. On dit aussi très bien, *v'nez ici* ou *c'la fait*, avec spirante initiale; avec *l* ou *r*, *m* ou *n*, c'est beaucoup moins commode: *m'nez moi*, *r'mettez-vous*, sont durs et moins généralement employés. On dira moins encore *c'lui-là*, parce qu'il y aurait en tête du mot trois consonnes qui ne s'accommodent pas[429].

Pendant que je parle de l'*e* muet de la syllabe initiale, je dois mettre le lecteur en garde contre la tendance qu'on a parfois à le fermer mal à propos. Cette tendance n'est pas nouvelle, car un très grand nombre de mots ont vu un *e* fermé se substituer à leur *e* muet initial au cours des siècles; par exemple, *crécelle*, *prévôt*, *pépie*, *séjour*, *béni*, *désert*, *péter* ou *pétiller*, etc. Quelques lecteurs peuvent encore se rappeler que l'archaïsme *désir* (d'sir, d'sirer) faisait jadis les délices de Got, et qu'il était de tradition à la Comédie-Française; pourtant l'Académie avait donné un accent à ce mot depuis 1762[430]. *Rébellion* a aussi pris l'accent, malgré l'*e* muet de *rebelle* et *se rebeller*. Plus récemment, *réviser* et *révision* ont fait de même, ainsi que *tétin*, *tétine* ou *téton*[431]. *Rétable* tend manifestement à céder la place à *rétable*, formé sans doute par l'analogie malencontreuse de *rétablir*, et que les dictionnaires admettent aujourd'hui, concurremment avec *retable*[432].

En revanche, les dictionnaires écrivent encore uniquement avec *e* muet *refréner*, *seneçon*, *chevecier* et *brechet*, qu'on prononce presque toujours avec un *e* fermé. *Breveté* paraît les suivre de près[433]. Quoique la prononciation de *vedette* et *besicles* avec *e* muet soit encore loin d'avoir disparu, il est probable que *védette* et *bésicles* l'emporteront prochainement. Enfin *céler* est en voie de remplacer *celer*, sous l'influence de *recéler*, qui a pris l'accent, probablement par l'analogie de *recel*.

D'autres mots sont aussi touchés, mais beaucoup moins jusqu'à présent: les personnes qui parlent correctement ne disent pas encore ou ne disent plus *déhors* pour *dehors* (comparez *dedans*), ni *dégré*, *sénestre*, *gélinotte* (de *geline*) ou *frélon*, ni enfin *réfléter*, malgré *réflecteur*[434].

Il est vrai qu'on entend bien souvent *régistre*, et, par suite, *enrégistrer* et *enrégistrement*, même dans la bouche de personnes fort instruites; et l'on pourrait croire que cette prononciation est aussi en voie de remplacer l'autre, si nous n'avions précisément une administration qui porte ce nom, et qui ignore l'*é* fermé: c'est un obstacle sérieux à sa diffusion et à sa prépondérance.

J'ajoute que *secret* a donné, à tort ou à raison, *secrétaire* et non *sécrétaire*, qu'on entend parfois, concurremment avec *secretaire* ou *sécrétaire*, toutes formes encore fort peu admises[435].

Il nous reste à examiner un cas particulier.

On sait que l'*e* suivi d'une consonne double n'est pas un *e muet*. Il y a à cela quelques exceptions. Il a paru nécessaire de doubler l'*s* dans *dessus* et dans *dessous*, et après le préfixe *re-*, pour éviter que l'*s* ne prît le son du *z* entre deux voyelles; mais cela n'a rien changé à la nature du préfixe, qui est toujours *re-*, avec *e muet*: *ressaisir*, *ressasser*, *ressaut*, *ressembler*, *ressemblance*, *ressemeler*, *ressemelage*, *ressentir*, *ressentiment*, *resserrer*, *resserrement*, *ressort*, *ressortir*, *ressource*, *ressouvenir* et quelques autres, et aussi *ressac*, par analogie ou confusion d'étymologie. Si l'on dit *ressusciter* par *é fermé*, c'est parce que le mot vient directement du latin *resuscitare*, et non du français *susciter*. On prononce de même *ressuyer*, qui est composé d'*essuyer*. Mais prononcer un *é fermé* dans *ressembler* ou *ressource* est une faute très grave.

Ces *e* muets peuvent même et doivent tomber comme les autres: *il est sans r'source*, *tu r'sembles* et *tu me r'essembles*, concurremment avec *tu m'ressembles*.

La prononciation de l'*e* muet se maintient aussi dans *cresson* et *cressonnière*, au moins à Paris et dans une partie de la France du Nord, quelquefois même dans *besson*[436].

5° L'E muet intérieur dans deux syllabes consécutives.

Ceci est un phénomène qui se produit d'abord dans certains mots composés, et alors le traitement de l'*e* muet dépend des circonstances. Il est clair que, dans *arrière-neveu*, c'est le premier *e* qui ne compte pas. Mais les mots de cette espèce sont presque tous des composés d'*entre* et *contre*, dont l'*e* est soutenu par le groupe *tr*, c'est donc le premier *e* qui se maintiendra: *s'entre-r'garder*, *contre-v'nir*, *contre-m'sure*. Cependant, dans *entrepreneur* ou *entreprenant*, il faut bien les prononcer tous les deux, et je crois bien que dans *entretenir*, et surtout *contrepeser*, c'est encore le second qui se prononce le plus complètement.

Il peut arriver d'autre part, et ceci est plus intéressant, qu'à la suite d'une première syllabe muette, la dérivation transforme une syllabe accentuée en atone contenant un *e*: *papetier*, *papeterie*.

1° Si l'un de ces *e* muets se prononce nécessairement, la question est tranchée: ainsi, *pal'frenier*, où le second *e* est soutenu par le groupe *fr*, car *frn* serait impossible[437]. De même, mais inversement, *bufflet'rie*, *marquet'rie*, *parquet'rie*, *mousquet'rie*, où c'est le premier *e* qui est maintenu; mais on notera que l'*e* devient généralement mi-ouvert dans tous ces mots, soit par analogie avec *tablett'rie* et *coquett'rie*, qui ont deux *t*, soit sous l'influence de *marquète*, *parquet*, *mousquet*[438].

2° Si aucun des deux *e* muets ne se prononce nécessairement, l'appui manque à la fois en avant pour l'un et en arrière pour l'autre. En ce cas, la tendance populaire étant de faire tomber le plus d'*e* possible, et de préférence le premier qu'on rencontre, c'est souvent le premier qui tombera, et au besoin les deux. On dit, quelquefois, *pell'terie*, *pan'terie*, *grèn'terie*, *louv'terie*, suivant l'analogie de *pell'tier*, *pan'tier*, *grèn'tier*, *louv'teau*; mais on dit mieux encore, ou du moins plus souvent, et même presque toujours, *pell't'rie*, *pan't'rie*, *gren't'rie*, *louv't'rie*, grâce au groupe naturel *tr*[439].

D'autres fois, c'est le second *e* qui tombe, pour des raisons diverses: *échev'lé*, par exemple, a gardé l'*e* qui se prononce dans *chev'lu*, où il est initial[440]; on dit de même *ensev'lir*. Mais dans ce cas l'*e* conservé prend parfois le son de l'*e* mi-ouvert: ainsi on prononce généralement *caquèt'erie*, sous l'influence de *caquet* ou *caquète*; *bonnèt'rie* et *briquèt'rie*, sous l'influence de *bonnet* et *briquette*, en concurrence avec celle de *bonn'tier*, et *briqu'tier*, et surtout *papèt'rie*, plutôt que *papet'rie*[441]. Même l'*e* de *brevet*, qui se prononçait déjà nécessairement dans *brevet*, à cause du groupe **br**, prend très souvent le son de l'*e* mi-ouvert dans *brev'té*[442].

On remarquera que, dans *breveté*, les deux *e* muets étaient en tête du mot, comme dans *seneçon* et *chevecier*: c'est ce qui explique l'*e* mi-ouvert qu'on donne à ces mots, comme on l'a donné à *chénevis*. En dehors de ces exemples, ce cas ne se présente que dans un très petit nombre de mots, *chevelu* et *chevelure*, *devenir*, et une dizaine de verbes de formation populaire, avec préfixe *re-* et non *ré-*, comme dans tous les mots qui ne viennent pas directement du latin: *recevoir*, *redemander*, *redevoir*, *regeler*, *rejeter*, *relever*, *remener*, *retenir*, *revenir*, avec leurs dérivés[443]; de plus, quelques formes verbales de *refaire* et *reprendre*. Voyons ce qui arrive à ces mots.

Il est clair que si le mot est en tête d'un membre de phrase ou à la suite d'une consonne, c'est *re* qu'on prononce, sans d'ailleurs en modifier le timbre:

rev'nez, il *rev'nait*. Si le mot est précédé d'un son vocal, on a le choix: *si vous rev'nez* ou *si vous r'venez*; le second est plus populaire et plus conforme à la tendance générale que nous avons signalée tout à l'heure. D'ailleurs, nous verrons un peu partout que *re-* initial est une des syllabes où l'*e* est le plus caduc, apparemment par suite du grand usage qu'on en fait: c'est probablement une question de sens plutôt qu'une question de phonétique. Néanmoins, il est peut-être plus correct de prononcer le premier *e*, comme s'il n'y avait rien devant le mot. En tout cas, c'est toujours le premier qui se prononce dans *chev'lu* et *chev'lure*, et c'est peut-être en partie pour cela qu'on prononce *échev'lé* et non *éch'velé*. Dans les formes comme *reprenez*, *reprenais*, c'est le second *e* qui se prononce nécessairement, et par conséquent les deux, quand le mot ne s'appuie sur rien: *vous r'prenez*, mais *reprenez vos papiers*.

Mais voici qui est plus extraordinaire: il y a deux verbes qui commencent par *trois syllabes muettes*, à savoir *redevenir* et *ressemeler*. Dans ces deux mots, le second *e* ne tombe jamais, peut-être parce qu'il rappelle et représente le premier *e* de *devenir* et de *semelle*; par suite, le troisième *e* tombe toujours; quant au premier, il peut tomber après un son vocal; mais on trouve plus élégant de le conserver. Ainsi, *vous redev'nez* est plus distingué; *vous r'dev'nez*, plus populaire, avec ses deux *e* qui tombent sur trois. Et peut-être les puristes seraient-ils tentés de dire *vous red'venez*, pour ne laisser tomber que l'*e* du milieu; mais c'est là une prononciation affectée, qu'on doit absolument s'interdire; quant à *ress'meler*, il ne s'est peut-être jamais dit.

6° L'E muet dans les monosyllabes.

J'ai réservé jusqu'ici les monosyllabes, *le*, *ce*, *je*, *me*, *te*, *se*, *de*, *ne* et *que*, pour les considérer à part, parce qu'ils ont un peu plus d'importance que les syllabes muettes ordinaires.

I. **Un monosyllabe seul.**—Le monosyllabe seul est traité en thèse générale comme les syllabes muettes *initiales*, et non comme les syllabes muettes *finales*. Ainsi l'*e* se maintient en principe dans *je dis* et tombe dans *si j' dis*, et même *si j' crois*, malgré les quatre consonnes, et même *si j' joue*, malgré la répétition du même son, tandis qu'il reparaît dans *car* je *dis*[444]. On dit de même, *la rob' me va*, *à* ce *rien*, *à* ce *roi*, *à* ce *ruisseau*, *pas* de *scrupules*[445].

Mieux encore: si le monosyllabe est précédé d'une finale muette qui se prononce nécessairement, lui aussi se prononce en même temps le plus souvent: *je veux entendre* le *discours*[446].

Toutefois, ici encore, dans la conversation courante, les trois monosyllabes *je*, *ce* et *se*, dont la consonne est une *spirante*, s'élident assez facilement, même sans appui antérieur: *s' laver les mains*, *j' sais bien*, *c' qu'on a fait*[447]. Mais cette prononciation n'est point indispensable; elle est surtout très peu admissible avec les autres monosyllabes: *l' métier, n' fais rien, qu' tu es sot*, réclament un appui antérieur; on ne dit guère même *qu' réclames-tu*, malgré le groupe *cr*. Il en résulte seulement qu'on pourra dire: *je veux entendre c' qu'on dit*, à côté de *entendre* ce *qu'on dit*, avec *dre* à peine sensible. En fait, on dit presque toujours *je veux entend' ce qu'on dit*, et même, *entend' c' qu'on dit*, à cause de la spirante médiane, comme on dit fort correctement *tu demand' c' qu'on dit*, avec double élision, l'*s* médian permettant la consonne triple.

Mais il y a un cas particulier à considérer: le monosyllabe suivi d'une syllabe initiale à *e* muet. Dans ce cas, il y a hésitation. La tendance à laisser tomber le premier *e* se manifeste souvent: *on l' devine, pas d' retraite, si tu t' relèves*, sont aussi usités, quoique moins élégants, que *on le d'vine, pas de r'traite*, où *si tu te r'lèves*; mais du moins on a le choix, tandis que plus haut on disait *uniquement ell' tenait*, et jamais *elle t'nait, elle* n'étant pas un monosyllabe. D'autre part, en tête de phrase, il faut bien dire *le r'pas* et non *l' repas*.

Avec l'*s* médian, on peut avoir ici encore une double élision: *tu n' s'ras pas reçu*[448].

II. **Deux monosyllabes consécutifs.**—S'il y a deux monosyllabes de suite, il faut presque toujours que l'un des deux tombe, et c'est généralement le premier, sauf empêchement: *si j' te prends* est infiniment plus usité que *si je t' prends*. Mais, naturellement, on est obligé de dire, en tête de phrase, *ne m' bats pas*, à côté de *si tu n' me bats pas*; et *je t' prends* est peut-être mieux reçu que *j' te prends*, quoique moins usité.

Surtout on dit à peu près toujours *fais attention à c' que tu dis*, et non *à ce qu' tu dis*, qui est affecté; on va même, nous venons de le voir, grâce à l'*s* médian, jusqu'à *pour c' que tu dis, avec c' que tu dis, écrir' c' que tu dis*, car dans l'assemblage si fréquent *ce que*, c'est toujours *ce* qui s'efface devant *que*; et si les sons paraissent trop durs, on prononcera à la fois *ce* et *que*, comme plus haut dans *parce que*, plutôt que de sacrifier *que*. Il semble que ce soit une loi générale que *que* ne tombe jamais devant une consonne, quand il est précédé d'une autre syllabe muette[449].

Au contraire, *le* est généralement sacrifié au monosyllabe qui précède, quel qu'il soit: *on me l' donne, on te l' donne, si je l' savais*, sont certainement plus usités et considérés comme plus corrects que *on m' le donne, on t' le donne, si j' le savais*. C'est probablement parce que *me, te, je*, pourraient être remplacés par des mots inélidables, *nous, vous, tu*: *on vous l' donne, si tu l' savais*, tandis que *le* est toujours *le*, et toujours élidable, outre qu'on a une très grande habitude de l'élider par ailleurs.

D'autre part, *je* et *de* l'emportent aussi généralement sur *ne*, quand rien ne s'y oppose: *si je n'veux pas*, comme *si tu n'veux pas*, et non *si j'ne veux pas*[450]; de même *je promets* de *n'pas sortir* et non *d'ne pas sortir*, sans doute à cause de la fréquence du groupe *n'pas*. Toutefois on sera bien obligé de dire *je promets d'ne rien manger*, pour le même motif que l'*e* se maintient dans *chapelier* ou *mangeriez*, ou dans *à ce rien*.

Et maintenant, s'il y a concurrence entre *que* et *je*, ou entre *que* et *de*, c'est encore *que* qui l'emporte de préférence: on dit *il est certain que j'viens* et non *qu'je viens*, et *plutôt que d'fuir* est préféré à *plutôt qu'de fuir*, qui est plus familier.

On voit donc qu'il y a une véritable hiérarchie entre les monosyllabes: au sommet, *que*, puis *je*; au plus bas degré *le*, suivi de la muette *initiale* des mots, et en dernier lieu de la muette *finale*, celle-ci ne se prononçant que quand il est impossible de faire autrement.

Dernière observation: deux monosyllabes peuvent aussi être suivis d'un mot commençant par une syllabe muette. En ce cas, c'est elle qui s'élide de préférence quand elle peut; on dira donc *il fut content d'ne r'trouver personne*, et même, familièrement, *j'ne r'grette rien*, aussi bien que *j'le r'grette* ou *j'me d'mande*: c'est ici l'*e* du milieu qui se maintient, comme nous allons le voir avec trois monosyllabes, et qui se maintient d'autant mieux que le troisième *e* est plus faible[451]. Et si le premier monosyllabe est obligé de se prononcer, on les prononce donc tous les deux: on dit *au sortir de ce ch'min*, plutôt que *de c'chemin*; *ell' ne me r'vient pas*, plutôt que *ell' ne m'revient pas*, qui se dit aussi.

III. **Trois monosyllabes consécutifs.**—S'il y a trois monosyllabes de suite, quelques puristes prononcent le premier et le troisième: *si je t'le dis*; mais tout le monde prononce en général le second seul: *si j'te l'dis*, et même au besoin *j'te l'dis*, sans *si*, comme tout à l'heure *j'le r'grette*. *Tout ce qu' je dis* est particulièrement affecté, et *tout c' que j'dis* est la seule prononciation usitée; et si *pour écrir' c'* que *j'dis* paraît trop dur, nous savons déjà qu'on prononce *ce* avec *que*, c'est-à-dire *les deux e* médians, plutôt que d'élider *que*: *pour écrir'* ce que *j'dis*, *pour prendr*(e) ce que *j'remets* (ou *c'que j'remets*, ou *c'* que je *r'mets*).

Toutefois, *ne* étant subordonné à *je* et *de*, on dira *si je n'le dis pas* plus correctement que *si j'ne l'dis pas*; et en tête de phrase on disait bien *j'ne r'grette rien*, à cause de la faiblesse de *re* initial, mais on ne dirait pas *j' ne l'sais pas*, et pas davantage *j'ne l'regrette pas*, avec ou sans *si*, mais uniquement *je n'le r'grette pas.* En revanche, la prédominance de *que* sur *je* fait qu'on peut dire *c'*que *j'de*mande aussi bien que *c'*que je *d'*mande, et même *c'est c'*que *j're*grette.

D'autre part, si, sur trois monosyllabes, *que* est en concurrence avec *je*, c'est celui des deux qui est médian qui l'emporte; on a donc *c'est qu'*je *n'sais pas*, et non *c'est que j'*ne *sais pas*, à côté de *c'est c'*que *j'sais bien*. On voit même *je* médian se maintenir à côté de *que* obligé: *il est sûr* que je *n'sais pas*, et non *que j'*ne *sais pas*, malgré *il est sûr* que *j'te crains peu*. Mais *que* reprend sa primauté, s'il y a une muette initiale supplémentaire, et qu'il faille choisir: *c'est* que *j'*ne *r'viens pas* est plus usité que *c'est qu'*je *n'reviens pas*.

IV. Plus de trois monosyllabes consécutifs.—S'il y a plus de trois monosyllabes de suite, avec ou sans syllabe muette antérieure ou postérieure, il y aura certainement dans le nombre *que*, et même *ce que*, ou bien *je*, sinon les deux; dès lors la prédominance de *que*, ou, le cas échéant, celle de *je*, et d'autre part l'effacement ordinaire de *le* et *ne*, détermineront aisément le choix, ou même couperont la série en deux ou trois membres, où *que* fera l'effet d'une tonique, et aussi *je*, le cas échéant: *si* je *n'te l'dis pas, si* je *n'*me *l'demande pas, c'est c'*que *j'*me *d'mande, c'est c'*que *j'*me *r'demande.*

On voit qu'en général les *e* élidés alternent avec les autres. Mais ici encore, bien entendu, *que* et *je* pourront être prononcés à côté l'un de l'autre. Ainsi l'on dira aussi bien, et même mieux, *c'est c'*que je *r'demande*, que *c'est c'*que *j're*d'mande, et nécessairement *c'est c'*que je *n'te d'mande pas* et *c'est c'*que je *n'te r'demande pas, tu veux t'instruir'* de *c'*que je *n'sais pas, parc'*que (ou puisque) je *n'te l'fais pas dire, tu réclam' c'*que je *n'te r'mets pas, parce* que je *n'te le r'mets pas*[452].

On notera que, dans ce dernier exemple, on peut prononcer jusqu'à cinq *e muets* sur sept, dont *trois de suite*; le plus fort écrasement en laissera encore trois debout, dont *que* et *je* de suite: *parc'* que je *n't'* le *r'mets pas*, car ni *que* ne peut s'élider après *parce*, ni *je* devant *ne*.

On avait ici sept *e muets* de suite; en voici huit et même neuf: *tiens-moi quitt'* de *c'*que je *n'te r'mets pas*, et *tu t'lament'* de *c'*que je *n'te le r'mets pas* (ou je *n'te l'remets pas*, ou plus souvent je *n't'* le *r'mets pas*).

7° Conclusions.

De toutes ces considérations il résulte qu'il y a souvent plusieurs façons de prononcer les mêmes phrases, même sans parler des cas où l'on tient à mettre en relief une syllabe particulière. D'une façon générale les *e muets*, quels qu'ils soient, peuvent tomber en plus ou moins grand nombre, suivant les personnes, suivant les lieux, et surtout suivant l'allure du débit. On parle plus rapidement qu'on ne lit: la lecture conservera donc des *e muets* que la langue parlée laisse tomber. On parle ou on peut parler dans la conversation plus rapidement que dans un discours: la conversation rapide ou simplement négligée écrase donc une foule d'*e muets* qui se conservent partout ailleurs. Mais alors on arrive facilement à des incorrections que rien ne peut justifier.

C'est le défaut des phonéticiens, et surtout des phonéticiens étrangers, de recueillir précieusement les façons de parler les plus négligées, pour les offrir comme modèles; et alors on voit des étrangers s'évertuer consciencieusement à reproduire dans un discours étudié et lent des formes de langage que la rapidité du débit pourrait seule excuser: cela est ridicule. Ces phénomènes se produiront toujours assez tôt et spontanément, quand la connaissance de la langue sera parfaite et qu'on en fera un usage habituel et constant.

Ainsi tout à l'heure nous citions *parce que* réduit à *pasque*: ces choses-là se constatent, mais ne doivent pas s'imiter volontairement.

On a vu aussi que, dans la prononciation populaire ou simplement négligée, la chute de l'*e muet* entraîne souvent celle de l'*r*: *vot' père, quat' jours, un maît' d'anglais, pour entend' le discours*. C'est également pour permettre à l'*e muet* final de tomber qu'on supprime l'*l* dans *quelque*; mais ce n'est que dans une conversation très familière qu'on dit *que'qu'chose*, ou *que'qu'fois*. On va plus loin: on dit couramment *c't homme*, qui au temps de Restaut était considéré comme correct, et même *c't un fou*, où l'on fait tomber non pas un *e muet*, mais un *e ouvert*; comme dans *s'pas*, pour *n'est-pas*, et même *pas?* tout court; et l'on dit encore *p'têt' bien* (ou *ben*), où ce n'est plus un *e* qui tombe, mais *eu*, assimilé à l'*e* muet, sans compter la finale *re*: tout cela est-il à recommander? Le peuple, et même les gens les plus cultivés en disent bien d'autres: *qu' est qu' c'est qu'ça*, ou même simplement *c'est qu'ça*, ou encore *qu'ça fait*, sans parler de *ou 'st-c' que c'est*, ou plus brièvement *où qu'c'est*. Car on parle uniquement pour se faire comprendre, et avec le moins de frais possible: c'est le principe de moindre action, qui s'applique là comme ailleurs. Mais d'abord ce n'est peut-être pas ce qu'on fait de mieux; ensuite on ne dit pas cela partout, ni à tout le monde; enfin, quand on parle ainsi, on n'a nullement la prétention de fournir un modèle à suivre.

On voit que l'écueil de la prononciation, relativement à l'*e muet*, c'est l'abus des élisions. Mais le contraire se produit aussi parfois. Comme deux consonnes tendent à maintenir l'*e* muet devant une troisième, il arrive aussi qu'elles en appellent un qui n'existe pas! Il n'est pas rare d'entendre prononcer *lorseque, exeprès, Oueste-Ceinture, ourse blanc*, qui rappellent *bec ed gaz*[453]. Évidemment *l'est de Paris* est difficile à prononcer, à cause des deux dentales qui se heurtent: on est obligé de les fondre à peu près en une seule. D'autre part le français répugne à commencer les mots par deux consonnes, si la seconde n'est pas une liquide; de là la formation de mots tels que *e*sprit, é(s)*chelle*, é(s)*tat*, qui ont gardé ou perdu leur *s* après addition de l'*e*; mais il faut éviter d'augmenter le nombre de ces mots en disant une e*statue*, ou d'intercaler un *e* dans *s*(e)*velte*[454].

*

* *

Nous ne pouvons pas terminer ce chapitre sans dire un mot de la question des vers, dont l'*e muet* est un des charmes les plus sensibles, comme aussi les plus mystérieux. L'*e muet* est une des caractéristiques les plus remarquables de la poésie française. Aussi les principes que nous venons de développer ne sauraient-ils en aucune façon s'appliquer à la lecture des vers, qui exige un respect particulier de l'*e muet*.

Voici un vers de *l'Expiation*, de V. Hugo:

Sombr*e*s jours! l'emp*e*reur r*e*v*e*nait lent*e*ment.

On laissera les acteurs articuler neuf syllabes, comme si c'était une phrase de Thiers: ici il en faut douze, si l'on peut. L'*e* muet d'*empereur* est le seul qui évidemment ne puisse pas se prononcer, car il est de ceux qu'on ne devrait pas écrire; s'ensuit-il qu'il faille le laisser tomber complètement? En aucune façon: l'oreille doit en percevoir la trace, ne fût-ce qu'un demi-quart d'*e muet*; il suffira même d'appuyer un peu plus sur la syllabe précédente pour faire sentir à l'oreille qu'il y a là quelque chose comme une demi-syllabe. Et sans doute cela est difficile; mais les autres n'offrent aucune difficulté. Les *e* de r*e*v*e*nait doivent se prononcer pleinement tous les deux, et quand à celui de *lentement*, on peut aisément le faire sentir plus que celui d'*empereur*: le sens même ne l'exige-t-il pas?

Voici un vers d'une toute autre espèce, qui ne peut, pas être dit non plus de n'importe quelle manière:

Je veux ce que je veux, parce que je le veux[455].

Le premier élément *je veux* doit être suivi d'une pause; le second a quatre syllabes dont il sera bon de prononcer la première et la troisième, contrairement à l'usage courant[456]; le second hémistiche doit se diviser en deux parties égales avec un accent fort sur *que*; ou si l'on accentue sur *par*, il faudra faire sentir tous les *e* muets.

Dans cet autre vers de V. Hugo:

Mais ne me dis jamais que je ne t'aime pas[457],

qui aurait huit syllabes en prose rapide, *tous* les *e muets* doivent être prononcés, sauf le dernier, qu'on doit encore sentir à moitié; et je dis *sentir* plutôt qu'*entendre*, le prolongement du son *ai* et aussi de l'*m* suffisant à marquer l'existence de la muette qui suit.

Il est bien vrai que les poètes ne manient pas toujours l'*e muet* avec l'art et la prudence qu'il faudrait, et qu'ils mettent souvent le lecteur à de rudes épreuves. Il ne faut pourtant pas les trahir, même s'ils le méritent parfois[458].

VIII.—LES SEMI-VOYELLES

1° Divorce entre la poésie et l'usage.

On se rappelle que les trois voyelles extrêmes, *i, u, ou*, quand elles sont suivies d'autres voyelles, font presque nécessairement diphtongue avec elles, et, se prononçant très rapidement, doivent être tenues pour des consonnes autant que pour des voyelles.

Quand le groupe est précédé d'une autre voyelle, il n'y a pas de discussion possible, et la synérèse entre les deux dernières est nécessaire et manifeste: *na-ïade, plé-ïade, pa-ïen, fa-ïence, a-ïeux, ba-ïonnette*[459].

Si au contraire le groupe est précédé d'une consonne, il y a alors une très grande différence à faire entre la prose et la poésie, car les poètes s'en tiennent encore aujourd'hui, dans la plupart des cas, à des traditions de plusieurs siècles, qui remontent aux origines latines, et par suite ils ne comptent guère comme diphtongues que les diphtongues étymologiques. Or il n'y en a plus que deux en français: *ié* et *ui*. Encore *ie* et *ui* ne sont-ils pas diphtongues partout étymologiquement: aussi *ie* est-il diphtongue pour les poètes dans *pied*, mais non dans *épi-é*; dans *dieu*, mais non dans *odi-eux*; dans *rien*, mais non *aéri-en*; *ui* est diphtongue pour eux dans *puits*, mais non *ru-ine*, dans *bruit*, mais non *ingénu-ité*[460].

Les poètes admettent encore les diphtongue *ions* et *iez* dans les imparfaits et les conditionnels, mais point ailleurs: ils distinguent ainsi les imparfaits *alliez, mandiez*, des présents *alli-ez, mendi-ez*, etc., les imparfaits *portions, inventions*, etc., des substantifs *porti-ons, inventi-ons*[461].

En dehors de ces cas, les diphtongues sont rares chez eux: les groupes *ia, io, iu*, fournissent à peine quelques exceptions courantes, comme *diable* ou *pioche*; de même les autre groupes, commençant par *u* et *ou*: ainsi *duègne* et *oui*.

Nous n'insisterons pas sur la question, ceci n'étant pas un traité de versification, mais il importait que le lecteur fût averti que dans ces rencontres les vers doivent très souvent se prononcer autrement que la prose.

2° La semi-voyelle Y.

La plus importante et la plus fréquente des semi-voyelles, et celle qui se forme le plus facilement, c'est celle qui provient de l'*i*: dans cette fonction elle s'appelle **yod**, et sa prononciation se marque commodément par *y*.

I. **Après une consonne.**—Le groupe *ia* est assez fréquent, et se trouve par exemple dans un grand nombre de finales: *-ia, -iable, -iaque, -iacre, -iade, -iaffe, -iage*, etc. Le groupe *ie* n'est pas moins fréquent. Mais quel que soit le groupe, *ia, iai* ou *ian, ié, iè, ien* ou *ieu, io, ion* ou *iu*, partout c'est *ya, yai, yé*, etc., qui se prononcent, même si l'*i* appartient étymologiquement à la syllabe précédente, ce qui d'ailleurs est le cas ordinaire: *mar-yage, byais, or-yent, ép-yer, nyèce, coméd-yen, pluv-yeux, ag-yoter, pass-yon, bin-you, op-yum.*

Toutefois, si l'*i* appartient à un préfixe qui garde son sens plein, la séparation est maintenue: *anti-alcoolisme, archi-épiscopal.*

D'autre part, il ne faut pas non plus qu'il y ait dans la prononciation même un obstacle à la formation de la diphtongue. Ainsi il est clair que *lier* ou *nier* en tête d'une phrase se prononceront difficilement en une syllabe.

Mais surtout la synérèse est impossible, quand l'*i* est précédé soit de l'*u* consonne, soit, et plus encore, de l'un des groupes à liquide finale, *bl, br, cl, cr,* etc. L'*i* (ou *y*) reste donc nécessairement voyelle dans des mots comme *qui-étisme*, et surtout *maestri-a, dry-ade, tri-ait, fabli-au, oubli-er, pri-ère, Adri-en, oubli-eux, bri-oche, tri-omphe, Bri-oude, stri-ure* ou *atri-um*. Mieux encore: on sait qu'à la suite des mêmes groupes, les diphtongues originelles ont dû se décomposer avec une nécessité qui s'est imposée aux poètes eux-mêmes, dans les mots tels que *meurtri-er, sabli-er, devri-ons, devri-ez*[462].

Mais on notera ici un phénomène remarquable: dans tous les mots où l'*i* reste ainsi rattaché à la syllabe précédente, il se développe spontanément entre l'*i* et la syllabe qui en reste séparée, un *yod*, qui s'ajoute à l'*i*: q*ui-étism*e, *bri-oche* et *meurtri-er* se prononcent en réalité *qui-yétisme, bri-yoche*, et *meurtri-yer*, de même que plus haut nous avons vu la finale *i-e* prolongée aboutir à *i-ye*: la *vi-ye*[463]. Que dis-je? pour distinguer l'imparfait du présent dans les verbes en *i-er*, tandis que *vous étudi-ez* se prononce ordinairement *étud-yez, étudi-iez* se prononce en réalité *étudiy-yez*[464]. *Daign-iez*, dont le cas est pareil, est même fort difficile à prononcer.

II. **Décomposition de l'*y* grec entre deux voyelles.**—Nous avons dit que l'*i* est assez rare entre deux voyelles dans le corps d'un mot. L'*y* grec y est au contraire assez fréquent. Il se produit alors une décomposition de l'*y* grec en deux *i*, qui appartiennent à des syllabes différentes; et alors le premier altère ou diphtongue la voyelle précédente, tandis que le second devient semi-voyelle: *payer* ou *grasseyer* se prononcent *pai-yer* et *grassei-yer; royal* se prononce *roi-yal; fuyard* se prononce *fui-yard.*

Il est évident que *roi* ne peut pas s'accommoder de *ro-yal*, ni *fuir* de *fu-yard*. *Mo-yen*, qu'on entend encore parfois, est tout à fait suranné et détestable, malgré les efforts de Littré[465]; *vo-yons* ou *a-yant*, qu'on entend aussi, sont peut-être encore pires; *savo-yard* et *bru-yant*, qui ne sont pas rares, ne sont guère meilleurs; *écu-yer* serait plus justifié, mais il y a beau temps qu'il est passé à *écui-yer*.

Mais voici un phénomène plus curieux: l'*y* grec se décompose même à la fin du mot, le second *i* faisant syllabe à lui seul, dans *pays* (pè-i), et par suite *payse, paysan, paysage, dépayser*, malgré la consonne articulée qui suit. Il en est de même devant l'*e muet*, dans *abbaye* (abè-i), qui a ainsi quatre syllabes, si on compte la muette. On prononce d'ailleurs *abè-yi* aussi souvent que *abè-i*; mais on dit plus généralement *pè-i, pèi-se, pè-isage*[466].

J'ajoute qu'ici aussi, bien entendu, la décomposition de l'*y* grec n'empêche pas la formation de deux *yods* dans les imparfaits et subjonctifs en *-ions* et *-iez*: *fuyions, fuyiez* se prononcent en réalité *fuiy-yons, fuiy-yez*.

Cette décomposition de l'*y* grec entre deux voyelles est en français une règle très générale. On y trouve cependant un certain nombre d'exceptions qu'il faut indiquer: je veux dire des mots qui ne décomposent pas l'*y* grec, mais gardent intacte la voyelle qui le précède[467].

1° L'*a* reste intact dans le populaire *fa-yot*, dans *ta-yon* et *ta-yaut*, qui s'écrit aussi *taïaut*, dans *bra-yette*, qui est plutôt *braguette* (mais non dans *brayer* ou *brayon*), et dans *ba-yer aux corneilles*, qui devrait être *bai-yer* (comparez *bouche bée, béant*): une confusion s'est faite avec *bailler* depuis fort longtemps, contre laquelle il est impossible de réagir[468].

L'*a* se maintient aussi dans *coba-ye, cipa-ye, ba-yadère* et *papa-yer*, qui sont des mots d'origine étrangère, ainsi que dans l'expression exotique *en paga-ye*[469].

2° L'*o* reste intact dans *bo-yard* et *go-yave*, mots étrangers, et dans *cacao-yère*, pour conserver le simple *cacao*, mais non dans *voy-ou*, qui vient de *voie*, ni dans *savoy-ard*, qui vient de *Savoie*, ni dans les mots en *-oyau*, où la prononciation par *o* est devenue exclusivement populaire[470].

3° L'*u* reste intact dans *gru-yer*, mot étranger, ordinairement aussi dans *thu-ya*, qui est dans le même cas; de plus dans *bru-yère*, qui a peut-être été maintenu par le nom propre *La Bru-yère*, et dans *gru-yère*, qui est aussi originellement un nom propre.

La tendance à décomposer l'*y* dans les mots français est si forte qu'on prononce quelquefois *thui-ya* et que *gru-yère* lui-même, nom propre francisé en nom commun, est parfois articulé *grui-yère*, malgré la difficulté; mais c'est assez rare. Avec l'*u*, c'est plutôt le phénomène contraire qui se produit, c'est-à-dire qu'on paraît tendre parfois à revenir de *ui* à *u*.

Ainsi le mot *tuyau*, peut-être sous l'influence de *gru-yère*, est en voie de perdre sa prononciation correcte; sans doute, même en dehors des puristes, il y a encore beaucoup de gens, des femmes surtout, qui prononcent *tui-yau*; mais la prononciation populaire *tu-yau* est aujourd'hui répandue partout et paraît devoir prévaloir[471].

De même *tu-yère*. On altère parfois jusqu'à *bruyant*, qui vient de *bruit*, sans doute par l'analogie de *bru-yère*; mais je ne pense pas que *bru-yant*, qui est fort incorrect, puisse se généraliser[472].

On peut ajouter ici que le mot *alleluia*, quoiqu'il n'ait point d'*y* grec, se prononce le plus généralement *allelui-ya*, comme le latin *quia*.

III. **Changement de l'Y grec en I.**—Une autre modification s'est faite à la prononciation de l'*y* grec dans les verbes en **-ayer, -oyer, -uyer**, ou plutôt il s'est changé en *i* simple devant un *e muet*, au présent, au futur et au conditionnel, d'où disparition du *yod*: *noi*(e), *noi*(e)*ra*, *noi*(e)*rait*[473].

Seuls les verbes en **-eyer** ont gardé partout l'*y* grec; mais *grasseyer* est le seul qui soit répandu.

Les verbes en **-ayer**, qui sont fort rapprochés des précédents, hésitent souvent entre deux formes et deux prononciations: *pai*(e) et *pai*(e)*ra*, ou *paye* (pai-ye) et *payera* (pai-yera). Au futur et au conditionnel, l'*i* l'emporte sans conteste, et si l'on dit encore *rai-yera* ou *pai-yera*, on ne dit plus *effrai-yera*, plus guère *essai-yera* ou *balai-yera*. Au présent, l'*y* grec se maintient un peu mieux: *j'essai-ye* et surtout *je rai-ye* sont fort usités; *je balai-ye* ou *je pai-ye* le sont moins, mais sont encore très corrects[474].

Ce phénomène a complètement disparu des verbes en **oyer**, et des formes comme *noye* ou *flamboye* sont tout à fait inusitées, malgré le voisinage de *noyons* et *flamboyons*. Il est vrai qu'on entend encore assez souvent dans le peuple *soye* (soi-ye) et *soyent*, sans doute par analogie avec *soyons*, *soyez*; mais cette prononciation est extrêmement vicieuse, d'autant plus qu'on écrit *sois* et *soit* au singulier; et quoiqu'on écrive assez sottement *aie* et *aies*, comme *voie*, avec des *e muets*, la prononciation *ai-ye* ou *voi-ye*, qu'on entend parfois, n'est pas moins condamnable aujourd'hui[475].

IV. **L'I ou Y grec initial devant une voyelle.**—L'*y* grec *initial* devant une voyelle est toujours consonne: *yacht, yatagan*, et les poètes eux-mêmes ont bien de la peine à le séparer[476].

On peut considérer le groupe *il y a* comme un cas particulier de ce fait général: ce n'est qu'en vers que *il y a* peut compter pour trois syllabes; mais quand on parle, on n'en fait que deux, quoiqu'il y ait trois mots[477].

Le phénomène est le même pour *il y eut*, *il y aura* et toute la conjugaison, et aussi pour la conjugaison de *il y est*. Le phénomène est même bien plus marqué encore pour *ça y est*, où *y* se trouve entre deux voyelles, cas identique à celui de *na-ïade* ou *go-ya*ve[478].

Quant à l'*i*, on ne le trouve en tête des mots que dans quelques mots savants d'origine latine, où l'usage ordinaire, à défaut des poètes, en fait aussi une consonne: *ïambe*, *iode*, *ionique*, *iota*, *iule* et leurs dérivés. En revanche, l'adverbe *hi-er* a deux syllabes depuis le XVIe siècle, et ne doit pas se prononcer *yer*, sauf en vers, quand la mesure l'exige; tout au plus peut-on dire *avantyer*, et ce n'est nullement nécessaire[479]. Il n'en est pas de même du groupe initial *hiér-* (*hiéroglyphe*, *hiérarchie*), qui ne fait deux syllabes qu'en vers et encore pas toujours[480].

Pour terminer sur ce point, nous ajouterons que la prononciation actuelle des *ll* mouillés les assimile complètement au *yod*, par exemple dans *taille*, *abeille*, *fille*, etc., qui se prononcent *ta-ye*, *abe-ye*, *fi-ye*; d'où il résulte que les finales de *prier* et *briller* se prononcent exactement de la même manière: *pri-yer*, *bri-yer*[481].

Le *gli* italien est dans le même cas que les *ll* mouillés. Enfin *gn* mouillé diffère peu de *ny*: les finales de *daigner* et *dernier* sont à peu près identiques. Nous reviendrons sur tous ces points dans les chapitres consacrés aux consonnes[482].

3° La semi-voyelle U.

Les autres semi-voyelles nous arrêteront moins.

Les groupes de voyelles qui commencent par *u*, à savoir *ua*, *uai*, *ué*, *uè*, *uei*, *ui*, *uin*, et même *uon*, sont aussi des diphtongues en général dans l'usage courant, sinon en vers; et l'on sait que le groupe *ui* est généralement diphtongue, même en vers. Ainsi *u* fait fonction de consonne dans *per-sua-der*, *s-uaire*, *insi-nuant*, *sué-dois*, *impé-tueux*, *fuir*, *juin* et même *nous nous ruons*[483].

Pourtant le phénomène est moins constant que dans les groupes qui commencent par *i*.

D'abord l'*u* est parfois suivi lui-même d'un groupe où *i* est semi-voyelle, auquel cas l'*u* doit rester distinct, comme dans *tu-ions*, *tu-iez*[484].

Mais surtout deux consonnes différentes quelconques suffisent généralement ici pour empêcher la synérèse, par exemple dans *argu-er*, *sanctu-aire* ou *respectu-eux*, et presque tous les mots en *-ueux*, aussi bien que dans *obstru-er*, *conclu-ant*, *conclu-ons*, *flu-ide*, *bru-ine* et *dru-ide*, où figurent les groupes connus *cl*, *br*, etc.

Toutefois la diphtongue étymologique s'est maintenue, *même en vers*, malgré les mêmes consonnes, dans *autr*ui, dans *pl*uie et *tr*uie, dans *br*uit, *fr*uit et *tr*uite, dans *détr*uire, *instr*uire et *constr*uire[485]; elle s'est diérésée seulement dans *br*u-ire, *br*u-issant, *br*u-issement, qui sont plutôt des mots poétiques, et même dans *ébr*u-iter. *Euph*u-isme, mot savant, n'a pas subi la synérèse, non plus que *d*u-o.

L'***u*** est semi-voyelle à fortiori, même en vers, quand il se prononce dans les groupes *qua, que* et *qui, gua, gue* et *gui*; mais il ne garde le son *u* que devant *e* et *i: q*uesteur, aig*uille; il prend le son de la semi-voyelle *ou* devant *a: équation, g*uano[486].

Il va sans dire que, dans *juin*, l'*u* ne doit pas prendre le son *ou*, comme il arrive souvent (cela arrive parfois même dans *puis*). Quelques-uns prononcent *jun*, ce qui est encore pis; d'autres même prononcent *juun* sans s'en apercevoir! *Juin* doit se prononcer comme il est écrit, mais en une seule syllabe.

Enfin il faut éviter avec soin de réduire *ui* à *u* dans *men*uisier ou *fr*uitier, comme de le réduire à *i* dans *p*uis ou *p*uisque.

4° La semi-voyelle OU.

Les groupes de voyelles qui commencent par ***ou***, à savoir ***oua, ouai, ouan, oué, ouè, ouen, oueu, oui, ouin***, et même ***ouon***, sont également diphtongues dans l'usage courant, sinon en vers, et même plus facilement que ceux qui commencent par *u*. Ainsi *ou* fait fonction de consonne dans des mots comme *ou*a*il-les, œ*ouen-ne, *d*ouai-re, *j*ouer, *m*ouette, *j*oueuse, *f*ouine ou *barag*ouin et, *nous j*ouons[487]; et la synérèse n'est guère empêchée que par les groupes de consonnes *bl, br*, etc., dans des mots tels que *fl*ou-er, *tr*ou-er, *tr*ou-ait, *tr*ou-ons, *pr*ou-esse, *ébl*ou-ir, qui ne sont pas très nombreux[488].

Pourtant des mots comme *b*ou-eux et *n*ou-eux subissent mal la synérèse, et le discours soutenu, qui se rapproche du vers, l'évite souvent dans des mots tels que *j*ou-er, *l*ou-er, comme aussi *tu-*er. Il faut y ajouter naturellement les formes comme *j*ou-ions, *j*ou-iez, qui sont dans le même cas que *tu-*ions, *tu-*iez.

On sait que le *w* anglais est précisément la consonne que nous représentons par *ou*: ainsi dans *whist* ou *tramway*, mais ces deux mots sont les seuls mots de la langue, noms propres à part, où le *w* conserve régulièrement le son *ou*[489].

Nous venons de voir *ou* semi-voyelle quand l'*u* se prononce dans les groupes *qua* et *gua*. Nous avons vu aussi que la diphtongue *oi* représentait en réalité *oua* ou *wa*; et il en est de même de *oin* qui est identique à *ouin*.

La prononciation de *oi* et *oin* en une seule syllabe est même si facile que les groupes de consonnes *bl, br,* etc., ne produisent jamais ici la diérèse, pas plus dans *groin,* malgré Victor Hugo, que dans *croix* ou *emploi*[490].

Il arrive aussi parfois que l'*o* s'assourdit en *ou* même devant une voyelle autre que *in.* Cela est nécessaire dans *joaillier,* qui, malgré son orthographe, est apparenté à *joyau,* et il n'y a que les poètes pour obliger le lecteur à scander *jo-aillier.* Mais le phénomène se produit parfois même dans *oasis* ou *casoar,* qu'on prononce facilement *ouasis* et *casouar,* quand on parle un peu vite[491].

Autrefois, notamment au XVIe siècle, cet assourdissement de l'*o* en *ou* était un phénomène général; jusqu'à la Révolution, *poète* et *poème,* où Boileau avait rétabli définitivement la diérèse en vers, se prononcèrent en prose et dans l'usage courant *pouème* et *pouète.* Mais cette prononciation ne saurait aujourd'hui être admise[492].

Je rappelle que *moelle, moelleux, moellon, poêle, poêlon,* devraient s'écrire par *oi*[493]. De même on a respecté l'orthographe adoptée, à tort ou à raison, pour *go-éland* (en breton *gwélan*) et pour *go-élette* (autrefois *goualette*); mais ici l'orthographe a réagi sur la prononciation, surtout en vers, et l'on est bien obligé de séparer l'*o.*

DEUXIÈME PARTIE

LES CONSONNES.

Quoique nous ayons établi au début de ce livre un classement des consonnes, qui nous a été fort utile pour l'étude des voyelles, nous suivrons ici l'ordre alphabétique, qui paraît plus pratique, en mettant *ch* après *c*, et l'*n* mouillé (*gn*) à la suite de l'*n*.

Mais avant de passer à l'étude particulière des consonnes, quelques observations générales ne seront pas déplacées.

1° Le changement spontané des consonnes.

Avant tout, nous devons constater une fois pour toutes, pour n'y pas revenir à chaque instant, un phénomène d'ordre général, qui est le changement spontané de certaines consonnes[494].

Pour prendre l'exemple le plus simple et le plus aisé à constater, on croit prononcer *obtenir*, mais on prononce en réalité *optenir*; pour prononcer exactement *obtenir*, il faudrait un effort qu'on ne fait jamais, pas plus en vers qu'en prose, pas plus en discourant lentement qu'en parlant vite. Ce phénomène s'appelle *accommodation*, ou même *assimilation*[495].

Ceux qui ont fait un peu de grec connaissent bien ce phénomène: *quand une muette*, leur dit la grammaire, *est suivie d'une autre muette, elle se met au même degré qu'elle*. Dans *obtenir*, la labiale douce *b*, suivie de la dentale forte *t*, se change en la labiale forte *p*; elle *s'accommode* à la consonne *qui suit*, et cela spontanément et nécessairement, par le jeu naturel des organes[496].

En français, ce phénomène est extrêmement général.

D'abord, une muette ne s'accommode pas seulement à une autre muette, comme dans *obtenir*, où la douce devient forte, et *anecdote* (anegdote) où la forte devient douce, mais aussi bien à une spirante, comme dans tous les mots commençant par *abs-* (a*p*s) ou *obs-* (o*p*s) et même *subs-* (su*p*s, sauf devant *i*).

D'autre part, une spirante aussi peut s'accommoder soit à une autre spirante, comme dans *transvaser* (tran*z*vaser) ou *disjoindre* (di*z*joindre), soit à une muette, comme dans *rosbif* (ro*z*bif), *Asdrubal* (a*z*drubal) ou *disgrâce* (di*z*grâce).

Il est vrai que ces heurts de consonnes sont assez rares dans les mots français; mais cette accommodation passe aussi bien par-dessus l'*e* muet, toutes les fois que l'*e* muet peut tomber, comme dans *paquebot* (pa*g*bot) ou *mé*de*c*ine (mé*t*sine), dans *clave*cin (cla*f*cin) ou *nous faisons* (*v*zons), dans *crévecœur* (cre*f*keur), *ré*je*t*on (re*ch*ton), *naïveté* (naï*f*té), ou *le* se*c*ond (le*ʒ*gon)[497].

Mais tout ceci se fait normalement, dans le langage le plus soutenu et le plus lent. Dans le langage très rapide, on en voit bien d'autres, car l'accommodation s'y fait même entre des mots différents. Le *b* devient *p* dans *qu'exhi*bes-*tu là?* et inversement le *p* devient *b* dans *Phili*ppe *de Valois*; le *d* se change en *t* dans *et ainsi* de *suite*, et le *t* se change en *d* dans *vous ê*tes *insensé* (cette fois, c'est l'*s* final, prononcé uniquement pour la liaison, et prononcé doux, qui détermine le changement); de même encore *g* devient *k*, et *k* devient *g*, dans *on navi*gue *chez nous* (i*k*ch) et *cha*que *jour* (ag*j*)[498].

Même phénomène pour les spirantes: on peut comparer *grave cela* (a*f*s) avec *gr*iffes *aiguës* (i*v*z), *voyages-tu?* (a*ch*t), avec *ta*che *de vin* (a*j*d), *ro*se *pourpre* (o*s*p), avec *est-*ce *bien?* (e*ʒ*b). Le langage tres rapide rapproche même des muettes ou des spirantes identiques, changeant par exemple une dentale forte *t* en dentale douce *d* devant un autre *d*, et ceci est l'assimilation proprement dite: *vous ê*tes *dur* (e*d*d), *il galo*pe *bien* (o*b*b), *je ne navi*gue *qu'ici* (i*k*k), *tu bri*ses *ce pot* (i*s*s), *je man*ge *chez vous* (*ch*ch), etc. On va plus loin encore: dans la prononciation populaire, ou simplement familière, qui supprime non seulement l'*e* muet, mais aussi l'*r* qui précède, à la suite d'une muette ou d'une spirante, on arrive à *un maî*tre *d'hôtel* (ai*d*d) ou *une pau*vre *femme* (au*f*f).

Les appareils de là phonétique expérimentale ont même constaté une assimilation plus extraordinaire encore, *par-dessus une voyelle sonore*. Dans les mots *couché* s*ous un pin*, il arrive que le premier *s* se rapproche sensiblement du second[499].

Tous ces phénomènes sont spontanés et involontaires. Aussi doivent-ils rester tels, et par conséquent ne se produire que dans un débit très rapide. Ils sont extrêmement curieux pour le savant, mais ne doivent être étudiés qu'à un point de vue purement scientifique. Je ne puis que répéter ici ce que j'ai dit à propos de l'*e* muet: les phonéticiens étrangers recueillent précieusement ces phénomènes pour les offrir à l'étude de leurs compatriotes, ayant pour principe unique: *cela est, donc cela doit être*[500]. Ils ne se doutent pas que beaucoup de façons de parler ne sont acceptables que lorsque *et parce que* personne ne s'en aperçoit, mais qu'elles sont ridicules, quand elles sont voulues et manifestes. Il faut parler naturellement. On n'a pas besoin d'effort pour prononcer un *p* dans *ob*te*nir*: on le prononce nécessairement, et, par suite, il est toujours légitime. Mais on ne met pas *nécessairement* un *s* doux dans *est-ce bien*; on doit donc prononcer le *c* naturellement, et ne jamais faire effort pour prononcer autre chose que *c*, même quand on parle vite: il se change toujours assez tôt en *ʒ*, sans qu'on s'en aperçoive, ni celui qui parle, ni celui qui écoute, et c'est alors seulement que le phénomène devient légitime.

De ce phénomène spontané on peut rapprocher un autre phénomène qui se produit aussi spontanément: c'est le redoublement de la première consonne, dans certains mots sur lesquels on veut appuyer, surtout dans l'interjection: mmi*sérable!* in*ssensé!* Si la première consonne est suivie d'un *r*, c'est l'*r* qui se redouble; il est tt*oujours là à g*rr*atter*. On voit que ce redoublement est un phénomène analogue à l'accent *oratoire*, et qui coïncide généralement avec lui[501].

2° Quelques observations générales.

Première observation: *les consonnes finales*, qui autrefois se prononçaient toutes, comme en latin, ont peu à peu cessé en grande majorité de se prononcer[502]; toutefois, depuis un siècle, grâce à l'orthographe, beaucoup ont reparu de celles qui ne se prononçaient plus. Il y a notamment quatre consonnes finales qui se prononcent aujourd'hui régulièrement; ce sont les deux liquides: *l* et *r*, avec *f* et *c*.

En second lieu, *les consonnes intérieures* se prononcent aussi presque toutes aujourd'hui. Ce n'est pas qu'il n'y ait encore beaucoup d'exceptions; mais leur nombre tend toujours à diminuer, et toujours par l'effet de la fâcheuse réaction orthographique, due surtout à la diffusion de l'enseignement primaire[503]. Depuis qu'une foule de mots sont appris par l'œil avant d'être appris par l'oreille, on les prononce naturellement comme ils sont écrits. Et puis il y a là aussi l'effet naturel d'un pédantisme naïf et inconscient; car enfin, quand on prononce *sculpter*, *lègue* ou *aspecte*, cela ne prouve-t-il pas qu'on a fait des études, et qu'on sait l'orthographe? Aussi les plus coupables dans cette affaire sont encore ceux, journalistes ou hommes de lettres, qui s'opposent par tous les moyens à la réforme de l'orthographe. Quant à ceux qu'on appelle dédaigneusement les «primaires», ils sont plus excusables: sachant bien qu'il ne dépend pas d'eux d'écrire comme on parle, ils parlent comme on écrit! Nous verrons, chemin faisant, les altérations que la langue a déjà subies ou subira encore, par le fait de notre orthographe.

Enfin, il y a la question des *consonnes doubles*: Quand se prononcent-elles doubles ou simples[504]? Cette question doit être étudiée à propos de chaque consonne, dans un intérêt pratique; mais il y a encore là un phénomène d'ordre général, dont il faut dire un mot d'avance.

Il va sans dire que la question ne se pose qu'entre deux voyelles *non caduques*, appuis nécessaires des deux consonnes en avant et en arrière: *co*l-*laborer*. Et en effet, à la fin d'un mot, ou devant un *e muet*, qui tombe régulièrement, la question ne se pose plus: *djin*(n), *bal*(le), *ter*(re), *dilem*(me), *al*(le)*mand* se prononcent nécessairement comme si la consonne était simple[505].

Or, entre voyelles non caduques, la règle générale est que, dans les mots purement français, et d'usage très courant, la consonne double se prononce simple: *a*(l)*ler*, *do*(n)*ner*; et il y en a souvent deux ou même trois dans le même mot, comme *a*(s)*suje*(t)*ti*(s)*sant* ou *a*(t)*te*(r)*ri*(s)*sage*. On ne devrait donc prononcer les deux consonnes que dans les mots tout à fait savants, où l'on peut, à la rigueur, conserver légitimement la prononciation attribuée à l'original sur lequel ils sont calqués: *c*ol-l*ap*sus, *c*om-m*utateur*, *septe*n-n*at*, *i*r-r*écusable*, *proce*s-s*us*, *dile*t-t*ante*[506].

Malheureusement l'emphase naturelle de l'accent oratoire a étendu cette prononciation à beaucoup d'autres mots, comme *ho*r-r*eur* ou *ho*r-r*ible*. Et surtout le pédantisme encore s'en est mêlé. Beaucoup de gens ont cru voir un signe certain d'éducation supérieure, d'instruction complète, dans cette prononciation réputée savante, qui est celle du latin et du grec. Aussi s'est-elle étendue progressivement. Aujourd'hui encore on voit très bien qu'elle gagne de plus en plus, et atteint beaucoup de mots fort usités qu'elle devrait respecter, parce qu'ils n'ont rien de nouveau ni de savant[507]. Elle respecte encore assez généralement les muettes ou explosives, à cause de la difficulté que produit l'occlusion complète que la bouche doit subir en les prononçant, comme dans *a*p-p*arat*; elle atteint beaucoup plus les spirantes (*f* et *s* sont d'ailleurs les seules qui se répètent), car elles ne présentent pas cet inconvénient, mais surtout *l*, *m*, *n*, *r*, les quatres liquides des grammairiens grecs. Ainsi, de tous les mots commençant par ***ill***, ***imm***, ***inn-***, ***irr-***, et qui, presque tous, sont privatifs, il n'y a plus qu'*i*(n)*nocent* et ses dérivés immédiats qui soient à peu près respectés, et dans la plupart des mots on prononce *toujours* les deux consonnes, à moins qu'on ne parle très vite[508].

Il faut dire en effet que cette prononciation dépend beaucoup du plus ou moins de rapidité de l'élocution: entre les mots où on ne prononce jamais qu'une consonne et ceux où on en prononce toujours deux, il y en a beaucoup où on en prononce tantôt une, tantôt deux, suivant qu'on parle plus ou moins vite. D'ailleurs, en cas d'hésitation, il sera bon de se pénétrer de ce principe qu'on ne fera jamais une faute grave en prononçant une consonne simple quand l'usage est de la prononcer double, tandis qu'on peut être parfaitement ridicule en la prononçant double quand elle doit rester simple, comme de dire *do*n-n*er* ou *nous a*l-l*ons*.

NOTE SUR LA PRONONCIATION DU LATIN

Puisque la prononciation latine est en cause dans ce cas plus qu'ailleurs, on nous saura peut-être gré de réunir ici, en tête des consonnes, les règles spéciales qui la concernent, et qui sont disséminées un peu partout dans le livre, avec les exemples nécessaires.

En principe, nous prononçons le latin, à tort ou à raison, plutôt à tort, à peu près comme le français. Nous ne l'en distinguons que dans un petit nombre de cas, dont l'énumération n'est pas longue.

On a vu déjà précédemment comment nous prononçons les voyelles: que l'*e* ouvert ou fermé n'a pas d'accent, que l'*u* ne sonne jamais *ou*, que *um* se prononce toujours *ome* (même après un *o*), et que *un* se prononce toujours *on*, sauf dans *hunc*, *nunc* et *tunc*, et les mots commençant par *cunct-*.

Les nasales sont identiques à celles du français, sauf qu'il ne peut y en avoir que devant une consonne, et non en fin de mot, et que *en* a toujours le son *in*, notamment dans la finale *-ens*.

On a vu aussi que les seules diphtongues latines, *æ*, *œ* et *au*, sont prononcées comme les voyelles *é* et *o*. Il en résulte que devant *æ* et *œ*, le *c* et le *g* gardent le même son qu'en français devant *e*.

Nous faisons aussi de fausses diphtongues avec l'*u*, après *g* ou *q*, mais seulement devant *a*, *e* (ou *æ*) et *i*: l'*u* se prononce *u* devant *e* et *i*, et *ou* devant *a*, tandis que devant *o* et *u* il ne compte pas.

Ch a toujours le son guttural.

Il n'y a jamais de son mouillé, ni pour *gn*, ni pour *ll*.

Ti devant une voyelle est sifflant, comme en français, sauf en tête des mots, ou après *s* ou *x*.

Les consonnes finales s'articulent toujours: c'est ce qui fait qu'il n'y a point de nasales à la fin des mots.

Cette prononciation est d'ailleurs détestable, et peut-être le jour n'est-il plus éloigné où on en adoptera une autre, un peu moins française, mais plus latine.

B

A la fin des mots, le **b**, très rare dans les mots proprement français, ne s'y prononce pas: *plom*(b), *aplom*(b), *surplom*(b), et autrefois *coulom*(b)[509].

Il se prononce dans les mots étrangers, qui sont naturellement beaucoup plus nombreux, comme: *naba*b, *baoba*b, *ca*b, *naï*b, *sno*b, *ro*b, *clu*b, *tu*b, *rhum*b, etc.[510].

Dans *radoub*, le *b* ne devrait pas davantage se prononcer, et les gens de métier ne le prononcent pas; mais la vérité est qu'ils emploient fort peu ce mot, se contentant du mot *bassin*; ils laissent ainsi le champ libre à ceux qui n'apprennent ce mot que par l'œil, et qui naturellement articulent le *b*: ce sont de beaucoup, aujourd'hui, les plus nombreux.

Dans le corps des mots, le *b* se prononce aujourd'hui partout devant une consonne. On fera bien de veiller à ne pas le changer en *m* dans *tom*b(e) *neuve*, et plus encore à ne pas le supprimer dans *ob*stiné et *ob*stination[511].

Le **b** *double*, assez rare, compte pour un seul à peu près partout: *a*(b)*bé*, *sa*(b)*bat*, *ra*(b)*bin*, et aussi bien *ra*(b)*bi*, qui est le même mot au vocatif. On n'en prononce deux que dans deux ou trois mots savants: *gi*b-b*eux* et *gi*b-b*osité*, peut-être *a*b-b*atial* ou *sa*b-b*atique*; encore n'est-ce pas indispensable[512].

C

1° Le C final.

Le *c* est une des quatre consonnes qui se prononcent aujourd'hui normalement *à la fin des mots*:

I. *Après une voyelle orale*, d'abord, le *c* final sonne généralement: *cogna*c, *ba*c, *la*c, *sa*c, *be*c, *se*c, *ave*c, *trafi*c, *publi*c, *cho*c, *blo*c, *ro*c, *bou*c, *du*c, *cadu*c, *su*c, etc.[513].

La plupart de ces mots sont d'ailleurs des mots plus ou moins techniques ou étrangers, des substantifs verbaux, des adverbes, ou des mots où le *c* a reparu après éclipse, par analogie avec le plus grand nombre[514].

Contrairement à la majorité des mots, mais conformément à la règle des consonnes finales, le *c* est devenu ou resté muet dans un certain nombre de mots suffisamment populaires: dans *estoma*(c) et *taba*(c), et dans *cotigna*(c), moins usité, où il tend à se rétablir[515]; dans *cri*(c), machine; dans *bro*(c), *cro*(c), *accro*(c), *raccro*(c) et *escro*(c); dans *caoutchou*(c)[516].

Pendant longtemps la prononciation familière a volontiers omis le *c* d'*ave*c devant une consonne: *ave*(c) *moi*, *ave*(c) *lui*: cette prononciation est aujourd'hui dialectale, et on la tourne même en ridicule.

Le *c* d'*arseni*c, qui s'était amui, s'est aussi généralement rétabli[517].

Au pluriel, le *c* sonne aussi bien qu'au singulier, les deux nombres ayant pris peu à peu avec les siècles une prononciation identique[518]. Même dans le pluriel *éche*cs, qui s'est longtemps écrit *éche*ts, au sens de jeu, la suppression du *c* est tout à fait surannée, le pluriel s'étant à la fin, là aussi, assimilé au singulier.

Toutefois le *c* ne sonne pas devant l'*s* dans *la*(cs) et *entrela*(cs).

Le *k* ou le *q* joints au *c* final n'y ajoutent rien: *colba*c(k), *bifte*c(k), *sti*c(k), *bo*c(k), etc.[519].

II. *Après une voyelle nasale*, le *c* final est resté muet: *ban*(c), *blan*(c), *flan*(c) et *fran*(c), *vain*(c) et *convain*(c), *jon*(c), *ajon*(c) et *tron*(c)[520].

Le cas de *donc* est particulier. En principe, le *c* n'y sonne pas non plus. Toutefois, si le mot est en tête d'un membre de phrase, pour annoncer une conclusion (*je pense, donc je suis*), et, d'une façon générale, si l'on veut souligner le mot pour une raison quelconque, on prononce le *c* (ainsi que dans *adon*c et *on*c). En dehors de ces cas, on l'articule rarement, même quand il termine la phrase: *laissez don*(c). Surtout on ne l'articule pas devant une consonne: *vous êtes don*(c) *bien riche?* Devant une voyelle, il est encore correct ou élégant de le lier: *où êtes-vous donc allé?* Mais cela même n'est pas indispensable.

Le *c* de *zinc*, se prononce toujours, mais il sonne comme un *g*. On n'a jamais su pourquoi; car autrefois, c'était le *g* final qui s'assourdissait en *c*, comme toutes les sonores finales; or, c'est justement le contraire qui se fait ici. Mais c'est un fait contre lequel les efforts des grammairiens n'ont pu prévaloir[521].

III. *Après une consonne articulée*, le *c* final sonne généralement: *tal*c, *ar*c, *tur*c, *fis*c, *mus*c[522]. Il sonne même aujourd'hui dans les composés *ar*c-*bouter* et *ar*c-*boutant* ou *ar*c-*doubleau*, quoi qu'en disent les *Dictionnaires*, qui retardent sur ce point: telle est du moins la prononciation des architectes. Il faut seulement éviter *ar*que-*boutant*.

Toutefois, il ne se prononce pas encore dans *mar*(c), résidu: *eau-de-vie de mar*(c); ni dans *mar*(c), poids: *au mar*(c) *le franc*[523].

Le *c* ne sonne pas davantage dans *cler*(c)[524].

De plus, le *c* de *por*c, qui ne sonnait plus nulle part depuis longtemps, ne sonne toujours pas à la cuisine ou chez le charcutier: on n'y achète pas *du por*c *frais*, mais du *por*(c) *frais*, *du por*(c) *salé*, etc. Si au contraire on veut désigner l'animal lui-même, on rétablit volontiers le *c*, même au pluriel: *un troupeau de por*(c)s ou *de por*c(s), mais surtout au singulier: *un por*c, et plus encore si l'on prend le mot au figuré dans un sens injurieux. Le *c* sonne également dans le composé *por*c-*épic*.

2° Les mots en-CT.

Les mots en **-ct** demandent un examen particulier, car leur histoire est complexe et n'est pas terminée.

1° Dans *ta*ct, *inta*ct, *conta*ct, et dans *compa*ct, il semble que *ct* s'est toujours prononcé. *Exact*, plus populaire, a tendu à perdre le *c* ou le *t*, ou les deux; et si l'on ne prononce plus *exa*c(t) ni *exa*(c)t, on entend encore *exa*(ct); pourtant *exa*ct a fini par l'emporter, et sans doute on ne reviendra pas en arrière[525].

2° *Parmi les mots en* **-ect**, les mots *dire*ct et *indire*ct, *corre*ct et *incorre*ct ne paraissent pas avoir jamais perdu leurs consonnes finales, non plus que le mot savant *intelle*ct, sans parler de l'anglais *sele*ct. Il n'en est pas de même des autres.

*Abje*ct et *infe*ct ont flotté longtemps, avec préférence pour le son *è*, avant de reprendre définitivement *ct*[526].

Restent les mots en **-spect**: *aspect*, *respect*, *suspect*, *circonspect*. Ils ont longtemps flotté aussi entre trois ou quatre prononciations, et La Fontaine, pour rimer avec *bec*, n'hésite pas à écrire *respec* et *circonspec*[527]. La prononciation par *t* seul a complètement disparu, mais les prononciations par *c* ou *ct* ont encore l'espoir de vaincre. La seconde, par *ct*, admissible peut-être pour *suspe*ct, est certainement la plus mauvaise pour *aspe*(ct) et *respe*(ct); l'autre, par *c* seul, est admissible en liaison, et même tout à fait générale dans *respec*(t) *humain*; mais, en dehors de la liaison, je crois qu'on peut encore provisoirement la condamner, et s'en tenir à *respe*(ct), aussi bien qu'à *aspe*(ct), *circonspe*(ct), et même *suspe*(ct)[528].

En revanche, le *c* et le *t* se prononcent également dans *suspe*cte et *circonspe*cte: sur ce point, il n'y a pas de discussion.

Il ne faut pas assimiler aux autres mots en *-spect* le mot technique *anspe*c(t), terme de marine, qui n'a pris un *t* dans l'orthographe que par une fausse analogie avec les autres: c'est le seul mot où le *c* doive toujours se prononcer, et toujours seul.

3° Parmi les mots en **-ict**, le *c* et le *t* se prononcent encore dans *stri*ct et *distri*ct, et naturellement dans l'anglais *verdi*ct et *convi*ct, mais non dans *ami*(ct), terme de liturgie, qui n'est guère employé que par des gens du métier, ce qui est une garantie contre l'altération.

4° Les mots en **-inct** ont flotté longtemps, comme les mots en *-ect*, avant de perdre leurs consonnes finales. Mais *distin*ct et *succin*ct les ont reprises au cours du dernier siècle, et sans doute ne les perdront plus: *succin*(ct), et par suite *succin*te, sont surannés. Au contraire, *instin*(ct) résiste fort bien sans *c* ni *t*, et l'on doit encore condamner *instin*c(t)[529].

3° Le C intérieur.

Dans le corps des mots, le *c* n'a le son guttural que devant *a*, *o*, *u*, et devant une consonne: *c*alibre, *dé*coller, *re*culer, *a*ction, *instin*ctif, et même *ar*ctique, où le *c* amui s'est rétabli; il a le son sifflant devant *e* et *i*: *ce*ci, *dé*cence, *cy*gne, *lar*cin[530].

On donne au *c* le son sifflant devant *a*, *o*, *u*, au moyen d'une cédille; mais aucun artifice ne lui donne le son guttural devant *e* et *i*, sauf le changement de *eu* en *œu*, dans *cœu*r (c'est-à-dire l'addition ou le maintien d'un *o*), et d'autre part l'addition ou le maintien d'un *u* dans le groupe *cueil* (keuil): *cueillir*, *a*ccueillir, etc.[531]. Partout ailleurs le *c* est remplacé dans ce rôle par *qu* dans les mots français, par *k* ou *ck* dans les mots étrangers, comme *jo*ckey[532].

Devant une consonne, le *c* intérieur sonne aujourd'hui partout, même après une nasale, comme dans *sanc*tuaire, *sanc*tion ou *sanc*tifier[533].

Le *c* ne prend pas le son du *g* seulement dans *zin*c; il le prend aussi dans *se*cond et tous ses dérivés (même dans le latin *se*cundo), qui devraient s'écrire avec un *g*, comme on le fait en d'autres langues[534].

Le *c* a eu longtemps aussi le son du *g* dans *reine-Claude*[535]; mais il a peu à peu repris le son de la forte sous l'influence de l'écriture, et le son du *g* y devient aujourd'hui populaire ou dialectal.

Ajoutons pour terminer qu'un grave défaut à éviter dans la prononciation du *c* consiste à mouiller le *c* initial, par exemple dans *cœur*, qu'on entend quelquefois sonner presque comme *kyeur*.

Le **c** double se prononce comme un *c* simple devant **a**, **o**, **u**, et devant **l** ou **r**, dans les mots d'usage courant: a(c)cabler, a(c)caparer, ba(c)calauréat, a(c)climater, a(c)créditer, a(c)croc, e(c)clésiastique, o(c)casion, su(c)comber, etc.; les deux *c* peuvent se prononcer dans ec-*chymose*, oc-c*lusion* et oc-c*ulte*, et, si l'on veut, bac-*chante*, humeurs pec-c*antes*, impec-c*able*, peccadille et pec-c*avi*; encore n'est-ce pas indispensable, sauf dans le latin pec-c*avi*[536].

Devant **e** et **i**, ils se prononcent toujours tous les deux, le premier guttural, le second sifflant: ac-*cident*, vac-c*in*, ac-c*ès*[537]; au contraire *sc* se réduit ordinairement à un *s* ou un *c* seul: ob(s)*cène*, s(c)*ie*[538].

Devant les mêmes voyelles *e* et *i*, quand le *c* est suivi de *qu*, on ne prononce qu'une gutturale: a(c)*quitter*, a(c)*quérir*, à fortiori be(c)*queter* ou gre(c)*que*[539].

Devant **e** et **i** toujours, le **c** italien reste sifflant, si le mot est suffisamment francisé, comme dans *gracioso, concetti,* ac-*celerando* (trop voisin d'ac-*célérer* pour se prononcer autrement) et *quattrocentiste*[540]. Autrement, et surtout quand il est double, il se prononce *tch*: *dolce, sotto voce, a piacere, furia francese, fantoccini*[541]. Pour *sc*, le son de *ch* suffit, sans *t*: *cre*scendo (chèn), *la*sciate ogni speranza.

Czar se prononce *gsar* plutôt que *csar*; mais c'est là une mauvaise graphie, due sans doute à la fausse étymologie *cæsar*; ce mot, qui en polonais s'écrie *car*, doit se transcrire et se prononcer *tsar*[542].

CH

Le son normal de **ch** en français n'a guère de rapport avec le son du *c*, qui est le son de *ch* en latin; mais, étant donné l'ordre suivi dans ce chapitre, sa place normale est pratiquement ici. D'ailleurs *ch* prend souvent le son du *c*, même en français.

1° Le CH final.

A la fin des mots, *ch* appartient presque uniquement à des mots étrangers, et garde presque partout le son du *c* guttural: *krac*(h), *varec*(h) et *loc*(h), et aussi *yac*(ht)[543].

Il garde pourtant le son chuintant du français dans *mat*ch et *tzaréwit*ch, dans *chaou*ch, *tarbou*ch et *farou*ch, dans *lun*ch et *pun*ch francisés[544].

Ch est muet dans *almana*(ch), où la réaction orthographique n'a pas encore réussi à le rétablir, le mot étant trop populaire, et connu par l'oreille encore plus que par l'œil, comme *estoma*(c) et *taba*(c)[545].

2° Le CH intérieur.

Dans le corps ou en tête des mots proprement français, *ch* a naturellement le son chuintant devant une voyelle; chuintante forte, bien entendu, et non chuintante douce: il faut se garder de prononcer *ajète* pour *achète*, comme il arrive trop souvent à Paris[546].

Toutefois, dans un très grand nombre de mots plus ou moins savants, et notamment des mots tirés du grec, *ch* a gardé, parfois même il a repris, après l'avoir perdu, le son que nous lui donnons en latin, c'est-à-dire celui du *c* guttural.

I. **Devant a, o, u.**—Devant les voyelles *a, o, u*, le phénomène ne souffrait pas de difficultés, parce que l'oreille était accoutumée au son guttural du *c* devant ces voyelles. Par suite:

1° On prononce *ca* (ou *can*) dans *gutta-per*c(h)*a* et les mots en -*archat*, dans *c*(h)*aos*, *c*(h)*alcédoine*, *c*(h)*alcographie*, *bacc*(h)*anale* et *bacc*(h)*ante*, dans *arc*(h)*ange*, *arc*(h)*aïque*, *troc*(h)*anter*, *euc*(h)*aristie*, *sacc*(h)*arifère*; mais non dans *fil d'ar*chal, qui est français et très ancien[547].

2° On prononce *co* dans *éc*(h)*o*; dans tous les mots commençant par *chol*- et *chor*-, comme *c*(h)*oléra*, *c*(h)*orus*, *c*(h)*oral*, etc., avec *c*(h)*œur*, et leurs dérivés ou composés, comme *anac*(h)*orète*; dans *psyc*(h)*ologie*[548], *calc*(h)*ographie*, *inc*(h)*oatif*, *batrac*(h)*omyomachie*, *dic*(h)*otomie*, *bronc*(h)*opneumonie* ou *bronc*(h)*otomie* (malgré *bronche* et *bronchite*), dans *arc*(h)*onte* et *péric*(h)*ondre* et quelques autres mots moins répandus; mais non dans *maille*chort (tiré des noms propres français *Maillot* et *Chorier*), ni dans *vit*choura, où *tch* représente le polonais *cz*[549].

3° On prononce **cu** dans *catéc*(h)*umène* ou *isc*(h)*urie*[550].

II. **Devant e et i.**—Devant *e* et surtout devant *i*, le phénomène est moins régulier, parce que l'oreille n'était pas habituée jadis chez nous au son guttural devant ces voyelles, et que même le *ch* grec, ou le *ch* latin venu du grec, s'y prononçait, au XVIe siècle, comme le *ch* français. Aussi la francisation du *ch* en son chuintant était-elle générale autrefois devant *e* et *i*.

Toutefois beaucoup de mots, même francisés complètement, ont pris depuis le son guttural, comme les mots grecs ou latins correspondants, non sans beaucoup de fluctuations et d'incertitude.

1° Devant un *e muet*, le son chuintant s'est maintenu *partout*, dans ar*ch*evêque, bron*ch*es ou aristolo*ch*e, comme dans mar*ch*epied, bron*ch*er ou *brioche*. Il en est de même dans la finale **-chée**: *trachée, archée, trochée,* aussi bien que *bou*chée ou *ni*chée[551].

Mais on prononce aujourd'hui **ké** dans *achéen, manichéen* ou *euty*chéen[552]; dans *archéologie* et ar*ché*type; dans cheiroptères (*keye*), *ch*élidoine, *ch*élonien, *ch*énisque et *ch*énopode; dans *li*chen, épi*ch*érème, or*ch*estre et *ch*étodon; dans tres*ch*eur ou tré*ch*eur et dans tra*ch*éotomie (malgré *trachée*). En revanche, on chuinte dans *ca*chexie et *ca*chectique, aussi bien que dans ché*ri*f et ché*rubin*[553].

2° C'est surtout pour le groupe **chi** que la question est délicate, car cette syllabe est beaucoup plus fréquente que la syllabe **che**, et il n'est pas toujours facile d'indiquer l'usage le plus répandu.

En général, les mots savants d'usage ancien ont gardé le son chuintant: non seulement ch*imie*, ch*imère* ou ch*irurgie* (et très souvent ch*iromancie*), mais tous les mots en *-archie* ou *-machie*, avec *entélé*chie et *bran*chie[554]; de même tous les mots en *-chin* et *-chine*, en *-chique, -chisme* et *-chiste*: c'est ainsi que *Bacc*(h)*us* ou *psyc*(h)*ologie*, qui ont le son guttural, n'empêchent nullement *ba*chique ou *psy*chique de chuinter[555].

En tête des mots, le préfixe *archi-* fait de même partout. Seul le mot *archiépiscopal*, étant plus récent, s'est prononcé *arki*, au moins depuis Ménage, et les dictionnaires continuent à l'excepter; mais il a fini par suivre l'analogie des autres, au moins dans l'usage le plus ordinaire, et c'est bien à tort que beaucoup de personnes se croient encore obligées de suivre les dictionnaires[556].

On chuinte encore dans *rachis* (d'où *rachitique*) et *arachide*, dans *kamichi*, *letchi* et *mamamouchi*, dans *chibouque* et *bachi-bouzouck*, dans *chimpanzé*, enfin devant *y* grec, dans *chyle*, *chyme* et ses composés et *diachylon*[557].

En revanche, on prononce aujourd'hui *ki* dans beaucoup d'autres mots savants, généralement les plus récents et les moins usités; d'abord dans les mots en -*chite* (sauf *bronchite*, à cause de *bronche* et *bronchial*), dans le *chi* grec, dans *trichinose* (malgré *trichine*, qui par suite tend à devenir *trikine*), dans *achillée* le plus souvent (malgré *Achille*), dans *chiragre*, *chirographaire* et souvent *chiromancie* (malgré *chirurgie*), dans *orchis* et *orchidée*, *brachial* et *brachiopode*, *ischion*, et aussi dans *brachycéphale*, *conchyliologie*, *ecchymose*, *trachyte*, et, le plus souvent, *pachyderme* et *tachygraphie*, sur lesquels on hésite encore[558].

Ajoutons ici, pour en finir avec les mots français, que, devant les consonnes, le *ch* est toujours d'origine savante et garde partout le son guttural. Ces consonnes sont les liquides, *l*, *m*, *n*, *r*, et parfois *s* et *t*: c(h)*lore*, *drac*(h)*me*, *tec*(h)*nique*, c(h)*rétien*, *fuc*(h)*sine*, *ic*(h)*tyologie*[559].

*

* *

Le **ch** anglais se prononce *tch* en principe: *speech*, *sandwich*, *mail-coach*, *rocking-chair* et *steeple-chase*; de même l'espagnol *chulo*, *cachetera* ou *cachucha*. On francise pourtant le *ch* dans *chester*, comme dans *chinchilla* et *chipolata*, souvent aussi quand il est final comme dans *speech* ou *sandwich*[560].

Le groupe étranger **sch** a partout le son du *ch* français: *ha*(s)*chi*(s)*ch*, *scotti*(s)*ch*, *kir*(s)*ch* ou (s)*chabraque*, (s)*chlague* et (s)*chnick*, et (s)*chibboleth*, et même *p*(s)*chent* qu'on prononce aussi *pskent*[561].

Le son chuintant de ce groupe est si connu qu'il est passé même à des mots d'origine grecque (devant *e* et *i*), où il n'est pas justifié du tout: (s)*chéma* ou (s)*chème*, (s)*chisme* et (s)*chiste* auraient dû se prononcer par *sk*, comme nous prononçons *schola cantorum*, *eschare*, ou l'italien *scherzo*[562].

D

A la fin des mots, le *d* est muet dans les mots français ou tout à fait francisés. Ces mots se terminent presque tous en *-and*, *-end* (prononcé *an*) et *-ond*, comme *gourman*(d), *défen*(d) ou *fécon*(d); en *-aud* et *-oud*, comme *chau*(d) et *cou*(d); en *-ard*, *-erd*, *-ord* et *-ourd*, comme *regar*(d), *per*(d), *accor*(d) et *sour*(d), tous avec ou sans *s*[563].

C'est par un abus tout à fait injustifié qu'on prononce parfois le *d* de *quan*(d) devant une consonne, comme s'il y avait une liaison, c'est-à-dire avec le son d'un *t*[564].

Parmi ces finales, seule la finale *-and* comprend quelques mots étrangers où le *d* se prononce: *hinterlan*d, *stan*d[565].

Pour les autres finales, le *d* est également muet dans les mots proprement français; mais ils sont peu nombreux: *pie*(d), longtemps écrit *pié*, et *sie*(d), avec leurs composés; *nœu*(d), *lai*(d) et *plai*(d), *poi*(ds) et *froi*(d), *ni*(d) et *mui*(d), avec *palino*(d), et, par analogie, l'anglais *plai*(d), qui n'a pas de rapport avec l'autre.

A part *plai*(d), le *d* final se fait entendre dans tous les mots étrangers: *la*d, *oue*d, *caï*d, *celluloï*d, *lloy*d, *li*(e)d, *zen*d, *épho*d, *yo*d, *kobol*d, *talmu*d et *su*d, avec le latin *a*d[566].

Dans le corps des mots, le *d* autrefois tombait devant une consonne[567]. Il a revécu progressivement dans un certain nombre de mots où l'orthographe l'a conservé, comme *a*djuger, *a*djudant, *a*djoindre, *a*dversaire, *a*dverbe, *a*dmirer, etc., si bien que le *d* intérieur n'est plus muet nulle part, pas plus dans les mots français que dans les mots étrangers, comme *bri*dge, *lan*dgrave, *lan*dsturm, etc., sauf peut-être *fel*(d)*spath*[568].

Dans *mad*(e)*moiselle*, le *d* tombe facilement quand on parle vite, mais ce n'est pas correct; quant à *mamzelle*, c'est un peu familier ou même impertinent.

Le *d* double, assez rare, se prononce double dans *a*d-*d*enda et *qui*d-*d*ité, dans *a*d-*d*ucteur et même, si l'on veut, dans *re*d-*d*ition[569]; mais non dans des mots d'usage aussi courant que *a*(d)*dition* et *a*(d)*ditionner*, quoiqu'on l'y ait prononcé double autrefois.

F

L'*f* est une des quatre consonnes qui se prononcent aujourd'hui normalement *à la fin des mots*, notamment dans les mots en -*ef*, -*euf*, et surtout -*if*, ceux-ci très nombreux[570].

Les exceptions sont rares.

1° Il y a d'abord *cle*(f), qui peut aussi s'écrire *clé*. C'est le seul mot dont l'*f* final ne se prononce jamais: pourquoi l'écrit-on encore[571]?

2° On prononce sans *f che*(f)-*d'œuvre*, mais l'*e* reste ouvert: c'est un reste de la prononciation ancienne qui supprimait l'*f* devant une consonne. L'*f* s'est rétabli dans *che*f-*lieu*.

3° De plus on prononce encore au pluriel *œu*(fs) et *bœu*(fs), reste de la prononciation des pluriels, car autrefois on disait également *des habits neu*(fs). Même au singulier, si l'on ne dit plus, sans *f*, *du bœu*(f) *salé*, un *œu*(f) *frais*, *un œu*(f) *dur*, comme on faisait encore assez généralement il n'y a pas cent ans, on dit toujours *le bœu*(f) *gras*, nouveau reste de la prononciation qui supprimait l'*f* devant une consonne. Mais je crois bien que cette prononciation est en voie de disparaître. Je ne sais ce que durera *bœu*(f) *gras*, mais il me semble bien que l'*f* est destiné à se rétablir partout, un jour ou l'autre, dans les pluriels *œu*(fs) et *bœu*(fs), car on voit très bien le mouvement de réviviscence de l'*f* se continuer. Beaucoup de personnes déjà ne prononcent *œu*(fs) qu'à la suite d'un *s* doux: *trois œu*(fs), *douze œu*(fs), *quinze œu*(fs), par analogie sans doute avec *les œu*(fs), *des œu*(fs), dont la prononciation ne peut pas s'altérer facilement; mais elles disent avec l'*f quatre œu*fs, *huit œu*fs, *combien d'œu*fs, *un cent d'œu*fs. Cette distinction, d'autant plus curieuse qu'elle est naturellement involontaire, est sans doute l'étape qui nous mènera un jour à prononcer l'*f* partout, car *œu*(fs) et *bœu*(fs) sont presque aujourd'hui les seuls mots qui se prononcent encore au pluriel autrement qu'au singulier; et sans doute il est temps que cela finisse[572].

4° Dans *cer*f, où l'amuissement de l'*f* a été général jusqu'à une époque toute récente, l'*f* a revécu quelque peu aujourd'hui, même au pluriel. *Cer*(f) et même *cer*(fs) seront peut-être un jour surannés; dès maintenant il semble qu'ils ne sont admis qu'en vénerie, dans le style très oratoire, et en poésie, surtout pour la rime. *Cer*(f)-*volant* continue à se passer d'*f*; il lui serait, du reste, difficile de faire autrement.

5° L'évolution de *ner*f est beaucoup moins avancée. Au pluriel on prononce encore uniquement *ner*(fs), et je ne crois pas qu'on ait jamais dit encore *une attaque de ner*f(s). Au singulier, cela dépend des cas, et il faut distinguer le sens propre du figuré; car il y a fort longtemps qu'on dit par exemple: *ce style a du ner*f; on dira même: *cet homme a du ner*f ou *manque de ner*f, voire même *le nerf de la guerre* ou *le nerf de l'intrigue*; mais ceci est déjà moins général. Quant au sens propre, quoi qu'en disent les dictionnaires et les livres, c'est encore *ner*(f) qui l'emporte, et de beaucoup, non seulement chez le boucher, où l'on ne se plaint pas d'avoir du *nerf* dans sa viande, mais aussi bien à l'amphithéâtre, où le mot *ner*(f) a un sens fort différent. *Nerf* viendra certainement, mais n'est pas encore venu. A fortiori prononce-t-on encore *ner*(f) *de bœuf,* sans parler de *ner*(f) *foulé* ou *ner*(f)-*férure,* qu'on pourrait difficilement prononcer d'une autre manière.

6° Enfin il y a encore l'adjectif numéral *neuf.* Nous avons vu[573] qu'on prononce encore *neu*(f) fermé dans certains cas. Mais, de même que pour *bœu*f ou *cer*f, ces cas se sont fort réduits. Le phénomène a lieu, non pas devant une consonne, comme on le dit souvent, mais *devant un pluriel commençant par une consonne*[574]. Ainsi les personnes qui savent le français disent encore le plus généralement *neu*(f) *sous, les neu*(f) *premiers, neu*(f) *fois neu*f, *dix-neu*(f) *cents, neu*(f) *mille*; mais, avec *f* sonore et *eu* ouvert, *le neu*f *mai,* comme *le neu*f *de cœur, neu*f *par neu*f, *en voilà neu*f *de faits,* de même que *page neu*f, ou *j'en ai neu*f. On peut même distinguer au besoin *trois Japonais et neu*(f) *Chinois,* de *trois panneaux japonais et neu*f *chinois,* parce qu'il y a ellipse ici entre *neu*f et *chinois.* Ce n'est donc pas la consonne seulement qui détermine la prononciation *neu,* ni même proprement le pluriel, mais le lien étroit qui existe entre *neu*f et le mot suivant, lien qui ne se réalise qu'avec un pluriel, c'est-à-dire par la multiplication de l'objet par neuf.

C'est un des points sur lesquels on se trompe le plus dans la prononciation courante. Beaucoup de personnes disent encore *le neu*(f) *mai*; mais cette prononciation est surannée; elle se maintient encore çà et là, parce que le lien semble étroit entre le chiffre et le nom du mois, mais ce lien est fort loin d'être aussi étroit qu'avec un pluriel: on sait bien ou on doit savoir que *neuf mai* est en réalité une abréviation de *neuvième* (jour du mois) *de mai,* ou *neuf* de *mai*; c'est pourquoi l'*f* s'y prononce depuis longtemps déjà.

En revanche d'autres prononcent *neu*f *sous,* avec *eu* ouvert et *f* sonore: erreur encore plus grave, mais qui, hélas! tend fort à se répandre, et qui les conduit naturellement à prononcer avec *f* *dix-neu*f-*cents,* au lieu de *dix-neu*(f)-*cents,* qui est encore seul correct, dix-neuf multipliant cent.

Il est d'ailleurs fort possible que pour *neu*f, comme pour *œu*f et *œu*fs, le mouvement commencé soit destiné à s'achever, et que le son de l'*f* soit destiné à s'imposer partout un jour ou l'autre; mais nous n'en sommes pas là, et il y a encore une prononciation spéciale, seule correcte provisoirement, pour les adjectifs numéraux suivis d'un pluriel: on doit s'y tenir. Ce qui est le plus surprenant, c'est que ceux qui disent *neu*f *cents* avec *f* sont généralement ceux-là même qui disent *neu*(f) *mai* sans *f*!

Cette prononciation de *neuf* sans *f* est naturellement réservée aux pluriels commençant par une *consonne*, par la raison bien simple que devant une voyelle il se produit un phénomène de liaison. Mais ici encore il y a une remarque à faire. En principe, cette liaison devrait maintenir le son *eu* fermé, avec changement de *f* en *v*, phénomène qui était général autrefois[575]. A vrai dire, le phénomène n'a pas complètement disparu, mais il ne s'est maintenu que dans *neu*(f) *vans* et *neu*(f) *vheures*; ailleurs on prononce généralement *neuf* ouvert, comme partout[576].

Dans le corps des mots, l'*f* ne se met plus devant une consonne[577].

L'*f double* final se prononce comme un *f* simple, le double *f* intérieur aussi: *a*(f)*faire*, *a*(f)*faissé*, *a*(f)*fiche*, *a*(f)*franchi*, *en e*(f)*fet*, *o*(f)*fice*, *su*(f)*fire*, *di*(f)*férence*. Toutefois, comme nous avons affaire ici à une spirante, la prononciation des deux *f*, devenue plus facile, est une tentation à laquelle on ne résiste pas toujours, et on les prononce volontiers dans quelques mots savants: *af-fixe* et *suf-fixe*, *af-fusion*, *ef-fusion*, *dif-fusion* (mais non *dif-fus*), *suf-fusion*, *ef-florescence*, *dif-fringent* et *dif-fraction*, *suf-fète*; on hésite même pour des mots comme *affabulation*, *diffluent*, *effluve*, *diffamer*, *effervescence*, *cause efficiente*, *effraction*; enfin l'accent oratoire sépare volontiers les *f* dans *af-famé*, *af-fecté*, *af-féterie*, *af-firmer*, *af-folant*, *ef-faré*, *ef-féminé*, *ef-flanqué*, *ef-fréné*, et même *ef-froyable*, et quelques autres[578].

G

1° Le G final.

A la fin des mots, le **g** ne se prononce pas dans les mots français. D'ailleurs il ne s'est guère maintenu dans l'écriture que dans deux cas: d'une part dans *bour*(g) et ses composés, avec *faubour*(g)[579]; d'autre part après une nasale: *ran*(g), *san*(g) ou *san*(g)*sue*, *étan*(g) et *haren*(g); *sein*(g), *vin*(gt) et ses dérivés, *coin*(g), *poin*(g), *vieux oin*(g), *lon*(g) et *lon*(g)*temps*[580].

En dehors de ces deux cas, il y a encore trois mots français qui ont un *g* final, et ce *g* ne devrait pas davantage s'y prononcer: ce sont *doi*(gt), *jou*(g) et *le*(gs).

Pour *doi*(gt), il n'y a pas de discussion, le mot étant appris par l'oreille et non par l'œil.

Mais beaucoup de gens prononcent *jougue*, et depuis fort longtemps l'Académie a autorisé cette prononciation. Je crois cependant que la majeure partie des gens instruits continue à préférer *jou*(g), au moins devant une consonne, ou en fin de phrase[581].

Je crois aussi, malheureusement, que la prononciation du *g* est encore plus fréquente dans *le*(gs), orthographe déplorable d'un mot qui devrait s'écrire *lais*, du verbe *laisser*, dont il vient: il est fort à craindre que la prononciation *lègue* ne finisse par s'imposer un jour ou l'autre, malgré l'usage ordinaire des hommes de loi et des professeurs de droit, de même que s'est établie l'orthographe *legs*, par une fausse analogie avec *léguer*[582].

Le *g* final ne se prononce pas non plus dans quelques finales nasales étrangères, où il sert seulement à marquer la nasalité, ou bien qui se sont francisées: *mustan*(g), *oran*(g)-*outan*(g), *parpain*(g), *shampoin*(g), et, si l'on veut, *shellin*(g) et *sterlin*(g)[583].

Le *g* final se prononce dans les autres mots étrangers: dans *drag*, *thalweg*, *wigh*, *bog*, *grog*, *toug*, etc., ainsi que dans l'onomatopée *zigzag* et le populaire *bon zig*; dans *erg* et *iceberg*; dans *rotang*, *ginseng* et *gong*, peut-être à tort; dans l'onomatopée *dig din don* et la plupart des mots anglais en *-ing*: *browning*, *pouding*, *skating*, *meeting*, etc. La prononciation exacte de cette finale anglaise est peut-être difficile aux Français; mais il ne s'agit pas ici de prononcer de l'anglais: il s'agit d'accommoder au français une finale qui reste connue comme étrangère, et garde une allure exotique[584].

2° Le G devant une voyelle.

Dans le corps ou en tête des mots, devant une voyelle, le *g* n'a le son guttural que devant *a*, *o*, *u*: *galon*, *brigand*, *gorille*, *gonfler*, *figure*; il a le son chuintant devant *e* et *i*: *génie*, *gentil*, *gingembre*, *agir*, *gymnase*[585]. Les deux sons sont réunis dans *gigot* ou *gigantesque*[586].

On doit cependant pouvoir donner au *g* le son chuintant devant *a*, *o*, *u*, et le son guttural devant *e* et *i*.

I.—On donne au *g* le son *chuintant devant* **a**, **o**, **u**, par l'intercalation d'un *e* qui ne se prononce pas: *mang*(e)*a*, *mang*(e)*aille*, *mang*(e)*ons*, *mang*(e)*ure* (de vers), *g*(e)*ai*, *roug*(e)*ole*, *pig*(e)*on*, *nag*(e)*oire*, etc.[587].

Ce procédé bizarre a amené plus d'une confusion. Ainsi l'*e* de *g*(e)*ôle*, qui d'ailleurs n'est pas artificiel, mais qui aurait pu disparaître, puisqu'il ne se prononçait plus[588], conduit encore beaucoup de gens à prononcer *gé-ôle*, comme s'il y avait un accent aigu sur l'*é*, cela parce que *g*(e)*ôle* a été remplacé dans l'usage courant par *prison*, et que le mot est de ceux qu'on apprend par l'œil et non par l'oreille; et naturellement *gé-ôle* amène souvent *gé-ôlier*.

Autre exemple, pire peut-être, et dû à la même cause: depuis que le mot *gag*(e)*ure* a cédé la place dans l'usage courant au mot *pari*, beaucoup de personnes ont cru reconnaître dans le mot écrit la finale *-eure*, et la prononciation par *eure* est extrêmement répandue. Elle n'en est pas plus acceptable, car le suffixe *-eure* n'existe en français que dans quelques féminins de comparatifs de formation ancienne: *meill-eure*, *pri-eure*, *min-eure*, *maj-eure*, et ceux des adjectifs en *-érieur*; mais les substantifs ne connaissent que le suffixe *-ure*: *blesser-blessure*, *brocher-brochure*, *coiffer-coiffure*, *peler-pelure*, *couper-coupure*, etc.; d'où, étant donné le procédé orthographique, *gager-gag*(e)*ure*, *verger-verg*(e)*ure* (du papier), *manger-mang*(e)*ure* (de vers), et *charger-charg*(e)*ure* (terme de blason)[589].

II.—D'autre part on donne au *g* le son *guttural devant* **e** et **i**, y compris l'**e** muet, par l'addition d'un *u*, qui ne se prononce pas plus que l'*e* de *pigeon*: *guerre*, *guérir*, *fatiguer*, *narguer*, *guirlande*, *guider*, *guimpe*, *ligue*, *dogue*.

Ce procédé n'est guère moins contestable, car il amène d'autres confusions. Il y a, en effet, des mots où l'*u* ainsi placé appartient au radical, comme dans *aiguille*, et doit se prononcer, tout en faisant diphtongue d'ordinaire avec la voyelle; et alors comment savoir si l'*u* de *-gué-* ou *-gui-* se prononce? Celle des deux prononciations qui était la plus fréquente, c'est-à-dire *ghé* et *ghi*, ne pouvait manquer d'attirer l'autre. Aussi est-ce *ghé* et *ghi*, et non *gué* et *gui*, qu'on aurait dû écrire, pour éviter les confusions.

Il faut donc que nous recherchions les cas où l'*u* se fait entendre dans les groupes *gué* et *gui*.

Mais auparavant je dois faire une observation: c'est qu'il faut éviter désormais de mouiller le *g* guttural, aussi bien que le *c*, par exemple de dire à peu près *ghyamin* ou *ghyerre* pour *gamin* ou *guerre*: la distinction que Nodier établissait à ce point de vue au profit des voyelles *é* et *i* a cessé d'être admise dans la prononciation correcte.

3° Le groupe GU devant une voyelle.

I.—*Devant un* **e**, l'*u* ne se prononce à part en français que dans le verbe *argu-er*, et devant l'*e* muet final des quatre adjectifs féminins *aiguë*, *ambiguë*, *contiguë*, *exiguë*, et des deux substantifs *besaiguë* et *ciguë*. On voit que cet *e*, quoique muet, porte un tréma pour marquer la prononciation de l'*u*.

Dans le verbe *argu-er*, le suffixe étant naturellement *-er*, l'*u* appartient au radical, qui est le même que dans *argu-ment*. Les gens de loi savent très bien qu'on prononce *argu-er*, *j'argu-e*, *nous argu-ons*, *j'argu-ais*, comme *tu-er*, *je tue*, etc.; mais que de gens, voire des professeurs, articulent *argher*, comme *narguer*, *j'arghe*, *il arghait*!

On a mis parfois un tréma dans *j'arguë*, *il arguë*, comme dans *ciguë*, *ambiguë*, et cette orthographe, qui épargnerait beaucoup d'erreurs, devrait être la seule correcte.

Partout ailleurs les groupes *gue* et *gué* se prononcent *ghe* et *ghé*: *guenille*, *guérir*, *draguer*, etc.[590].

II.—*Devant un* **I** le cas est bien plus grave, parce que *-gui-* est plus fréquent que *-gué-*. Aussi la plupart des *u* qui devraient se prononcer ont cessé de le faire, depuis un temps plus ou moins long.

Aiguille et *aiguillon*, avec leurs dérivés, sont les derniers mots d'usage courant qui aient conservé la prononciation de l'*u*. Encore faut-il faire une distinction. *Aiguille* paraît trop commun pour être altéré facilement: c'est un de ces mots qu'on apprend par l'oreille et non par l'œil. Et pourtant *aighille* n'est déjà pas sans exemple. Quand à *aiguillon*, il est déjà, hélas! très fréquemment altéré en *aighillon*, étant moins populaire ou moins général qu'*aiguille*; pourtant on peut lutter encore pour la prononciation correcte, soutenue qu'elle est par le voisinage d'*aiguille*.

Outre ces deux mots, on prononce *ui* naturellement dans *ambiguïté*, *contiguïté*, *exiguïté*, comme dans tous les mots en *-uité* (*u-ité* chez les poètes); et enfin dans quelques mots savants, *consanguinité* ou *sanguification*, *linguiste* et *linguistique*, *inextinguible*, *inguinal*, *onguiculé* et *unguis*, ou des mots purement latins, comme *anguis in herba*[591].

Partout ailleurs on prononce *ghi* aujourd'hui, notamment en tête des mots: *gui*chet, *gui*mauve, *gui*tare, etc.[592]; de même, malgré le latin, dans *angui*lle et dans les mots de la racine de *sang* (sauf *consanguinité* et *sanguification*): *sangui*n et *consangui*n, *sanguine, sanguinaire, sanguinolent*; aussi dans *bégui*ne et *bégui*n, et dans *aiguière*[593]; enfin dans *aigui*ser, le dernier des mots de cette catégorie dont l'orthographe a altéré la prononciation.

Il est vrai que quelques puristes soutiennent encore *aiguiser* par *u*, mais presque tout le monde aujourd'hui prononce *aighiser*, et nul n'a raison contre tout le monde. Ce mot a peut-être résisté plus longtemps au sens figuré, plus littéraire et plus restreint que le sens propre; mais là même il a dû céder au courant, et il faut renoncer à réagir[594].

III.—Ce n'est pas tout. Les groupes **gua** et **guo** ne sont pas français, sauf dans les verbes en *-guer*, où l'*u* se conserve partout, pour l'unité de la conjugaison: *navigua, naviguons, naviguait*. Il suit de là que, hors ce cas, *gua* ne se prononce pas *ga*: il se prononce *goua* (*gwa*), comme en latin, tout en faisant diphtongue, bien entendu. Ainsi dans *jaguar* et *couguar*, dans *guano, iguane* et *alguazil*, et même dans *lingual*. Pourtant l'*u* a cessé de se prononcer dans *aiguade, aiguail* ou *aiguayer*, et aussi dans *paraguante*, qui est d'ailleurs passé de mode.

Quant à *-guo-*, même en latin, il se prononce *go*: *distin*g(u)*o*[595].

4° Le G devant une consonne.

Les consonnes devant lesquelles on rencontre quelquefois *g* en français sont les liquides, *l, m, n, r*, et *d* ou *g*[596].

Les groupes *gl* et *gr* n'offrent pas de difficultés.

Devant un *m* ou un *d*, le *g* se prononce toujours; il ne s'y trouve d'ailleurs que dans des mots d'origine savante, comme *amygdale* ou *augmenter*[597].

Devant *n*, la question est moins simple, car le français *gn* n'est normalement qu'un *n* mouillé[598]. Aussi le groupe *gn* est-il mouillé presque partout, notamment devant un *e* muet, sans exception, et même dans les mots d'origine savante, pourvu qu'ils soient suffisamment répandus, comme *magnétisme*, depuis Mesmer. On a même longtemps mouillé un mot latin comme *agnus*, parce qu'il était fort usité. Il en résulte qu'on ne sépare le *g* de l'*n* que dans quelques mots savants moins usités, ou des mots étrangers, notamment en tête des mots: *g*neiss; *g*nome et *g*nomique, *g*nomon et *g*nomonique, avec *physiog*nomie; *g*nose et *g*nostique, avec *diag*nostic, *géog*nosie, *recog*nition et *incog*nito, celui-ci par confusion, car il est italien, et on le mouille encore quelquefois, comme en italien; de plus, dans *mag-nificat* et *ag-nus*, mots latins;

dans *ag-nat* et *mag-nat*, dans *cog-nat*, et *cog-nation*, dans *stag-nant* et *stag-nation*, dans *reg-nicole* et *inexpug-nable*, dans *ig-né* et tous les mots commençant par *igne-* et *igni-*; souvent aussi dans *lig-nite* (mais non *ligneux*) et dans *pig-noratif*[599]. Dans *magnolia*, on mouille encore, mais la cacophonie de *nyolya* est en voie de séparer l'*n* du *g*[600].

Il ne faut pas séparer le *g* de l'*n* dans d'autres mots, même d'apparence plus ou moins savante, comme *cognassier*, *désignatif*, *imprégnation*, *magnésie* ou même *magnifier*.

Enfin le **g** *double*, devant une consonne, se prononce comme un seul *g*: *a*(g)g*lomérer*, *a*(g)g*lutiner*, *a*(g)g*raver*; mais on peut aussi prononcer les deux. Devant *e* ou *i*, on a naturellement un *g* guttural, puis un *g* chuintant: *sug-gérer*[601].

*
* *

Dans les mots italiens non francisés, le **g** simple ou double se prononce *dj* devant *i*, par exemple dans *a giorno*, *dramma giocoso* ou *risorgimento*; mais *appogiature* est francisé, puisqu'il n'a même pas l'orthographe italienne[602].

On prononce de même *dj* dans *giaour* et *gentry*; mais on peut prononcer indifféremment *gentleman* par *jan* ou *djen*, quoique *man* ne soit jamais nasal, et *gin* par *jin* nasal ou *djin* non nasal; on francise encore à volonté *gipsy* et *bostangi*.

Gh est proprement le *g* guttural étranger devant *e* et *i*, et quelquefois ailleurs: *ghetto*, *sloughi*, *yoghi*[603]. On ne l'entend pas dans *high*, *right*, *dreadnought*[604].

Le **gli** italien n'est pas autre chose qu'un **l** mouillé, c'est-à-dire chez nous un *y*, et ne fait pas syllabe à part; mais nous avons complètement francisé, en y ajoutant une syllabe, *imbrogli-o* et *vegli-one*[605].

H

1° L'H final ou intérieur.

Après une voyelle finale, l'*h* allongeait la voyelle dans quelques mots étrangers; mais nous avons vu que le phénomène n'est plus guère sensible chez nous[606]. Il l'est davantage dans le corps des mots, où l'*h* peut encore parfois fermer et allonger la voyelle qui précède; mais ce sont aussi des mots étrangers: *oh*m, *fœh*n[607].

Après une consonne, sauf le groupe français **ch**, étudié plus haut, l'*h* ne change rien généralement au son de cette consonne: ainsi **kh** égale *k* partout; quant au **g**, l'*h* ne fait que lui rendre le son guttural devant *e* et *i*; **th** égale *t* pour nous, **rh** égale *r*.

Dans le Midi, **lh** et **nh** représentent *l* et *n* mouillés.

D'autre part, **sch** allemand et **sh** anglais ou russe ont le son du *ch* français[608].

Tous ces groupes se prononcent à la fin des mots, sauf *ch* final dans *almana*(ch), et *gh* final ou devant *t* en anglais[609].

2° L'H initial, muet ou aspiré.

Mais ce n'est pas après une autre lettre, voyelle ou consonne, c'est *en tête des mots* que l'*h* joue un rôle intéressant en français. Il est vrai que ce rôle a été contesté. Et assurément l'*h* dit *muet* ne sert absolument à rien et aurait dû disparaître depuis longtemps de l'orthographe, ou plutôt n'aurait jamais dû y être introduit sous prétexte d'étymologie.

Mais quoi qu'on en dise, il n'en est pas de même, de l'*h aspiré*. J'avoue que, d'aspiration proprement dite, il n'y en a plus guère depuis plus d'un siècle. Pourtant il y en a certainement une dans quelques onomatopées ou exclamations comme h*a*, h*é*, h*ola*, h*om*, h*ue*; il y a aussi aspiration entre *oh! oh!* et *ah! ah!* quoique ici l'*h* soit final et non initial, et aussi, par emphase, quand on exprime un sentiment violent: *je le h*ais, *c'est une h*onte. Mais ce n'est pas tout: même sans accent oratoire, il y a toujours *l'interdiction absolue de l'élision et de la liaison*, et par suite *l'obligation de l'hiatus*, qui est une caractéristique assez remarquable.

Il est parfaitement vrai qu'on prononce *il est h*ardi ou *des h*omards sans plus d'aspiration que dans *il est allé à Paris* ou *alvéole*; mais tout de même, tant qu'on dira *il est h*ardi ou *des h*omards sans liaison, et par suite avec hiatus, tant qu'on dira *le h*ameau ou *la h*otte sans élision, et par suite encore avec hiatus, et cela en vers comme en prose, par nécessité, tant qu'on distinguera, par la liaison, *en eau* de *en h*aut, *les auteurs* de *les h*auteurs, etc., aussi longtemps l'*h* jouera son rôle, à moins qu'on ne le remplace par un autre signe diacritique, ce qui est parfaitement inutile[610].

Je sais bien que ces finesses n'appartiennent pas à la langue populaire, et que même les erreurs nombreuses que fait le peuple en cette matière montrent bien la répugnance instinctive qu'il a pour l'*h* aspiré: si la langue était livrée à elle-même, l'*h* aspiré deviendrait promptement identique à l'*h* muet. Mais ces erreurs, les gens instruits ne les font pas, et c'est la langue des gens instruits qu'on enseigne ici.

Il y a donc en français un *h* aspiré. Toutefois nous sortirions de notre sujet pour entrer dans le domaine de la grammaire ou de la lexicographie, si nous énumérions ici les mots dont l'*h* est aspiré. D'ailleurs, les dictionnaires sont là pour renseigner sur ce point, s'il en est besoin. Il convient toutefois d'énoncer la loi générale qui domine ici les faits, en indiquant les exceptions essentielles.

3° La loi de l'H initial.

La loi est celle-ci: *l'**h** est* muet *quand il est d'origine latine ou grecque*, aspiré *ailleurs, et surtout quand il est d'origine germanique*.

I.—L'*h* est *muet* quand il vient du latin: (h)*abile*, (h)*abit*, (h)*erbe*, (h)*omme* et (h)*umain*, (h)*ospice*, (h)*ôtel*, (h)*umeur*, etc.; à fortiori dans quelques mots qui ne devraient point avoir d'*h*, n'en ayant point en latin: (h)*eur*, (h)*ermine*, (h)*ièble*, (h)*uile*, (h)*uis*, (h)*uître*[611].

Il n'y a donc pas lieu d'aspirer (h)*ameçon*, (h)*allucination* ou (h)*altères*, ni (h)*iatus*, malgré le sens, ni (h)*irsute*, ni (h)*oir* et (h)*oirie*, ni enfin les dérivés d'(h)*uile*[612].

L'*h* est tout aussi muet quand il remplace, très inutilement, l'esprit rude du grec, notamment dans tous les mots qui commencent par *hecto-*, *hélio-*, *hémi-*, *hémo-*, *hepta-*, *hétéro-*, *hexa-*, *hiéro-*, *hippo-*, *homo-*, etc., et tous ceux qui commencent par *hy-*[613].

Il y a aujourd'hui une tendance très marquée à aspirer l'*h* dans (h)*y-ène*; mais il n'y a à cela aucune raison; et si *l'*(h)*yène* paraît dur avec diphtongue, il est assez simple de dire *l'*(h)*y-ène*, comme Victor Hugo, conformément à l'étymologie grecque, tout comme on dit *l'*(h)*y-acinthe* et non *le* h*yacinthe*; cela vaut certainement mieux que *la* h*yène*, ou *des* h*yènes* sans liaison[614].

II. L'*h* qui n'est pas latin ou grec est presque toujours *aspiré*.

Il l'est d'abord dans nombre d'exclamations ou d'onomatopées sûres ou probables, ou même simplement prises pour telles, h*aleter*, h*an*, h*ennir*, h*isser*, h*ola*, h*oquet* (qui a peut-être altéré h*oqueton*), h*oup*, h*ourra*, h*uer*, etc. L'*h* n'est pas aspiré dans *hallali*.

Il l'est surtout dans un grand nombre de mots (une centaine de racines) d'origine germanique. On y voit figurer en majorité le haut et le bas allemand[615].

On y trouve aussi l'anglais, avec h*andicap* ou h*éler*; les dialectes scandinaves, avec h*auban*, h*isser* et h*une*; le néerlandais avec h*apper*, h*être*, h*ie*, h*obereau*, h*oublon* et h*ouille*, et vingt ou trente racines d'origine inconnue, qui ont toutes les chances d'être germaniques, ne pouvant être latines ou grecques[616].

4° Les exceptions.

Il y a, avons-nous dit, des exceptions. Cette distinction entre ces deux catégories de mots, mots latins et mots germaniques, est si certaine et si caractéristique que c'est précisément et uniquement l'influence des mots germaniques qui a fait aspirer l'*h* de certains mots d'origine latine, par l'effet d'une fausse analogie: ainsi h*arpon* a été altéré probablement par h*arpe*, h*uguenot* par H*ugues*, h*uppe* par l'allemand aussi, et surtout tous les mots de la famille de *haut*, qui ne devraient point avoir d'*h*, par l'allemand *hoch*, quoique l'origine latine de h*aut* ne soit pas douteuse[617].

Il y a encore d'autres aspirations irrégulières qui s'expliquent plus ou moins bien. Ainsi, parmi les mots qui viennent du grec, on trouve h*alo*, peut-être par euphonie pour éviter l'(h)*alo*, comme on dit *le* h*ulan*; et encore h*alurgie* et h*arpye*, quoique (H)*arpagon* ait l'*h* muet.

On dit aussi, sans doute par euphonie, la h*iérarchie*; mais l'*h* de ce mot est muet par ailleurs, et généralement aussi dans (h)*iérarchique*, toujours dans (h)*iérophante*, (h)*iéroglyphe* ou (h)*iératique*.

On s'explique assez bien l'aspiration dans h*ors* qui vient du latin, parce que l'*h* remplace un *f*[618]; et aussi dans *voilà le* h*ic*[619].

Dans h*arceler* et h*argneux*, il y a peut-être une espèce d'onomatopée. H*érisser* ou h*érisson* ont pu s'aspirer aussi à cause du sens. D'autres aspirations s'expliquent difficilement[620].

Enfin il y a des racines qui ont pris un caractère hybride, tantôt aspirées, tantôt non.

1° *Huit* n'a même pas d'*h* en latin[621]. Il s'est aspiré pourtant, mais seulement en qualité de nom de nombre, comme *un* et *onze*, afin de s'isoler nettement des mots voisins, comme tous les noms de nombre: *le un*, *le deux*, *le sept*, *le* h*uit*, *le onze*, *le* h*uitième*, *la* h*uitaine*; de même *chapitre* h*uit* et *livre* h*uit*, quoiqu'on dise *page* (h)*uit*; de même encore *trois* h*uit* sans liaison. Toutefois *huit* n'est plus aspiré quand il n'est pas initial; ainsi on fait la liaison dans *dix-*(h)*uit* par *s* doux comme dans *dix hommes* et l'on prononce *vingt-*(h)*uit* comme *quarant*(e)-(h)*uit* où l'*e* s'élide; de même *mill*(e)-(h)*uit cents*[622].

2° L'*h* de h*éros* s'est aspiré aussi par une sorte d'euphonie, et sans doute pour éviter la confusion ou plutôt le calembour que la liaison aurait faite au pluriel avec *les zéros*. Mais tous les autres mots de la même racine, (h)*éroïque*, (h)*éroïsme*, (h)*éroïne*, (h)*éroïde*, ont gardé l'*h* muet qu'ils tenaient du latin.

3° Le mot (h)*uis*, qui a l'*h* muet, comme son dérivé (h)*uissier*, s'aspire dans l'expression h*uis clos*.

4° Inversement, h*anse*, de l'ancien haut allemand, a gardé son *h* aspiré, car on ne saurait dire l'(h)*anse*; mais on dit, avec élision ou liaison, *la ligue* (h)*anséatique*, *les villes* (h)*anséatiques*.

5° De même h*éraut*, probablement de même origine que h*anse*, a gardé aussi son *h* aspiré; mais (h)*éraldique* et (h)*éraldiste* ont l'*h* muet, parce qu'ils nous sont venus par l'intermédiaire de formes latines[623].

J

Le *j*, qui n'est autre que *i* consonne, transformé en chuintante douce ou sonore, ne se trouve jamais à la fin des mots[624].

Dans le corps des mots et surtout en tête, il est toujours devant une voyelle et se prononce devant toutes comme *g* devant *e* et *i*[625].

Le *j* étranger n'est non plus que l'*i* consonne, mais il se prononce le plus généralement comme un *yod*; ainsi dans l'italien *jettatura* ou dans le hongrois *el* jen[626].

En anglais et dans quelques autres langues, il se prononce comme *dj*: ainsi dans *banjo*[627].

K

Le *k* n'est pas autre chose qu'un *c* guttural, dont le son ne change pas. Mais ce n'est pas une lettre proprement française, pas plus que latine d'ailleurs, le français ayant adopté, après le latin, *c* et *qu* pour noter le même son.

Le *k intérieur* ou *final* est toujours étranger: *moka*.

A la fin des mots, le *k* se prononce toujours, comme ailleurs: ainsi *mark*[628]; mais il s'ajoute presque toujours au *c*, au moins après une voyelle, sans d'ailleurs modifier le son; ainsi de *beefsteak* nous avons fait *bifteck*, avec addition d'un *c*.

On trouve exceptionnellement un *k* devant un *e* muet dans *coke*[629].

Les mots qui *commencent* par *k* sont d'origine étrangère ou tirés du grec, comme *képi*, *knout* ou *kilogramme*[630].

L

1° L'L final et les mots en il.

La lettre *l* est une de celles qui se prononcent en français *à la fin des mots*.

Les finales en *-al* et en *-el* notamment sont très nombreuses et n'offrent point d'exceptions[631].

Les finales en *-eul, -ol* et *-oil* n'en ont pas davantage[632].

Parmi les finales en *-oul* et *-ul*, il faut excepter *pou*(ls) et *sou*(l), qu'on écrit aussi *saoul* très mal à propos, et *cu*(l), avec ses composés *gratte-cu*(l), *torche-cu*(l), *cu*(l)*-blanc, cu*(l)*-de-jatte, cu*(l)*-de-bouteille, cu*(l)*-de-sac, cu*(l)*-de-lampe, cu*(l)*-de-poule*, etc.[633].

Les finales en *-ail, -eil, -euil*, et *-ouil* (y compris *œil* et les mots en *-cueil* et *-gueil*) ont un *l* mouillé par l'*i*: *éma*il, *cora*il, *sole*il, *pare*il, *deu*il, *fauteu*il, *accue*il, *orgue*il, *fenou*il, etc.[634]. *Rail* seul se prononce quelquefois *rèl* à l'anglaise[635].

Restent les finales en *-il* après une consonne, qui appellent quelques observations.

D'abord le pronom *il*. Ce mot avait amui son *l* depuis le XVIᵉ siècle, sauf en liaison, bien entendu. C'est un phénomène assez curieux qu'à cette époque on écrivait *a-il* et on prononçait *ati*.

Ni le XVIIᵉ siècle, ni le XVIIIᵉ n'ont rétabli cet *l* dans la prononciation courante, et le XVIIIᵉ siècle n'a cherché à le rétablir que dans le discours soutenu. Restaut reconnaît qu'il ne se prononce pas ailleurs. Depuis Domergue, les grammairiens veulent qu'on le prononce partout; mais dans l'usage courant et familier: *où va-t-i*(l), *i*(l) *vient* s'entendent presque uniquement à côté de *il a*. L'enseignement seul maintient cet *l* dans la lecture et dans le langage soigné.

Les autres mots en *-il* se divisaient autrefois en deux catégories: les mots à *l* simple et les mots à *l* mouillé.

I.—*Les mots à l simple* ont gardé leur *l* dans la prononciation ou l'ont repris s'ils l'avaient perdu. Ce sont: l'adjectif numéral *mil*; des adjectifs venus d'adjectifs latins en *-ilis, puér*il, *vir*il, *volat*il, *subt*il, *bissext*il, *v*il, *civ*il; le vieux pronom *c*il; des substantifs également venus du latin: *f*il (avec *prof*il et *morf*il), *s*il, *ex*il, *pist*il; et quelques mots étrangers, *an*il, *tor*il, *alguaz*il, avec *bér*il[636].

II.—*Les mots à l mouillé*, d'origines variées ou inconnues, se sont au contraire tous altérés. Car autrefois l'*l* final unique se mouillait fort bien[637]; mais cette prononciation a disparu progressivement, soit par l'affaiblissement du son mouillé, qui a amené la chute de la consonne, soit par changement de l'*l* mouillé en *l* simple[638]. Cette seconde catégorie se divise donc elle-même en deux groupes:

1° Dans la plupart des mots, on ne prononce plus l'*l* depuis longtemps: ce sont *bari*(l), *charti*(l), *cheni*(l), *courbari*(l), *courti*(l), *couti*(l), *douzi*(l) ou *doisi*(l), *feni*(l), *fourni*(l), *fraisi*(l), *fusi*(l), *genti*(l), *nombri*(l), *outi*(l), *sourci*(l), et plus récemment *persi*(l), malgré le voisinage de formes mouillées toujours usitées, comme *bari*llet, *outi*ller, *fusi*ller, *sourci*ller, etc.[639].

Genti(l), qui appartenait d'abord à la première catégorie, à *l* sonore (latin *gentilis*), est passé ensuite à la seconde, *avec l mouillé*, après quoi il a également amui son *l*[640]; toutefois, au singulier de *gentilhomme*, un *yod* est demeuré nécessairement entre l'*i* et l'*o* (gentiyom).

2° Au contraire, *ci*l, *péni*l, *brési*l, *torti*l (pour *tortis*, sous l'influence de *torti*ller), ont passé au groupe des mots à *l* non mouillé; *péri*l aussi, quoiqu'il y ait encore quelques exceptions; *avri*l de même, après s'être prononcé *avri* au XVIIe siècle, et *avriy* au commencement du XIXe.

Il n'y a plus d'hésitation que pour quatre substantifs: *babil, grésil, gril* et *mil* (avec *grémil*). Non qu'on puisse y conserver le son mouillé, ou plutôt le *yod*, car il s'y entend de moins en moins, et ne saurait tarder à disparaître, malgré le voisinage de formes mouillées, comme *babi*ller, *grési*ller, *gri*ller: la seule question est de savoir s'ils se prononceront définitivement avec ou sans *l*, car les deux coexistent. Il est probable que le son *il* l'emportera dans *mi*l et *babi*l, comme dans *péri*l et *avri*l. Mais *grési*(l), et surtout *gri*(l), sans *l*, paraissent avoir des chances sérieuses[641].

2° L'L intérieur.

Dans le corps des mots, l'*l* se prononce aujourd'hui partout, notamment dans *pou*lpe, *sou*lte et *indu*lt, où il a revécu, grâce à l'orthographe, après une éclipse plus ou moins longue[642]. Il faut excepter *fi*(l)*s* et *au*(l)*x*, pluriel de *ail*[643]. Je ne parle pas de *au*(l)*ne*, qui a cédé la place à *aune*, ni de *fau*(l)*x*, graphie assez ridicule pour *faux*, adoptée néanmoins par V. Hugo et quelques poètes, de ceux qui prétendent aussi écrire *lys* pour *lis*[644].

Dans le parler populaire ou simplement rapide, l'*l* intérieur tombe souvent, mais il sera bon de faire un petit effort pour le conserver. Ainsi, dans les mots en **-lier**, le peuple fait souvent tomber l'*l*, et prononce par exemple *escayer*, et surtout *souyer*, et cela depuis des siècles; de même *bi-yeux* et *mi-yeu*, pour *bi-lieux* et *mi-lieu*, un *yard* pour un *liard*. Il faut éviter avec soin cette prononciation, et ne pas confondre *sou-lier* avec *souiller* (souyé), quoique ces mots puissent parfaitement rimer ensemble[645].

Il n'en est pas tout à fait de même de *que*(l)*qu'un*, et surtout *que*(l)*qu(e)s-uns*, *que*(l)*qu' chose*, et *que*(l)*qu' fois*, qu'on entend le plus ordinairement dans la conversation courante, et cela depuis des siècles. Cette prononciation, parfaitement conforme au génie de la langue, qui admet mal le groupe *lq*, ne saurait être condamnée rigoureusement; mais ce n'est tout de même pas une raison pour la conseiller à l'exclusion de toute autre, comme le font les phonéticiens purs?

Où ira-t-on, si l'on entre dans cette voie? On dit aussi, dans la conversation, *capab*(le), *impossib*(le), *discip*(le), *muf*(le), au moins quand on parle vite, et surtout devant une consonne, nous l'avons vu à propos de l'*e muet*, et même quelquefois sans cela. Mais que ne dit-on pas? On dit non seulement *c*(el)*a*, qui est admis, mais *c*(el)*ui qui* et *c*(el)*ui-ci*[646]; et aussi *j*(e l)*ui ai dit*, et même *j*(e lu)*i ai dit*; et non seulement *i*(l) *vient*, ou *ainsi soit-i*(l), mais aussi *e*(lle) *vient* ou *e*(lle) *n' vient pas* (voire *a vient*!); et aussi *que*(l) *sale métier*, et (il) *y a du bon*, et (il n')*y en a plus* (ou *pus*); et non seulement *s'i*(l) *vous plaît*, mais *s'i*(l v)*ous plaît*[647], et *s'*(il v)*ous plaît*, et même *s'*(il) *te plaît* et *s'*(il vous) *plaît*. Tout cela est admissible, ou du moins tolérable, à la grande rigueur. Mais va-t-on le conseiller aussi[648]?

Assurément, si l'on disait toujours *que*(l)*qu' fois*, il faudrait bien en passer par là, et nos phonéticiens auraient raison; mais il s'en faut bien qu'on le dise toujours, pas plus qu'on ne dit toujours *çà* pour *cela*: ces choses-là dépendent des lieux et des personnes à qui l'on parle. De telles formes sont donc simplement tolérables dans la conversation familière, mais nullement à proposer comme modèles[649].

3° L'L double après un i.

L'*l double* se prononce, suivant les cas, de trois manières, comme un *l* simple, comme deux *l*, et comme l'*l* mouillé: c'est-à-dire bien entendu le *yod*.

Quand l'*l* double est final, il se prononce simple, comme les autres consonnes, même après *i*: *bi*l(l) et *mandri*l(l), comme *footbal*(l) ou *atol*(l). C'est donc une erreur de mouiller *mandril*(l).

Quand l'*l* double n'est pas final, sa prononciation dépend d'abord de la voyelle qui précède, suivant que cette voyelle est ou n'est pas un *i*, car si c'est un *i*, l'*l* double est généralement mouillé.

L'*l* double est d'abord mouillé, sans exception, dans les groupes -*aill*-, -*eill*-, -*euill*-, -*ouill*-, à commencer par les finales muettes en **-aille, -eille, -euille** et **-ouille**, qui correspondent aux finales masculines en -*ail*, -*eil*, -*euil*, -*ouil*: *éc*a*ille* et *bat*a*ille*, *abeille* et *oseille*, *feuille* et *cueille*, *grenouille*, etc. Il en est de même dans le corps des mots, aussi bien qu'à la fin, d'autant plus que le groupe **-ill-** intérieur dérive presque toujours d'une finale mouillée[650].

Ainsi l'addition de l'*i* entre l'une des voyelles *a*, *e*, *ou* et l'*l* double supprime toute hésitation. C'est pourquoi la prononciation de *nouille*, autrefois écrit *noule*, a pu se fixer au son mouillé, tandis que *semoule*, longtemps mouillé, est retourné au son *oule* non mouillé, par réaction orthographique et faute d'*i*.

Le cas est moins simple quand le groupe *-ill-* n'est pas précédé d'une voyelle, car alors l'*i* se prononce, et la question de savoir si l'*l* double est mouillé reste entière.

I. **Les finales muettes en ILLE.**—Ces finales sont presque toutes mouillées, comme les finales en *-aille*, *-eille*, *-euille* et *-ouille*, étant donné que les finales non mouillées sont presque toutes en *-ile* avec un seul *l*. Pourtant il y a des exceptions, quoiqu'elles tendent progressivement à disparaître, par l'effet de l'analogie[651].

1° Commençons par les verbes. On peut dire que *scinti*(l)*le* non mouillé ne se défend plus guère; mais il n'y a pas si longtemps qu'il a mouillé ses *l*, et l'on conserve toujours à côté de lui *scinti*l-*lation*, où les deux *l* sont distincts.

Nous assistons actuellement à la transformation de *osci*(l)*le* et *vaci*(l)*le* en *osciye* et *vaciye*, qui est bien près d'être achevée, surtout pour *vaci*(l)*le*, quoique *osci*l-*lation* et *vaci*l-*lation* soient aussi à peu près intacts. On doit encore conseiller *osci*(l)*le*; on peut même conseiller *vaci*(l)*le*, mais il ne faut pas se dissimuler que ce seront bientôt des archaïsmes. Et naturellement la conjugaison entière de ces verbes se trouve altérée de la même manière par réaction analogique.

Il y a encore un autre verbe qui est déjà touché légèrement, c'est *titi*(l)*le*.

Le seul verbe qui résiste absolument, parce qu'il est d'usage très courant, et même populaire, et appris par l'oreille autant que par l'œil, c'est *disti*(l)*le*; on ne prononce même généralement qu'un *l* dans *disti*(l)*ler*, et, par suite, *disti*(l)*lerie* et *disti*(l)*lation*.

2° En dehors des verbes, la prononciation non mouillée n'est guère plus répandue dans les finales en *-ille*. Cette prononciation ne se maintient que dans trois ou quatre mots extrêmement usités, ou, au contraire, dans un certain nombre de noms plus ou moins savants.

Les mots savants sont protégés précisément par un emploi assez restreint, ou du moins peu populaire: *papi*(l)le, *pupi*(l)le, *si*(l)le, *sci*(l)le, *baci*(l)le, *vertici*(l)le, *codici*(l)le et *myrti*(l)le[652]. Les dictionnaires y ajoutent encore *fibri*(l)*le*, mais ils feront bien de se corriger sur ce point. *Pupi*(l)*le* lui-même est déjà très atteint, et *myrti*(l)*le* n'est pas assez rare pour se défendre encore bien longtemps.

Mais, d'autre part, les mots d'usage tout à fait général et très courant se conservent plus sûrement encore que les mots savants, étant appris par l'oreille et non par l'œil; seulement ici ils sont tout juste trois, à savoir: deux adjectifs, *mi*(l)*le* et *tranqui*(l)*le*[653], et un substantif, *vi*(l)*le*, avec *vaudevi*(l)*le*, dont l'étymologie est toujours contestée[654].

II. **Le groupe ILL intérieur.**—La finale en **-*ille*** étant mouillée presque partout, toutes celles qui se rattachent plus ou moins à celle-là le sont également: *fusillade* et *outillage*, *sémillant* ou *brillanter* (avec *castillan* et *sévillan*), *corbillard* ou *babillarde*, *gaspiller*, *habillement* et *artillerie*, *billet* ou *fillette*, *torpilleur* et *périlleux*, *pavillon*, etc., et tous leurs dérivés.

Ont encore l'*l* double mouillé quelques mots à finales plus rares: *tillac*, *cabillaud*, *gentillesse*, *tilleul* et *filleul*, *grillot*, tous les mots qui commencent par **quill-**, ou encore des dérivés comme *billebaude*, et aussi *billevesée*, sur qui les avis se partagent, bien à tort[655].

On peut y joindre l'*l* double espagnol, notamment la finale **-*illa*;** malheureusement, à côté de *manzanilla*, *guérilla*, *cuadrilla* ou *banderillero*, qu'on prononce d'ordinaire correctement, on a trouvé plus savant et plus distingué de séparer les consonnes dans *chinchil-la* (qui devient souvent *chinchi-la*) et *camaril-la*: c'est une grave erreur, dont on pourrait bien aussi se corriger, puisque l'espagnol est toujours là[656].

On remarquera que la finale **-*ier*,** qu'on trouve dans un assez grand nombre de mots à la suite de l'*l* double mouillé, ne change plus rien à la prononciation, qui est la même que si la finale était **-*er*,** de même qu'après *gn*: ainsi *quincaillier*, *écaillière*, *vanillier*, *mancenillier*, *cornouillier*, à côté de *oreiller*, et *poulailler*, qui avaient aussi un *i*, et l'ont perdu, tandis que les autres gardaient le leur. Au contraire, les finales verbales **-*ions*** et **-*iez*** ajoutent un *yod* aux *ll* mouillés, sans quoi il pourrait y avoir confusion de temps: *nous travaillions* se prononce donc *nous travay-yons*, à côté du présent *trava-yons*[657].

D'autre part, on a pu voir qu'il n'y avait point de finales mouillées après la voyelle *u*. Mais en **-*uille*,** cas particulier de *-ille*, nous connaissons déjà *aiguille*. On retrouve le même groupe **ui** suivi de l'*l* double mouillé dans *cuiller*, et il est surprenant que l'*i* ne se soit pas détaché de l'*u* dans ce mot[658].

Au contraire, c'est *u* qui se change en *ui*, très malencontreusement, et depuis bien longtemps, dans *ju-illet*, où l'*i* ne devrait servir qu'à mouiller les *ll*, comme dans les finales en *-euille* et *-ouille*. Ce qui le prouve bien, c'est que beaucoup de personnes prononcent encore *juliet*, qui est le faux mouillage: ce sont les mêmes qui prononcent *alieurs*. Mais la vraie prononciation est *ju-yet*[659].

En somme, le groupe **-ill-** est mouillé à peu près partout à l'intérieur des mots; les exceptions sont les suivantes:

1° Les dérivés de *vi*(l)*le*, *tranqui*(l)*le* et *mi*(l)*le*, à savoir: *vi*(l)*lage*, *vi*(l)*lette*, avec *vil-la* et *vil-légiature*, où sonnent deux *l*, comme dans les mots latins; *tranqui*(l)*lité*, *tranqui*(l)*liser*, *tranqui*(l)*lement*; *mi*(l)*lier*, *mi*(l)*liard*, *mi*(l)*lième*, *mi*(l)*lion*, et aussi, par analogie, *bi*(l)*lion*, *tri*(l)*lion*, etc., avec *mil-lénaire*, *mil-lésime*, *mil-limètre*, etc., où sonnent aussi deux *l*[660].

2° D'autre part, deux *l* sonnent aussi, par conséquent sans mouillure, dans *pénicil-lé*, *verticil-lé*, *sigil-lé*, et les mots en *-illation* et *-illaire*: *scintil-lation*, *capil-laire* (et *capil-larité*), *ancil-laire*, etc.; dans *pusil-lanime*, dans *achil-lée* et *achil-léide*[661].

3° De plus, en tête des mots, le préfixe *il-* reste distinct devant un *l*: *il-luminé*, *il-légitime*, etc.; tout au plus peut-on réduire les deux *l* à un, si l'on veut, dans *illustration*, mais, en tout cas, on ne mouille jamais.

4° On ne prononce qu'un *l* simple dans *li*(l)*liputien*, qui a peu de chances de se mouiller, et dans *vi*(l)*lanelle*, qui est évidemment protégé par l'analogie de *vi*(l)*le* et *vi*(l)*lage*[662].

4° L'L double ailleurs qu'après un i.

Après une voyelle autre que *i*, l'*l* double fait comme les autres consonnes, et se prononce comme un seul ou comme deux, suivant que le mot est plus ou moins usité. C'est le principe général, déjà vu ailleurs. Mais ici, *la prononciation double l'emporte de beaucoup*, et de nos jours plus qu'autrefois, soit que les mots soient plus savants, soit que l'habitude plus répandue du latin fasse conserver les *ll*, comme nous les conservons en latin[663]. Il n'y a rien d'ailleurs d'absolu, nous l'avons dit, et l'on prononce un *l* ou deux dans beaucoup de mots, suivant qu'on parle plus ou moins vite.

C'est après un *a* que l'*l* double se réduit encore le plus souvent à un. Cela est indispensable dans *a*(l)*ler*, *a*(l)*leu*, *a*(l)*liance*, *a*(l)*lo*, *a*(l)*longer*, *a*(l)*lotir*, *a*(l)*lumer*, *ba*(l)*let*, *ba*(l)*lot*, *ba*(l)*lant*, *ba*(l)*lon*, *ca*(l)*leux* (à côté de *cal-losité*); *da*(l)*ler*, *fa*(l)*loir*, *ga*(l)*lon*, *ha*(l)*lali*, *insta*(l)*ler*, *va*(l)*lée*, *va*(l)*lon*, et leurs familles. Il n'y a aucun inconvénient à en faire autant dans des mots aussi usités que *a*(l)*laiter*, *a*(l)*lécher*, *a*(l)*louer*, et même *a*(l)*legro* ou *a*(l)*legretto*, voire *a*(l)*légresse*, *a*(l)*léguer*, *a*(l)*léger*, *ha*(l)*lucination*, et quelques autres, encore que les deux *l* s'y prononcent le plus souvent[664].

Après *e*, *o*, *u*, *y*, les deux *l* se maintiennent mieux qu'après *a*.

Après *e*, ils ne se réduisent guère que dans *ce*(l)*lier*, *ce*(l)*lule*, *exce*(l)*lent*, et, si l'on veut, dans *pe*(l)*licule*, *rebe*(l)*lion* et *libe*(l)*lé*[665].

Dans les mots commençant par **col-**, les deux *l* ne se réduisent régulièrement que dans *co*(l)*ler*, *co*(l)*lège*, *co*(l)*let*, *co*(l)*lier*, *co*(l)*line*, *co*(l)*lation*, et leurs parents, mais non pas dans les expressions savantes *col-lation des grades* ou *col-lationner des registres*. Il n'y a d'ailleurs aucun inconvénient à y joindre *co*(l)*lègue*, *co*(l)*lodion* ou *co*(l)*lyre*, et quelques autres. On prononce aussi uniquement *do*(l)*lar*, *fo*(l)*let*, *mo*(l)*let*, *mo*(l)*lir* et *mo*(l)*lusque*, et même, si l'on veut, *so*(l)*licitude*[666].

Après *u*, ils ne se réduisent pas, sauf tout au plus dans *pu*(l)*luler*, si l'on veut, ou *ébu*(l)*lition*[667].

Après *y*, notamment, pour le préfixe **syl-**, la réduction est aussi rare que pour le préfixe *il-*.

*
* *

Si la tendance populaire, fort naturelle, était ici de réduire les deux *l* à un seul, en revanche, il y a une autre tendance, également populaire, mais très fâcheuse, qui consiste au contraire à doubler l'*l* après un pronom: *je* ll'*ai vu*, *tu* ll'*as dit*, *j' te* ll'*ai dit*. C'est sans doute par analogie avec *il l'a vu, il l'a dit*[668]. C'est un des plus anciens et des plus graves défauts de la prononciation parisienne, d'autant plus grave qu'il est extrêmement difficile à corriger.

En tête des mots, on trouve aussi l'*l* double dans certaines langues, et c'est l'*l* mouillé; mais *lloyd* se francise avec *l* simple, non mouillé[669].

*
* *

On a vu, plus haut, que *lh* représentait dans le Midi l'*l* mouillé. Ce groupe n'est pas passé dans le français; c'est donc le hasard seul qui a rapproché ces deux lettres dans *phil-*(h)*ellène* ou *phil-*(h)*armonique*, où ils appartiennent à des éléments différents et ne sauraient se mouiller. On ne mouille pas non plus *sil*(h)*ouette*, qui vient d'un nom propre[670].

NOTE COMPLÉMENTAIRE.—On a vu que *il* se prononçait partout *i* autrefois, sauf devant une voyelle. C'est ce qui explique une faute d'orthographe qui était très fréquente alors (on la trouve dans Bossuet), et qui consistait à écrire *qui* pour *qu'il*. On ne répétera jamais assez que c'est précisément à cette faute qu'est due la fortune d'une phrase fameuse de La Bruyère, qui nous paraît toujours surprenante et qu'on imite perpétuellement: *depuis plus de six mille ans qu'il y a des hommes* et qui *pensent*. La Bruyère voulait dire *et qu'ils pensent*, pas autre chose: sa syntaxe, comme celle de tous ses contemporains, démontre sans contradiction possible que, pour justifier *et qui*, il eût fallu au moins une épithète à *hommes*.

M

1° L'M simple.

On a vu, au chapitre des nasales, qu'*à la fin des mots* l'*m* ne faisait jadis que nasaliser la voyelle précédente. Cette prononciation, purement française, a disparu progressivement. A part un petit nombre de mots[671], la prononciation étrangère ou latine a prévalu, les mots terminés en *m* étant en effet presque tous étrangers ou latins: l'*m* final y est donc séparé de la voyelle, et, par suite, s'y prononce: *madapola*m, *hare*m, *intéri*m, *albu*m[672].

Dans le corps des mots, l'*m* ne nasalise la voyelle qui précède que quand il est suivi lui-même d'une labiale *b* ou *p*, ou dans le préfixe *em-* (pour *en-*), suivi d'un *m*: *ambition*, *em-mener*, *simple*, *nymphe*, *compte*, etc., et aussi *comte* et ses dérivés[673].

Devant toute autre consonne, l'*m* se prononce à part: *ha*m*ster*, *déce*m*vir*, *triu*m*virat*[674].

D'autre part, dans le groupe **mn** intérieur, l'*m* avait cessé autrefois de se faire sentir, par assimilation de l'*m* avec l'*n*[675]. Cette prononciation, qui a disparu dans la plupart des cas, s'est maintenue dans *da*(m)*ner* et ses dérivés, ainsi que dans *auto*(m)*ne*, parce que le groupe *am* ou *om* s'est d'abord nasalisé: on entend parfois encore *dan-ner*. Mais on prononce aujourd'hui l'*m* et l'*n* dans *inde*m*-ne*, *inde*m*-niser* ou *inde*m*-nité*[676], ainsi que dans *auto*m*-nal*, mot savant, aussi bien que dans *calo*m*-nie*, *a*m*-nistie*, *o*m*-nibus* et tous les mots récents[677].

Le peuple laisse volontiers tomber l'*m* dans les mots en **-asme** et **-isme**: *cataplas*m*e*, *catéchis*m*e*, *rhumatis*m*e*; c'est une paresse dont il faut se garder avec soin[678].

2° L'M double.

L'*m double*, entre voyelles non caduques, subit toujours la distinction des mots très usités et des mots plus ou moins savants. Mais ici, plus qu'ailleurs, il y a lieu de faire attention à la voyelle qui précède.

On sait déjà qu'après *e* initial (même devant un *e muet*), le premier *m* ne fait que nasaliser la voyelle: c'est le préfixe *en* qui se maintient en assimilant son *n* à l'*m* qui suit: *e*m*-mancher*, *e*m*-ménager*, *e*m*mener*, etc., et par suite *re*m*-mener*, etc.[679]. Mais on prononce deux *m* dans *e*m*-ménagogue*, mot savant et récent. On n'en prononce qu'un dans les adverbes en *-emment* (aman), mais deux dans *ge*m*-mation* et *pe*m*-mican*[680].

Après *a*, *i* et **u**, à part les adverbes en *-amment*, il est très rare qu'on ne prononce pas les deux *m*, sans doute parce que la plupart des mots sont des mots savants. *Épigra*(m)*me* même n'empêche pas *épigra*m-m*atique*. *Ga*(m)m*a* est devenu *ga*m-m*a*. Il n'y a plus guère que *enfla*(m)*mer*, qui résiste absolument, et *gra*(m)*maire*, qui résiste encore à moitié, mais on dit plutôt *gra*m-m*airien*, et à fortiori *gra*m-m*atical*, sans parler d'*infla*m-m*ation*. C'est à peine si on réduit encore parfois, quand on parle vite, les deux *m* d'*i*m-m*ense*, *i*m-m*obile*, *i*m-m*oler*, *i*m-m*ortel*; mais pour tous les autres mots en **im-**, à peu près jamais[681].

Cas particulier: beaucoup de personnes nasalisent le préfixe *im-* dans *i*m-m*angeable* et *i*m-m*anquable*. Assurément cela est soutenable, mais je ne crois pas que cette prononciation puisse prévaloir, par la raison qu'on ne nasalise pas le préfixe **im-** dans *i*m-m*obile* ou *i*m-m*odéré*, ni aucun autre de même formation. Sans doute il y a une différence, en ce que les autres mots sont tirés la plupart de formes latines et gardent la prononciation latine, tandis que ces deux-là sont formés directement sur des mots français, devant lesquels on met le préfixe. Mais *inébranlable*, *ineffaçable*, et beaucoup d'autres, sont dans le même cas, sans qu'on ait jamais songé à maintenir la nasale, comme on la maintient par exemple avec liaison dans *enorgueillir*. Il n'y a pas plus de raison pour prononcer *in-m*angeable* que pour prononcer *in-n*effaçable*, et il est très naturel que ces deux mots suivent l'analogie, comme tous les autres[682].

Reste la voyelle *o*, dont le cas est tout différent. Il y a en effet un certain nombre de mots en *-omme* très usités, dont les dérivés et composés, très usités aussi, ont dû conserver le son de l'*m* unique: *co*(m)*ment*, *ho*(m)*mage*, *po*(m)*mier*, *po*(m)*made*, *so*(m)*met*, *so*(m)*mier*, *so*(m)*mmeil*, etc., et les verbes *no*(m)*mer*, *so*(m)*mer*, *asso*(m)*mer*, *conso*(m)*mer*, avec *asso*(m)*moir*. Mais déjà *so*m-m*ité* ne se réduit plus guère; on dit souvent aussi *so*m-m*aire* et plus encore *so*m-m*ation*[683].

Il reste encore, outre *do*(m)*mage*, les mots composés avec *com-*. Ici, il y a un peu plus de mots d'usage général que de mots plus ou moins savants: on prononce un *m* dans *co*(m)m*ander*, *co*(m)m*encer*, *co*(m)m*ère*, *co*(m)m*erce*, *co*(m)m*ettre*, *co*(m)m*is*, *co*(m)m*ode*, *co*(m)m*un* et même *co*(m)m*ende* et tous leurs dérivés[684]; on en prononce deux dans *co*m-m*émorer* et ses dérivés, *inco*m-m*ensurable*, *co*m-m*inatoire*, *co*m-m*odat*, *co*m-m*odore*, *co*m-m*otion*, *co*m-m*ittimus*, *co*m-m*uer*, *co*m-m*utateur*; de plus en plus aussi, malgré l'usage antérieur, dans *co*m-m*ensal*, *co*m-m*enter*, *co*m-m*entaire*, *co*m-m*isération*, souvent même dans *co*m-m*andite*, malgré *co*(m)m*ander*.

Toutefois les musiciens prononcent *co*(m)m*a* et non *co*m-m*a*. Pour *commissure* et *commissoire*, comme on ne peut pas doubler à la fois l'*m* et l'*s*, il y a hésitation, mais on double plutôt l'*s*: *co(m)mi*s-s*ure*.

N

1° L'N simple.

L'*n* est la consonne nasale par excellence.

A la fin des mots, elle continue à n'être en français que le signe orthographique de la voyelle nasale: ***-an**, **-en**, **-in** (-ain, -ein-, -oin) **-on**, **-un***.

Il n'y a d'exceptions à peu près françaises que les finales en **-en après consonne**, finales autrefois nasales comme les autres, et même en *an*, puis en *in*, mais où l'*n* s'est séparé de la voyelle sous l'influence de l'enseignement du latin, ces mots ayant un aspect latin: *liche*n, *éde*n, *polle*n, *cyclame*n, *hyme*n (sauf parfois à la rime), *spécime*n, *abdome*n, *dolme*n, etc. De tous les mots de cette finale, français ou étrangers, *examen* est le seul qui ait conservé ou plutôt repris chez nous uniquement le son nasal[685].

En dehors des mots français en **-en** après consonne, l'*n* final précédé d'une voyelle ne se prononce que dans des mots et dans des noms propres étrangers: en **-en** aussi d'abord[686]; puis en **-man**[687]; en **-in**, avec des noms allemands en **-ain** et **-ein**[688]; enfin quelques mots savants et beaucoup de noms étrangers en **-on**[689]. La finale **-oun** ne peut pas être nasale[690].

Les finales en **n** suivi de **c** ou **g**, de **t** ou **d** ou d'**s**, prononcés ou non, sont également nasales, sauf les troisièmes personnes du pluriel, dont la finale est muette, sauf aussi la plupart des mots anglais en **-ing** et quelques noms étrangers en **-ens** ou **-ent**[691].

Dans le corps des mots, l'*n* n'est distinct en français que devant une voyelle[692].

Dans *doña, señor, señora, malagueña*, même sans le *tilde* qui le surmonte, il faut mouiller l'*n*: *dogna, segnor*. De même dans *ca*ñ*on*[693].

2° L'N double.

On a vu que l'*n double* conserve le son nasal suivi d'*n* simple dans les composés du préfixe *en-*, comme *en-noblir*, et dans les mots de la famille d'*en-nui*. Ailleurs, entre voyelles non caduques, l'*n* double a le son de l'*n* simple sans nasale, notamment après *o* dans les finales en *-onner*[694] ou *-onnaire*, et toutes celles qui se rattachent aux mots en *-on* et *-onne*, aussi bien que celles qui se rattachent aux mots en *-en*, comme *doye*(n)*né, moye*(n)*nant, chie*(n)*ner*.

L'*n* double ne se prononce double que dans des mots plus ou moins savants, à savoir:

1° Dans les mots commençant par *ann-*, sauf *a*(n)*neau*, *a*(n)*née*, *a*(n)*niversaire*, *a*(n)*noncer* et ses dérivés, et, si l'on veut, *a*(n)*nuel*, *a*(n)*nuaire*, *a*(n)*noter* et *a*(n)*nuler*; dans *ca*n-*nibale*, *tyra*n-*nique* et *tyra*n-*niser*, *hosa*n-*na*, *ta*n-*nique* et *brita*n-*nique*;

2° Dans *e*n-*néagone*, *bie*n-*nal*, *déce*n-*nal* ou *septe*n-*nat* et autres de même famille; dans *pe*n-*non*, *pe*n-*nage* et *empe*n-*né*, *fesce*n-*nin* ou *ante*n-*nule*, mais non dans *he*(n)*né* ni dans *te*(n)*nis*;

3° Dans les mots commençant par *inn-*, sauf *i*(n)*nocent* et sa famille, et, si l'on veut, *i*(n)*nombrable*; dans *ci*n-*name* et *ci*n-*namome*, *mi*n-*nesænger* et *pi*n-*nule*;

4° Dans *co*n-*nexe* et ses dérivés, *co*n-*nivence* et *prima do*n-*na*; dans *su*n-*nite*[695].

L'N mouillé.

On sait que l'*n* mouillé est représenté en français par **gn** (*ny* à peu de chose près). On a vu au chapitre du *G* dans quels cas le *g* faisait une consonne distincte[696]. On a vu aussi aux chapitres de *OI* et *AI* comment l'*i* s'était détaché du groupe *ign*, signe primitif de l'*n* mouillé, pour se joindre à l'*a* ou à l'*o* qui précédait, remplaçant *Monta*-ign-*e* par *Montai*-gn-*e* et *po*-ign-*ard* par *poi*-gn-*ard*[697].

La prononciation de **gni** mouillé est assez difficile, étant à peu près *nyi*: il faut éviter cependant de faire entendre *compa*(g)*nie*[698], *si*(g)*nifier*, et surtout *ma*(g)*nifique*.

Les livres maintiennent encore *si*(g)*net* non mouillé; mais ce résidu d'une prononciation désuète ne peut manquer de disparaître par l'effet de l'analogie, le mot étant de ceux qu'on apprend plutôt par l'œil[699].

Si le groupe *gn* est suivi du suffixe *ier*, le son est le même que si le suffixe était seulement *er*: *gui*gn-*ier*, *Ré*gn-*ier*.

Nous ajouterons que *gn* mouillé n'est jamais initial en français, sauf dans quelques mots de la langue populaire: gn*af* (que quelques-uns écrivent gn*iaf*), gn*on* ou gn*iole*, gn*angnan*, gn*ognote* et gn*ouf*.

P

A la fin des mots, dans les mots français ou entièrement francisés, le **p**, qui d'ailleurs y est assez rare, est ordinairement muet: *dra*(p), et aussi *sparadra*(p)[700], *cam*(p) et *cham*(p), *galo*(p), *siro*(p) et *tro*(p), *cou*(p) et *beaucou*(p), *lou*(p) et *cantalou*(p)[701].

Il n'y a d'exceptions que dans *ca*p et *ce*p[702]; naturellement aussi les interjections *ho*p, *hi*p, *hou*p.

Le *p* se prononce naturellement dans les mots d'origine étrangère, *handica*p, *jala*p, *hana*p, *sale*p, *jule*p, *midshi*p, *bisho*p, *sto*p, *crou*p et *grou*p[703].

Le *p* est encore muet dans *tem*(ps) et *printem*(ps), dans *exem*(pt), dans *rom*(ps) ou *rom*(pt) et leurs composés, dans *prom*(pt) et dans *cor*(ps).

Dans le corps des mots, devant une consonne, le *p* se prononce aujourd'hui. Il était muet autrefois dans les mots les plus usités, surtout devant un *t*[704]. Il est encore muet devant *t* dans un grand nombre de mots:

1° *Ba*(p)*tême* et tous les mots de la famille[705]. Peut-être dit-on quelquefois *baptismal*, non sans une nuance de pédantisme, mais on dit toujours *les fonts ba*(p)*tismaux*;

2° *Se*(p)*t*, *se*(p)*tième* et *se*(p)*tièmement*, mais non les autres dérivés, qui sont tirés directement du latin, et gardent le *p* comme en latin, y compris *sep*tembre, *sep*tante et *sep*tentrion, par réaction étymologique[706];

3° *Exem*(p)*ter*, mais non *exemp*tion;

4° *Com*(p)*te* et tous ses dérivés, avec ceux de *prom*(pt), y compris *com*(p)*tabilité* et *prom*(p)*titude*;

5° *Scul*(p)*ter* et sa famille, malgré Domergue;

Dans *che*(p)*tel* (*che* et non *ché*), on commence à prononcer le *p* même dans les facultés de droit, et cela fait *ché* et non plus *che*.

Pour *dompter* et *indomptable*, la pratique et les opinions sont fort partagées. Depuis longtemps la tradition est pour *imdom*(p)*table* et surtout *dom*(p)*ter*, mais je crains fort que le *p*, admis mal à propos par l'Académie, ne finisse par prévaloir.

On ne supprime plus le *p* dans *présom*p*tion*, *présom*p*tif*, *présom*p*tueux*, *consom*p*tion*, *sym*p*tôme*, ni devant aucun autre *t*.

C'est le *p* qui conserve le mieux, quand il est *double*, la prononciation de la consonne simple. Il fut un temps où il n'y avait pas d'exceptions, mais nous n'en sommes plus là[707].

Il y a d'abord *a*p-p*endice* et *a*p-p*endicite*, *a*p-p*étence* et *a*p-p*étition*, *a*p-p*ogiature* et *l*ip-p*itude*, et les composés commençant par *hipp*-[708].

De plus, les mots très nombreux qui commencent par *ap*-, *op*- et *sup*-, si peu savants qu'ils soient, sont déjà très touchés. Des mots comme *a*(p)*pliqué* ou *a*(p)*porter* sont actuellement intangibles; mais on double fréquemment le *p* dans *a*p-p*âter*, sinon dans *a*(p)p*ât*, dans *a*p-p*réhender*, dans *a*p-p*réciable* et *a*p-p*roprier* (moins dans *a*(p)p*roprié*), et surtout dans *o*p-p*robre*, par emphase, et dans *su*p-p*uter*, qui a l'air savant. On le double parfois même, et ceci est plutôt à éviter, dans *a*p-p*arier*, *a*p-p*auvrir*, *a*p-p*ointer*, *a*p-p*ontement*, *a*p-p*réhension*, *o*p-p*ortunité*, voire, par emphase toujours, dans *o*p-p*rimer* ou *o*p-p*resser*, parfois même dans *su*p-p*lanter*, *su*p-p*léer* ou *su*p-p*lique*[709].

On sait que **ph** a partout le son de l'*f*: ce n'est qu'une graphie prétentieuse, à laquelle d'autres langues ont renoncé fort judicieusement[710].

Q

1° Le Q final.

Le *q* n'est *final* que dans *coq* et *cinq*.

Dans *coq*, il ne s'est pas toujours prononcé[711]; il n'y a plus d'exceptions aujourd'hui.

Dans *cinq*, au contraire, on l'a toujours prononcé (c'est la règle générale des noms de nombre), sauf, bien entendu, devant un pluriel commençant par une consonne: *j'en ai cinq*, *le cinq mai*, *page cinq*, *cinq pour cent*, *cinq sur cinq*, et aussi, par liaison, *cinq amis*, mais *cin(q) francs*, *cin(q) cents*, *cin(q) mille*, *les cin(q) derniers*[712].

2° Le groupe QU.

Dans le corps des mots, le *q* est toujours séparé de la voyelle qui sonne par un *u*, qui, en principe, ne s'entend pas[713]. Devant *e* et *i*, notamment, le *c* étant devenu sifflant devant ces voyelles, le rôle de la gutturale est régulièrement dévolu au groupe *qu*, la lettre *k* étant peu française: *éq(u)erre*, q(u)*estion*, q(u)*itter*, et toutes les finales en **-que**.

Autrefois on adoucissait cette gutturale, comme le *g*, devant *e* et *i*, au point qu'on arrivait à le mouiller, et Domergue distingue nettement entre *qu'il* et *tranquille*. Cet usage n'est plus apprécié aujourd'hui, et on fera bien de l'éviter, comme pour le *g*[714].

De toute façon, l'*u* qui suit le *q* ne se prononce pas plus en français devant *e* et *i* que devant *a* et *o*. Toutefois, il y a encore un certain nombre de mots plus ou moins savants tirés du latin, et le plus souvent d'origine récente, où il se prononce (jamais pourtant devant un *e muet*); il fait alors fonction de semi-voyelle.

I. **Devant E.**—L'*u* se conserve devant *e* dans *déliquescence*, *liquéfier* et *liquéfaction*—à côté de *liq(u)ide* et *liq(u)eur*—, que*steur* et que*sture*, et é*que*stre[715].

Mais ce dernier mot est bien près de passer à é*kestre*, comme ont fait avant lui *éq(u)erre* et *séq(u)estre*, et tant d'autres, y compris q(u)*érimonie* et q(u)*ercitron*. D'autre part, *likéfier* est employé plus ou moins depuis deux siècles, et même, à l'origine, l'Académie ne connaissait pas d'autre prononciation. Enfin k*esteur* est loin d'être rare.

Opposons-nous à ces prononciations fautives, mais soyons bien convaincus que *qué* est destiné à devenir *ké* partout, un jour ou l'autre[716].

II. **Devant I.**—L'*u* se conserve mieux dans *-qui-* et *-quin-* que dans *-que-*, sans doute parce que les exemples en sont restés plus nombreux.

Il est vrai qu'il ne se prononce pas non plus dans quelques mots plus ou moins savants, comme q(u)*iproquo*, jusq(u)*iame* ou *a*q(u)*ilon*, ni même dans *a*q(u)*ilin* ou *s*q(u)*irre*, ni dans une partie des mots commençant par *équi-*, ni dans les finales *-quin* et *-quine*, qui sont francisées jusque dans *bas*q(u)*ine* ou *race é*q(u)*ine*.

En revanche, on prononce l'*u*:

1° Dans le latin qu*id*, *a* qu*ia*, *re*qu*iem*, etc., avec qu*ibus*, qu*itus* et même qu*idam* (autrefois *kidan*);

2° Dans *équ*i*angle*, *équ*i*distant*, *équ*i*multiple*, mots savants, et même *équ*i*latéral*, à côté d'*é*q(u)*ilibre*, *é*q(u)*inoxe*, *é*q(u)*ité*, *é*q(u)*ivaloir*, *é*q(u)*ivalent*—autrefois *é*q(u)*ipollent*—et *é*q(u)*ivoque*;

3° Dans *équ*i*sétique* et *équ*i*tant*: quant à *équ*i*tation*, ce mot est dans le même cas qu'*équestre*, étant déjà à peu près passé à *é*q(u)*itation*;

4° Dans qu*iet*, qu*iescent*, qu*iétisme* et quelquefois encore qu*iétude*, à côté de *in*q(u)*iétude*; mais il est difficile que *inkiétude* n'entraîne pas définitivement k*iétude*;

5° Dans une partie des dérivés du latin *quinque*, car ne prononce pas l'*u* dans q(u)*ine*, q(u)*inaire* et q(u)*inola*, dans q(u)*inconce* et q(u)*inquenove*, dans q(u)*int*, q(u)*inte* et q(u)*inze* et leurs dérivés naturels, y compris q(u)*intessence*—et autrefois le populaire *henri*q(u)*in*q(u)*iste*—; mais on le prononce dans qu*inquagénaire* et tous les mots commençant par *quinque*—sauf q(u)*in*q(u)*enove*—, dans qu*intette*, qu*intidi*, qu*intil*, qu*into* et même qu*intuple*, qui est souvent écorché;

6° Dans *obsé*qu*iosité* et *obsé*qu*ieux*[717]; dans *obli*qu*ité* et *ubi*qu*ité*; dans *ses*qu*ialtère* et qu*iddité*;

7° Dans l'espagnol *con*qu*istador*, qui a gardé l'*u*, à côté de q(u)*ipos*, *li*q(u)*idambar* et *bas*q(u)*ine*, qui l'ont perdu, sans compter q(u)*ina*, q(u)*inine* ou q(u)*inquina*[718]. Ajoutons *es*qu*ire*, quand on le prononce à l'anglaise (eskouay'r).

III. **Devant O et A.**—Quoique le groupe *qu* ne soit proprement utile dans les mots français que devant *e* et *i*, on le trouve aussi devant *o* et *a*, où il s'est conservé du latin, dans des mots plus ou moins savants, comme q(u)*alité*, q(u)*otient*, à côté de *c*arré, *c*asser, *c*arême, qui sont d'origine populaire.

Mais du moins **-quo-** se prononce toujours *co*[719]. Au contraire, **-qua-** se prononce *coua* (*kwa*) dans un certain nombre de ces mots, incomplètement francisés:

1° Dans le latin qu*ater* ou qu*atuor*, *sine* qu*a non*, *ex*equ*atur*, à côté de q(u)*asi*, q(u)*asiment*, q(u)*asimodo*, francisés depuis le moyen âge le plus reculé; à côté de *partie ali*q(u)*ante*, francisé lui-même aussi comme q(u)*ant* et ses dérivés;

2° Dans *a*qu*afortiste* (et *aqua-tinte*, de l'italien), *a*qu*arelle*, *a*qu*arium* et *a*qu*atile*, qui ont réagi sur *a*qu*atique*, francisé autrefois;

3° Dans *adé*qu*at*, *é*qu*ateur*, *é*qu*ation*, *é*qu*atorial*, mais non dans *reli*q(u)*at*;

4° Dans une partie des dérivés du latin *quatuor*, car nous ne prononçons pas l'*u* dans des mots aussi complètement francisés que q(u)*adrille*, q(u)*art*, q(u)*artaut*, q(u)*atre*, q(u)*atorze*, q(u)*arante*, et leurs dérivés naturels, y compris *é*q(u)*arrir*; mais nous le prononçons *ou* dans qu*adragénaire*, et tous les mots commençant par *quadr*-[720], y compris qu*adrige*, mais non q(u)*adrille*, dans qu*artette* (de l'italien), qu*artidi*, qu*artil* et *in*-qu*arto*, dans qu*aterne* et qu*aternaire*[721];

5° Dans *lo*qu*ace* et *lo*qu*acité*, qu'on écorche parfois; dans qu*assier* et qu*assia amara*, *colli*qu*atif* et *colli*qu*ation*; dans *s*qu*ameux* et *des*qu*amation*;

6° Enfin, dans quelques mots étrangers, *s*qu*ale*, *s*qu*are*, qu*aker* et qu*akeresse*, qu*artz* et qu*artzeux*, qu*attrocento*, qu*attrocentiste* et *tutti* qu*anti*[722].

R

1° L'R simple.

L'*r*, comme l'*l*, se prononce aujourd'hui régulièrement *à la fin des mots*. On l'articule partout, sauf dans *monsieu*(r) et *messieu*(rs), et dans la plupart des mots en **-er**. Ainsi *char*, *cauchemar*, *boudoir*, *asseoir*, *clair*, *offrir*, *désir*, *zéphir*, *chaleur*, *amour*, *trésor*, *obscur*, etc.[723].

Pour les mots en **-er**, il faut distinguer les cas avec précision.

L'*r* final est muet:

1° Dans les innombrables infinitifs en **-er**[724];

2° Dans les innombrables substantifs et adjectifs terminés par le suffixe **-ier**: *premie*(r), *menuisie*(r), *régulie*(r), *foye*(r), etc., etc., et l'adverbe *volontie*(rs)[725];

3° Dans les substantifs et adjectifs en **-cher** et **-ger**, parce qu'en réalité ils appartiennent à la même catégorie que les précédents, ayant été autrefois en *-chier* et *-gier*: ils sont une trentaine environ, comme *arche*(r), *dange*(r), *lége*(r)[726].

L'*r* final est au contraire sonore en principe dans les mots en **-er** (infinitifs à part) qui n'ont pas le suffixe **-ier**, et ne l'ont jamais eu, ce qui veut dire qu'ils ne sont non plus ni en **-cher** ni en **-ger**. Mais ici, les mots proprement français sont en petit nombre. Ce sont des mots où *-er* appartient au radical même du mot:

1° L'adverbe *hier*, et les adjectifs *fier*, *tiers* et *cher*, malgré l'*i* et le *ch*[727];

2° *Fer* et *enfer*, *mer* et *amer*, *ver* et *hiver*;

3° Les formes de *quérir* et de ses composés: *j'acquiers*, *tu acquiers*, *requiers*, *conquiers*, etc.[728];

4° Le mot *cuiller*, autrefois *cuillie*(r), qui s'est joint à ce groupe après beaucoup d'hésitation;

5° Les mots qui sont proprement latins, quoique francisés: *liber*, *cancer*, *pater*, *éther*, *magister*, *auster*, etc., et tous les mots étrangers, francisés ou non: *bitter*, *chester*, *eider*, *kreutzer*, *messer*, *placer*, etc.[729].

*
* *

Quand le groupe **er** est suivi d'une consonne, même muette, et notamment d'un *t*, l'*r* n'est plus final, mais intérieur, et s'y prononce comme partout: dans *haubert*, *offert*, *clerc*, *nerf*, *perd* ou *perds*, comme dans *bavard*, *part*, *je pars*, *corps*, *bourg*, etc. Il n'y a d'exception que pour *ga*(rs)[730].

On a vu au chapitre de l'*e* muet, que l'*r final suivi d'un* e *muet* tombe facilement avec l'*e* devant une consonne dans la prononciation rapide, quand il est précédé d'une muette ou d'une des spirantes *f* et *v: maît*(re) *d'hôtel.* C'est une prononciation dont il ne faut pas abuser. Elle est certainement admissible dans la conversation familière, entre deux mots comme ceux-là; elle est surtout fréquente avec *notre, votre* et *quatre: vot*(re) *cheval, quat*(re) *sous*; encore faut-il excepter, comme on l'a vu, *Notre-Dame,* le *Notre Père,* où le respect a maintenu l'*r,* et *quatre-vingts,* où le besoin de clarté a joué le même rôle. Mais, dans la lecture, il vaut mieux conserver l'*r* partout.

La chute de l'*r* est particulièrement incorrecte quand la finale muette n'est pas suivie d'une consonne: *du suc*(re), *du vinaig*(re), encore qu'ils datent de fort loin, sont certainement à éviter[731].

Me(r)*credi* a été autrefois très correct, et Vaugelas l'approuvait[732]. Les grammairiens se sont longtemps battus là-dessus, mais la diffusion de l'instruction primaire a rétabli définitivement l'*r,* sans pourtant faire disparaître entièrement *me*(r)*credi*. Je ne saurais trop vivement déconseiller aujourd'hui cette prononciation, car on a une tendance à la tourner en ridicule, ainsi que celle qui double l'*r* dans *mairerie,* pour *mairie*[733].

2° L'R double.

Les deux *r* se prononcent toujours dans les futurs et conditionnels de trois verbes en *-rir: quérir, courir* et *mourir,* et leurs composés[734]. Ce qui a dû contribuer tout au moins à les maintenir, c'est qu'ils empêchent la confusion du futur avec l'imparfait: *je cou-rais, je cour-rai.* En revanche, c'est une faute très grave que de ne pas laisser l'*r* simple dans les futurs *ve*(r)*rai, enve*(r)*rai, pou*(r)*rai,* et leurs conditionnels, et aussi, *la bobinette che*(r)*ra,* toutes formes pour lesquelles il n'y a pas de confusion possible: on se contente d'allonger la voyelle qui précède.

Ce cas spécial étant mis à part, l'*r* double se prononce assez généralement comme un seul, beaucoup mieux que ne font *l* ou *m.*

1° Cela est particulièrement sensible après un *a.* Les composés qui commencent par *ar-,* notamment, ne font entendre qu'un *r,* sauf quelquefois, par exemple, dans *ar-racher, ar-rogance,* ou *ar-roger*[735]. On n'y peut guère ajouter que des mots comme *far-rago* ou *mar-rube,* qui sont à peine français, et, trop souvent, *nar-ration, nar-rateur, inénar-rable,* et même *nar-rer,* qui auraient pu être respectés.

2° Après *e*, l'*r* double est un peu plus atteint qu'après *a*. Ainsi, quoique *fe(r)rer*, *fe(r)raille* et tous les autres ne laissent entendre qu'un *r*, on en prononce quelquefois deux dans *fer-rugineux*, qui a un air plus savant. Dans tous les dérivés de *terre*, et ils sont nombreux, on n'entend qu'un *r*, et pourtant on en prononce parfois deux dans *ter-restre*, et même dans le vieux mot *ter-raqué*. Malgré *ve(r)rue*, *ve(r)ruqueux* reste douteux. *Inte(r)roger* et *inte(r)rompre* sont à peu près intacts; mais on entend souvent *inter-rogation*, *inter-ruption*, *inter-rupteur*, à côté d'*inter-règne*. Des mots d'usage très courant, et qui n'ont aucune apparence savante, sont parfois atteints. Ainsi les deux *r* d'*aber-ration*, *er-rata* ou *er-ratique*, ont réagi sur *er-roné*, *er-rer* et même *er-reur*[736]. De même *ter-roriser*, *ter-roriste*, *ter-rifier*, ont réagi sur *ter-rible* et même *ter-reur*, où l'emphase d'ailleurs explique ou excuse le double *r*[737].

3° Nous savons que les mots commençant par **ir-** font entendre les deux *r*, même *ir-riguer* et *ir-riter*, qui n'ont pas le sens privatif. Toutefois, *i(r)riter* ou *i(r)ritation* sont encore parfaitement corrects. On dit naturellement *cir-rus*, *cir-ripède* et *pyr-rhique*.

4° Parmi les mots commençant par **cor-**, on ne prononce qu'un *r* dans *co(r)ridor*, *co(r)riger* ou *inco(r)rigible*, *co(r)royer* et *co(r)roi*, ordinairement aussi dans *co(r)respondre* et ses dérivés et dans *co(r)rompre*. Mais ces derniers mots sont déjà atteints depuis longtemps, surtout dans le participe *cor-rompu*, et l'on entend généralement deux *r* dans tous les mots où figure le radical *corrupt-*; de même dans ceux où figure le radical *correct-* (avec *cor-régidor*), en outre dans *cor-rélatif*, *cor-roborer*, *cor-roder* ou *cor-rosif*. D'autre part, on dit fréquemment *hor-reur*, *hor-rible* et *abhor-rer*, par emphase, comme *ter-reur* et *ter-rible*, et toujours *hor-ripiler*. On dit aussi *tor-réfier* et *tor-ride*; et *tor-rentiel* réagit parfois même sur *tor-rent*. Je ne parle pas de mots tels que *bor-raginées* ou *por-rection*. On notera que l'*r* reste pourtant simple, même dans des mots savants comme *hémo(r)ragie* ou *hémo(r)roïdes*.

5° Après **ou**, l'*r* simple se maintient: *cou(r)roie*, *cou(r)rier*, *cou(r)roux*, *pou(r)rir*. Encore *cou(r)roucé* n'est-il pas intact[738].

6° L'*r* simple se maintient aussi tant bien que mal, plus mal que bien, dans *résu(r)rection*; plus mal encore dans *insu(r)rection*, presque plus dans *concur-rent* et ses dérivés. On dit naturellement *scur-rile*, *sur-rénal* et vase *mur-rhin*[739].

S

1° L'S final.

A la fin des mots, en principe, l'*s* ne se prononce plus en français depuis fort longtemps. Pour l'*s* du pluriel, notamment, il n'y a pas d'exceptions[740].

Les exceptions sont, au contraire, assez nombreuses pour l'*s* qui n'est pas la marque du pluriel, et alors il a toujours le son *dur* ou *sourd*.

1° Après un *a*, il y a très peu d'exceptions dans les mots proprement français. Je n'en vois même que deux: l'une pour le monosyllabe *as*, terme de jeu, et par suite *ambesas*: la prononciation *a*(s) est purement dialectale; l'autre pour les interjections *las*, *hélas*, qui n'en font qu'une. Quant à *atlas*, *stras*, *hypocras*, ce sont en réalité des noms propres.

Les autres exceptions sont des mots grecs, latins ou étrangers: *Deo gratias*, *per fas et nefas*, *habeas corpus*, *pancréas*, *lias* et *trias*, *flint glas*, *christmas*, *papas*, *lépas*, *upas*, *lampas* (s'humecter le), *madras*, *abraxas*, *alcarazas*, *vasistas*, ou le provençal *mas*[741].

On hésite aujourd'hui pour *vindas*, autrefois *guindas*, d'ailleurs peu usité; mais on ne prononce plus l'*s*, ni dans les noms d'étoffes, *jacona*(s), *lampa*(s), *ginga*(s) ou *dama*(s), celui-ci malgré l'étymologie; ni dans *balandra*(s), *sassafra*(s), *matra*(s) ou *tétra*(s), ni enfin dans *pampa*(s), où l'*s* n'est que la marque du pluriel, dans un mot d'ailleurs francisé[742].

Après *oi*, l'*s* ne se prononce jamais: *boi*(s), *parfoi*(s), *courtoi*(s), etc. L'*s* même de *troi*(s), longtemps sonore, comme la consonne finale de tous les noms de nombre, a fini par s'amuir.

2° Après un *e*, l'*s* ne se prononce que dans *pataquès*, altération de *pat-à-qu'est-ce*[743]; dans des mots latins ou grecs: *facies*, *aspergès*, *hermès*, *palmarès*, *herpès*, *faire florès*, *népenthès*; dans les mots étrangers: *aloès* et *cacatoès*[744], *kermès*, *xérès*, *londrès*, *cortès*[745].

On ne doit donc pas plus prononcer l'*s* dans *profè*(s) que dans *progrè*(s), *succè*(s) ou *prè*(s). Il se prononce aujourd'hui, à grand tort d'ailleurs, dans *ès lettres*, *ès sciences* et autres expressions analogues, où figure un pluriel[746].

Après *ai*, comme après *oi*, l'*s* ne se prononce jamais: *jamai*(s), *j'aimai*(s), etc.[747].

3° Après un *i*, les exceptions sont plus nombreuses qu'après *a* ou *e*.

L'*s* s'est maintenu ou définitivement rétabli depuis plus ou moins longtemps dans *maïs*, *jadis*, *fi*(l)*s* et *lis* (y compris *fleur de lis* le plus souvent, malgré l'Académie); dans *métis*, *cassis*, *vis* (substantif) et *tournevis*[748]. La prononciation de ces mots sans *s* est tout à fait surannée; on ne peut plus la conserver que pour les nécessités de la rime, et encore![749].

Les autres mots où l'*s* se prononce sont des mots grecs ou latins: *bis* (ne pas confondre avec l'adjectif), *ibis*, *de profundis*, *volubilis*, *in extremis*, *tamaris*, *iris*, *ex libris*, *corylopsis*, *oasis*, *mitis*, *gratis*, *myosotis*; ou des mots étrangers: *maravédis* (et encore pas toujours), *tennis*, et les vieux jurons gascons *cadédis* ou *sandis*[750].

On peut y joindre *spahis*. Les dictionnaires ont conservé *spahi*, qui est assurément plus correct, étant un doublet de *cipaye*, et Loti s'en est contenté; mais l'armée d'Afrique a souvent dit *spahis*; c'est un fait, et comme il convient d'appeler les gens comme ils s'appellent eux-mêmes, je crois qu'on peut dire spahis plutôt que spahi, malgré l'autorité de Pierre Loti[751].

4° Après *eu*, l'*s* final ne se rencontre que dans des mots grecs et il s'y prononce; mais il n'y a de nom commun employé parfois que *basileus*[752].

5° Après *o*, le seul mot de la langue vulgaire où l'*s* se prononce est *os*; encore n'est-ce tout à fait correct qu'au singulier[753].

Les autres mots où l'*s* se prononce sont parfois d'origine latine, comme *salva nos* ou *nescio vos*, ou étrangère: *albatros*, puis *albinos* et *mérinos*, pluriels devenus singuliers, ainsi que le gascon *escampativos*[754].

Presque tous sont d'origine grecque: *atropos*, *paros*, *cosmos*, *tétanos*, *rhinocéros*, *ithos* et *pathos*, *lotos* et autres mots savants[755].

6° Après *ou*, l'*s* se prononce dans le monosyllabe *tous*, non suivi de l'article ou d'un substantif devant lequel l'article est sous-entendu, autrement dit quand *tous* est accentué: *ils viendront tous*, *tous viendront*, *un pour tous* et *tous pour un*, *tous debout* et même *tous soldats*, *soldats* étant ici une apposition; on dira au contraire *tou*(s) *les hommes*, ou *tou*(s) *soldats qui*...

Cette distinction très nette empêche toute confusion entre *ils ont tous dit* et *ils ont tou*(t) *dit*, *ils sont tous fiers* et *ils sont tou*(t) *fiers*, *ils savent tous ce qu'on a dit* et *ils savent tou*(t) *ce qu'on a dit*; mieux encore, entre *nous connaissons tous les livres de*... et *nous connaissons tou*(s) *les livres de*...

L's se prononce aussi dans les mots arabes *burnou*s et *couscou*s, et dans *négou*s, écrit aussi *négus*[756].

7° Après un *u*, l's final se prononce surtout dans un très grand nombre de mots latins ou qui peuvent passer pour tels: *angelu*s, *cactu*s, *calu*s, *carolu*s, *choru*s, *convolvulu*s, *crocu*s, *détritu*s[757], *eucalyptu*s, *fœtu*s, *hiatu*s, *humu*s, *in manu*s, *in partibu*s, *lapsu*s, *mordicu*s, *omnibu*s, *papyru*s, *orému*s, *prospectu*s, *rébu*s, *rictu*s, *sénatu*s-*consulte*, *sinu*s et *cosinu*s, *typhu*s, *viru*s, etc., dans *blocu*s et *négu*s, mots étrangers, sans parler des mots familiers qui se sont formés sur l'analogie des mots latins, comme *laïu*s, *motu*s, *olibriu*s, *quitu*s ou *rasibu*s, avec *gibu*s.

Dans les mots proprement français, l's ne se prononce pas[758]. *Obu*s lui-même, où l's se prononce régulièrement avec le son doux (*obuse*), peut-être par l'analogie d'*obu*sier, s'est si bien francisé que dans l'armée on prononce régulièrement *obu*, qui est donc devenu la meilleure prononciation. La seule prononciation qui ne vaille rien du tout, c'est *obusse*.

Pourtant l's se retrouve dans deux ou trois mots.

Quoique l's d'*abu*(s) ne se prononce pas, le monosyllabe *us* paraît avoir repris assez généralement le sien, sans doute en qualité de monosyllabe réduit à une voyelle, et pour s'élargir un peu; mais ce mot ne s'emploie guère que dans l'expression *us et coutumes*, où la liaison se fait tout aussi bien avec un *s* doux: *u*(s) z*et coutumes*.

D'autre part, la prononciation de *plus* est assez délicate et assez variable.

On ne prononce jamais l's dans la négation *ne*... *plu*(s): *je n'en veux plu*(s) et de même *sans plu*(s)[759]; ni dans les comparatifs ou superlatifs: *plu*(s) *grand*, *le plu*(s) *grand*, *plu*(s) *justement*, *j'ai plu*(s) *fait que vous ne pensez*, *une plu*(s)-*value*; ni devant *de*, dans tous les sens: *plu*(s) *de monde*, *plu*(s) *d'amour*; ni quand il est répété: *plu*(s) *j'en ai*, *plu*(s) *j'en veux*, ou opposé à *moins*: *plu*(s) *j'en ai*, *moins j'en veux*, ou *ni plu*(s) *ni moins*[760].

Mais quand *plus* est suivi immédiatement de *que*, on prononce volontiers l's, sauf après *pas* ou *d'autant*: *pas plu*(s) *que vous*, *d'autant plu*(s) *que je ne sais si...*, mais *j'ai fait plu*(s) *ou plu*s *que vous ne pensez*, *j'ai cinq ans de plu*(s) *ou de plu*s *que lui*.

On le prononce aussi quand *plus* est séparé par *que* d'un adjectif ou d'un adverbe: *plu*s *que content*, à côté de *plu*(s) *content*; *plu*s *qu'à moitié*, à côté de *plu*(s) *d'à moitié*; mais surtout on prononce régulièrement et nécessairement l's de *plu*s-*que-parfait*, malgré la résistance de beaucoup d'instituteurs et d'institutrices: *plu*(s)-*que-parfait* est tout à fait suranné.

On prononce également l's dans les opérations de l'arithmétique ou de l'algèbre: *le signe plu*s, *deux plu*s *deux égalent quatre, plu*s *par plu*s *donne plu*s.

Enfin, d'une façon générale, sauf dans *ne... plu*(s) et *de plus en plu*(s), il y a une tendance à prononcer l's quand *plus* est final. A vrai dire, *rien de plu*(s) vaut mieux que *rien de plu*s, sans doute à cause de la négation; et dans le style tragique, *je te dirai bien plu*(s), *il y va de bien plu*(s), semblent encore s'imposer; mais on dira très bien, surtout dans le langage familier, *il y a plu*s ou *trois jours au plu*s; on dira même nécessairement: *plu*s... *un lit*, et même, quoique moins bien, *de plu*s... *un lit*, ou *de plu*s, *je n'en crois rien*, ou encore *après mille ans et plu*s, sauf en vers, s'il y a une suite:

Après mille ans et plu(s) de guerre déclarée

L'analogie de *plus* s'est exercée sur *sus*, dont on prononce souvent l's dans *en su*s, comme dans *en plu*s. Mais à part l'expression *en sus*, le mot est généralement suivi de *a*, ce qui amène une liaison; il en résulte que beaucoup de personnes prononcent *courir su*s avec l's, mais c'est une prononciation discutable[761].

8° Après les voyelles nasales, l's final n'est pas moins muet qu'après les voyelles orales: *dan*(s), *céan*(s), *san*(s), *gen*(s), *repen*(s), *consen*(s), *plain*(s), *étein*(s), *tien*(s), *vien*(s), *moin*(s), *aimon*(s), etc. Il faut donc éviter *moinsse* avec le plus grand soin, et aussi *gensse*[762].

Pourtant le mot *sens* a repris peu à peu son *s* dans presque tous les cas: *bon sen*(s) ou *contresen*(s), qui ont résisté longtemps, ont à peu près disparu[763]; *sen*(s) *commun* lui-même, qui s'est conservé plus longtemps et tient encore, sans doute parce que la prononciation de l's y est entravée par la consonne qui suit, est déjà néanmoins fort atteint, et sans doute destiné à disparaître. Il ne restera bientôt plus que *sen*(s) *dessus dessous* et *sen*(s) *devant derrière*, qui justement sont sans rapport avec *sens*[764].

On prononce également l's dans *mon*s pour *monsieur*, dans le mot savant *cen*s, dans le vieux mot *ain*s, et dans les mots latins où *en* sonne *in*: *gen*s, *delirium tremen*s, *semperviren*s, etc., sur l'analogie desquels Labiche a formé *labaden*s[765].

9° Après les consonnes, il faut distinguer, suivant la consonne qui précède.

Quand l's est séparé de la voyelle *par une consonne non articulée*, il ne se prononce pas non plus: *ga*(rs), *la*(cs) et *entrela*(cs), *poi*(ds), *le*(gs) et *me*(ts), *pui*(ts), *pou*(ls), *tem*(ps) et *défen*(ds), *rom*(ps) et *fon*(ds), *cor*(ps) et *remor*(ds)[766].

Ceux même qui prononcent à tort le *g* de *le*(gs) ne vont pas jusqu'à prononcer l'*s*. La seule exception est *fi*(l)s, que nous avons vu à l'*i*.

En revanche, à part *cor*(ps), le groupe final *ps* se prononce toujours entier, parce qu'il n'appartient pas à des mots proprement français: *la*ps et *rela*ps, *schna*ps, *re*ps, *se*ps, *bice*ps, *prince*ps, *force*ps, *éthio*ps et *anchilo*ps.

On articule aussi intégralement *ra*ms et *auro*chs (aurox). On notera seulement la tendance qui se manifeste, notamment chez Victor Hugo, à remplacer *auro*chs par *auro*ch: en ce cas, le pluriel se prononce comme le singulier; mais c'est *auro*chs qui est le vrai mot[767].

D'autre part, quand l'*s* est séparé de la voyelle *par un r*, l'*r* se prononce toujours[768]; mais l'*s* ne se prononce pas: *unive*r(s), *alo*r(s), *toujou*r(s), *ailleu*r(s), etc. Il faut éviter avec grand soin de prononcer *alorsse*, quoiqu'on prononce l'*s* dans le composé *lor*sque. Le substantif *cour*(s) se prononce de même sans *s*.

Il y a pourtant trois exceptions: le mot *mar*s a repris son *s* depuis longtemps[769]; les mots *mœur*s et *our*s ont repris le leur au dernier siècle, et il n'est plus possible de le supprimer qu'en vers, pour l'harmonie, et surtout quand la rime l'exige[770].

2° L'S intérieur.

Dans le corps des mots, l'*s* se prononce presque toujours, mais quand il se prononce, il est tantôt dur ou sourd, ce qui est le son normal, tantôt doux ou sonore.

I.—**Devant une consonne**, l'*s* se prononce partout en principe, et toujours ou presque toujours avec le son dur: les *s* qui ne se prononçaient pas ont en effet disparu de l'orthographe. Il se prononce ainsi même à la fin des mots: *fi*s*c*, *bu*s*c*, *mu*s*c* et les mots en **-st**[771].

Mais tous ces mots où l'*s* se prononce devant une consonne sont en réalité des mots d'emprunt, ou bien des mots que l'orthographe a altérés en y restaurant un *s* autrefois muet[772].

Par analogie, l'*s* se prononce depuis longtemps même dans *lor*sque, *pre*sque, *pui*sque, malgré l'étymologie *lor*(s), *prè*(s), *pui*(s), parce que les éléments se sont fondus en un mot unique, comme dans *ju*sque; mais *tandi*(s) *que* n'est pas dans le même cas, les composants étant encore distincts: il vaut donc mieux éviter d'y prononcer l'*s*.

L'*s* se prononce aussi dans *su*s*dit*, qui s'écrit en un seul mot, mais non dans *su*s-*tonique* et *su*s-*dominante*, qui s'écrivent en deux. Il me paraît choquant dans *su*s*nommé* et *su*s*mentionné*, qui pourraient bien se prononcer comme les précédents.

Dans les mots composés commençant par les articles *les* et *des* ou l'adjectif possessif *mes*, ces monosyllabes sont demeurés distincts, et l's ne s'y prononce pas: *le*(s)*quels*, *de*(s)*quels*, *me*(s)*dames*[773].

Il y a aussi un mot simple où l's intérieur, muet devant une consonne, a été conservé dans l'écriture, probablement par oubli, tous ceux qui étaient dans le même cas ayant été éliminés: c'est *cheve*(s)*ne*, résidu singulier d'une orthographe disparue[774].

Aux mots commençant par un *s* suivi d'une sourde, *c*, *p*, *t*, le peuple, surtout dans le Midi, ajoute volontiers l'*e* prosthétique des grammairiens: es*tatue*. Cela n'est sans doute point à imiter[775].

Dans le groupe *sc*, qu'on ne trouve que dans les mots relativement récents ou qui ont repris des lettres abolies, les deux consonnes se prononcent sans difficulté devant *a, o, u*: es-c*argot*, es-c*ompte*, sc*olaire*, sc*ulpture*.

Devant *e* et *i*, on entend généralement deux *s*: *a*s-c*ète*, *tran*s-c*endant*, *la*s-c*if*, *re*s-c*inder*[776].

Toutefois on ne peut entendre qu'un *s* en tête des mots: *un s*(c)*eau*, *une s*(c)*ie*[777]. On n'entend qu'un *s* aussi (ou un *c*) à l'intérieur d'un certain nombre de mots: d'abord *ob*(s)*cène* et *ob*(s)*cénité*, où il est difficile de faire autrement; puis *fa*(s)*cé*, de *fa*(s)*ce*, terme de blason[778]; *de*(s)*cendre* et ses dérivés; *con*(s)*cience* et ses dérivés, quoiqu'on entende généralement deux *s* dans *e*s-c*ient*, *pre*s-c*ience* et *con*s-c*ient*; enfin *di*(s)*ciple* et *di*(s)*cipline* avec ses dérivés; et l'on peut encore y joindre, si l'on veut, *a*(s)*censeur* et *a*(s)*cension* (surtout la fête), *di*(s)*cerner* et *di*(s)*cernement*, *su*(s)*ceptible* et *su*(s)*citer*.

Nous avons vu déjà que l'*s* prenait naturellement le son doux du *z*, par accommodation, devant une douce, *b, d, g, v* et *j*: s*bire* et *pre*s*byte*, *péla*s*gique* et *di*s*joindre*, *tran*s*gresser*, s*velte* ou *tran*s*versal*. C'est là un phénomène spontané pour lequel il ne faut aucun effort, aucune étude[779]. L'*s* prend souvent aussi le même son dans les mots en *-isme* comme *rhumati*s*me* (izme) ou même en -*asme*; mais ceci s'impose beaucoup moins[780].

II. **Entre consonne et voyelle**, l'*s* est encore dur en principe.

Il est dur notamment après un *r*: *sur*-s*eoir* et *sur*-s*is* (et non *surzis*), *traver*-s*in*, *subver*-s*if*, etc.; mais il est doux dans *jer*s*ey*[781].

Il est doux entre *l* et *a*, dans *bal*s*amique* et les mots de cette famille[782].

On a vu que l'accommodation changeait le *b* en *p* dans les mots qui commencent par *abs-* et *obs-*, et aussi *subs-*, mais sauf devant *i*. En effet, dans *subsister*, l'accommodation paraît être plus souvent régressive, c'est-à-dire que c'est la seconde consonne qui s'accommode à la première: *subzister* plutôt que *supsister*, et de même *subzistance*, sans doute par l'analogie de *désister*, *exister* et *résister*, dont nous allons parler dans un instant[783].

Il en est de même le plus souvent dans *subside* et *subsidiaire*[784].

Au contraire, c'est le *b* qui se change normalement en *p* dans *abside* et dans *subséquent*[785].

III. **Entre deux voyelles** *dont la première n'est pas nasale*, l'*s* prend régulièrement le son doux, quelle que soit l'étymologie: *rose*, *vase*, *cytise*, *basilique*, *vasistas*, *philosophe*, *misanthrope*, etc.[786]. Il prend le son doux même dans les préfixes à *s* final *dés-* et *més-*, et cela peut passer pour une liaison naturelle: *dés-unir*, *dés-armer*, *més-user*, *més-intelligence*, etc.[787]. Pourtant l'*s* est resté dur dans *dys-enterie* et *dys-entérique*[788].

L'*s* prend encore le son doux, et ceci pourrait surprendre, dans *dé-signer* et *se dé-sister* (sans parler de *désoler*), et généralement après les préfixes *ré-* et *pré-*: *ré-server* et *pré-server*, *ré-sider* et *pré-sider*, *ré-solution*, *ré-sonance*, *ré-sumer* et *pré-sumer*, *présage*, *pré-somption*, etc. Cela tient à ce que, dans ces mots, le simple a disparu, ou bien il est resté avec un sens très différent: dans les deux cas, le composé est traité comme un mot simple.

Il en est de même du mot *abasourdir*, où l'élément *sourd* a pu être méconnu, et par l'absence d'un préfixe usité, et à cause du sens abstrait qu'a pris le mot.

Néanmoins, l'*s* reste dur dans certains cas, avec ou sans préfixe, et beaucoup plus souvent qu'on ne croit:

1° Après les préfixes *pré-*, *ré-* et *dé-* eux-mêmes, dans *pré-séance* et *pré-supposer*, sans doute parce qu'ici le simple est trop connu pour s'altérer; dans *pré-su* (le mot est dans Pascal); dans *ré-section* et *ré-séquer*, *dé-suet* et *dé-suétude*, qui gardent la prononciation du latin.

2° Et cette fois sans exception, à la suite de toute une série de préfixes qui restent toujours distincts du mot principal: *a-*, dans *a-septique*, *a-symétrie* ou *a-symptote*; *para-*, dans *para-sélène* et *para-sol* (malgré l'*s* doux de *para-site*, vieux mot dont le simple n'existe pas); *contre-* et *entre-*, dans *contre-sens*, *contre-seing*, *contre-signer* et *contre-sol*, *s'entre-secourir* ou *s'entre-suivre*, et *entre-sol*; *anti-*, dans *anti-social* ou *anti-septique*; *co-* et *pro-*, dans *co-seigneur*, *co-signataire*, *co-sinus* ou *co-*

sécante, et *pro-secteur*, *uni-*, *bi-* et *tri-*, *proto-* et *deuto-*, etc., dans *uni-sexuel* et une foule de composés chimiques, botaniques ou même mathématiques[789]; plusieurs autres encore, qui marquent également le nombre, surtout dans le vocabulaire grammatical: *mono-syllabe* et *mono-syllabique*, *tétra-syllabe*, *déca-syllabe*, etc., *poly-syllabe* et *poly-synodie*, *pari-syllabique* et *impari-syllabique*[790].

3° Dans quelques mots composés à éléments mal soudés, quoique liés dans l'écriture: *tournesol* et *girasol*, *soubresaut*, *havresac*, *vraisemblable* et *vraisemblance*, *présalé*, *vivisection*, *gymnosophiste*, *idiosyncrasie*, *petrosilex*, *sanguisorbe*, etc.[791].

4° Dans quelques mots simples, exclusivement savants et techniques, où l'on conserve la prononciation d'origine, comme *thésis* ou *basileus*.

5° Dans une onomatopée comme *susurrer*, *susurrement*, que les dictionnaires altèrent fort mal à propos[792].

6° Enfin dans quelques mots étrangers plus ou moins employés, l'adoucissement de l'*s* entre deux voyelles étant propre au français: ainsi le grec *kyrie eleison*, ou l'italien *impresario*, à demi francisé d'ailleurs, puisqu'on nasalise *im*[793]. Pourtant l'*s* s'est adouci dans l'espagnol *brasero* et l'italien *risoluto* ou *fantasia*, apparemment par l'analogie de *brasier*, *résolution*, *fantaisie*[794].

IV. Entre une voyelle nasale et une autre voyelle, l'*s* reste dur, parce qu'autrefois l'*n* se prononçait: *anse*, *penser*, *pension*, *encenser*, *insigne*, *considérer*, etc., et même *insister*, malgré l'*s* doux de *résister* et des autres.

Toutefois, avec le préfixe ***trans-***, on a encore un phénomène de liaison, comme avec *dés-* et *més-*, et c'est un *z* qu'on entend, sans exception, dans *transalpin*, *transaction*, *transatlantique*, *transiger*, *transit*, *transitaire*, *transitif*, *transition*, *transitoire*, *transhumer* et *transhumance*.

Mais l'*s* du substantif *transe* est nécessairement dur, comme dans toutes les finales en *-anse*, et il se maintient encore dur tant bien que mal dans *transi* et *transir*, très fréquemment altérés par le voisinage de *transit*. *Transept* a aussi l'*s* dur, étant pour *transsept*[795].

On entend quelquefois, mais à tort, l'*s* doux dans *in-surrection*, par analogie avec *résurrection*.

Enfin l'*s* est doux dans *nansouk*[796].

3° L'S double.

L'**s** *double* final se prononce comme l'*s* dur, mais il abrège la voyelle qui précède: *ray-grass*, *mess*, *express*, *miss*, etc.

L's double intérieur, qui n'a jamais le son doux, représente d'abord assez souvent un *s* simple, qu'on a doublé après un *e* dans certains composés, uniquement pour empêcher que le son doux ne remplace mal à propos le son dur, entre deux voyelles.

Nous avons vu tout à l'heure qu'après *é fermé* on se contentait souvent d'un seul *s* en pareil cas, malgré le danger d'adoucissement: *pré-séance*, *dé-suet*; mais on écrit avec deux *s*, et peu de logique, *pre*(s)*sentir* et *pre*(s)*sentiment*[797].

Après un *e* muet, un seul *s* a suffi encore, dans quelques composés cités plus haut, comme *entre*sol, *havre*sac ou *soubre*saut; mais on met deux *s* à *re*(s)*saut* et à *re*(s)*sauter*, et partout après le préfixe *re*-, dans les mots de la langue écrite: *re*(s)*sembler*, *re*(s)*sentir*, *re*(s)*sort*, *re*(s)*source*, etc.[798], ainsi que dans *de*(s)*sus* et *de*(s)*sous*, sans compter *re*(s)*susciter*, dont l'*e* est fermé. Je ne sais si cet emploi de l'*s* double après le préfixe *re*- est très heureux, car s'il fait respecter le son de l'*s*, en revanche il fait altérer malencontreusement à beaucoup de personnes la prononciation de l'*e muet* lui-même, et le mal n'est guère moindre[799].

Il va sans dire que dans tous ces mots, que l'*e* soit fermé ou muet, on ne peut prononcer qu'un seul *s*, puisque l'*s* ajouté n'y est en quelque sorte qu'un signe orthographique conventionnel, destiné à maintenir le son dur ou sourd.

Mais on peut aller plus loin, et dire qu'en français, d'une façon générale, entre deux voyelles, *l's simple est un s doux et l's double un s dur.*

Cette distinction très nette a peut-être contribué à maintenir généralement la prononciation d'un *s* simple quand il y en a deux. Toujours est-il que l'*s* double se prononce simple beaucoup plus souvent que les liquides *l*, *m*, *n*, *r*, malgré la tendance générale que nous avons signalée si souvent. Il est rare qu'on prononce deux *s* dans les mots d'usage courant, qui sont très nombreux, et peut-être même ne l'a-t-on jamais fait dans les mots tels que *a*(s)*seoir*, *pa*(s)*sage*, *va*(s)*sal*, *ma*(s)*sacre*, *e*(s)*sai*, *e*(s)*suyer*, *me*(s)*sie*, *me*(s)*sage*, *i*(s)*su*, *bo*(s)*su*, *fau*(s)*saire*, *bou*(s)*sole*, *hu*(s)*sard*, etc. L'*s* reste simple notamment dans tous les composés de *des*-, comme *de*(s)*saler*, *de*(s)*serrer*, *de*(s)*souder*, et dans tous les mots en *-seur*, *-sion*, *-soir* ou *-soire*, quelle que soit la voyelle précédente: *embra*(s)*seur*, *oppre*(s)*seur*, *régi*(s)*seur* ou *endo*(s)*seur*, *pa*(s)*sion*, *pre*(s)*sion*, *commi*(s)*sion* ou *percu*(s)*sion*, *pre*(s)*soir* ou *acce*(s)*soire*.

Il y a pourtant des exceptions, cela va sans dire aussi notamment pour les préfices **as-** et **dis-**[800].

1° Le préfixe ***as-*** étant plus populaire que savant, dans tous les composés, sauf *as-similer* et ses dérivés, on devrait ne prononcer qu'un *s*[801]. Toutefois, je ne vois guère que *a*(s)*saut*, *a*(s)*sembler* et *a*(s)*semblage*, *a*(s)*seoir*, *a*(s)*siéger*, *a*(s)*siette* et *a*(s)*sise*, *a*(s)*sez*, *a*(s)*surer* et ses dérivés, qui soient à peu près intacts. Les plus atteints sont *as*-s*agir*, *as*-s*ainir*, *as*-s*écher*, *as*-s*éner* (pour *a*(s)s*ener*), *as*-s*entiment*, *as*-s*ermenté*, *as*sertion, *as*-s*ervir*, *as*-s*idu* et *as*-s*iduité*, *as*-s*igner* et *as*-s*ignation*, *as*-s*ombrir*, *as*-s*omption*, *as*-s*onance*, *as*-s*ourdir*, *as*-s*ouvir* et *as*-s*umer*. Mais pas plus dans ceux-là que dans les autres, il n'est indispensable de prononcer deux *s*.

2° Au contraire, le préfixe **dis-** étant expressément un préfixe savant, les composés font entendre généralement deux *s*. Il n'y a d'exception incontestable que pour *di*(s)s*iper* et ses dérivés et *di*(s)s*oudre*[802]; mais on fera bien de prononcer aussi avec un seul *s di*(s)s*olu*[803], *di*(s)s*erter* et *di*(s)s*ertation*, *di*(s)s*imuler* et *di*(s)s*imulation*[804], voire même *di*(s)s*éminer*, *di*(s)s*ension* ou *di*(s)s*entiment*, ces mots étant d'un usage fort général[805].

3° Aux préfixes *as*- et *dis*- on peut ajouter **intus-** et **trans-**, dans *intus*-s*usception*, *tran*s-s*udation* ou *tran*s-s*ubstantiation*.

4° Il n'y a plus qu'un certain nombre de mots plus ou moins savants où l'on prononce deux *s*: *as*-s*a fœtida*, *pa*s-s*ible* et *impa*s-s*ible*, *pa*s-s*if* et ses dérivés (sauf en grammaire) et *pa*s-s*iflore*, *cla*s-s*ification* et quelquefois *cla*s-s*ique*, et aussi *jura*s-s*ique*[806];—*te*s-s*ère* et *pe*s-s*aire*, *e*s-s*ence* (au sens figuré) et ses dérivés, *ince*s-s*ible* et *immarce*s-s*ible*, et les composés en *pre*s-s*ible*; *congre*s-s*iste* et *progre*s-s*iste*, qui, avec *proce*s-s*us*, réagissent sur *progre*s-s*if*, *proce*s-s*if* et quelques mots en-*essif*; *me*s-s*idor*, *se*s-s*ile*, *pe*s-s*imiste* et *pe*s-s*imisme*, et au besoin *e*s-s*oufflé* ou *e*s-s*aimer*;—les mots en *i*s-s*ible* et leurs dérivés, et, si l'on veut, les mots en *i*s-s*ime* et *i*s-s*imo*, avec *commi*s-s*oire*, *fi*s-s*ipare* et *fi*s-s*ipède*, et *by*s-s*us*, auxquels on joint quelquefois *fi*s-s*ure* et *bi*s-s*extile*;—enfin *glo*s-s*aire*, *o*s-s*ature*, *o*s-s*ification*, *o*s-s*uaire* et quelquefois *o*s-s*eux*, avec *fo*s-s*ile* et *opo*s-s*um*[807].

*

* *

Nous savons que le groupe anglais **sh** équivaut au *ch* français à toute place: sh*elling*, sh*ocking* ou sh*ampoing*, *engli*sh, *mackinto*sh ou *stockfi*sh[808]. À la vérité *fa*sh*ion* se prononçait aussi bien *fazion* à la française, que *facheune*, à l'anglaise, et de même *fa*sh*ionable*; mais ces deux mots sont tout à fait tombés en désuétude.

C'est aussi au *ch* français que correspondent le groupe germanique **sch**[809], le danois **sj**, le polonais **sz** et l'**s** hongrois[810].

T

1° Le T final.

A la fin des mots, le **t**, comme l'*s*, en principe ne se prononce pas: *acha*(t), *avoca*(t), *étroi*(t), *bonne*(t), *livre*(t), *tombai*(t), *crédi*(t), *peti*(t), *calico*(t), *tripo*(t), *prévô*(t), *défau*(t), *ragou*(t), *institu*(t), *cha*(t)*-huan*(t), *vacan*(t), *accen*(t), *événemen*(t), *sain*(t), *poin*(t), *fron*(t), *défun*(t), *dépar*(t), *concer*(t), *transpor*(t), *meur*(t), *accour*(t), etc., etc.[811]. Les exceptions sont même beaucoup plus rares que pour l'*s* parmi les mots proprement français. Naturellement elles affectent surtout des monosyllabes, qui sont en quelque sorte renforcés ou élargis par cette prononciation.

1° Après *a*, il n'y a que les adjectifs *fa*t et *ma*t, avec les termes d'échecs *ma*t et *pa*t; *adéqua*(t) et *immédia*(t) n'en sont plus, ni *opia*(t), quoique l'Académie ait encore maintenu le *t* en 1878.

Il faut ajouter cependant les mots latins, *exea*t, *fia*t, *staba*t, *magnifica*t, *viva*t, qui ne sont pas en voie de se franciser dans la prononciation; on entend bien parfois *des viva*(ts), mais c'est une fâcheuse analogie, amenée sans doute par le pluriel[812].

Après *oi*, il n'y a rien, pas plus *doi*(gt) que *adroi*(t) ou *pourvoi*(t). Toutefois, quand *soit* est employé seul, on fait volontiers sonner le *t*, pour renforcer le mot, comme on l'a déjà vu ailleurs.

2° Après *e*, il n'y a que *ne*t, *fre*t et *se*(p)t.

Pour *ne*t, il ne saurait y avoir de discussion[813].

Pour *fre*t, tous les dictionnaires maintiennent *fre*(t). Ils pourraient peut-être se corriger, parce que la marine marchande ignore absolument cette prononciation: or quel est l'usage qui doit prévaloir ici, sinon précisément celui de la marine marchande?

Enfin, pour *se*(p)t, il faut naturellement dire *sè* devant un pluriel commençant par une consonne: *se*(pt) *sous*, *se*(pt) *cents*, *se*(pt) *mille*[814]. Malheureusement nos cuisinières, marchands et comptables ne connaissent guère d'autre prononciation que *se*(p)t, en toute circonstance, sous le fallacieux prétexte que l'on pourrait confondre *se*(pt) *sous* et *se*(pt) *cents* avec *seize sous* et *seize cents*! Et leur prononciation a passé peu à peu de la cuisine à la salle à manger, du comptoir au salon. Essayons encore de réagir si nous pouvons, mais je crains fort qu'il ne faille bientôt céder sur ce point[815].

A *ne*t, *fre*t et *se*(p)t on fera bien de ne pas ajouter *juille*t, pas plus qu'*alphabe*t, la prononciation du *t* dans ces mots étant surannée ou dialectale. Quant à *ce*t, il ne s'écrit que devant une voyelle, et nécessairement il se lie.

On prononce naturellement le *t* dans quelques mots latins ou étrangers: et *cetera*[816], *hic* et *nunc*, *hic jace*t, *lice*t, *tace*t, *clare*t, et *water-close*t; mais *débe*(t) et *place*(t) sont francisés depuis fort longtemps; *croque*(t), *cricke*(t), *ticke*(t) le sont aussi, et même *pick-pocke*(t), et souvent *water-close*(t)[817].

Après **ai**, il n'y a pas d'exceptions, sauf une tendance très marquée à faire sentir le *t* du substantif *fai*t, au singulier, surtout quand il est final ou accentué: *en fai*t, *au fai*t, *par le fai*t, *voie de fai*t, *voici le fai*t, *il est de fai*t, *je mets en fai*t, *je l'ai pris sur le fai*t, *c'est un fai*t, et même *c'est un fai*t constant, *c'est le fai*t *d'un honnête homme*, *le fai*t de mentir, *le fai*t *du prince*; mais on ne doit jamais faire sentir le *t* au pluriel, ni dans *fai*t *divers*, singulier identique au pluriel, ni dans *en fai*t de ou *tout à fai*t.

3° Après *i*, le *t* sonne encore presque toujours dans les mots qui viennent de mots latins en *-itus* et *-itum*: *coï*t, *introï*t, *obi*t, *bardi*t, *aconi*t, *ri*t (même mot que rite), *prétéri*t, *pruri*t et *transi*t; mais on a cessé généralement de le prononcer dans *subi*(t) aussi bien que dans *gratui*(t). Il en est de même dans *ci-gî*(t). On le prononce encore le plus souvent dans *grani*t, mais *grani*(t) se répand.

On le prononce aussi, naturellement, dans *hui*t, avec la seule restriction, toujours la même, des pluriels commençant par des consonnes: *page hui*t, *in-dix-hui*t, *le hui*t *mai*, et aussi, par liaison, *hui*t *hommes*, mais *hui*(t) *sous*, *hui*(t) *cents*, *hui*(t) *mille*[818].

Enfin il doit toujours sonner dans les mots latins, francisés ou non, dans *accessi*t, *satisfeci*t et même *défici*t, malgré l'usage de quelques personnes, aussi bien que dans *incipi*t, *suffici*t, *explici*t, *exi*t et *affidavi*t, ainsi que dans *voorui*t et *dead-hea*t[819].

4° Après *o*, le *t* ne sonne plus aujourd'hui que dans *dot*, où il ouvre l'*o*, bien entendu. Cette exception paraît venir de ce que le mot avait autrefois deux formes, un masculin *do*(t) et un féminin *dote* (cf. *aubépin* et *aubépine*); le féminin se serait ici conservé avec l'orthographe du masculin. C'est d'ailleurs le seul mot en *-ot* qui soit féminin. Quoi qu'il en soit, la prononciation *do*(t) est aujourd'hui particulière au sud-ouest[820].

5° Dans les finales *-aut* et *-ault*, le *t* ne sonne jamais[821]; pas davantage dans *-eut*, ni dans *-out* et *-oult*, les mots étrangers, *lock-out*, *vermout*, *knout*, *raout* et *stout*, mais non *racahou*(t).

Surtout il ne doit pas plus sonner dans (a)*oû*(t) que dans *debou*(t), malgré l'usage de quelques provinces[822].

6° **Après** *u*, le *t* final sonne toujours dans un certain nombre de mots savants: *azimut*, *cajeput*, *occiput*, *sinciput* et *comput*, avec *ut* et *caput*; quelquefois aussi, mais à tort, dans *scorbu*(t) et *précipu*(t); de plus, dans les interjections *chut* et *zut*, et dans les monosyllabes *lut*, *rut* et *brut*[823]. La province y ajoute généralement un autre monosyllabe, *but*, malgré *débu*(t), mais à Paris on prononce toujours *bu*(t)[824].

7° **Après les voyelles nasales** (les mots en *-ant* et *-ent* sont particulièrement innombrables), le *t* ne sonne pas plus en français qu'après les voyelles orales, même si une autre consonne s'intercale, comme dans *exem*(pt), *vin*(gt), *prom*(pt), *rom*(pt), *corrom*(pt), *interrom*(pt).

Il a longtemps sonné dans *ving*(t), comme sonnaient l'*s* et l'*x* de *trois* et *deux*, conformément à l'usage de tous les noms de nombre; c'est aussi incorrect aujourd'hui que le serait *cente* pour *cen*(t), qui ne semble pas avoir jamais été dit. Toutefois le *t* de *vingt* sonne encore dans *vin*(g)t *et un*, par liaison, et aussi dans *vin*(g)t-*deux*, *vin*(g)t-*trois*, etc., malgré la consonne qui suit, soit par un souvenir de *vin*(g)t *et deux*, *vin*(g)t *et trois*, où se faisait la liaison, soit plutôt par analogie avec *trente-deux*, *quarante-quatre*, *cinquante-sept*, etc. Mais il ne sonne pas dans *quatre-vin*(gt)-*un*, -*deux*, -*trois*, etc., et cela se comprend: s'il sonnait par exemple dans *quatre-vingt-trois*, ce serait *quatre fois vingt-trois*, et non *quatre fois vingt plus trois*; il y a des siècles que cette distinction a été faite inconsciemment. Il est vrai que tous ces *t*, devant *deux*, deviennent nécessairement des *d*: *vind deux*; ce n'est pas une raison cependant pour prononcer *vin*(g)te-*deux*[825].

Le *t* sonne encore dans quelques mots étrangers, comme *cant* ou *pippermint*[826].

8° **Restent** *les consonnes*. Le *t* ne sonne pas après un *r*: *écar*(t), *exper*(t), *ressor*(t), *cour*(t), et aussi *heur*(t), où il a longtemps sonné; *spor*(t) lui même est francisé, et *dog-car*(t) à peu près; mais *flirt* garde son *t*, même quand on le francise[827]. En revanche, le *t* sonne après et avec les consonnes *c*, *l*, *p*, *s*.

Pour les mots en **-ct**, nous avons vu plus haut qu'il ne fallait plus excepter que les mots en **-spect**, *ami*(ct) et *instin*(ct), mais non *exa*ct, *abje*ct, *verdi*ct, *distri*ct, *succin*ct et *distin*ct, ni aucun autre[828].

Les mots en **lt** ne sont pas des mots français: *coba*lt, *ma*lt, *sma*lt, *spa*lt, *ve*ldt, *vo*lt, sauf le vieux mot *mou*lt, et *indu*lt, où l'orthographe a rétabli la prononciation disparue de *lt*[829].

Si des mots en **pt** nous éliminons *se*(p)t, examiné tout à l'heure, où le *p* ne sonne pas, et les mots en *-empt* et *-ompt*, où ne sonnent ni *p* ni *t*, il reste trois ou quatre mots savants où les deux consonnes se prononcent: *ra*pt, qui a longtemps flotté, *conce*pt, *transe*pt et *abru*pt[830].

Le groupe final **st** se prononce dans quelques mots, la plupart étrangers: *ha*st (armes d'), *balla*st, *to*(a)st, *e*st et *oue*st, *le*st, *zi*st et *ze*st, *whi*st, *o*st et souvent *compo*st. Il est muet dans le verbe *e*(st)[831].

Ajoutons pour terminer que l'*h* après le *t* final, qui d'ailleurs est toujours d'origine étrangère, ne change rien en français au son du *t*; mais naturellement le *t* suivi d'un *h* se prononce toujours: *feldspa*th, *ane*th, *zéni*th, *mammou*th, *lu*th et *bismu*th[832].

2° Le T intérieur et le groupe TI.

Dans le corps des mots, le **t** se maintient difficilement entre deux consonnes, si la dernière n'est pas un *r*, comme dans *astra*l. Aussi est-il devenu muet dans *as*(th)*me* et *as*(th)*matique*, *is*(th)*me* et *is*(th)*mique*, et même *pos*(t-s)*criptum* et parfois *pos*(t)*dater*: c'est toujours la répugnance du français à prononcer trois consonnes consécutives qui ne s'accommodent pas ensemble, et c'est ordinairement celle du milieu qui est alors écrasée entre les autres, à moins qu'elle ne soit un *s*[833].

Dans les mots en **-iste**, comme dans les mots en **isme**, le peuple laisse volontiers tomber la syllabe finale: *artis*(te), *anarchis*(te). Il dit de même *prétex*(te) ou *insec*(te): paresse de langage, qu'il faut éviter.

L'*h* ne change rien au *t*, bien entendu: t(h)*éâtre*, t(h)*on*, t(h)*ym*, *at*(h)*ée*, *got*(h)*ique*, etc.

*

* *

Mais la question la plus intéressante concernant le *t* intérieur est celle de son traitement devant l'*i* suivi d'une voyelle.

La règle générale n'est pas douteuse: *Devant un* i *suivi d'une autre voyelle, le* t *prend le son de l'*s *dur*[834].

Cette règle s'applique notamment à la plupart des mots en *-tie* et *-tien*, à presque tous les mots en *-tiaire*, *-tiel*, *-tieux*, *-tion*, avec tous leurs dérivés, et à une foule d'autres mots: *suprématie, inertie, béotien, tertiaire, torrentiel, ambitieux, nation, national,* etc., et aussi bien *nuptial, gentiane, spartiate, patient, patience, satiété, pétiole,* etc., etc.[835]

En réalité cette prononciation nous vient tout simplement de la prononciation adoptée depuis des siècles, à tort ou à raison, pour le latin[836]. Aussi appartient-elle essentiellement à des mots d'origine savante, tandis que les mots d'origine populaire conservent en principe le son normal du *t*, notamment quand l'*i* fait diphtongue étymologiquement avec un *e*, comme dans *pitié*.

On peut dire pourtant que la prononciation sifflante est la règle générale, d'abord parce que les mots de formation savante sont les plus nombreux, ensuite parce que les mots nouveaux ont ordinairement suivi l'analogie des précédents, et que les mots isolés qui sont restés en dehors de la règle tendent souvent à s'y soumettre. On constate même ce phénomène curieux d'une prononciation d'origine savante devenant populaire, et altérant par cela même d'autres mots savants, faute de pouvoir altérer les mots les plus usités.

J'ajoute qu'il est plus facile d'énumérer les exceptions que les cas où la règle s'applique, ainsi qu'on le fait parfois, non sans beaucoup d'omissions.

Les exceptions sont d'ailleurs nombreuses, et il y en a de toutes les sortes. On se rappelle la réponse de Nodier à Dupaty, qui prétendait qu'*entre deux i* le *t* avait toujours le son de l'*s*: «La règle est sans exceptions,» répondait-il à Nodier. Et Nodier de répliquer, du tac au tac: «Mon cher confrère, prenez *picié* de mon ignorance, et faites-moi l'*amicié* de me répéter seulement la *moicié* de ce que vous venez de dire.» Ceci se passait à l'Académie, où l'on peut croire que les rieurs ne furent pas pour Dupaty. Mais ce n'était là qu'un exemple, et il y a d'autres exceptions même entre deux *i*, sans compter les autres combinaisons, qui sont multiples[837].

I.—Il y a d'abord deux catégories de mots qu'il faut éliminer, parce que la prononciation sifflante est impossible ou à peu près. Ce sont:

1° *Tous les mots dans lesquels le **t** est déjà précédé d'une sifflante, s ou x,* ce qui empêche absolument le *t* de s'altérer, aussi bien en latin qu'en français: *bastion, question, immixtion* (une douzaine de mots en *-tion*); *dynastie, modestie, amnistie* (une douzaine de mots en *-tie*); *bestial, bestiole, vestiaire,* etc., etc.[838]

A cette catégorie appartiennent aussi *étiage*, *châtier* et *chrétien* avec sa famille, autrefois *estiage*, *chastier* et *chrestien*.

2° *Tous les imparfaits et subjonctifs présents*, où le *t* ne peut pas changer le son qu'il a dans les autres formes: *étais*, *étions*, *étiez*, *portais*, *portions*, *portiez*, que nous *mentions*, que vous *mentiez*, etc.[839].

De plus, pour le même motif, les participes féminins des verbes en *tir*: *sorti*, *sortie*, *anéanti*, *anéantie*, etc., avec les substantifs de formation française dérivés des mêmes verbes: *rôtie*, *garantie*, *partie*, *sortie*, et le féminin d'*apprenti*[840].

II.—Voici maintenant toute la collection des *mots d'origine populaire où -ti-* est suivi d'un e, *et où le groupe* **ie** *est une diphtongue étymologique*, le latin ayant à la place une voyelle unique, devant laquelle le *t* n'a pas pu s'altérer. Ce sont:

1° Les trois substantifs en **-tié**: *pitié*, *moitié*, *amitié*, avec *inimitié*[841];

2° Les adjectifs et substantifs en **-tier** ou **-tière**, à suffixe *-ier*, féminin *-ière*, comme *entier* ou *héritier*, *jarretière* ou *tabatière*: ils sont près de deux cents[842];

3° Les mots qui ont le suffixe **-ième**, à savoir *septième*, *huitième*, *vingtième*, etc., avec *quantième* ou *pénultième*[843];

4° Les formes verbales de *tenir* et ses composés, t*ient* ou con*tient*, dé*tiendra* on *maintiendrait*, avec les dérivés *entretien*, *maintien*, *soutien*[844];

5° Enfin les mots *tiède*, *tiers* et *tien*, où le *t* est initial, et *antienne*, où il ne l'est pas[845].

III.—Il y a encore un certain nombre de mots d'origines diverses.

1° Voici d'abord trois mots en **-tie**: *ortie*, d'origine populaire[846]; *sotie*, dérivé populaire de *sot*, qui avait deux *t* autrefois comme *sottise*, et qui a gardé sa prononciation en devenant savant; enfin *tutie*, qui ne vient pas du latin[847].

Épizootie est encore flottant[848].

2° Voici quelques mots plus ou moins savants, où **ti-** a résisté à l'analogie et a gardé la prononciation du grec: d'abord *éléphantiasis* ou *étiologie*, sans compter *tiare*; d'autre part tous les mots où le *t* est séparé de l'*i* par un *h*, ce *th* étant grec: *sympa*t(h)*ie, py*t(h)*ie, corin*t(h)*ien*; de sorte qu'ici non seulement l'*h* ne change rien au *t*, mais aide à le conserver intact[849].

Pourtant la tendance générale est telle que le mot *chrestoma*t(h)*ie* a été fortement altéré et l'est encore assez généralement; mais la prononciation correcte de ce mot savant, qui n'est pas latin, est *tie* et non *cie*, et les jeunes professeurs commencent à la restaurer.

3° Il y a encore les mots qui ont un préfixe en **-ti**, à savoir: d'une part le mot *centiare*, qui a gardé devant le mot *are* la prononciation uniforme du préfixe *centi-*, quoiqu'une diphtongue s'y soit formée dès le principe; d'autre part les mots commençant par le préfixe *anti-*, comme *anti*alcoolisme, où il n'y a point de diphtongue.

4° Restent quelques mots populaires d'origine inconnue: *galima*tias, qu'une étymologie fantaisiste a rattaché à *Ma*thias; *étioler, étiolement*, qui se rattachent peut-être à *éteule*; et aussi l'espagnol *pa*tio[850].

Cette énumération, qu'on trouvera ici pour la première fois, fut longue sans doute, mais celle des mots où le *t* est sifflant l'eût été davantage, et peut-être même impossible, en tout cas beaucoup plus difficile à classer méthodiquement[851].

3° Le T double.

Le *t double* se prononce encore simple assez généralement, et autrefois il n'y avait point d'exception.

Parmi les mots commençant par **att-**, qui sont fort nombreux, il n'y a guère qu'*at-tique* et *at-ticisme* où l'on soit à peu près obligé de prononcer deux *t*[852]; mais il faut avouer que cette prononciation commence à atteindre fortement beaucoup d'autres mots où elle ne s'impose nullement, comme *at-tenter, at-tentif, at-ténuer, at-terrer, at-tester, at-tiédir, at-titré, at-titude, at-touchement, at-traction, at-tributif, at-trister, at-trition*.

Cette prononciation est plus correcte dans *ba*t*-tologie*, *intermi*t*-tent* et *intermi*t*-tence, commi*t*-timus* et *commi*t*-titur, gu*t*-tural* et *gu*t*-ta-percha*; mais elle atteint aussi depuis plus d'un siècle d'autres mots, comme *sagi*t*-taire, li*t*-téraire, li*t*-téral, li*t*-térature, li*t*-toral* et *pi*t*-toresque*.

Elle est d'ailleurs légitime dans les mots qui viennent de l'italien, où les deux consonnes se prononcent régulièrement: *conce*t*-ti, vende*t*-ta, je*t*-tatura, dile*t*-tante, libre*t*-to* et *libre*t*-tiste, grupe*t*-to, tu*t*-ti* et *so*t*-to voce*, et aussi dans *gu*t*-ta-*

percha. Mais on ne prononce plus qu'un *t* généralement dans *ghe*(t)t*o* et *confe*(t)t*i*, qui se sont popularisés, souvent aussi dans *larghe*(t)t*o*[853].

On ne prononce jamais qu'un *t* dans *sco*(t)t*ish*[854].

V et W.

Le **v** s'appelait autrefois **u** consonne, et ne se distinguait pas typographiquement de l'*u*[855].

Du *v* simple il n'y a rien à dire, sinon qu'il faut éviter de le supprimer devant *oi*, et de dire (v)*oiture*, (v)*oilà*, *la*(v)*oir*, au *r*(ev)*oir*[856].

Le *v* allemand se prononce *f*, mais cela ne nous intéresse guère que pour les noms propres non francisés[857].

Le *v* a aussi le son de l'*f* à la fin des noms slaves, surtout après un *o*, où il est souvent double[858].

Le **w** n'est pas français. Mais le *w* germanique se prononce comme le *v* français, ainsi que celui du polonais *redowa*[859].

Le **w** anglais demande plus d'attention.

En principe, devant une voyelle, il a le son de la semi-voyelle *ou*: *water-closet* ou *waterproo373* , *wattman*, *warf*, *whist*, *whig*, *wisky*, *wigwam*, *workhouse*, *swell*, *tramway*, *railway*, *sandwich*[860]. Mais quand il se francise, c'est presque toujours en *v*; ainsi il est complètement francisé en *v* dans *wagon* et ses dérivés, à peu près dans *warrant* et ses dérivés, souvent aussi dans *waterproof*, quoiqu'on ne francise pas *oo*, et dans *water-closet* ou *wattman*. S'il s'est francisé définitivement en *ou* dans *whist*, c'est parce que le mot ne s'est pas répandu dans le peuple; mais *tramway* a beaucoup de peine à se franciser tout à fait avec le son *ou*, qui pourtant semble l'emporter[861].

Nous avons réduit *aw* à *au* dans *outlaw*, *lawn-tennis*, *tomahawk*, *drawback*[862].

Nous avons accepté pour l'anglais *ew* la prononciation *iou*; ainsi pour *mildew*, qui eut la chance d'être appris par l'oreille et non par l'œil; mais nous l'écrivons beaucoup mieux *mildiou*, comme il convient. *Interview* se prononce indifféremment *view* ou *viou*, et le premier finira sans doute par s'imposer, ne fût-ce qu'à cause du dérivé *interviewer*, pour lequel la prononciation *viou-ver* est assez ridicule[863].

L'anglais *ow* se prononce comme *o* fermé dans *bo*(w)-*windo*(w), *ro*(w)*ing*, *arro*(w)-*root*, *sno*(w)-*boot*, et quelquefois *co*(w)-*boy* (pour *caouboï*); d'autre part nous réduisons facilement *ow* à *ou* dans *clown*, *teagown*, *cowpox* ou *browning*[864].

X et Z

1° L'X final.

A la fin des mots français, l'*x* n'est plus généralement qu'un signe orthographique qui tient simplement la place d'un *s*[865]. Aussi ne se prononce-t-il pas plus que l'*s* du pluriel, notamment après *u*, dans tous les mots en *-aux*, *-eux*, *-oux*, au singulier comme au pluriel: *fau*(x), *veau*(x), *aïeu*(x), *heureu*(x), *dou*(x), *genou*(x), etc., etc.[866]. Il n'y a même pour ceux-là aucune exception, pas même pour *deu*(x), dont l'*x* s'est amui, comme l'*s* de *troi*(s), quoiqu'il se soit conservé dans *six* et *dix*, dont nous allons parler[867].

L'*x* final ne se prononce pas davantage dans *pai*(x), *fai*(x) et ses composés, ni dans les mots en *-oix*[868].

Il ne se prononce pas non plus dans *pri*(x), *perdri*(x) et *crucifi*(x), ni dans *flu*(x), *reflu*(x), *influ*(x)[869].

On vient de voir que l'*x* final se prononce par exception dans les noms de nombre *six* et *dix*, comme se prononcent les consonnes finales de *cin*q, *sep*t, *hui*t, *neu*f; mais ceci demande des explications.

D'abord cet *x* devrait s'écrire *s*, comme autrefois, car il a conservé ici le son de la langue vulgaire, où il a toujours sonné comme un *s*: *j'en ai si*x, *page di*x, *Charles di*x, *le si*x *mai*, *le di*x *août*.

En second lieu, il faut excepter, bien entendu, suivant la règle des adjectifs numéraux, les cas où *six* et *dix* sont suivis d'un pluriel commençant par une consonne: *di*(x) *francs*, *si*(x) *sous*, *si*(x) *cents*, *di*(x) *mille*[870].

Mais d'autre part, si le pluriel commence par une voyelle, ce n'est encore pas le son normal de l'*s* qu'on entend; car il se produit alors simplement un phénomène de liaison, d'où il résulte que l'*s* est doux[871]. De là la différence qu'il y a entre *six hommes* (si-zom) et *six avril* (si-savril): le nom du mois n'étant pas multiplié, *dix* et *six* se prononcent *dis* et *sis* devant *avril*, *août*, *octobre*, comme devant *mai*, *juin* ou *septembre*. A vrai dire, on prononce souvent *si zavril* comme *si zhommes*, comme on dit aussi *entre si zet huit*, mais ce sont des abus de liaison; au pis aller, pour *six et huit*, on peut choisir entre le son dur et le son doux, tandis que pour *six hommes* on n'a pas le choix: l'*s* est nécessairement doux.

On fait aussi la liaison par analogie, et quoiqu'il n'y ait pas multiplication, dans *dix-huit* (dizuite) et ses dérivés.

Par analogie avec *dix-huit*, on prononce également un *s* doux dans *dix-neuf*, comme on prononce le *t* dans *ving*t-*quatre* ou *ving*t-*neuf*.

Dans *dix-sept*, l'*x* garde le son de l'*s* dur à cause de l'autre *s* qui suit: *dis-sète*; d'ailleurs, quand on parle vite, on dit facilement *di-sète*, l'*s* double se réduisant à un, comme dans tous les mots populaires[872].

On prononce de même avec un *s* dur les termes de musique *six-quatre* ou *six-huit*, quoiqu'il y ait multiplication, parce qu'en réalité ce n'est pas *quatre* et *huit* qui sont multipliés, mais seulement les notes représentées par ces chiffres, de sorte que les deux chiffres qui indiquent la mesure restent toujours distincts; *sizuit* est donc encore un abus de liaison, d'ailleurs très tolérable.

Comme *six* et *dix*, *coccyx* se prononce avec un *s* simple, au moins par euphonie[873].

En dehors de *six*, *dix* et *coccyx*, quand l'*x* final se prononce, il se prononce *cs*. Mais cela n'a lieu que dans des mots grecs, latins ou étrangers, comme *index*, *silex* ou *sphinx*[874].

2° L'X intérieur.

Dans le corps des mots, l'*x* se prononce en principe *cs* devant une voyelle comme devant une consonne: d'abord dans les finales muettes, *axe*, *rixe*, *sexe*[875]; et aussi bien dans *laxatif*, *axiome* ou *maxime*, *lexique* ou *sexuel*, *fixer* ou *luxure*, comme dans *textuel*, *bissextil* ou *mixture*[876].

Mais en réalité tous ces mots sont des mots d'emprunt, et il en reste beaucoup d'autres où l'*x* ne se prononce pas ou pas toujours *cs*[877].

D'abord nous retrouvons l'*s* dur simple de la prononciation populaire dans *soixante* et ses dérivés, où l'*x* étymologique a été rétabli après coup, comme dans *six* et *dix*[878].

Nous retrouvons aussi l'*s* doux de la simple liaison dans les dérivés de *deux*, *six* et *dix*: *deuxième*, *dixième*, *sixième*, *sixain* se prononcent comme *deu*(x) *hommes* ou *si*(x) *hommes*[879].

Mais surtout les mots qui commencent par **ex** ou **x** demandent un examen spécial.

On notera en premier lieu que devant une consonne sifflante, c'est-à-dire devant **ce** ou **ci** ou devant un **s**, la seconde partie de l'*x* se confondant nécessairement avec le son qui suit, le son *ecs* se trouve réduit à *ec*: *ec-cellent*, *ec-centrique* ou *ec-sangue*[880].

Au contraire, devant une consonne non sifflante, on a une tendance naturelle, quand on parle vite, et même sans cela chez le peuple, à réduire *ecs*, non à *ec*, mais à *es*: *es*trême, *es*cuse, *es*press[881].

Cette tendance doit être combattue en général, notamment quand il n'y a qu'une consonne, comme dans *es*cuse, autrefois correct. Elle est plus admissible dans les mots commençant par *excl-* ou *excr-*, comme *ex*clamation ou *ex*crément, mais là même elle est familière et médiocrement correcte[882].

D'autre part et surtout, devant une voyelle, *ex-* initial (ou *hex-*) s'adoucit régulièrement en *egz*. Par exemple: *ex*alter, *ex*haler, *ex*écuter, *ex*iger, *ex*otique, *ex*ubérant, *hex*amètre, etc., et, par suite, *in*exigible ou *in*exact; il faut y ajouter *sex*agénaire et *sex*agésime, et peut-être aussi *sex*ennal[883]. Seuls *ex*écration et *ex*écrable sont très souvent prononcés avec *cs*, par emphase.

Cette tendance à adoucir l'*x* après l'*e* initial est si forte qu'elle atteint chez nous jusqu'à la prononciation du latin. On croit même qu'elle a commencé par le latin. En tout cas, il ne nous suffit même pas de dire *exeat* ou *exercitus* avec *gz*: même une expression latine composée comme *ex æquo*, qui ne peut guère s'altérer en latin, s'altère en français, où nous la traitons comme un substantif: *un ex æquo, des ex æquo*, et par suite comme un mot simple. *Ex abrupto* s'altère beaucoup moins souvent[884].

En tête des mots, l'*x* ne garde le son de *cs* que parce que les mots, d'ailleurs en très petit nombre, sont savants et d'un usage restreint: x*érasie*, x*érophagie*, x*iphoïde*, x*ylographie*; encore devient-il *gz* très souvent dans x*ylophone*, qui est un peu plus connu[885].

3° Le Z

Le *z final*, dans les mots proprement français, est dans le même cas que l'*x*: il remplace simplement un *s*, même quand il représente étymologiquement *ts*[886]. Aussi ne se prononce-t-il pas plus que l'*s* ou l'*x*, notamment dans toutes les secondes personnes du pluriel: *aime*(z), *aimie*(z), *aimerie*(z), etc.

Il ne se prononce pas davantage dans le mot *sonne*(z), qui est en réalité un impératif, ni dans les substantifs *ne*(z) et *bie*(z), disparu devant *bief*, ni dans l'adverbe *asse*(z) et les prépositions *che*(z) et *re*(z), de *re*(z)*-de-chaussée*[887].

On voit que le *z* final muet suit généralement un *e*; mais le *z* ne se prononce pas davantage dans *ra*(z) *de marée*, ni dans *ri*(z); et si, en France, on le prononce ordinairement dans *ranz des vaches*, en Suisse on prononce *ran*, et on doit y savoir comment ce mot se prononce[888].

Le *z* final se prononce dans *gaz* et dans *fez*; mais ce sont des mots étrangers[889].

Le *z* final allemand, avec ou sans *t* devant, se prononce *ts*: *quartz*, *kronprinz*[890].

Et même *tz* après *l* se réduisent le plus souvent à un *s*: *eau de sel*(t)z[891].

On n'entend également qu'un *s* dans *ruolz*.

Dans le corps ou en tête des mots, le *z* français a toujours le son d'un *s* doux devant une voyelle: *zèle*, *zone*, *bronzé*, *topaze*, *rizière*, etc.

Il en est de même du **z**, simple ou double, des mots étrangers, quand nous les francisons: *lazarone*, *scherzo*, *pou*(z)*zolane*, *mue*(z)*zin*, souvent aussi *ra*(z)*zia* ou *la*(z)*zi*[892].

Quand nous ne francisons pas les mots étrangers, le *z* allemand se prononce *ts*[893].

Le *z* italien, simple ou double, se prononce quelquefois aussi *ts*, comme dans *grazioso*, plus souvent *dz*: *piazza*, *piazzetta*, *lazzi*, *mezzo*, *mezzanine*, *pizzicati*[894].

L'espagnol *plaza* se prononce *plaça*.

RÉCAPITULATION DES CONSONNES

On vient de voir de quelles manières différentes peuvent se prononcer à l'occasion les mêmes lettres, sans compter les cas où elles ne se prononcent pas du tout. Nous allons, pour récapituler ce chapitre, faire rapidement l'inverse, et montrer de combien de manières s'écrit chez nous chacun des sons que nous employons.

On a déjà vu les innombrables graphies des voyelles nasales; ceci achèvera de faire admirer comme il convient la logique de notre orthographe. Cette fois nous suivrons l'ordre rationnel qui est sans inconvénients.

Parmi les *explosives*, les *labiales* **b** et **p** et les *dentales* **d** et **t** se bornent à pouvoir s'écrire simples ou doubles, tout en se prononçant simples: *habit* et *abbé*, *râper* et *appel*, *adieu* et *addition*, *bâtir* et *battre*. Elles peuvent aussi s'interchanger: *absent* devient *apsent* et *médecine* devient *metsine*. Tout cela est peu de chose et, si le reste y ressemblait, notre orthographe serait une pure merveille[895].

Mais pour les *gutturales*, c'est une autre affaire: la gutturale forte ou sourde s'écrit *c* dans *raconter*, *cc* dans *accord*, *ch* dans *chrétien*, *k* dans *képi*, *ck* dans *bock*, *kh* dans *khédive*, *q* dans *coq*, *qu* dans *quatre*, *cq* dans *Jacques*, *cqu* dans *becqueter*, *x* dans *excès* ou *Xérès*, et même *g* dans *Bourg*, sans compter qu'elle fait ordinairement la moitié de l'*x*; la gutturale douce ou sonore s'écrit *g* dans *grave*, *gg* dans *aggraver*, *gu* dans *gueule*, *gh* dans *ghetto*, *c* dans *second*, parfois même *ch* dans *drachme*, ou *qu* dans *aqueduc*, et fait la moitié de l'*x* dans *exemple*.

De même, parmi les *spirantes*, nous retrouvons un peu plus de simplicité dans les *fricatives* et les *chuintantes*: les fortes s'écrivent seulement de quatre manières: *f*, *ff*, *ph* ou *v*, et *ch*, *sh*, *sch* ou *j*: *fait*, *effet*, *phare*, *crè*(v)e-*cœur*, et *chat*, *shako*, *schisme*, *rej*(e)*ter*; les douces n'en ont que trois: *v*, *w* ou *f*, et *j*, *g* ou *ge*: *vague*, *wagon*, *neuf ans*, et *enjôler*, *rougir*, *geôle*, sans compter *tach*(e) *de vin*.

Mais les *sifflantes* se rattrapent: la forte s'écrit *s* dans *sel*, *ss* dans *assez*, *c* dans *ceci*, *ç* dans *reçu*, *sc* dans *scie*, *t* dans *patience*, *x* dans *soixante*, *z* dans *quartz*, sans compter qu'elle fait presque toujours la seconde moitié de l'*x*, quand l'*x* se prononce, et aussi la seconde moitié du *z*, quand on le prononce *ts*; la douce s'écrit *z* dans *zèle*, *zz* dans *pouzzolane*, *s* dans *raison*, *x* dans *deuxième*, et fait la seconde moitié de l'*x* dans *exemple*.

Les sons de **l**, **m**, **n**, **r** se bornent à s'écrire par une lettre ou par deux; *r* devient aussi *rh* dans *rhum*.

Enfin **l** mouillé s'écrit *ll* dans *bille*, *ill* dans *paille*, *l* simple dans *gentilhomme*, *lh* dans *Milhau*, *gli* dans *Broglie*. L'*n* mouillé se contente de *gn* dans *agneau* ou *ign* dans *oignon*, et au besoin *ni* dans *panier*, sans parler de *ñ* dans *doña*.

Assurément, dans cette multiplicité de signes employés un peu partout pour les mêmes sons (et j'en ai peut-être oublié), il y en a beaucoup qui ne peuvent pas être évités. D'autres ne sont pas gênants. Mais on conviendra qu'une certaine simplification ne ferait de mal à personne et que *la langue* surtout s'en porterait beaucoup mieux, étant soustraite ainsi à de graves dangers d'altération.

Les langues doivent s'altérer, ou, si l'on aime mieux, évoluer avec les siècles, c'est fatal; mais en vérité est-ce le rôle des meilleurs écrivains de les y aider en s'obstinant à défendre une prétendue *orthographe*, qui serait la plus ridicule du monde, si la primauté sur ce point n'appartenait à l'anglaise?

LES LIAISONS

Quelques considérations préliminaires.

Au début du XVIe siècle, toutes les consonnes finales se prononçaient partout, sauf devant un mot commençant par une consonne, quand les deux mots étaient liés par le sens[896].

Au contraire, à partir du XVIIe siècle, les consonnes ont généralement cessé peu à peu de se prononcer dans l'usage ordinaire, sauf devant une voyelle (ou un *h* muet), quand les mots étaient intimement liés par le sens. Je dis *dans l'usage ordinaire*, parce que les consonnes sont tombées beaucoup moins vite dans la prononciation oratoire et dans celle des vers, surtout à la rime. D'ailleurs, même dans l'usage courant, les consonnes ne sont pas tombées dans *tous* les mots. D'autre part, beaucoup de consonnes tombées ont reparu et reparaissent encore grâce à l'orthographe: ne faut-il pas parler comme on écrit? Mais alors c'est tout ou rien: ou bien la consonne se prononce toujours, ou bien elle ne se prononce jamais.

Il y a pourtant des consonnes qui ont continué a se prononcer seulement devant une voyelle, *dans certains cas*: ce qui reste de cette prononciation, c'est ce qu'on appelle communément *liaison*. La consonne finale ainsi prononcée sert phonétiquement d'initiale au mot suivant[897].

Les liaisons sont encore très usitées en vers, d'abord parce que la poésie est essentiellement traditionnaliste, ensuite parce qu'en vers elles ont pour but et pour effet d'empêcher l'hiatus, que la plupart des poètes évitent encore avec soin. Aussi n'est-il pas impossible que la poésie devienne un jour comme le Conservatoire ou le Musée des liaisons; elle les conserverait comme elle conserve tant d'autres choses surannées, en prosodie, en vocabulaire, en syntaxe.

Dans la prose, et surtout dans la conversation ordinaire, on en fait infiniment moins. Un certain nombre pourtant sont encore obligatoires. D'autres seraient ridicules ailleurs qu'en vers.

D'ailleurs un grand nombre de liaisons sont facultatives et dépendent souvent du goût de chacun. Mais elles dépendent encore davantage des circonstances: il est évident qu'on en fait plus en lisant qu'en parlant, parce qu'en lisant on recherche la correction du langage, tandis qu'en parlant on ne cherche qu'à se faire comprendre avec le moins d'effort possible; on en fait plus aussi dans un discours suivi, pour le même motif, que dans une conversation familière.

D'une façon générale, les professeurs en font plus que les gens du monde, à cause de l'habitude qu'ils en ont; les instituteurs en font trop, non pas tant peut-être en parlant qu'en enseignant à lire, car ils ne savent pas toujours que, même en lisant, il y en a qu'on ne fait pas.

Mais les acteurs surtout en abusent étrangement, soit sous prétexte de correction, soit parce qu'ils s'imaginent qu'ils se font mieux comprendre, et cela à la Comédie-Française comme ailleurs, plus qu'ailleurs, hélas! et dans la comédie en prose aussi bien que dans la tragédie. Pourtant ils devraient comprendre que, dans la comédie, un personnage qui ne parle pas comme tout le monde est ridicule; et la tragédie même, comme tout théâtre en vers, est assez artificielle par elle-même pour qu'on n'y ajoute pas encore des artifices surannés, quand il n'y a pas nécessité[898].

*
* *

Avant d'entrer dans le détail des liaisons, nous indiquerons quelques règles générales.

On sait déjà que la liaison est interdite (aussi bien que l'élision, car les deux vont presque toujours ensemble) devant un *h aspiré*. Elle l'est également dans d'autres cas dont voici l'énumération[899]:

1° Devant les noms de nombre *un* et *onze*: *les numéro*(s) *un et deux, sur le*(s) *une heure*[900]; *no*(s) *onze enfants, aprè*(s) *onze heures, Loui*(s) *onze*; et, quoiqu'on dise régulièrement *il es*(t) *tonze heures*, avec liaison, cas spécial, on dira pourtant *ils étai*(ent) *onze* ou *ils son*(t) *onze*[901];

2° Devant l'adverbe *oui: je di*(s) *oui; pour un oui, pour un non*[902];

3° Devant les interjections: *ce*(s) *ah! ce*(s) *oh!* et en général quand on cite un mot isolé, qu'on isole précisément en ne liant pas[903];

4° Devant *uhlan*, et devant les mots commençant par un *y* grec suivi d'une voyelle, parce que cet *y* fait alors fonction de semi-voyelle: *de*(s) *uhlans, de*(s) *yachts, de*(s) *youyous*.

De plus il ne peut y avoir de liaison qu'entre des mots liés par le sens, parfois même très étroitement. Il ne saurait donc y avoir de liaison, en principe, même dans la lecture, par-dessus un signe de ponctuation.

Il va sans dire aussi que les liaisons, étant conservées, en principe, dans une intention d'harmonie, et notamment pour éviter les hiatus, ne sauraient être maintenues dans les cas où elles produisent à l'oreille un son plus désagréable que ne serait l'absence de liaison.

En outre, il n'y a plus aujourd'hui de liaison proprement dite pour les quatre liquides grecques, *l, m, n, r*, sauf d'une part le cas des nasales, qui sera étudié spécialement, et d'autre part trois ou quatre adjectifs en *-ier*, surtout *premier* et *dernier*, quand ils sont devant un substantif, suivant une loi que nous étudierons plus loin: *premie*(r) *r*acte, *dernie*(r) *r*acte. Il y a bien encore les infinitifs en -*er*, mais ils se lient de moins en moins en prose, sauf la prose oratoire, et cette liaison sera bientôt réservée exclusivement à la poésie[904]. Même *laisse*(r)-*aller* ne se lie pas.

On se rappelle qu'ici, en cas de liaison, l'*e* s'ouvre à demi, comme dans *premier* et *dernier*: *mangè*(r) *r*avec plaisir, *donnè*(r) *r*aux pauvres, etc.[905].

Ces cas étant éliminés, il ne reste plus que les *muettes* et les *spirantes*.

Enfin, tandis que les consonnes finales qui se prononcent toujours gardent aujourd'hui devant une voyelle le même son que devant une consonne (*le li*s *est blanc*), au contraire celles qui ne se prononcent qu'en liaison, ou dans des cas limités, peuvent s'altérer, les muettes ne se liant qu'avec le son de la forte, *p*, *k*, *t*, tandis que les spirantes ne se lient en principe qu'avec le son de la douce, *v* et *z*[906].

LIAISONS DES MUETTES

1° Les labiales et les gutturales.

Les *labiales* ne se lient pas, sauf le *p* des adverbes *beaucoup* et *trop* devant un participe ou un adjectif, ou devant la préposition *à*. Il y conserve son articulation normale, étant une forte: *il a beaucou*(p) *pappris, il y a beaucou*(p) *pà faire*, tandis qu'on ne fait pas de liaison dans *il y a un cou*(p) *à faire*; de même *j'ai tro*(p) *pà dire, je suis tro*(p) *pému*. Encore ces liaisons ne sont-elles pas tout à fait obligatoires dans la conversation, sauf peut-être la dernière, à cause du lien étroit qui est entre les mots.

On dit aussi: *qui tro*(p) *pembrasse mal étreint*, à cause de l'inversion qui appuie *trop* sur *embrasse*; mais on ne peut plus dire *tro*(p) *pest trop*, et ce n'est guère qu'en vers qu'on peut prononcer *c'est dire beaucou*(p) *pen peu de mots*, ou encore *beaucou*(p) *pont cru*.

En vers, on peut même encore lier *coup*: *par un cou*(p) *pimprévu*, mais seulement avec un adjectif, et cela prend un air assez archaïque. On ne saurait aller plus loin, et l'on dira toujours, même en vers, un *plom*(b) *assassin, un cham*(p) *immense, le cam*(p) *ennemi, un dra*(p) *usé*, voire même *un lou*(p) *affamé*, et à *fortiori du plom*(b) *et du fer*.

Les *gutturales* ne se lient pas beaucoup plus: *le cri*(c) *est lourd, fran*(c) *et net, blan*(c) *et noir*, et aussi bien *du blan*(c) *au noir, de flan*(c) *en flanc, l'étan*(g) *est vide*, et aussi bien *un étan*(g) *immense*, n'admettent plus la liaison, même en vers.

Les jugements de cour vous rendront blan(c) *ou noir*[907].

Toutefois on peut encore lier, même en prose, le *c* de l'adjectif *franc* devant un substantif: *un fran*(c) *kétourdi*, et on lie toujours les expressions composées *fran*(c) *karcher, fran*(c) *kalleu*] et à *fran*(c) *kétrier*. Ceci permettra peut-être de lier en vers:

Être fran(c) *ket sincère est mon plus grand talent*[908];

mais c'est tout juste, et *taba*(c) *kà priser* ne saurait plus guère passer aujourd'hui, et moins encore *il me convain*(c) *kassez*.

Quoique le *c* de *croc* isolé ne se lie jamais, on le lie nécessairement dans *cro*(c)*-ken-jambe* (avec ouverture de l'*o*), les mots composés étant généralement traités comme des mots simples, où toutes les consonnes se prononceraient normalement[909].

Dans les mots en -*spect*, c'est le *c* qui se lie, mais on ne le lie en prose que dans l'expression inséparable *respe*(ct) k*humain*, tandis qu'en vers la liaison est encore acceptable partout:

Et cent brimborions dont l'*aspe*(ct) k*importune*[910].

Le *g* ne se lie plus dans l'usage courant que dans l'expression composée *san*(g) k*et eau*. Dans la lecture, on y ajoute *san*(g) k*humain*, *san*(g) k*artériel*, en vers seulement *san*(g) k*impur*.

On peut aussi lier en vers ou dans le style oratoire le *g* de *ran*(g): *ran*(g) k*élevé*, mais non pas cependant *ran*(g) k*auquel!* De même celui de *lon*(g):

Quittez le *lon*(g) k*espoir* et les vaines pensées[911].

Mais en prose on prononce sans liaison même une expression composée comme de *lon*(g) *en large*.

On voit qu'en liaison, comme nous l'avons dit, la gutturale douce devient forte[912].

On fait aussi entendre le *g* de *jou*(g) et celui de *le*(gs) devant une voyelle, cette fois sans le changer en *c*, mais ceci est plutôt un fait de prononciation qu'un phénomène de liaison.

A l'intérieur *d'oran*(g)-*outan*(g), malgré la règle générale, il n'y a pas de liaison.

D'autre part, avec *cler*(c) et *por*(c), et les mots en *er*(g) et *our*(g), la liaison est inutile, puisqu'il n'y a pas d'hiatus à éviter[913].

2° Les dentales, D et T.

Les *dentales*, *d* et *t*, se lient infiniment plus que les autres muettes, et ceci va nous permettre d'énoncer quelques principes généraux[914]. Naturellement, vu le nombre des liaisons, c'est ici surtout qu'intervient le goût personnel, et beaucoup de liaisons qui sont nécessaires en vers sont facultatives dans le langage courant, où l'hiatus est fréquent; mais il y a aussi des liaisons qui sont interdites partout ou obligatoires partout.

I. **Les verbes.**—Il y a d'abord l'innombrable catégorie des *formes verbales*, troisièmes personnes et participes.

Pour les troisièmes personnes autres que celles en -*ent*, et même pour *aient* ou *soient*, traités comme *ait* et *soit*, la liaison est encore très souvent obligatoire. Plus les formes sont usitées, plus la liaison est nécessaire: par exemple l'emploi de formes comme *est* ou *sont*, *avait* ou *ont*, sans liaison, est certainement incorrect, surtout si ce sont des auxiliaires, comme dans *ils on*(t) *taimé*[915]. De même devant l'infinitif: *il veu*(t) *taller*, *il vi*(t) *tentrer*, ou encore *il veu*(t) *ty aller*, *il veu*(t) *ten avoir*. On lie également, et plus nécessairement encore, quand il y a inversion du verbe et du sujet: *di*(t)-*til*, que *per*(d)-*ton*?

Hors ces cas, la liaison est moins nécessaire: *il pein*(t) *tavec feu*, ou *il pren*(d) *tun livre*, ou *ils mangeaien*(t) *tet buvaient*, ne sont pas aussi indispensables que *il e*(st) *tà Paris*; pourtant ce sont encore les seules formes qui soient admissibles, quand on veut parler correctement.

Il en est de même pour les finales muettes en -*ent*: on dit assez facilement et de plus en plus, *ils mange*(nt) *un morceau et recommence*(nt) *à travailler*; mais *ils mange*(nt) *tun morceau*, *ils aime*(nt) *tà rire*, *deux noires vale*(nt) *tune blanche* sont encore des façons de parler beaucoup plus correctes, sans qu'on y puisse relever le moindre pédantisme.

Il n'y en a aucun non plus à lier les participes, surtout les plus employés: *ceci est fai*(t) *tavec soin*, est encore fort usité, et d'une diction plus soignée que *fai*(t) *avec soin*; de même *ils étaient là mangean*(t) *tet buvant*, encore que ce ne soit pas indispensable.

II. **Adjectifs et adverbes.**—Il y a ensuite la catégorie également innombrable des *adjectifs* et des *adverbes*. Mais ici encore il faut distinguer.

Dans le langage parlé, l'adjectif se lie à peu près uniquement, mais obligatoirement, avec le substantif qui le suit; seulement on ne peut mettre devant le substantif, dans la langue courante, qu'un très petit nombre d'adjectifs généralement courts. C'est d'abord *cet* et *tout*, qui se lient toujours, étant toujours devant le substantif: *ce*(t) *thomme* ou *tou*(t) *thomme*; puis quelques autres, dont la place peut varier: *gran*(d) *thomme*, *sain*(t) *thomme*, *parfai*(t) *thonnête homme*, *secon*(d) *tacte*; de même encore *ving*(t) *thommes* ou *cen*(t) *thommes*. Cette liaison est donc en somme assez restreinte, car une expression comme *froi*(d) *thiver* appartient déjà au langage écrit; en parlant, on dit plutôt *hiver froid*. En tout cas, la liaison est nécessaire dans cette construction, parce que le lien y est plus étroit entre les mots ainsi placés, l'adjectif étant en quelque sorte proclitique et s'appuyant sur le substantif[916].

Si l'adjectif n'est pas devant son substantif, il ne se lie plus guère qu'en vers, pour éviter l'hiatus, ou tout au plus dans la lecture. Dans le langage parlé, on dira bien encore, si l'on veut, *j'ai froi*(d) *taux pieds*, parce qu'il y a là comme une expression toute faite où *froid* devient substantif, puisqu'on dit de même *le froi*(d) *taux pieds*. Mais on ne dit pas *le chau*(d) *taux pieds*; on dira donc *j'ai chau*(d) *aux pieds*, malgré l'hiatus de deux voyelles identiques; on dit même sans liaison *chau*(d) et *froid*, qui est pourtant une expression composée, mais composée de deux substantifs; on dira donc à fortiori *alternativement chau*(d) *et froid*; et de même presque uniquement *il est gran*(d) *et fort, un sain*(t) *a pu seul...*, *le secon*(d) *est venu*[917].

En revanche la préposition *à* requiert ordinairement la liaison de l'adjectif devant son complément, à cause du lien étroit qui les joint: *tou*(t) *tà vous, prê*(t) *tà sortir*[918].

De même que l'adjectif se lie au substantif, l'adverbe de manière se lie nécessairement à l'adjectif. C'est d'abord *tout*, bien entendu; par exemple *il est tou*(t) *tautre*; de même *vraimen*(t) *taimable, tendremen*(t) *taimé, tout à fai*(t) *textraordinaire*.

On dit de même encore *commen*(t) *tallez-vous?* à cause du lien intime qui unit les mots; et la liaison n'est pas moins indispensable dans *quan*(t) *tà*, comme elle se faisait autrefois dans *quan*(d) *tet quand*.

Quand le lien est moins intime, l'adverbe se lie encore, mais moins nécessairement: *partou*(t) *toù vous serez, tan*(t) *til est beau, tellemen*(t) *ton est serré*; de même pour *autant* ou *tantôt* répétés, pour *aussitôt, bientôt, souvent, cependant*; mais on lie nécessairement dans *aussitô*(t) *taprès* ou *bientô*(t) *taprès*.

La négation *point* se lie toujours, étant inséparable de ce qui la suit: *je ne t'ai poin*(t) *taimé!*

De même le pronom relatif *dont* et la conjonction *quand*: *quan*(d) *til viendra, don*(t) *til est*. De même ou à peu près les prépositions *avant, pendant, devant* et autres, avec leurs régimes: *avan*(t) *tun jour, pendan*(t) *tun jour, devan*(t) *tune femme*[919].

III. **Les substantifs.**—Les liaisons que nous venons d'examiner sont à peu près les seules. Par conséquent les *substantifs* en principe ne se lient plus, sauf en vers, bien entendu. Et encore, même en vers, le *d* ne se lie guère: *un nœu*(d) *assorti, le ni*(d) *est vide, blon*(d) *ardent* s'imposent partout et toujours. Que dis-je? *Le petit cha*(t) *test mort*, si cher aux ingénues de la Comédie-Française, a bien de la peine à passer. Sans doute c'est ainsi que Molière prononçait; mais aujourd'hui on se demande s'il ne vaudrait pas mieux éviter l'hiatus avec une pause, ou simplement laisser l'hiatus.

Quant au langage courant, il ne lie plus guère ni *d* ni *t*, même quand le substantif est suivi de son adjectif. Ceci permet de distinguer par exemple *un savan*(t) t*Allemand*, où *savant* est adjectif, et *un savan*(t) *allemand*, où *savant* est substantif, distinction qu'on ne fait pas en vers, quand on dit:

Un sot savan(t) t*est sot plus qu'un so*(t) t*ignorant*[920].

En prose on évitera tout au plus l'hiatus de deux voyelles identiques: *en quel endroi*(t) t*avez-vous vu*; encore cette liaison convient-elle mieux à la lecture qu'à la conversation[921].

Tout lui-même, qui se lie si facilement, et même si nécessairement, ne se lie plus dans le langage courant, quand il est substantif: *le tou*(t) *et la partie*, *le tou*(t) *est de savoir*, tandis que le pronom indéfini sujet se lie toujours: *tou*(t) t*est fini*.

Toutefois, ici encore, la préposition *à*, je ne dis plus requiert, mais admet régulièrement la liaison, *nous avons droi*(t) t*à cette faveur*.

De plus la liaison reste nécessaire, comme partout, dans les mots ou expressions composés: d'abord, naturellement, celles où entre le mot *tout*; puis d'autres, comme *gue*(t)-t*apens*, *pon*(t) t*aux ânes*, *mo*(t) t*à mot*, *po*(t) t*à eau*, *po*(t) t*au lait*, *po*(t) t*au feu*, *po*(t) t*au noir*, *po*(t) t*aux roses*[922]; et aussi *peti*(t) t*à petit*, *de hau*(t) t*en bas*, *d'un bou*(t) t*à l'autre*, *bou*(t) t*à bout*, *bu*(t) t*à but*, *de bou*(t) t*en bout*, *de bu*(t) t*en blanc*, *de fon*(d) t*en comble*, *de momen*(t) t*en moment*, *de poin*(t) t*en point*[923]; et même *accen*(t) t*aigu*, et *c'est un droi*(t) t*acquis*. Et ainsi *pied*, qui avait perdu son *d*, et pour lequel Malherbe et Ménage n'acceptaient aucune liaison, a repris celles de *pie*(d) t*à terre*, *de pie*(d) t*en cap*, et même *pie*(d) t*à pied*; et l'on distingue *avoir un pie*(d) t*à terre* (logement) et *avoir un pie*(d) *à terre* (sens littéral).

En revanche, *cha*(t) *échaudé* ou *cha*(t) *en poche* ne sauraient passer pour des mots composés, et la liaison ne s'y fait plus guère, malgré Littré. Elle n'est même plus indispensable dans *au doi*(gt) *et à l'œil*, pas plus que dans *mon*(t) *Etna*, *mon*(t) *Hécla* ou *mon*(t) *Œta*, où elle est seulement possible[924].

IV. **Après un R.**—Mais il y a surtout une catégorie de liaisons qu'il importe absolument d'éviter, en vers aussi bien qu'en prose: c'est celle des finales où le *t* est précédé d'un *r*; ou plutôt la liaison s'y fait si naturellement par l'*r*, qu'on n'a nul besoin d'en chercher une autre, qui est depuis longtemps condamnée.

C'est une chose dont on ne convaincra pas facilement la plupart des comédiens! Et je ne parle pas seulement des chanteurs, qui ne croiraient pas vibrer suffisamment s'ils ne criaient pas *Mor*(t) t*à l'impie*! La tradition est pareille à la Comédie-Française, mais elle n'en est pas meilleure, et *prendre* *par*(t) *tà*, qu'on y entend, ne saurait pas plus passer que *par*(t) *tà deux*, qui serait grotesque.

De même, avec un *d*, *bavar*(d) *impudent*, *regar*(d) *effaré*, *abor*(d) *aimable*, *sour*(d) *et muet*, et aussi bien avec un *t*, *art exquis* ou même *ar*(t) *oratoire*, *un quar*(t) *au moins*, un *rempar*(t) *infranchissable*, *déser*(t) *immense*, *por*(t) *ouvert*, *ver*(t) *et bleu*, et à fortiori *le sor*(t) *en est jeté*, ne sauraient admettre de liaison en aucune circonstance et sous aucun prétexte.

Même si l'adjectif est devant le substantif, mieux vaut ne pas lier: *un for*(t) *avantage*, *un cour*(t) *espace de temps*. Il en est de même des verbes: *il par*(t) *au matin, il conquier*(t) *un empire, il est mor*(t) *avant l'âge*.

Ainsi la règle est presque absolue aujourd'hui et on n'y fait plus que fort peu d'exceptions.

L'usage s'est généralisé peu à peu de lier le *t* de l'adverbe *fort*, par analogie avec *trop*, *tant* et les autres; on dit donc aujourd'hui généralement *for*(t) *t*habile ou *for*(t) *t*aimable, mais jamais *le for*(t) *t*et *le faible*, ni *le plus for*(t) *t*en *est fait*, ni même *for*(t) *t*en *gueule*[925].

On lie aussi le *t*, bien entendu, dans les formes interrogatives, qui d'ailleurs sont de moins en moins usitées: *par*(t)-ti*l*? *d'où sor*(t)-ti*l*? On peut même dire *cela ne ser*(t) *tà rien*, pour éviter la cacophonie de *rarien*, mais jamais *qui ser*(t) *tà table*.

Enfin on dit généralement de la *mor*(t) *t*aux *rats*, pour le même motif[926].

C'est à peu près tout. Je ne conseille même pas plus *par rappor*(t) *tà* et *de par*(t) *t*et *d'autre*, qui se disent très souvent, que *de par*(t) *t*en *par*(t), qui est devenu fort rare, ou *bor*(d) *tà bord, mor*(t) *tou vif, souffrir mor*(t) *t*et *passion, à tor*(t) *t*et *à travers*, qui ne se disent jamais.

On ne dit pas non plus *du nor*(d) *t*au *midi*; mais beaucoup de personnes disent *nor*(d)-d*est* et *nor*(d)-d*ouest*, sans doute par analogie avec *sud-est* et *sud-ouest*. Cette assimilation, d'ailleurs fort ancienne, est extrêmement contestable, car le *d* de *su*d se prononce toujours, et celui de *nor*(d) jamais; aussi le *d* de *su*d reste-t-il *d* dans *su*d-*ouest*, fort légitimement; mais à quel titre le *d* de *nord* peut-il se prononcer *d* dans *nor*(d)-*ouest* ou *nor*(d)-*est*? Sans doute il est possible de traiter le mot composé comme un mot simple, et il est vrai que les marins disent aussi *nordet*, par analogie avec *sudet*; mais en revanche ils disent *noroit*, et même *suroit*, ce qui est remarquable. Je conclus qu'il vaut mieux prononcer *nor*(d)-*ouest*, ce qui entraîne à peu près nécessairement *nor*(d)-*est*.

LIAISONS DES SPIRANTES

1° Les chuintantes et les fricatives.

Les *chuintantes*, n'étant jamais muettes à la fin d'un mot, n'ont pas de liaisons.

Les *fricatives* n'en ont pas davantage. Pourtant il y a une exception, reste de l'ancienne liaison de l'*f* avec changement en *v*[927]. Voici dans quel cas. Nous avons vu que *neuf* se prononçait *neu* fermé sans *f* devant un pluriel, ce qui doit amener régulièrement une liaison si ce pluriel commence par une voyelle. Or, dans cette liaison, l'*f* devrait se changer en *v*, comme dans *neuvaine* et *neuvième*. Mais ce phénomène ne se retrouve guère en réalité que dans deux expressions, d'ailleurs extrêmement usitées, et qui pour ce motif se conservent intactes: d'une part, *neu*(f) *vans*, *dix-neu*(f) *vans*, etc., d'autre part, *neu*(f) *vheures*. C'est à peu près tout: à peine peut-on dire *neu*(f) *vhommes*; en tout cas il est bien difficile aujourd'hui de dire *neu*(f) *vœufs* ou *neu*(f) *venfants*; c'est pourquoi, devant la plupart des pluriels commençant par une voyelle, la liaison, si c'est une liaison, se fait généralement par *f*; plus exactement, on prononce *neuf*, comme si le mot qui suit n'était pas un pluriel: *neuf amis*, et même *neuf années*, à côté de *neu*(f) *vans*[928].

2° Les sifflantes, S, X, Z.

Restent les *sifflantes*, *s* et *z*, et aussi *x*, partout où il remplace l'*s*, c'est-à-dire partout où il ne se prononce pas.

Le cas des sifflantes est au moins aussi important que celui des dentales, et demande à être aussi étudié de près.

Là encore il y a beaucoup de liaisons qui, nécessaires en vers, sont facultatives en prose, d'autres qui sont encore obligatoires partout ou interdites partout.

De plus, les principes généraux sont sur beaucoup de points les mêmes que pour les dentales, ce qui nous permettra de passer plus rapidement sur ces points.

J'ajoute que la liaison se fait toujours en *s* doux ou *z*: c'est un cas particulier de la prononciation de l'*s* entre deux voyelles. Le phénomène est si général et si nécessaire, que l'*s* dur qui sonne à la fin des mots s'adoucit couramment devant une voyelle, quand les mots sont liés par le sens: on dit beaucoup moins *fi*(ls) *sunique* que *fi*(ls) *zunique*[929].

I. **Les différentes espèces de mots.**—Comme pour le *t*, les *substantifs* en principe ne se lient guère qu'en vers ou dans la lecture; je parle bien entendu des substantifs singuliers, le pluriel étant l'objet d'un examen spécial.

Même des expressions aussi courantes que la *voix humaine, le temps est beau*, ou même un *avis important*, qu'on peut encore lier si l'on veut, s'emploieront plutôt sans liaison dans la conversation courante[930].

La liaison n'est plus guère nécessaire que dans les expressions toutes faites, comme *pa*(s) *zà pas, au pi*(s) *zaller, de temp*(s) *zen temp*(s)*, de temp*(s) *zà autre, en temp*(s) *zet lieu, do*(s) *zà dos, do*(s) *zau feu et ventre à table*, ou encore *la pai*(x) *zet la guerre*, pour éviter un hiatus désagréable. En revanche, il y a des substantifs qui n'admettent jamais aucune liaison, comme *noix, nez* ou *riz*: *ne*(z) *aquilin, ne*(z) *au vent, nez à ne*(z)*, ri*(z) *au lait*.

On peut même dire que tous les noms propres sont dans ce cas: c'est à peine si l'on pourrait dire, dans la conversation, *Pari*(s) *zest grand*.

Les *adjectifs* se lient aussi dans les mêmes conditions que pour le *t*, mais il y en a beaucoup moins. On dira donc *ba*s *zétage* toujours, ou encore *gra*s *zà lard*; mais *ba*(s) *zet profond* dans la lecture seulement, *ba*(s) *et profond* dans la langue parlée.

Il en est de même encore pour les *verbes*. Dans les formes les plus courantes, la liaison est indispensable, et l'on ne conçoit guère les formes des verbes *être* et *avoir* sans liaison. Et pourtant elle est déjà moins indispensable dans l'usage à la suite de *nous avons* et *vous avez* qu'avec les monosyllabes du singulier, *je suis, tu es, tu as*, et aussi *nous sommes, vous êtes*; elle est même moins indispensable après *tu as* qu'après *tu es*[931].

Elle est encore évidemment nécessaire devant *y* et *en* toniques: *va*(s)-*zy, alle*(z)-*zy*, et même avec *e muet*: *songe*(s)-*zy bien, donne*(s)-*zen*[932].

La liaison est un peu moins nécessaire, mais c'est encore la prononciation correcte, comme pour le *t*, devant *y* et *en* atones, et devant un infinitif: *je veu*(x) *zaller, je veu*(x) *zy aller* ou *vous aime*(z) *zà rire*; moins encore dans *tu va*(s) *zen Suisse*, ou *en* est préposition. Pourtant beaucoup de personnes diront très naturellement *si tu va*(s) *zà Paris*, pour éviter l'hiatus désagréable de deux voyelles identiques, mais ce n'est point indispensable; pas davantage dans *je rend*(s) *à César* ou *rende*(z) *à César*. On parlera plus loin des formes à *e muet* suivi d'un *s*.

La liaison est encore nécessaire avec les prépositions monosyllabiques, *dans, dès, sans, chez, sous*, devant leurs régimes[933]: *dan*(s) *zun jour, san*(s) *zamour, che*(z) *zelle, sou*(s) *zun arbre*; elle est un peu moins indispensable avec *après* ou *depuis*. Elle est réservée à la lecture avec *ci-inclus, non compris* ou même *hormis*, tout à fait inusitée avec *hors, vers, envers, à travers*, dont nous parlerons tout à l'heure.

La liaison doit se faire aussi correctement avec les mots négatifs *pas, plus, jamais*, si peu qu'ils soient liés au mot suivant: *je n'aime pa*(s) *zà boire, nous n'irons plu*(s) *zau bois, jamai*(s) *zon a vu*; de même avec les adverbes de quantité *plus, moins, très, assez*, portant sur le mot qui suit: *plu*(s) *zaimable, moin*(s) *zil en fait*, et même, en vers, *asse*(z) *zet trop longtemps*.

Elle se fait naturellement dans des expressions composées, comme *de mieu*(x) *zen mieux, de plu*(s) *zen plus, de moin*(s) *zen moins*, voire même, si l'on veut, *d'ore*(s) *zet déjà*, sans parler de *vi*(s)-*zà-vis*.

D'autres adverbes, comme *autrefois, parfois, quelquefois, désormais, longtemps, puis*, se lient encore très correctement, mais plutôt dans la lecture.

La conjonction *mais* se lie fort bien aussi, même par-dessus une virgule, car les conjonctions monosyllabiques, à moins qu'on ne veuille produire un effet spécial, ne se séparent guère des mots qui les suivent:

Mai(s), *zen* disant cela, songez-vous, je vous prie...[934].

II. **Les pluriels.**—Mais le rôle principal de la liaison ici, celui qu'elle paraît devoir jouer pendant longtemps encore, c'est de marquer le pluriel. Sur ce point, elle ne fléchit guère.

C'est pour cela que les articles pluriels, *les, des, aux*, ainsi que *ces*, les adjectifs possessifs ou indéfinis, *mes, les, ses, nos, vos, leurs, certains, plusieurs*, etc., les adjectifs numéraux, *deux, trois, six, dix, quatre-vingt*, se lient encore sans exception, devant un substantif, bien entendu, même précédé de son adjectif: *le*(s) *zamis, ce*(s) *zhommes, certain*(s) *zauteurs, plusieur*(s) *zautres personnes, deu*(x) *zaimables personnes*, et même *deu*(x) *zix*(x) ou *troi*(s) *zem* (m), et aussi, avec double liaison, *ce*(s) *zaimable*(s) *zenfants*.

Ces liaisons sont si nécessaires que le peuple ajoute volontiers *quatre* à *deux, trois, six* et *dix*: *le bal des Quat*(re) *zArts* et même *par quatre zofficiers*.

Que dis-je? L'expression *entre quat*(re) *zyeux* a été l'objet de nombreuses discussions, beaucoup de grammairiens, et notamment Littré, l'ayant admise. Et il est certain que *entre quatre yeux* est difficile à prononcer, mais *entre quat'yeux* serait encore plus facile que *entre quat'zyeux*; ce n'est donc pas pour son euphonie que cette expression s'est répandue. En réalité, ce n'est même pas une question de liaison: l'expression vient tout simplement de ce que pour le peuple le mot *œil* n'a pas d'autre pluriel que *zyeux*, et non *yeux*, qu'il ignore[935].

Si ces mots ne sont pas suivis d'un substantif, la liaison ne se fait plus dans la conversation: ainsi *plusieur*(s) *ont prétendu*, où *plusieurs* devient pronom; de même *deu*(x) et *deux quatre, troi*(s) et *trois six, ceu*(x) *et celles*, toutes liaisons qui se font fort bien dans la lecture. On peut bien lier aussi *troi*(s) *zavril*, quoique ce soit tout autre chose que *troi*(s) *zans*; mais ce sera uniquement pour éviter un hiatus désagréable; et l'on dira plus naturellement *deu*(x) *avril*, sans liaison.

Les pronoms personnels *nous, vous, ils, elles*, et même *les*, devant les verbes ou devant *en* et *y*, sont à peu près dans la même situation que les adjectifs devant les substantifs. Aussi lie-t-on nécessairement: *nou*(s) *zavons dit, je vou*(s) *zai vu, elle*(s) *zont fait, elle*(s) *zen ont, elle*(s) *zy vont, je le*(s) *zattends*.

Mais quand ces mots ne sont pas dans cette position, ils ne se lient plus dans la conversation: *pour vou*(s) *et pour nous, donne-le*(s) *à mon père*; *donne-le*(s) *zà mon père* semble tout à fait prétentieux. *Eux* lui-même ne se lie pas devant le verbe, parce qu'il n'est pas proclitique comme *ils*: *eu*(x) *ont été à Paris*. Toutes ces liaisons se font naturellement dans la lecture.

Il va sans dire que l'*adjectif* se lie avec le substantif qui le suit, puisque cette liaison se fait déjà au singulier; mais même les mots qui ne se lient pas au singulier, *adjectifs* ou *substantifs*, peuvent se lier au pluriel: *grand*(s) *zet forts, les saint*(s) *zont dit, les second*(s) *zont fait*, et aussi *des gen*(s) *zâgés*.

Et ceci pourra servir à l'occasion à marquer une différence de sens, car on distinguera correctement *un marchand de drap*(s) *zanglais*, où *anglais* est l'épithète de *draps*, et *un marchand de drap*(s) *anglais*, où *anglais* est l'épithète de *marchand*.

Cette liaison est particulièrement nécessaire dans les mots ou expressions composées qui n'ont pas de singulier comme *Cham*(ps)-z*Élysées* ou *Éta*(ts)-z*Unis*[936].

Il y a toutefois des mots qui ne pourraient pas supporter la liaison: *on a vu des match*(s) *admirables*[937]. Mais la tendance générale est si forte qu'on ajoute parfois l'*s* doux même à l'*s* dur: *les mœurs zantiques*, ce qui mène à *mœurse zantiques*.

En pareil cas, c'est l'*s* dur qui doit prévaloir, bien entendu: puisque l'*s* final sonne partout, il doit sonner devant une voyelle comme devant une consonne. On dira donc de préférence *des our*(s) *saffamés*, puisqu'on ne dit plus *des our*(s), et de même *des fil*(s) *saimables*.

On préfère cependant *tou*(s) *zensemble*, pour éviter la cacophonie de *sansan*. L'*s de tous* a d'ailleurs une tendance à s'adoucir devant une voyelle, ne fût-ce que par analogie avec celui de *tou*(s) atone et proclitique, qui est forcément doux: *à tou*(s) *zégards*, ceci étant un cas ordinaire de liaison.

Et voici encore une remarque curieuse. De ce que les substantifs et adjectifs qui ne se lient pas au singulier peuvent se lier au pluriel, il résulte cette conséquence inattendue, que les mots qui ont déjà un *s* final au singulier, et qui, au singulier, ne se lient pas dans la conversation, peuvent le faire au pluriel: *un ca*(s) *intéressant, des ca*(s) *zintéressants, un repa*(s) *excellent, des repa*(s) *zexcellents*[938].

On voit même l'*s* s'intercaler et se lier *nécessairement* dans *genti*(ls)*zhommes*, soit parce qu'il ne fait qu'un mot, soit par analogie avec *grand*(s) *zhommes*[939].

La liaison est également nécessaire quand une des conjonctions *et, ou*, unit deux substantifs sans article entre eux; et cela non seulement dans les expressions toutes faites qui ont un article en tête, comme *les pont*(s) *zet chaussées, les voie*(s) *zet moyens, les voie*(s) *zet communications*, mais même entre deux substantifs quelconques sans aucun article, comme *vertu*(s) *zet vices, leçon*(s) *zou devoirs, vin*(s) *zet liqueurs*: outre que le lien est ainsi plus étroit, la liaison est nécessaire pour marquer le pluriel en l'absence d'article.

Quand il y a deux articles, la liaison avec la conjonction reste correcte, mais n'est plus nécessaire. On peut donc dire *les messieur*(s) *zet les dames*, ou plus simplement *les messieur*(s) *et les dames*, tout comme *messieur*(s) *un tel et un tel*[940].

Au contraire, les mots composés ordinaires, j'entends ceux qui ont un singulier[941], sont traités comme les mots simples, et ne peuvent marquer leur pluriel qu'à la fin. Ainsi l'*s* intérieur du pluriel, quand il y en a un, et même s'il n'y en a pas d'autre, ne s'y prononce jamais, le pluriel se prononçant alors comme le singulier. On dira donc, sans exception, *des orang*(s)*-outangs, des char*(s)*-à-bancs*, et tout aussi bien *des ar*(cs)*-ken-ciel, des cro*(cs)*-kenjambe, des por*(cs)*-képics, des gue*(ts)*-tapens, des po*(ts)*-tau-feu*, la consonne *c* ou *t* de ces mots, qui en fait sert d'initiale à la seconde syllabe, ne permettant pas l'introduction de l'*s*[942].

On dira même de préférence *les du*(cs) *ket pairs*, parce que *duc*(s) *zet pairs* ferait supposer qu'il s'agit de deux catégories distinctes. On dira de même sans liaison *des moulin*(s) *à vent, des ciseau*(x) *à froid, des salle*(s) *à manger*[943]. Dans l'exemple de *salle*(s) *à manger*, nous retrouvons encore la question de l'*e muet*, qu'il faut traiter à part.

III. **L'S après l'E muet.**—En principe, l'*e muet* a une tendance naturelle à s'élider sans liaison, quand il est suivi d'un *s*. Il est même assez rare que le peuple fasse la liaison de l'*s* après un *e muet*; il va jusqu'à dire *elle*(s) *ont fait* ou *vous ête*(s) *un brave homme*.

Pourtant l'*s* du pronom *elles* ne peut pas correctement ne pas se lier. Il en est de même, nous l'avons dit, des impératifs devant *en* et *y*: *donne*(s)-*zen*, *songe*(s)-*zy bien*; et aussi des formes verbales monosyllabiques si usitées, *sommes* et *êtes*: *nous somm*(es) *zamis*, *vous ête*(s) *zun brave homme*.

Il y a encore deux formes verbales pareilles, *dites* et *faites*, qui sont dans le même cas: *dite*(s) *zun mot*, *vous faite*(s) *zun beau travail*; on est peutêtre un peu moins exigeant pour *dites* que pour *faites*, mais ce n'est qu'une nuance[944].

On ne peut pas non plus ne pas lier l'adjectif pluriel placé devant le substantif: *jeune*(s) *zannées*. On liera même très bien le substantif pluriel avec l'adjectif qui suit: *les Inde*(s) *zoccidentales*, *les Pyrénée*(s)-*zOrientales*, qui sont d'ailleurs un mot composé, *les femme*(s) *zanglaises*[945]; et l'on pourra distinguer aussi *une fabrique d'arme*(s) *zanglaises*, où l'épithète qualifie *armes*, et *une fabrique d'arme*(s) *anglaise*, où l'épithète qualifie *fabrique*.

On dira aussi, sans article, *homme*(s) *zet femmes*, *femme*(s) *zou enfants*, *sage*(s) *zet fous*, et la liaison restera possible avec l'article, sans être nécessaire.

De même, on peut dire à la rigueur *deux livre*(s) *zet demie*. Pourtant il n'est guère admis de dire *deux heure*(s) *zet demie*: cette prononciation a un air prétentieux, ou témoigne du moins d'une certaine recherche, qui n'est pas exempte d'un pédantisme inconscient, et l'on fera mieux de dire *deux heures et demie*, comme *une heure et demie*; quant à dire *deux heure*(s) *zet quart* ou *deux heure*(s) *zun quart*, je ne crois pas qu'on s'y risque beaucoup, non plus qu'à dire *entre onze heure*(s) *zet midi* ou *trois heure*(s) *zaprès*: ce serait presque ridicule, alors qu'on dit correctement *trois an*(s) *zaprès*. On ne dit pas davantage *des pompe*(s) *zà vapeur*, sans parler des *maître*(s) *zès arts*, qui est imprononçable.

On dira même moins souvent ou moins facilement dans la conversation: *ces homme*(s) *zont fait leur devoir* que: *ces gen*(s) *zont fait leur devoir*.

On voit que la liaison de la syllabe muette avec *s*, *au pluriel*, est plus restreinte dans la langue parlée que celle de la syllabe tonique. Même dans la lecture ou le discours, elle est souvent évitée comme désagréable à l'oreille, et il y a une foule de cas où elle ne peut se faire qu'en vers. Mais là elle est naturellement indispensable, sans quoi les vers seraient faux:

Et fit tourner le sort des *Perse*(s) *zaux Romains*[946].
Nos *prince*(s) *zont-ils* eu des soldats plus fidèles?[947].

A vrai dire, les poètes mettent quelquefois le lecteur à de rudes épreuves, jusqu'à Racine lui-même:

Mes *promesse*(s) *zau*(x) *zun*(s) *zéblouirent les yeux*[948].

Encore peut-on se tirer d'affaire ici par une pause après *promesses*; mais alors le vers paraît clocher, parce que l'*e muet* a l'air de s'élider. Ce sont des pauses qu'il faut éviter autant que possible, et l'on n'hésitera pas à dire, par exemple:

Quels *reproche*(s), *zhélas!* auriez-vous à vous faire?[949].

car le mot *hélas!* se lie assez bien à ce qui précède. Il y a d'ailleurs des pauses qui ne sont guère possibles, comme dans

Et le soir on lançait des *flèche*(s) *zau*(x) *zétoiles*,

où la liaison de *flèches* demande de la délicatesse[950].

Si l's même du pluriel ne se prononce pas toujours volontiers dans l'usage courant après un *e muet*, il en est de même à fortiori pour celui de la *seconde personne du singulier*, à part l'impératif suivi de *en* ou *y*. Car on est bien obligé de dire *songe*(s)-*zy* ou *donne*(z)-*en*, puisque l's a été mis là exprès pour cela. Ou plutôt l's a été prononcé là avant qu'on ne l'écrivît; mais on dit de préférence sans liaison: *tu aime*(s) *à rire*, *tu chante*(s) *à ravir*.

Sans doute, *tu chante*(s) *zà ravir* irait encore assez bien en vers; mais que dire de *Tu lâche*(s) *zOscar*, que Victor Hugo a mis dans *la Forêt mouillée*?

D'autre part, quand Lamartine écrit dans *la Mort de Socrate*:

Toi qui, m'accompagnant comme un oiseau fidèle,
Caresse encor mon front au doux vent de ton aile,

il fait une faute d'orthographe, c'est certain, et il en a fait beaucoup de pareilles; mais peut-être a-t-il mieux aimé la faire que d'écrire *Me caresse*(s) *zencore*, qui était facile. On se demande lequel des deux valait le mieux. Tout bien considéré, je crois que les poètes auraient mieux fait d'élider franchement et par principe, malgré l's, toutes ces secondes personnes de première conjugaison.

Quant à l's des *noms propres*, il est vraiment impossible de le prononcer, même dans la lecture ou le discours; si on ne le prononce pas après une consonne ou une voyelle simple, ce n'est pas pour le prononcer après un *e* *muet*: imagine-t-on *Versaille*(s) *z est superbe, George*(s) *z Ohnet* ou *Charle*(s)-z *Albert?*

Ces liaisons étaient sans doute possibles autrefois, mais il y a longtemps, et aujourd'hui les poètes eux-mêmes préfèrent supprimer l'*s*. Voici par exemple deux vers d'*Aymerillot*, où Victor Hugo avait le choix:

Le *bon* roi *Charle* est plein de douleur et d'ennui.
Charle, en voyant ces tours, tressaille sur les monts.

Ni *bon*, ni *en* n'étaient indispensables; mais dans le premier vers, le poète n'a pas voulu d'une liaison qui contredisait si catégoriquement l'usage universel, et peut-être a-t-il ajouté *bon* uniquement pour l'éviter; dans le second, il a mieux aimé, ayant le choix, supprimer l'*s* que de supprimer *en*[951].

Victor Hugo, Edmond Rostand font généralement de même pour l'adverbe *certes*. Suivant les besoins du vers, Molière écrit *certe* ou *certes*, et *grâce* ou *grâces*.

IV. **L'S après un R.**—Enfin, de même que pour le *t*, il importe particulièrement d'éviter la liaison de l'*s* précédé d'un *r*, sauf deux cas: d'une part, dans un mot composé, comme *tier*(s)-z*état*, traité comme un mot simple[952]; d'autre part, au pluriel.

Et encore, au pluriel, il faut distinguer.

On dira uniquement *plusieur*(s) *zenfants* et *diver*(s) *zauteurs*, parce que l'adjectif est devant le substantif, et aussi des *jour*(s) *zheureux*, pour éviter une cacophonie. Mais déjà on pourra dire au choix des *part*(s) *zégales*, à cause du lien qui existe entre les mots, ou *des part*(s) *égales*, comme au singulier; de même *des ver*(s) *zadmirables* ou des *ver*(s) *admirables*.

Et l'on dira plutôt *des cor*(s) *anglais*, parce que *cor anglais* est presque un mot composé, qui se prononce au pluriel comme au singulier; de même, à fortiori, *des cuiller*(s) *à café, des fer*(s) *à repasser, des ver*(s) *à soie*[953].

Si l'usage a fait prévaloir, du moins parmi les spécialistes, *art*(s) *zet métiers, art*(s) *zet manufactures*, c'est que ce sont là comme des mots composés dont le singulier n'existe pas, ce qui rappelle le cas de *Cham*(ps)-z*Élysées*.

On dira encore fort bien: *aveugles, sourd*(s) *zet muets, tous guérissaient*, parce qu'il s'agit de catégories différentes, mais on dira *les sour*(ds) *et muets*, comme au singulier, et aussi *les sour*(ds) *et les muets, les bavar*(ds) *aiment à...*, *ses discour*(s) *ont quelque chose de...*

Telles sont les distinctions qu'on peut faire au pluriel. Au singulier, c'est plus simple: il n'y a pas de distinctions à faire. On dira uniquement *un ver*(s) *admirable*, comme *une par*(t) *égale*, et de même à fortiori *l'univer*(s) *est immense*, et cela où que ce soit, en vers comme en prose, puisqu'il n'y a pas d'hiatus à éviter, ni de vers qui fussent faux sans cela. La liaison ici est non seulement inutile, puisque l'*r* se lie naturellement avec la voyelle qui suit, mais de plus prétentieuse, n'étant plus employée nulle part. Il y a beau temps déjà que Legouvé, dans son *Art de la lecture*, raillait *le corp*(s) *zensanglanté* d'un certain avocat.

On ne fait même pas de liaisons dans des expressions qui pourraient passer pour composées, comme *corp*(s) *et âme* ou *corp*(s) *à corps* ou *prendre le mor*(s) *aux dents*[954].

On n'en fait pas davantage dans les verbes: *je par*(s) *aujourd'hui, tu sor*(s) *avec moi.*

Avec l'adverbe *toujours*, la liaison, de moins en moins fréquente, est encore admise ou tolérée, même en parlant, sans doute en souvenir du pluriel qui est dans le mot. Mais les prépositions *hors, vers, envers, à travers* ne doivent pas plus se lier que les autres mots, même dans une expression toute faite, comme *enver*(s) *et contre tous*. Il y a peu de liaisons plus désagréables, je dirais presque plus désobligeantes, que celle de *ver*(s) *zelle*[955].

Je rappelle, pour terminer, que les liaisons les plus correctes, si elles ne sont pas absolument indispensables, doivent être évitées, même dans la lecture, si elles produisent une cacophonie. Or, c'est avec l'*s* que le cas se produit le plus facilement. Ainsi *tu a*(s) *zôté* est parfaitement correct: *tu le*(s) *zas* est indispensable; mais *tu le*(s) *za*(s) *zôtés* est inadmissible; on dira donc *tu le*(s) *a*(s) *ôtés*, la seconde liaison n'étant pas indispensable comme la première.

LIAISONS DES NASALES

En résumé, nous n'avons trouvé jusqu'ici de liaisons importantes et vivantes qu'avec le son du *t* ou de l'*s* doux. Il y en a encore une, moins importante, mais très curieuse, c'est celle de l'*n* dans les *finales nasales*, l'*m* ne se liant jamais.

Les finales nasales se liaient autrefois, comme toutes les consonnes, et par suite ne faisaient pas en vers les hiatus qu'elles font aujourd'hui pour nous[956].

Aujourd'hui la liaison des nasales est réduite presque uniquement aux adjectifs placés devant le substantif, cas essentiel, comme on l'a vu, en matière de liaison. Or les adjectifs qui peuvent être à cette place sont en somme assez peu nombreux, surtout en prose.

La plupart des adjectifs qui peuvent se lier sont en **-ain**: *cert*ain, *haut*ain, *loint*ain, *hum*ain, *proch*ain, *soud*ain, *souver*ain, *v*ain et *vil*ain, avec *pl*ein, *anci*en et *moy*en. Mais la liaison offre ici un phénomène très remarquable, car la nasale se décompose, et c'est le son du féminin qu'on entend: *certai-n*auteur, *un vai-*n*espoir*, *un vilai-*n*enfant*, *en plei-*n*air*, *le moye-*n*âge*, *un ancie-*n*ami*, et même *au prochai-*n*avertissement*; et en vers, ou dans le style oratoire, *un certai-*n*espoir*, *un soudai-*n*espoir*, ou encore:

Agrippine, Seigneur, se l'était bien promis:
Elle a repris sur vous son *souverai-*n*empire*[957].

On dit de même un *mie-*n*ami*, un *sie-*n*ami*, expressions d'ailleurs assez rares[958].

On conçoit que l'existence du féminin a singulièrement facilité, ou peut-être, pour mieux dire, a seule permis cette décomposition. On se rappelle d'ailleurs que la voyelle *orale* qui correspond phonétiquement au son *in* n'est pas *i*, mais bien *è*, ce qui facilite encore la décomposition: *in* devient *è* très naturellement[959].

Il est vrai que quelques personnes lient sans décomposer: *plein* n*air*; mais c'est encore une erreur, qui provient uniquement du fétichisme de l'orthographe, et du besoin de prononcer les mots comme ils sont écrits. Ou peut-être est-ce un respect scrupuleux d'anciennes traditions: l'abbé Rousselot a remarqué que cette prononciation se rencontre de préférence dans certains milieux traditionalistes et réactionnaires.

En tout cas, elle est presque aussi surannée que an-*née*, *sol*en-*nel* ou *ard*em-*ment* prononcés avec des nasales[960].

Naturellement on dira sans liaison: *vain et faux*, *ancien et démodé*, etc., l'adjectif n'étant pas devant un substantif.

Il y a encore quelques autres adjectifs qui sont dans le même cas que les adjectifs en *-ain*.

Il n'y en a point en **-an**, et cette finale ne doit jamais se lier.

En **-on**, il y a *bon*, et le phénomène est exactement le même: *un bo-*n*élève*, et non *un bon* n*élève*[961]; alors qu'on dit *bon à rien*, *bon à tirer*, sans liaison.

L'exemple de *bon* est suivi par *mon, ton, son,* qui sont aussi des adjectifs, et sont traités comme si leurs féminins étaient *monne, tonne, sonne*: *mo-*n*habit, to-*n*amour, so-*n*esprit*[962].

Le cas des adjectifs en **-in** est plus délicat, car *-in* fait au féminin *-ine,* qui ne correspond pas phonétiquement au masculin. Pourtant la grande diffusion des cantiques de Noël a répandu et imposé l'expression *divi-*n*enfant.* Par analogie, on dira très correctement *divi-*n*Achille, divi-*n*Ulysse, divi-*n*Homère*; mais ici la décomposition de la nasale s'impose moins absolument, quoique la liaison soit également indispensable. C'est d'ailleurs le seul adjectif en *-in* qui puisse se décomposer: *malin esprit* ou *fin esprit* se lieront donc *au besoin* sans décomposition; mais je pense qu'*esprit malin* et surtout *esprit fin* vaudraient beaucoup mieux[963].

On peut dire de **-un** la même chose que de *-in*: le féminin ne correspond pas phonétiquement au masculin[964]. Néanmoins l'adjectif *un* s'est longtemps décomposé comme les autres, et Littré disait encore *u-*n*homme.* Cette prononciation a disparu à peu près complètement, à Paris du moins, chez les personnes instruites. Cela tient sans doute à ce que des confusions de genre se sont produites. Par exemple le peuple faisait *u-*n*omnibus* du féminin. Dès lors les personnes instruites ont craint peut-être qu'on ne les accusât de faire féminins des noms masculins, et l'usage s'est établi de faire la liaison sans décomposer: *un* n*homme, un* n*ami, un* n*un*[965].

On dit aussi *un* n*à un,* et même, si l'on veut, *l'un* n*et l'autre*[966]; mais on dit sans liaison *un ou deux,* et même *un et un font deux, l'un est venu, l'autre est resté;* et à *ving et un* n*ans,* où *ans* est multiplié par *ving et un,* on opposera *vingt et un avril,* où avril n'est pas multiplié[967].

Aucun a fait exactement comme *un,* dont il est composé, et conserve aujourd'hui le son nasal en se liant devant un substantif: *un* n*homme, aucun* n*homme.* On dit aussi *d'un commun* n*accord,* ou encore *chacun* n*un,* qui évite un hiatus désagréable, et même, en géométrie, *chacun* n*à chacun*; mais, à part ces expressions, on lie très rarement *chacun* et *quelqu'un,* et seulement dans la lecture.

Outre les adjectifs, il y a encore cinq ou six *mots invariables* qui se lient: les pronoms indéfinis *en* (pronom ou adverbe), *on* et *rien,* l'adverbe *bien* et la préposition *en,* parfois même l'adverbe *combien.* Ces mots-là aussi se lient sans se dénasaliser, tout simplement sans doute parce qu'ils n'ont pas et ne peuvent pas avoir de féminin: ainsi *je n'en* n*ai pas, s'en* n*aller, on* n*a dit, je n'ai rien* n*accepté, rien* n*à dire, rien* n*autre, vous êtes bien* n*aimable,* ou *bien* n*à plaindre, bien* n*entendu, c'est bien* n*à vous de...,* en n*Asie,* en n*argent,* en n*étourdi,* en n*aimant*; et aussi, mais moins nécessairement, *combien* n*avez-vous de...?*[968].

Naturellement, pour que la liaison puisse se faire, il faut que le lien entre les mots soit suffisant, car on dira sans liaison *donnez-m'en un peu, parlez-en à votre père, a-t-on été, je n'ai rien aujourd'hui, rien ou peu de chose, nous sommes bien ici, bien et vite, combien y a-t-il d'habitants à Paris?* et cela même en vers, au moins dans les premiers exemples.

Mieux encore: il arrive que *on* est traité comme une sorte de nom propre, et en ce cas il ne se lie pas. Ainsi, à une phrase telle que *on n*a *prétendu que...*, il sera répondu, sans liaison: On *est un sot,* comme on dirait *Caton est un grand homme.*

*

* *

CONCLUSION

En somme, et tout bien considéré, on a pu voir que même en prose, même dans la conversation la plus courante, il se fait encore un assez grand nombre de liaisons, dont certaines sont absolument indispensables. Il est même à noter que, pour quelques liaisons qu'on faisait autrefois et que nous ne faisons plus, en revanche la diffusion de l'enseignement a rétabli dans l'usage courant de la conversation beaucoup de liaisons que le XVIIe siècle et le XVIIIe n'y faisaient déjà plus. Au XVIIe siècle, les personnes les plus instruites disaient couramment sans liaison, d'après le témoignage des meilleurs grammairiens, cités par Thurot: *vene*(z) *ici, je sui*(s) *assez bien, voyon*(s) *un peu, avez-vou*(s) *appris, des cruauté*(s) *inouïes, des tromperie*(s) *inutiles*, et même *d'inutile*(s) *adresses*; et encore *commen*(t) avez-vous *dit, i*(ls) *doive*(nt) *arriver, nous somme*(s) *allés*; toutes façons de parler qui subsistent plus ou moins dans le langage de la bonne compagnie, celle qui, par tradition, garde, dans la conversation comme dans les manières, cette simplicité qui est une de ses élégances.

Il nous faut répéter, pour conclure, ce que nous avons dit maintes fois dans cet ouvrage: le parler des gens du monde n'est pas celui des professeurs, des acteurs, et, en général, des gens qui font profession de la parole, avocats, hommes politiques, etc.

Molière avait bien remarqué ces nuances, comme il se voit par les recommandations qu'il adresse à l'un des comédiens de *l'Impromptu de Versailles*: «Vous faites le poète, vous, et vous devez vous remplir de ce personnage, marquer cet air pédant qui se conserve parmi le commerce du beau monde, ce ton de voix sentencieux, et cette exactitude de prononciation qui appuie sur toutes les syllabes, et ne laisse échapper aucune lettre de la plus sévère orthographe.»

Depuis le temps de Molière, et pour diverses raisons, les façons de parler prétentieuses qu'il raillait si bien ont gagné du terrain, et elles ont atteint des classes sociales qui, jusqu'à présent, en étaient exemptes. Mais, aujourd'hui comme autrefois, le dire de l'abbé d'Olivet reste vrai: «La conversation des honnêtes gens est pleine d'hiatus volontaires qui sont tellement autorisés par l'usage que, si l'on parlait autrement, cela serait d'un pédant ou d'un provincial.»

NOTES

[1] DOMERGUE, Manuel des étrangers amateurs de la langue française, *1805 (les exemplaires de 1806 portent pour premier titre* la Prononciation française); Mme DUPUIS, Traité de prononciation ou Nouvelle Prosodie française, *1836*.

[2] *Le* Traité complet de la prononciation française *de Lesaint, même revu et complété en 1890 par le Professeur Dr Chr. Vogel, est fait sans méthode, et ne peut avoir aucune autorité: il prononce encore* scouère, *et* ton, *pour* ta(o)n, *et* mosieu, *etc., sans parler de* Haydn *prononcé* èdn, *avec* Ghy-ane *et* Ghy-enne. *Puis, voici M. Sudre, docteur ès lettres, professeur à la Guilde internationale, qui trouve très légitime qu'on prononce* cinque francs *ou* neufe sous, *qui admet* aspè, aspec *ou* aspect *et préfère* aspect! *Le reste à l'avenant. Voilà ce qu'on enseigne aux étrangers. Un autre, professeur au Conservatoire, enseignait aux Français qu'«on* commence *à pouvoir dire:* une main habile.» *(Dupont-Vernon,* l'Art de bien dire.*)*

[3] *Ou bien il a des formules singulières comme celle-ci:* Beaucoup de personnes (!) *ne prononcent pas* f *dans* les bœufs.

[4] *Je ne parle pas de Littré, qui en cette matière est déjà suranné sur beaucoup de points, notamment par son obstination à maintenir le son de l'*l *mouillé, et à séparer des syllabes que tout le monde réunit. Littré n'est déjà plus qu'un témoin historique, d'ailleurs infiniment précieux.*

[5] *Jusqu'à la lettre* O, *la finale-*aille *est ouverte presque partout; ensuite elle est généralement fermée.*

[6] *Par exemple, il identifie pour la prononciation* grêle *adjectif et* grêle *substantif; il fait l'*a *final bref dans* vasistas, *et ferme* au *dans* aurore *ou* augmenter, *etc.*

[7] *Il croit que l'*a *est fermé dans* crasse *et dans* latrines; *il prononce* coïncidence *comme* coin; quadrilatère *par* coua *ou* ca, *et plutôt* ca, joigne *avec* oua *ou* ouè, frêlon *avec* e *ouvert,* asymétrie *et* imprésario *avec des* s *doux,* enharmonique *avec un* h *aspiré; il croit qu'on peut dire indifféremment* échev'lé *ou* éch'vélé, déjà *ou* d'jà, quérir *ou* qu'rir, *des* gentilzhommes *ou des* gentil(s)hommes, hai(e) *ou* haye, gen(s) *ou* gensse; *il admet la suppression du* c *dans* sanctuaire, sanction *et* sanctifier; *celle du* p *dans* cep *et* septembre; *il s'imagine que des bouches françaises peuvent encore garder une diphtongue dans des mots comme* meurtrier, encrier, bouclier, sablier, *etc.: il excepte seulement* ouvri-er!

[8] *Je recommande particulièrement à ce point de vue le chapitre de* en *prononcé* an *ou* in, *ou celui du groupe* ti *devant une voyelle.*

[9] *Nous le citerons cependant, vu son importance, au même titre et dans les mêmes cas que le* Dictionnaire général.

[10] *Les éléments de ces notes historiques sont naturellement empruntés au livre de* THUROT: de la Prononciation française depuis le commencement du XVIᵉ siècle, *1881-1883. A défaut de ce livre capital, ceux qui s'intéressent à ces questions trouveront encore la plupart des renseignements nécessaires dans* ROSSET, les Origines de la prononciation moderne, *1911.*

[11] Ceci ne peut suffire que pour les poètes:

A noir, E blanc, I rouge, U vert, O bleu, voyelles,
Je dirai quelque jour vos naissances latentes.

Mais quel E ou quel O? celui d'*écho* ou celui d'*orge*? Et les autres sons?

[12] Par exemple c*a*cique, g*i*got, salu*t*ation.

[13] Ces questions sont certainement un peu arides. Mais le lecteur qui ne s'intéresse qu'aux faits, et ne tient pas à s'en rendre compte méthodiquement et par principes, peut très bien passer directement au chapitre de la voyelle *A*. Il reviendra ensuite sur les principes, si le cœur lui en dit. Je dirai même que pour le lecteur qui n'est pas initié, mieux vaut sans doute commencer par les faits: il comprendra mieux les principes après cette étude préliminaire, et c'est toujours une bonne méthode que d'aller du concret à l'abstrait.

[14] On voit que la voyelle fermée est aiguë, et que la voyelle ouverte est grave. On pourrait donc employer ces mots les uns pour les autres. Mais comme il convient de choisir, pour simplifier le vocabulaire, nous emploierons les deux termes *ouvert* et *fermé*, qui sont ceux dont les autres voyelles s'accommodent le mieux.

[15] Cette distinction est si nette que ces mots ne sauraient d'aucune façon rimer ensemble correctement, malgré l'exemple de V. Hugo, qui rapproche constamment *trô*ne de *cour*onne, ou *rô*le de *par*ole.

[16] Cette distinction n'apparaît pas d'abord manifestement; mais une expérience facile, indiquée par l'abbé Rousselot (voir son *Précis de prononciation*, page 39), montre que le mot est en somme parfaitement exact: si l'on prononce normalement la voyelle **a**, et si, sans rien changer à la position de la bouche, on en rapproche et retire alternativement la main, on sentira nettement ce que c'est qu'un **a** fermé; or la main fait ici l'office du gosier. Ajoutons, pour mieux caractériser encore l'**a** fermé, qu'il se rapproche de l'**o**, au moins à Paris.

[17] Il s'agit ici bien entendu du **c** et du **g** tels qu'on les entend devant **a, o, u**, et non transformés en d'autres consonnes, comme ils le sont devant **e** et **i**.

[18] On ne le retrouve guère que dans certaines parties du Midi et en Suisse. Peut-être y a-t-il encore des instituteurs qui s'efforcent de le rétablir sous la forme *ly*: *alyeurs* pour *ailleurs*, mais c'est autre chose, et c'est peine perdue. Il est encore plus vain de vouloir restaurer ce son disparu du français que de s'obstiner à faire vibrer l'*r*.

[19] Voir sur ce point LEONCE ROUDET, *la Désaccentuation et le déplacement d'accent dans le français moderne*, dans la *Revue de philologie française*, 1907.

[20] Voir ROUDET, article cité. Toutefois l'auteur me semble réduire à l'excès le nombre des syllabes accentuées en fait. Il y a en moyenne un accent, plus ou moins fort, par groupe de trois syllabes, et c'est pourquoi il y a en moyenne quatre accents dans un alexandrin, l'accent étant sur la dernière syllabe non muette de chaque groupe. Ainsi dans ce vers:

Laissez-moi *là*, vous *dis*-je, et cou*rez* vous ca*cher*,

il n'y a que *quatre* accents, mais il y en a quatre: sur *là*, *dis*, *rez* et *cher*.

[21] Acte de volonté qui devient d'ailleurs facile et même inconscient, grâce à l'habitude, mais qui n'en subsiste pas moins, comme ceux qui dirigent les doigts du pianiste, même dans les «traits» les plus faciles, où le jeu semble le plus machinal.

[22] On voit que l'accent dit *aigu*, quand il n'est pas final, surmonte presque toujours un *e* à demi ouvert; pourtant l'*é* initial est souvent moins ouvert que l'*é* intérieur.

[23] Je ne parle pas, bien entendu, des noms étrangers, comme *Brahms*, où l'*h* allonge l'*a*, à côté de *rams*, qui a l'*a* bref.

[24] Exactement et en fait, les groupes sont: *bl*, *cl*, *fl*, *gl*, *pl*, et *br*, *cr*, *dr*, *fr*, *gr*, *pr*, *tr*, *vr*. C'est ce que les grammairiens appellent *muta cum liquida*. Mais nous savons que les *muettes* sont *b* et *p*, *c* et *g*, *d* et *t*, *f* et *v* sont des *spirantes* (*labiales* ou *fricatives*). On voit qu'en principe, parmi les muettes, *d*, *t*, *v*, ne se groupent qu'avec l'*r*, en français; quant aux autres spirantes, *s* et *z*, *ch* et *j*, elles ne se groupent même pas avec l'*r*: quand par hasard elles en rencontrent un, comme dans *Is-raël*, ce qui est rare, elles n'appartiennent pas à la même syllabe.

[25] Les plus nombreuses sont précisément celles dont la *première* consonne est *l* ou *r*, comme *-arbe*, *-arc*, *-arde*, etc.

[26] On sait que cet accent tient presque toujours la place d'une lettre disparue, généralement un *s*, qui ne se prononçait plus, mais dont la présence allongeait la voyelle. Seulement, quand la syllabe qui a l'accent circonflexe est

finale, l'allongement ne se fait plus sentir: *aim*â*t, for*ê*t* et *bient*ô*t* (de même que *re*ç*ût* ou *fît*) ne se prononcent plus autrement qu'*aim*a, *for*et et *palet*ot. Il en est de même, disons-nous, de *aim*â*mes* et *aim*â*tes*, comme de *fîmes* ou *re*ç*ûmes*. Et ceci n'est pas nouveau: Mme Dupuis l'avait déjà constaté. Nous signalerons, en temps et lieu, les autres exceptions. D'ailleurs, comme les mots à accent circonflexe sur la finale ne sont pas très nombreux, on les trouvera tous dans les notes.

[27] Sauf, très mal à propos, les trois noms de mois en -*ose*: *niv*ô*se, vent*ô*se* et *pluvi*ô*se*.

[28] Le *Dictionnaire général* donne *la* fermé et *fa* ouvert: c'est certainement une erreur, si ce n'est pas une faute d'impression. On notera en passant que les noms des voyelles intermédiaires, *é, eu, o*, et ceux des consonnes qui s'énoncent avec un *e* à la suite, *b, c, d*, etc., sont également fermés, ainsi que les notes *do* ou *ré*, car tous appartiennent à des finales fermées.

[29] La preuve, c'est que beaucoup d'*h* sont tombés, notamment dans *casba, véranda, smala, massora*, et même *poussa*, et les noms de lieux arabes, comme *Blida*; mais ceux qui restent ne se sentent guère plus, par exemple dans *sura*(h), ou même *sha*(h), surtout dans *sha*(h) *de Perse*, ou *Jéhova*(h): je ne vois guère qu'*Allah*, où l'on maintienne *parfois*, par un effort *volontaire*, l'**a** long et fermé.

[30] Cette identité de prononciation entre les singuliers et les pluriels est déjà constatée par Mme Dupuis; mais les voyelles sont restées longues et fermées pendant longtemps au pluriel, en souvenir du temps où l'*s* se prononçait; elles ne le sont plus aujourd'hui que dans certaines provinces.

[31] Sauf bien entendu *bât, dégât, mât, appât*, où l'*a* est encore un peu fermé par l'accent circonflexe, qui a remplacé l'*s* antérieur; mais cette différence même est en voie de disparaître. C'est déjà chose faite, nous l'avons dit, pour les subjonctifs: *aim*â*t* (pour *aim*ast) ou *aim*a ne diffèrent plus en rien, et malheureusement la confusion des prononciation amène parfois la confusion des formes elles-mêmes.

[32] Sans aucun souci de l'étymologie, comme on peut voir. Ainsi l'*a* de *pénates* ou *sonate*, qui était long en latin ou en italien, est bref en français; de même pour *s'évade* ou *arcane*.

[33] Je ne parle pas bien entendu des finales dont il est question page 38: *algue, calme, Alpes, salve, apte, rhubarbe, charge, écharde, écharpe*, etc.: on sait que l'*a* n'y est jamais long ni fermé.

[34] Il s'agit bien entendu du *c* guttural et non du *c* spirant ou sifflant de *ce* et *ci*.

[35] De même *Balzac* ou *Aurillac, Karnak, Bach* ou *Andromaque*. On excepte *Isaac* et *Jacques*, dont l'*a* est fermé, et naturellement *Pâque* et *Pâques*, pour *Pa(s)que*. D'ailleurs *Isaac* s'est longtemps prononcé *isac*, où la contraction naturellement allongeait la voyelle. La réaction orthographique a fait rétablir le premier *a*, mais l'effort fait pour distinguer les voyelles maintient l'allongement de la seconde. En revanche, on ouvre ordinairement l'*a* dans les *Jacques* (d'où *Jacquerie*, et peut-être *jaquette*), et dans faire le *Jacques*.

[36] De même *Gap, Priape, Chappe, Esculape, Jemmapes, la Trappe.*

[37] On exclut, bien entendu, *hâte, bâte, gâte, mâte* et *démâte, pâte, empâte* et *appâte*, et *hâte*, qui tous ont perdu un *s*. L'*a* est douteux dans *Pilate*, seul parmi les noms propres: cf. *Josaphat, Croates, Hécate, Agathe, Dalmates, Carpathes, Socrate*, etc.

[38] De même *Malgache, Gamache, Carrache, Eustache*, etc. On excepte naturellement *bâche, rabâche, fâche, gâche, lâche, relâche, mâche* (substantif ou verbe) et *tâche* (ne pas confondre avec *tache*): tous avaient un *s*, sauf *bâche* et *mâche* (salade), qui ont pris l'accent circonflexe par analogie.

[39] Sauf pour rimer avec *châsse* et *grâce*, dont l'accent circonflexe est d'ailleurs assez mal justifié. Quant à *crasse*, il est toujours ouvert, et a toujours été bref, et je ne sais pourquoi Michaëlis et Passy distinguent ici l'adjectif du substantif: c'est le même mot. *Savantasse* a eu l'*a* fermé; il s'est ouvert, par analogie avec tous les mots où le suffixe *asse* prend un sens péjoratif. *Masse*, terme de jeu, a aussi été long. D'autres encore ont été longtemps discutés. Ajoutons que l'*a* est long dans *Annemasse* et *Grasse*, et bref dans *le Tasse*, comme dans tous les autres noms propres: *Paillasse, Madécasses, Sargasses*, aussi bien que *Curiace, Ignace, Boccace, Daces, Laplace, Horace, Thrace, Alsace*, etc.

[40] Le *Dictionnaire général*, qui s'en rapporte trop facilement à l'étymologie, conserve l'*a* ouvert et bref dans *stras* (du nom propre *Strass*) et *vasistas* (de l'allemand *was ist das*), et même dans *hypocras*; il ne distingue pas entre ce qui devrait être et ce qui est.

[41] Entendez le *g* guttural, et non le *g* chuintant qu'on entend dans *ge* et *gi*.

[42] Le *Dictionnaire général* le fait ouvert, et il a certainement raison en principe, sinon en fait. On se demande ce qui a pu amener cette prononciation singulière, qui remonte fort loin. Cet *a* finira probablement par s'ouvrir là comme ailleurs, un jour où l'autre, à cause du *b*, comme a fait l'*o* de *globe* et *lobe*, qui jadis était fermé aussi. L'*a* de *Souabe* est aussi bref que celui de *Mab* ou *Achab*.

[43] De même *Joad, Tchad, Timgad, Alcibiade, Henriade, Pléiades*, etc.

[44] L'*a* est moins ouvert dans *Reichstag* et *Landtag*, mots étrangers, que dans *zigzag*. Il est ouvert dans *Agag*, *Copenhague*, *Birague*, *Prague*, etc.

[45] Ce sont *hâle*, *mâle* et *râle* (verbe), qui ont perdu un *s*, avec *râle*, oiseau (pour *ralle*), *châle* et *pâle*, dont l'accent est peu justifié. On y joindra *Bâle*, qui a aussi perdu un *s*, et *Domba(s)le*, qui a gardé le sien: cf. *Duche(s)ne*, *Ne(s)le*, etc. *Saint-Graal* et *Ruisdaël*, où on ne prononce qu'un *a*, ont aussi la finale longue et fermée, et l'obligation de distinguer deux *a* paraît fermer à demi l'*a* final de *Baal* ou *Transvaal*. L'*a* est ouvert dans les autres noms propres, *Montréal*, *Martial*, *Annibal*, *Portugal*, *Cantal*, *Lamballe*, *Cancale*, *Bengale*, *saint François de Sales*, *Ambarvales*, etc.

[46] A ces mots il faut ajouter *brahme*, à cause de l'*h*, sans compter *âme* (pour *an-me* nasal), *blâme* et *pâme*, qui ont perdu leur *s*, et *infâme* (par réaction étymologique, et aussi par emphase, car il avait autrefois l'*a* bref, comme *diffame*). Pour ne pas trahir le poète, mais pour ce motif seulement, il faudra prononcer *brame* avec *a* fermé dans ces vers:

Elle brame
Comme une âme
Qu'une flamme
Toujours suit.
V. HUGO, *les Djinns*.

La double voyelle paraît fermer à demi l'*a* final dans *Balaam* et *Abraham*, comme ci-dessus dans *Isaac* ou *Baal*; il est ouvert dans les autres noms propres, *Roboam*, *Priam*, *Annam*, *Bergame*, *Pyrame*, etc.

[47] Le *Dictionnaire général* donne à ce mot l'*a* ouvert et moyen. L'accent circonflexe est seulement dans *âne*, pour *a(s)ne*, dans *flâne* (étym. inconnue), *mânes*, qui garde l'*a* long du latin, et *crâne* (dont l'allongement ne s'explique pas). On ferme aussi assez généralement l'*a* de *Jeanne*, quand il n'y a pas de nom à la suite (moins, par exemple, dans *Jeanne d'Albret*). Beaucoup de gens disent encore *Anne* avec *a* fermé et long, et surtout *Marie-Anne*, sans doute afin de distinguer ce prénom de *Marianne*. D'ailleurs *Marianne* aussi eut autrefois l'*a* long, puisqu'on l'écrivait *Mariamne*, comme *condamne*, et *Diane* également, à cause de l'étymologie. Cet *a* est bref et ouvert aujourd'hui, comme dans les autres noms propres, *Ariane*, *Guyane*, *Toscane*, *Modane*, *Aristophane*, *Tusculanes*, *Tigrane*, *Fontanes*, etc., aussi bien que *Cannes*, *Lannes*, *Suzanne*, *Lausanne*, ou *Ahriman* et les noms étrangers en *-mann*; on doit le fermer dans *Hahn*, à cause de l'*h* qui le suit.

[48] Le *Dictionnaire général* les fait longues par principe.

[49] Ceci reste du temps où ce mot se prononçait *gan-gne*. L'*a* est ouvert également dans *Ascagne*, *Cerdagne*, *Allemagne*, *Espagne*, etc.

[50] C'est-à-dire *a*, suivi d'un *l* mouillé, mais qui se prononce en réalité comme *a-ye*, l'ancien son mouillé étant complètement perdu.

[51] Prononcé à l'anglaise, nous le retrouverons à *ai*, avec *m*ai*l-coach*.

[52] Il est remarquable qu'au contraire la même intention péjorative tend plutôt à ouvrir et abréger l'*a* de la finale *-asse*.

[53] Je sais bien que d'aucuns ferment et allongent autant qu'ils peuvent *où voulez-vous que j'*ai*lle*; mais cela ne sent-il pas un peu le faubourg extérieur?

[54] Ce mot est le seul pour lequel le *Dictionnaire général* hésite. Mais d'ailleurs sa doctrine a singulièrement changé au cours de l'impression: jusqu'à la lettre O, tous les *a* sont ouverts, sauf dans *godaille* et quelques verbes en *-ailler*; à partir d'O, l'*a* fermé l'emporte de beaucoup; mais pourquoi *relev*ailles et *trouv*aille ont-ils l'*a* ouvert, à côté de *sem*ailles et *vol*aille, qui l'ont fermé?—Il va sans dire qu'à Paris on fait l'*a* long et fermé dans *V*ers*ailles*, et aussi dans *Cornou*ailles ou *Xaintr*ailles, et même dans *No*ailles.

[55] De même *Bisc*aye, *Luc*ayes, *Hend*aye, *Bl*aye. On prononce *Ba*ïes de la même façon, et aussi quelques mots étrangers en *-aï*, comme *Shangh*aï: voir page 119, note 2.

[56] Il me semble qu'il ne l'est plus dans les noms propres, *Baléares*, *Ic*are, *Pind*are, *Bulg*are, *Tén*are, *Saint-Laz*are, etc. Faute d'avoir distingué entre *bref* et *ouvert* (qu'il appelle *aigu*), comme entre *long* et *fermé* (qu'il appelle *grave*), Thurot a manqué de précision et d'exactitude, autant que les grammairiens qu'il cite, en ce qui concerne les finales en *-re*. J'ajoute, en passant, que, dans le même chapitre de la quantité, il a oublié les finales en *-se* doux (*-ase*, *-èse*, etc.).

[57] De même *Asty*age, *Pél*age et même *Péla(s)g*es, *Mén*age, *Abencér*ages, *Carth*age, *Carav*age, etc.

[58] Peut-être l'*a* est-il un peu plus bref dans les formes verbales: *il b*ave, *p*ave ou *gr*ave, par analogie avec *b*aver, *p*aver, *gr*aver; cette distinction a déjà été faite par un grammairien du XVIIe siècle, Chifflet, qui cependant exceptait *enc*ave, évidemment à cause de *c*ave. Tous ces mots ont été autrefois très discutés. L'*a* a également une tendance à se fermer dans les noms propres, *Mold*aves, *Barn*ave, *Mor*aves, *Tamat*ave, *Oct*ave, *Gust*ave, etc.

[59] De même *Anab*ase, *Cauc*ase, *Las Cases*, *Métast*ase, *Di*az, *Hedj*az, *Dec*azes, etc.

[60] Le *Dictionnaire général* fait l'*a* long partout, mais l'ouvre aussi partout, sauf dans *fable*: pourquoi celui-là seul? Quant à l'accent circonflexe, il n'y avait guère de raison pour que ceux qui l'ont le prissent plutôt que d'autres; pourquoi pas *fâble* comme *hâble*?

[61] Sans parler de *bâcle, débâcle* et *renâcle*, dont l'accent circonflexe est peu justifié.

[62] Il n'y a pas de mots en *-agle*. L'*a* est ouvert dans *Naples* ou *Étaples*.

[63] L'*a* est naturellement long et fermé dans *âpre* et *câpre*, qui avaient un *s*, dans *âcre* (mot savant qui a conservé la quantité latine, qu'il aurait perdue sans l'accent), dans *bâfre* (onomatopée probable), et dans une trentaine de mots en *-âtre*, pour *a*(s)*tre*, y compris ceux qui désignent des couleurs approchantes, *blanchâtre, bleuâtre*, etc. Il est ouvert dans *Odoacre* ou *Saint-Jean-d'Acre, Affre* et *Cafre* et aussi dans *La Châtre*, malgré l'accent circonflexe; il est fermé dans *Malfilâtre* et *Cléopâtre*.

[64] De même *Œagre, Méléagre, Tanagre*.

[65] Le *Dictionnaire général* l'ouvre dans *escadre*, mais c'est évidemment l'étymologie qui le détermine et non l'usage, car, dans la marine, on ferme l'*a*, et je pense que l'usage des marins doit être considéré ici comme le bon.

[66] Michaëlis et Passy, qui ferment beaucoup d'*a*, ferment encore celui de *ladre* et aussi celui de *macle*, et celui d'*affres*, et acceptent même qu'on ferme celui de *nacre*!

[67] Le *Dictionnaire général* ouvre l'*a* dans *cinabre* et *glabre*: il ignore *palabre*. L'*a* est aussi fermé le plus souvent dans *Fabre, Labre, Calabre, Vélabre, Cantabre*, comme dans *Le Havre* ou *Jules Favre*.

[68] C'est là encore un phénomène général qui se retrouve dans toutes les voyelles, car toutes sont longues devant la finale *-re* et s'abrègent en devenant atones sans être initiales: *vénère-vénérer, honore-honorer, demeure-demeurer, admire-admirer, murmure-murmurer*.

[69] Il faut excepter *bâbord*, qui doit son accent à des grammairiens trompés par une fausse étymologie: *bas* n'y est pour rien, et l'*a* de *bâbord* a toujours été aussi ouvert et bref que celui de *d'abord*.

[70] On peut même en voir un quatrième dans *pâtisserie parisienne*.

[71] L'*a* de *Le Câtelet* s'est également ouvert malgré l'accent circonflexe, ainsi que celui d'*Asnières* malgré l'*s*.

[72] L'*a* reste donc plus ou moins fermé, en devenant prétonique, dans *casser, lasser* et *prélasser, classer* (mais non *classique*, où l'on entend les deux *s*), *amasser* et *ramasser* (moins dans *ramassis*), *passer* et *trépasser, tasser* et *entasser*; de même dans *clamer* et ses composés, avec *clameur*; dans *damner*; dans *barrer, barreau* et *barrière, carrer* et *contrecarrer, carreau* et *carrière* (mais non *carrefour* et *carrelage*, sans doute à cause des consonnes consécutives pour l'oreille *rf* ou *rl*); dans *vaseux, gazeux* et tous les verbes en *-aser*, avec leurs dérivés, y compris *brasier* et *brasero, embrasure, casuel* et *casuiste*; de même encore dans *sabler, racler,*

rafler ou *érafler*, dans *cadrer* ou *encadrer*, *cabrer*, *délabré*, *sabrer*, *navrer* (mais non *cadran* ni *fabrique*). L'*a* s'est ouvert dans *bigarré*, *amarrer*, *chamarré*, *narrer*.

[73] Si l'on peut fermer celui de *lassitude*, c'est uniquement à cause du sens, et parce qu'on appuie volontairement.

[74] Pourtant ces mots n'ont aussi que deux syllabes pour l'oreille, comme *passant*; mais le sens des composants est entièrement perdu de vue; dès lors, dans *paspor* ou *paspoil*, l'*a* est naturellement porté à s'ouvrir, à cause des deux consonnes, à moins d'une volonté expresse.

[75] L'*a* est ouvert aussi dans *Jeannot*, *Jeannette*, et *Jeanneton*. Il est fermé dans *Jacob* (mais non dans *Jacobins* ou *Jacobites*); dans *Jacqu(e)line*, qui n'a que deux syllabes pour l'oreille, il est douteux, la seconde des consonnes qui suivent l'*a* (*cl*) étant une liquide; mais il est ouvert dans *Jac(que)mont* ou *Jac(que)mart*, et même dans *Jacquart*, comme dans *Jacquerie*.

[76] Voir plus haut, pp. 27-28. Tous ces *a* sont naturellement fermés dans Rousselot, ainsi que dans Michaëlis et Passy, mais non dans le *Dictionnaire général*.

[77] Dont l'*a* est fermé dans Michaëlis et Passy.

[78] Malgré Michaëlis et Passy. L'*a* prétonique est aussi fermé généralement dans *Basile*, *Bazeilles* et *Jason*, moins régulièrement dans *Bazaine*, *Dugazon* et *Lazare*, et plutôt ouvert dans *Saint-Lazare*, où il n'est plus initial.

[79] De même *Baron*, *Caron*, *Charon*, *Charron*, *Scarron*, *Varron* (si on ne prononce qu'un *r*), en opposition avec *Mascaron*.

Toutefois, sur *charron*, l'accord n'est pas parfait, à cause des autres dérivés de même racine. Quant à *marron*, le *Dictionnaire général* fait l'*a* long dans le substantif et bref dans l'adjectif (*esclave marron*): c'est encore uniquement l'étymologie qui le guide sur ce point.

[80] Mais non dans *Marennes*, malgré Michaëlis et Passy.

[81] Tous ces *a* sont fermés dans Mme Dupuis, et même celui de *déclarer*! Michaëlis et Passy ferment aussi celui de *latrines*!

[82] Ceux qui ne prononcent pas l'*s* final de ce mot ferment l'*a* le plus souvent; mais il faut prononcer l'*s*.

[83] Mme Dupuis fermait l'*a* dans ces mots et même dans *aveline*, *hameau* et *rogaton*. L'*a* est encore fermé assez généralement dans *Adam*, *Bataves*, *Calais*, *Chablis*; il est flottant dans *Satan* et *Madeleine*, mais ouvert dans *Bacchus* et *Cadix*.

[84] Mme Dupuis fermait l'*a* même dans *bascule*, *bastonnade* et *martyr*, malgré les deux consonnes qui le suivent.

[85] Ou *Majorque*. Pour *majorité, majorat* ou *majuscule*, la question ne se pose même pas.

[86] L'*a* est fermé dans *Janus*, mais non dans a*nus*, ni dans *lapis* (lazuli), et c'est très incorrectement qu'on le ferme dans *pater* ou même *ad patres*. Il serait aussi correct de faire certains *a* longs et fermés, comme en latin, dans quelques expressions latines souvent citées: *audaces fortuna juvat, auri sacra fames, bella matribus detestata, delenda Carthago, dignus intrare, ense et aratro, errare humanum est, facit indignatio versum, genus irritabile vatum, in cauda venenum, irreparabile tempus, manu militari, mens sana in corpore sano, mirabile visu, nil admirari, profanum vulgus, o fortunatos, peccavi, persona grata, pro aris et focis, qualis pater, quantum mutatus, rara avis, si vis pacem, ultima ratio, vade retro, vanitas vanitatum*; mais non dans *panem et circenses*, dont on allonge souvent l'*a* mal à propos.

[87] Et aussi dans *Mahdi, Fahrenheit* ou *Hahnemann*, comme dans *Hahn*, à cause de l'*h*. Il l'est aussi dans les noms propres étrangers où les deux *a* n'en font qu'un: A*arhus*, A*alborg*, B*oerhaave*, S*aadi*, S*aale*, S*aalfed*, S*aardam*, S*aavedra*, etc.; mais S*aadi* est devenu chez nous le prénom *Sadi*, avec *a* bref. On sépare les *a* dans *A*-ar, Ra-a*b* ou Nausic*a*-a. Dans les noms hébreux, Ba-a*l*, Isa-ac, Bal*a*-am, Abra-ha*m*, on sépare aussi aujourd'hui les *a*, mais au XVIᵉ siècle on les contractait volontiers, et on a continué à le faire pour A*aron*, surtout les poètes, notamment Racine, quoiqu'il scande Ba-a*l*, et aussi V. Hugo, qui écrit de préférence *Aron*. Pour *a* suivi de *en*, voir aux nasales.

[88] Je ne crois pas que la nasalisation du premier *a* soit due, comme le veut l'abbé Rousselot, à l'influence des deux *m* qui enferment l'*a*, sans quoi on devrait dire aussi *man-mour* ou *man-melle*. C'est plutôt ce phénomène de répétition de syllabes identiques qui a produit tant de mots enfantins, comme *bobo, lolo*, etc., et même *pépée* pour *poupée*.

[89] Nous retrouverons ces mots au chapitre des nasales, avec quelques autres où figure l'*a*.

[90] Livre Iᵉʳ, fable 1. Voir aussi fable 13 du livre Iᵉʳ, fables 9 et 10 du livre V, et ailleurs.

[91] L'Académie ne voit d'ailleurs rien de choquant à prononcer d'une part *outeron*, et d'autre part *a-outer*. L'abbé Rousselot et le *Dictionnaire général* sont d'accord pour *ou*, et il n'y a pas lieu de distinguer entre (a)*oût*, (a)*oûter* et (a)*oûteron*. *A-ou* ne paraît s'être maintenu constamment que dans le prénom *Ra-oul*, d'allure aristocratique et peu populaire, et dans un mot relativement récent, *ca-outchouc*; mais cette association est si peu naturelle en français qu'on entend parfois *a-ou* se réduire à *ou* même dans ce mot, ou bien au contraire se séparer par un *yod*: *cayoutchouc*.

[92] Le *Dictionnaire général* donne *a-oriste*.

[93] **A-o** n'a pu se maintenir ailleurs dans le français pur qu'au moyen d'un *h*: *cah*ot, *Cah*ors; mais l'*a* est tombé dans *S*(a)*ône* et *Curaç*(a)*o*: il serait si simple de ne pas l'y écrire. Les autres mots qui conservent *a-o* sont savants ou étrangers; *a-orte, caca-o, cha-os, ka-olin, Bilba-o, La-os*, etc. L'*a* était tombé et a revécu dans *A-oste*, comme dans *a-oriste*.

[94] On sait que l'orthographe anglaise est encore bien plus extravagante que la française, ce qui n'est pas peu dire.

[95] Rémy de Gourmont voudrait même qu'on écrivît *boucmacaire*, mais cela encore est un compromis: pour que le mot eût une forme véritablement française, il faudrait aller jusqu'à *bouquemacaire*: on avouera que cela ne s'impose pas.

[96] Mais c'est un *a* nettement ouvert qu'on prononce, à tort ou à raison, dans *bar, black rot, cab, crack, dog cart, drag, fashionable, flint glass, goddam, krach, lad, lasting, malt, match, paddock, scratch, tatter-sall, tramway, waterproof*, et dans *that is the question* (approximativement *zatis-zecouèchtieune*). De même dans *Macbeth, Sydenham* et les noms en -*gham*, sans parler de *Bacon*, qui est francisé depuis des siècles.

[97] Ainsi dans *steeple-chase, plum-cake, keepsake, pale-ale, pall-mall-gazette, racing-club, shakehand, trades-unions* (trèdiounieune), *rallye-paper, God save, quaker*, et aussi *James* (djèms), *Bedlam* ou *Shakespeare*.

[98] On en vient même à prononcer à la fois *rallye* à la française et *paper* à l'anglaise (rali-pepeur): il faudrait choisir pourtant! Je ne parle pas de *baby*, qui n'est plus guère qu'une orthographe prétentieuse, puisque nous avons *bébé*, qui est probablement le même mot, avec la même prononciation, approximativement. Sans doute il est trop français au goût de quelques-uns, qui trouvent *baby* beaucoup plus distingué. Pur snobisme, pour la plupart, comme d'écrire *beefsteak*. Mais au moins prononce-t-on *bifteck*, même quand on écrit *beefsteack*; le comble, c'est de prononcer *babi*, en s'imaginant que c'est de l'anglais! Il n'y a rien de plus ridicule que cette affectation dans l'ignorance. Je sais bien qu'on peut dire que *baby* a pris un sens différent de *bébé*, et désigne des bébés d'allure et de costume particuliers; c'est possible, mais mon observation demeure.

[99] En fait, cet *a* anglais est plutôt intermédiaire entre l'*a* et l'*o*, à peu près comme nous prononçons parfois un *ah* prolongé pour marquer de l'étonnement ou du mécontentement.

[100] Le *Dictionnaire général* les accueille toutes les trois.

[101] On ne voit pas très bien à quoi sert l'orthographe *beefsteak* et *rumpsteak*, puisque nous en avons fait *bifteck* et *romsteck* (avec un *c* complémentaire à l'allemande): qui donc prononce *reumpstec*?

[102] Ajouter: *Bea*cons*field*, *Castler*ea(gh), *Chelse*a, *Chesape*a*ke*, *Kean*, *Keats*, *le roi Lear*, *Shakespeare*, etc.

[103] Et aussi dans le basque *Coarraze*.

[104] *Law* aussi, je parle du banquier, devrait se prononcer *lo*; mais ce mot ayant été à l'origine employé surtout au génitif (*Law's bank*), le génitif fut pris pour le nom et la prononciation *lasse* prévalut, acceptée pas *Law* lui-même; elle prévaut encore. Nous avons un phénomène tout pareil aujourd'hui dans telles expressions assez absurdes, comme *chez Maxim's*.

[105] Le groupe *oi* est dérivé d'un *e* latin qui s'est d'abord renforcé, ou simplement mouillé, en *ei̯*, puis ouvert en *ëi̯*, et ensuite *oï*, la voyelle initiale étant toujours le son principal. Pendant ce temps l'orthographe suivait la prononciation. A partir de cette étape, elle n'a plus changé, mais la prononciation a continué à évoluer. D'abord *i* est devenu le son principal du groupe; puis *oï* s'est ouvert à son tour en *oé*, *oè*, *oa*, et, par l'assourdissement de l'*o*, *ouè* et *oua*. C'est là que nous en sommes, si bien qu'il n'y a plus aucun rapport entre l'écriture et la prononciation, qui est exactement *wa*, avec *w* consonne, sans *i* ni *o*. La lutte fut d'ailleurs très longue entre *ouè* et *oua*, sans compter *è* tout court, qu'on entendait notamment dans *adroit*, *froid*, *trois* et *croire*. Témoin la réponse de Fontenelle à qui on demandait comment il fallait prononcer *je crois*: *Je crès*, dit-il, *qu'il faut prononcer je croa*. Finalement on a adopté, pour le son *è*, l'orthographe *ai*, et *oi* a fini par passer à *wa*. Il n'y pas fort longtemps que le fait a été reconnu et accepté par les grammairiens. C'est seulement en 1805 que Domergue l'a proclamé, à l'encontre de tous les livres, qui continuaient à enseigner le son *ouè*. Aujourd'hui cette prononciation est tout à fait surannée et dialectale, et je ne sais où Michaëlis et Passy ont pu entendre indifféremment *jwa*gne et *jwè*gne.

[106] La finale *oy* a disparu de l'orthographe, mais se retrouve dans les noms propres français, où sa prononciation est la même: *Darb*oy, *Fonten*oy, *Jouffr*oy, *de Tr*oy, et même au besoin *Rob-R*oy, se prononcent comme s'ils avaient un *i*.

[107] Et aussi dans *Troie*, *Troyes* ou *Millevoye*, qui se prononcent exactement comme *trois* ou *vois*.

[108] CORNEILLE, *le Cid*, acte II, scène 8.

[109] Il n'est guère possible de justifier *roide*, en dehors de la rime: la langue *françoise* ne s'en accommode plus. Domergue lui-même conseillait déjà *rède*, à côté de *roidir* et *roideur*. *Faible* aussi s'est longtemps écrit *foible*, même au XIXe siècle; mais il se prononçait tout de même *fèble*, et je ne sais pourquoi il avait conservé son ancienne orthographe.

C'est seulement en 1835 que l'Académie se décida à écrire *ai* le groupe *oi*, quand il se prononçait *è*: encore fit-elle exception pour *roide* et *harnois*.

[110] *Oi* est aussi assez long dans les mots en *-oirie*: *arm*oirie, *plaid*oierie, etc., mais moins que dans *-oir*. Autrefois il se fermait dans *-oire*, et y semblait plus long que dans *-oir*.

[111] Il représente aussi un *s* tombé (sauf dans *benoît, benoîte*, où il est peu justifié). C'est pourquoi on en tenait compte autrefois, et l'on trouve encore des exemples de la prononciation ancienne, mais elle est tout à fait surannée.

[112] Quand ce n'était pas *ngn* ou *ingn*: ainsi *gagner* s'écrivait aussi bien *ga-igner, ga-ngner, ga-ingner*, d'autant plus que le son de l'*a* a longtemps été nasal dans ce mot, comme l'*o* l'est resté ou plutôt redevenu dans *Brongniart*, qui, régulièrement, devrait se prononcer *bro-gnar*.

[113] Ces mots étaient pourtant à *joindre, soin, loin, témoin*, comme *besogner, cogner* et *grogner* sont à *besoin, coin* et *groin*.

[114] Mais pourquoi ne pas écrire *ognon* comme *rognon*? Le cas est exactement le même.

[115] Pourtant le *Dictionnaire général* les prononce par *o* et non par *oi*. Il retarde. Pourquoi pas *élo*(i)*gner* et *so*(i)*gner*? *Lamoignon* aussi, et *Coigny*, sont altérés désormais dans l'usage le plus ordinaire.

[116] Quoique ce soit admis par Michaëlis et Passy. Ajoutons que, très familièrement, *voilà* devient *vla*, sans doute par l'intermédiaire ancien de *véla*: cela est un peu trop négligé.

[117] On prononce *oï* dans *Droysen*, et, si l'on veut, *Rob-Roy*, par opposition aux noms français, *Coypel, Coysevox, Loyson, Roybet*, etc., où *oy* se prononce comme *oi*.

[118] Sauf un cas, qui sera examiné.

[119] On sait que l'*e* non muet se prononce *é* ou *è*, sans avoir d'accent, devant deux consonnes intérieures (sauf le groupe dit *muta cum liquida*), et aussi devant une consonne finale, sauf l'*s*, parce que, devant un *s*, sans accent, il serait muet. Autrefois il n'avait pas d'accent dans ce cas, mais il y avait un *z* à la place de l'*s*.

[120] Il n'en était pas ainsi autrefois; les finales en **-ète, -ède, -ège**, etc., et la plupart des finales à consonne unique ont été longtemps fermées: **-éte, -éde, -ége**, etc.; elles se distinguaient ainsi des finales à consonne double, -**elle, -emme, -ette**, etc. Ce n'est même qu'en 1878 que l'Académie a consenti l'accent grave aux finales en **-ège**.

[121] *A latere, de profundis, ecce homo, epitome, in pace, miserere, noli me tangere, nota bene, pange lingua, salve, sine qua non, te deum, tolle, vade mecum, vice versa,* aussi bien que *avé, bénédicité* ou *fac-similé.* La diphtongue latine *æ* se prononce aussi comme un *e* fermé: *Dies iræ, lapsus linguæ, væ victis, Philæ.*

[122] L'*e* final se prononce également dans *Corte,* mais non dans *Casert*(e), *Bramant*(e) ou *Fiesol*(e). L'allemand est traité comme l'italien: l'*e* ne se prononce pas dans *Gœth*(e), ni dans *Moltk*(e), *Hohenloh*(e), *Carlsruh*(e); mais il se prononce dans *Encke, Heyne, Heyse, Rancke, Nietzche,* etc. L'*e* final anglais se prononce *i* dans *to be or not to be,* où il est accentué; en général il ne se prononce pas: *steepl*(e) *chas*(e); il est muet même après une voyelle dans *blu*(e) *book, Edgar Po*(ë), *Lugné-Po*(ë), *Monro*(ë), *de Fo*(ë), *Jellico*(ë), et même *Ivanho*(ë); pourtant celui-ci, étant suffisamment populaire, se francise souvent en *Ivanho-*é, et il est à peu près impossible de ne pas franciser *Cruso-é.*

[123] Voir plus loin, au chapitre de l'*R.*

[124] *Plessis-lez-Tours;* on l'écrit souvent *les,* et même *lès,* très malencontreusement, car l'*e* est toujours fermé, même en liaison: *Caudebec-lez-Elbeuf.*

[125] Les noms propres *Dumouriez, Duprez,* etc., suivent la règle, sauf *Forez,* qui a l'*e* ouvert, quoique le *z* n'y sonne pas non plus.

[126] Au XVIIᵉ siècle, l'*e* de ces mots était déjà généralement fermé, au moins à Paris; ce n'est qu'au XVIIIᵉ siècle et au XIXᵉ que les grammairiens finirent par le faire ouvrir, dans la prononciation soutenue; mais la tendance était trop forte pour qu'on pût la détruire dans la langue courante.

[127] L'*e* final s'est également fermé dans certains noms propres grecs, *Arachné, Phryné,* malgré l'étymologie. Il est vrai que les érudits se croient souvent obligés de prononcer *Athènè, Corè, Anankè;* mais ces formes sont grecques et non françaises. Et puis, cette prononciation est-elle bien nécessaire? Si l'on ne veut pas dire *Athéné,* on ferait peut-être mieux de dire *Athéna.*

[128] *Benêt* (pour *beneet*), et ceux qui ont perdu l'*s, genêt, acquêt, arrêt, intérêt, forêt, prêt, apprêt, protêt, revêt.*

[129] On y peut joindre *legs,* dont il vaut mieux ne pas prononcer le *g.*

[130] Il n'y a véritablement d'*e* final fermé un peu long que dans des mots étrangers comme *heimweh,* à cause de l'*h,* et parce que le mot n'est pas français, sans quoi l'*h* tomberait, comme il est tombé par exemple dans *narguilé.*

[131] L'identité de **-é** et **-ée** est déjà constatée par Mᵐᵉ Dupuis. Aux finales en *-ées* appartient *Séez,* qu'on écrit plutôt *Sées,* ainsi qu'il convient,

orthographe qui d'ailleurs n'est pas nouvelle. On s'étonne de voir Mme Dupuis prononcer le mot en deux syllabes.

[132] Sauf toujours des mots étrangers, comme *Sainte-Wehme, Auerstædt* ou *Kehl*, qui d'ailleurs se francisent parfois, et ne peuvent le faire qu'en s'ouvrant.

[133] Nous éliminons, comme pour l'*a*, les finales dont il est question page 38: *direct, inepte, œrcle, auberge, épiderme, alerte, observe, modeste, orchestre, index*, etc., qui ont toujours l'*e* ouvert, au plus moyen.

[134] De même *Québec, Gossec, Lamech, Utrech*(t), *Lubeck, Waldeck, Sénèque, La Mecque*, etc. L'*e* est naturellement long et beaucoup plus ouvert dans *évêque* et *archevêque*, qui ont perdu leur *s*. Il redevient bref dans *break, plum-cake, keepsake*, qui, pour la prononciation, appartiennent à cette finale.

[135] Voir notamment les finales en *-ome* et *-omme*, en *-one* et *-onne*. L'*e* est naturellement long dans *guêpe* et *crêpe*, qui ont perdu leur *s*.

[136] On voit que le passage de *complet* à *complète*, ou *pauvret* à *pauvrette*, est encore le même que de *délicat* à *délicate*: voir page 44. Autrefois *ète* était fermé (*été*) et ne rimait correctement ni avec *ette* ni avec *aite* L'Académie n'a adopté *ète* qu'en 1740; encore a-t-elle excepté *athlète*, jusqu'en 1835. L'*e* est également bref dans les noms propres: *Huet, Japhet, Élisabeth, Macbeth, Gètes, Spolète, Polyclète, Épictète, Henriette, La Fayette, Colette, Charette*, etc. Cependant *Crète* a l'*e* plus long, probablement par confusion avec *crête*.

[137] Au contraire l'*e* est toujours long dans *bête, fête, honnête, tempête, quête, arête, arrête, crête, prête* (adjectif et verbe), *tête* et *vête*, qui, comme *êtes*, ont perdu leur *s*. On notera aussi une sensible différence de quantité entre *acquêt* et *conquête, arrêt* et *arrête*, etc.

[138]

Que ne suis-je, prince ou poète,
De ces mortels à haute tête,
D'un monde à la fois base et faîte,
Que leur temps ne peut contenir!
(V. Hugo, *Feuilles d'automne*, VIII).

[139] Nous verrons le même phénomène dans *douairière* et *souhaiter*. Il est probable que *couette* suivra. Cf. plus loin *moelle* et *poêle*.

[140] De même *Skobelef, Senef, Joseph, Télèphe*. Où l'abbé Rousselot a-t-il constaté un *e* long dans *greffe*? (Voir son *Précis*, page 143.)

[141] Comme *bêche, pêche, rêche* et *revêche*; dans *dépêche, empêche* et *prêche*, il y a eu contraction de deux *e*.

[142] Le *Dictionnaire général* maintient la voyelle brève. L'*e* est long aussi dans *Campêche*, mais non dans *La Flèche* ou *Ardèche*, ni dans *Fesch* ou *Marakesch*.

[143] Les termes qui désignent des personnes, *duchesse*, *comtesse*, *princesse*, *déesse*, *altesse*, *hôtesse*, etc., ont eu longtemps aussi l'*e* plus long que les mots abstraits, mais c'était en province plutôt qu'à Paris. Aujourd'hui encore, les noms propres en -*èce*, *Boèce*, *Végèce*, *Lucrèce*, *Grèce*, *Lutèce*, allongent volontiers l'*e* dans la prononciation oratoire; mais *Bresse*, *Permesse*, *Gonesse*, avaient déjà l'*e* bref au temps de Ménage. Il y faut joindre *Hesse*, *Tcherkesses*, *Edesse*, etc., avec *Metz et Retz*, quoique quelques-uns prononcent encore *ré* (cf. *rez*, page 53).

[144] La plupart sont des noms propres: *Périclès*, *Bénarès*, *Ramsès*, *Agnès*, etc. Les mots latins non francisés ou incomplètement francisés n'ont pas l'accent grave: *facies*, *ad patres*, *do ut des*, etc., mais se prononcent de la même manière. Il en est de même des noms espagnols ou portugais en -*es*: *Rosales*, *Morales*, *Traz os Montes*, *Torres-Vedras*, aussi bien que *Cervantes*, à qui nous donnons ordinairement un accent, faute de quoi beaucoup de personnes sont tentées de prononcer *Cervante*. Toutefois nous faisons *es* muet dans *Buenos-Ayres*.

[145] «Un beau diseur était au spectacle dans une loge, à côté de deux femmes, dont l'une était l'épouse d'un agioteur, ci-devant laquais; l'autre d'un fournisseur, ci-devant savetier. Tout à coup le jeune homme trouve sous sa main un éventail: «Madame, dit-il à la première, cet éventail est-il à vous?—Il n'est poin-z-à moi.—Est-il à vous, en le présentant à l'autre?—Il n'est pa-t-à moi.—Le beau diseur, en riant: Il n'est poin-z-à vous, il n'est pa-t-à vous, je ne sais pa-t-à-qu'est-ce. Cette plaisanterie a couru dans les cercles, et le mot est resté.»

[146] Il a l'*e* bref dans le *Dictionnaire général*: toujours l'étymologie!

[147] On allonge plus régulièrement l'*e* dans *Thèbes*, mais non dans *Turnèbe*, *Erèbe*, *Eusèbe*, etc., pas plus que dans *Bab-el-Mandeb*, *Horeb* ou *Maghreb*.

[148] De même *Alfred*, *Manfred* et parfois *Auerstæd*(t), *Suède*, *Tolède*, *Archimède*, *Nicomède*, *Tancrède*, etc., et aussi *Mèdes*, qu'on allonge parfois, sans qu'il y ait plus de raisons que pour les autres.

[149] De même *Touareg*, *Gregh*, *don Diègue*, *Nimègue*.

[150] De même *Samuel*, *Rachel*, *Deschanel*, *Adèle*, *Philomèle*, *Praxitèle*, *Isabelle*, *Dardanelles*, *Sganarelle*, *Bruxelles*, etc. On peut franciser, avec le même son ouvert et assez bref, les noms germaniques en *el*, *Hegel*, *Schlegel*, *Hændel*;

dans ceux qui ne sont pas francisés, l'*e* est presque muet. A cette catégorie appartient aussi *pale* a*le*.

[151] *Ressemèle* ou *ressemelle*, *grommèle* ou *grommelle*, *ficèle* ou *ficelle*, etc., qu'importe?

[152] *Bêle*, *fêle* et *vêle* qui ont contracté deux *e*, *mêle* qui a perdu son *s*, et les adjectifs *frêle* et *grêle*, qui en avaient pris un, mais qui étaient pour *fraile* et *graile*. Il faut y ajouter *Nesle*, nom propre qui a gardé le sien. Naturellement, dans *pêle-mêle*, le premier *ê* est plutôt moyen, et quelquefois les deux. On allonge quelquefois l'*e* d'*Aurèle* ou *Philomèle*, mais c'est un peu suranné.

[153] Cette orthographe, qui fut longtemps aussi celle de *boîte* (boette), se maintint, grâce aux essais de réforme du XVI*e* siècle, époque où *oi* se prononçait *oué*. La réforme n'ayant pas réussi, malheureusement, mieux eût valu unifier l'orthographe et écrire *moile* et *poîle*, comme *boîte*. Cela eût épargné à V. Hugo et à d'autres des rimes ridicules, comme celle-ci, où *moelle* a de plus trois syllabes:

Vous desséchez mes os jusque dans leur *mo-elle*.
Mais les saints prévaudront! Votre engeance cruelle...
Cromwell, acte I, scène 5.

Moelle rime correctement avec *étoile* et même avec *squale*. La même observation est à faire pour *couette* et *couenne*. Tous ces mots sont exposés à s'altérer dans la prononciation, comme *fouet* l'a fait, et ils s'altèrent journellement, grâce à l'écriture. Quant à *mouette*, il est bien rare qu'on le prononce *moite*.

[154] *Blême*, *même*, *carême*, *saint-chrême*, *baptême*, qui ont perdu leur *s*, *suprême*, *extrême*, qui ont gardé, ou plutôt repris la quantité latine, et les noms propres *Bohême*, *Angoulême*, *Carême*, *Brême*, avec *Sole*(s)*mes*.

[155] Cf. encore *dème*, *enthymème*, *épichérème*, *monotrème*, *hélianthème*, *abstème*, etc. Il en est de même des noms propres en -*ème*, *Nicodème*, *Polyphème*, *Triptolème*, *Barème*, etc., mais l'*e* est toujours bref dans *Bethléem*, *Jérusalem*, *Sem*, etc.

[156] Cf., page 59, ce que nous avons dit pour *poète*. Il est surprenant que l'abbé Rousselot ne fasse aucune différence entre *sème*, *deuxième* et *stratagème*, qui sont précisément à trois degrés différents. On a vu que *cold-cream* avait aussi la finale brève.

[157] Voir page 24. Nous reparlerons de ce phénomène au chapitre des nasales.

[158] On peut également franciser, avec le même son ouvert et assez bref, les noms germaniques en *-en* les plus connus: *Ibsen, Mommsen, Beethoven*. Quand ces mots ne se francisent pas, la finale se prononce presque comme s'il n'y avait pas d'*e*.

[159] Les mots *chêne, pêne, rênes* et *frêne* ont perdu un *s*, légitime ou non, tandis que *cheve*(s)*ne* gardait le sien; *gêne* a contracté deux *e*. Ajouter *Gênes*, et aussi *Duche*(s)*ne, Duque*(s)*ne*, qui ont gardé l'*s*.

[160] Cf. *troène, cène, scène* et *obscène* (mais pas dans *scène IV*), *alène, arène, carène, sirène, murène*, les mots en *-gène*, les mots savants et les noms propres, *catéchumène, prolégomènes, ozène*, ou *Carthagène, Eugène, Diogène, Hélène, Célimène, Misène, Athènes*, etc.

[161] *Morigène* échappe difficilement à l'analogie des mots en *-gène*.

[162] Voir ci-avant, page 62 et note 3.

[163] On prononce trop facilement *Compiène* pour *Compiègne*.

[164] C'est-à-dire *e* suivi de *l* mouillé, mais qui se prononce en réalité comme *eye*.

[165] **Œil** et les mots en **-cueil** et **-gueil** n'appartiennent pas à cette catégorie, mais à celle des mots en **-euil**. *Rueil*, au contraire, lui appartient, avec *Corbeil, Corneille, Mireille, Marseille, Bazeilles*, etc.

[166] Comme on l'a vu plus haut, c'est en 1878 que l'Académie a consenti à mettre l'accent grave aux mots en *-ège*. On peut y joindre aussi les formes interrogatives *aimé-je, allé-je*, etc., que Domergue voulait à toute force faire prononcer par un *e* fermé; mais ces formes sont aujourd'hui purement grammaticales et tout à fait inusitées. Et il y a encore des noms propres, *Liège, Ariège, Barèges, Corrège, Norvège*, etc.

[167] Le *Dictionnaire général* marque un *e* long; mais ceci me paraît purement théorique. Il fait de même, bien entendu, pour les finales *-ègne* et *-eil* ou *-eille*.

[168] De même *Fier, Thiers, Reyer, Auber, Cher*, etc., avec les noms bibliques, comme *Abner, Eliézer* ou *Esther*, ou anciens, comme *Lucifer, Vesper, Antipater, Jupiter*, etc.: voir au chapitre de l'*R*. On distinguait autrefois **-erre** et **-ère**, même quand **-ère** se fut ouvert, parce que les deux *r* de *-erre* se prononçaient, si bien qu'au XVIIᵉ siècle ces finales ne rimaient pas ensemble.

[169] *Manager* fait exception, quand on le francise, parce qu'il suit l'analogie des mots en *-ger*, et notamment celle de *ménager*, qui au fond est le même mot.

[170] Peut-être aussi *landwehr*, quoique l'*e* de ce mot soit long et fermé en allemand, tandis que celui de *bitt*(e)*r* s'y prononce à peine.

[171] Il en est de même de beaucoup de noms propres très connus, surtout allemands, *Auer*, *Schopenhauer*, *Weber*, *Kléber*, *Blücher*, *Oder*, *Schiller*, *Képler*, *Necker*, *Wagner*, *Durer* (que les poètes prononcent quelquefois *dure*, notamment V. Hugo), *Tannhaüser*, *Luther*, *Werther*, et même *Meyerbeer*, tellement le français répugne à fermer l'*e* devant une consonne, surtout un *r*. On peut prononcer de même *Chaucer*, *Spencer* ou *Spenser*, *Lister*, *Westminster*, *Manchester*, *Vancouver*, et naturellement *Gulliver*, et aussi *Boer*(s), quoique beaucoup de gens, trop bien renseignés, persistent à prononcer *bour* et même *bours(e)*: pourquoi pas *London* ou *Napoli*! Quelques noms allemands en *-berg* sont aussi francisés en *er* ouvert et long, le *g* n'étant pas articulé: *Gutenber*(g), *Furstember*(g), *Vurtember*(g), *Spitzber*(g), et surtout *Nurember*(g), qui est complètement modifié, la forme allemande étant *Nürnberg*; les autres, gardant les deux consonnes, comme *Johannisberg*, n'ont qu'un *e* moyen.

[172] Qui est celle de *Bædek*(e)*r*, et fut autrefois celle de *Neck*(e)*r*, et quelque temps celle de *Web*(e)*r*; c'est celle qui convient aux noms allemands qu'on ne francise pas. D'autre part, on écrit et on prononce *Dniéper* et *Dniester*, ou mieux *Dniepr* et *Dniestr*.

[173] Aussi l'*e* des mots en *-ève* est-il à peu près aussi long que l'*ê* de *rêve* et *endêve*, qui ont perdu l's, et de *trêve* (dont l'accent s'explique mal). De même *Ève*, *Geneviève*, *Lodève*, *Genève*, *Trèves*, etc., et *God save*. Pour la finale anglaise *ew*, voir au *W*.

[174] Il y a toujours exception pour les vers, bien entendu:

A l'heure où le soleil s'élève,
Où l'arbre sent monter la sève,
La vallée est comme un beau rêve.
V. HUGO, *F. d'aut.*, XXXIV

[175] Pourquoi cette orthographe? Ou pourquoi les autres ne l'ont-ils pas aussi? Même quantité dans *Ephèse*, *Borghèse*, *Pergolèse*, *Véronèse*, etc., dans *Suez*, *Rodez*, *Orthez*, *Cortez*, dans *Bèze*, *Zambèze*, *Corrèze*, etc., et aussi dans *steeple-chase*.

[176] Quoique le *Dictionnaire général* fasse l'*e* long dans *hièble* et *nèfle*, et les mots en *-ègle*.

[177] Avec *Boisdeffre*, et aussi *Abou-bekre*, *Bædek*(e)*r* et *quak*(e)*r*. Quelques personnes font l'*e* long dans *lèpre*, et le *Dictionnaire général* les y autorise; on ne saurait tout de même prononcer *lèpre* comme *vêpre*, qui a perdu son *s*.

[178] Ni *Èbre*, *Hèbre* ou *Guèbres*. Le *Dictionnaire général* fait pourtant l'*e* long dans toutes les finales en -*èbre* et -*ègre*, sauf *zèbre*.

[179] Ou celui de *don Pèdre*. Celui de *Phèdre*, au moins celui de l'héroïne, s'allonge aussi volontiers en poésie.

[180] Quoique le *Dictionnaire général* fasse l'*e* long dans *mètre*, *urètre* et *pyrètre*; il le ferait tel aussi sans doute dans *pénètre* ou *perpètre*, s'il donnait la prononciation de ces mots.

[181] *Mètre* lui-même pourrait à la rigueur rimer avec *maître*; *mettre* ne pourrait pas. Mais les seuls *e* proprement longs ici sont ceux de *être*, *hêtre*, *fenêtre*, *empêtre*, *champêtre*, *prêtre*, *ancêtre* et *Bicêtre*, qui ont perdu leur *s*; et ceux de *guêtre* et *salpêtre*, qui sont devenus longs sans raison évidente.

[182] Quoique le *Dictionnaire général* n'en fasse point.

[183] De même les noms propres *Bièvre*, *Nièvre* et *Penthièvre*. Les autres noms propres, *Lefèvre* (ou *Lefebvre*), *Genèvre*, et surtout *Sèvres*, ouvrent leur *e* plus régulièrement.

[184] Il faut donc corriger les grammaires sur ce point: l'*e* surmonté de l'accent grave est toujours ouvert, mais l'*e* surmonté de l'accent aigu n'est certainement fermé que quand il est final.

[185] Le *Dictionnaire général* l'ignore. L'abbé Rousselot l'exagère. On notera ici aussi que des mots comme *suprématie* ou *extrémité* n'ont jamais eu l'accent circonflexe, qui n'est sur *extrême* ou *suprême* qu'un signe de quantité arbitraire: voir page 63, note 1. *Mélange* et *mélanger* ne l'ont pas non plus, et ont l'*e* moyen et même bref, malgré *mêle* et *mêler*. Des mots étrangers, comme *pehlvi*, ont encore l'*e* atone fermé et long; mais il faut faire effort pour le maintenir, car la tendance est de l'ouvrir en l'abrégeant. L'*e* n'est non plus ni ouvert ni long dans *du Gue(s)clin*, *Dume(s)nil*, *Duche(s)nois*; il est même fermé dans *Saint-Me(s)min*; mais il est ouvert dans *Champme(s)lé*.

[186] De même *terrain* ou *terrasse*, *terrestre* ou *atterrir*, malgré l'*e* ouvert de *terrer* et *terreau*. On peut aussi comparer *serrer* et *ferrer*: la différence est grande.

[187] La prononciation *fegnan* a d'ailleurs pour elle de vieilles traditions. Au XVᵉ et au XVIᵉ siècle, l'hiatus intérieur *éa* et surtout *éan* se résolvait par une diphtongue qui tantôt se réduisait à *a* et *an*, comme dans *dea* (oui-da) ou *Jehan*, tantôt conduisait à *ian*, comme dans *léans* ou *Orléans*. *Néant* fut dans ce cas, et on le voit rimer avec *escient* ou *inconvénient*; *néanmoins* a souvent deux syllabes à cette époque, et *fainéant* aussi, jusque dans Baïf.

[188] Voir page 64; on reviendra sur ce point au chapitre des nasales.

[189] Le *Dictionnaire général* ne connaît encore que la prononciation par *a*, quoique l'Académie se soit abstenue, en 1878, pour *hennir*. Thurot avoue qu'on prononce aujourd'hui *nenni* et *hennir* par *e*; mais il ajoute qu'on prononce les deux *n*: je n'ai jamais entendu cela. *Jenny* se prononce encore beaucoup par *a*; mais la prononciation par *e* se répand de plus en plus.

[190] C'est le même phénomène qui s'est produit dans *fouet* ou *fouetter*, et qui est en voie de se produire dans *couenne* et *couette*. Les adverbes en -*emment* sont inaltérables, à cause du voisinage constant de leurs primitifs en -*ent*; mais *rouennerie*, sinon *rouennais*, est mal protégé par *Rouen*.

[191] Michaëlis et Passy, qui admettent cette prononciation, admettent aussi *qu'rir* pour *quérir*: je me demande dans quel faubourg ils ont pris cette prononciation patoise.

[192] *Alleluia*, et *œtera, confiteor, deleatur, libera, exeat, memento, miserere, nota bene, te deum, Unigenitus, veto*, et à fortiori *vade mecum* et *rebus*, qui sont francisés. On ferait bien pourtant de fermer l'*e*, même non final, dans beaucoup de mots latins où il est long: *credo, Remus, amant alterna Camenœ, œdant arma togœ, delenda Carthago, experto crede Roberto, habemus confitentem reum, in extremis, ne varietur, veni vidi vici*, etc.

[193] De même *Œdipe, Œnone, Œta, Mœris, Ægos-Potamos, Pœstum, Lœtitia*, etc. Il ne faut donc pas confondre l'*œ* latin d'*Œdipe*, avec l'*œ* allemand de *Gœthe*, dont nous allons parler: *édipe*, et non *eudipe*, comme on l'entend parfois. Pour *œ* suivi d'*u*, voir *eu*. L'*e* ne doit pas se prononcer dans *Co(ë)tlogon*, et l'on prétend qu'il se prononce *oi* dans *Tréville*.

[194] Il y a de même un *e* mi-ouvert dans des noms italiens ou espagnols comme *Angelo, Barberini, Bolsena, Cabrera* ou *Caprera, Consuelo, Montebello, Monte-Cristo, Montecuculli, Montenegro, Montevideo, Montezuma, Pontecorvo, Puebla, Serao, Torre del Greco, Calderon, Lop(e) de Vega, Venezuela, Vera Cruz*, et aussi dans des noms allemands ou anglais comme *Remington, Weser*, ou d'autres pays comme *Cameroun, Skobelef* ou *Tourguenef, Swedenborg*, etc. On notera qu'il est généralement fermé dans les noms allemands, quand il est initial, comme dans *Bebel, Ebers, Lenau, Reber, Weber*.

[195] Il se prononce alors comme l'*e* muet (eu), mais extrêmement bref et presque insensible, encore plus faible que dans les finales en -*et*, -*en* ou -*er*; ainsi dans *Esch(e)nbach, Fürst(e)nberg* ou *Fahr(e)nheit*. De même dans l'anglais *Syd(e)nham*, ou même *gard(e)n-party*; sans parler de *le* qu'on intervertit, comme dans *gentleman*, prononcé *djent(e)lman*, ou *steeple-chase*, prononcé *stîp(e)ltchèse*, ou *Casflerea(gh)*, etc.

[196] Ce tréma représente en effet un *e* primitif.

[197] Par exemple dans *Frœschwiller* (au contraire de *Wœrth*), dans *Kœchlin*, *Rœderer*, *Schœffer*, *Schœlcher*. Dans *Rœderer*, quelques historiens voudraient remplacer *ré* par *reu*, mais dans le commerce des vins, on prononce uniquement *ré*. Cette prononciation par *é* est encore admissible ou tolérable dans *Kœnigsberg*, quoiqu'on prononce plutôt *keunixbergue*.

[198] Comme dans *Gro-ënland*, ou même *Féro-ë*.

[199] Ainsi *Gœthe*, qu'on écrivait autrefois et qu'on a prononcé parfois *Go-ëthe* (Th. Gautier le faisait rimer régulièrement avec *poète*), se prononce aujourd'hui toujours *gheute* (comme *meute*): ce nom, comme celui de *Shakespeare*, appris par l'oreille autant que par l'œil à cause de sa grande notoriété, s'est imposé partout avec sa prononciation véritable, à peu près tout au moins, l'*e* final étant muet chez nous. On prononce de même *eu* dans d'autres noms allemands ou scandinaves, qui ne sont guère employés que par des gens instruits, comme *Bjœrnstierne Bjœrnson*, *Bœckh*, *Bœcklin*, *Bœhm*, *Gœthen*, *Dœllinger*, *Gœttingue*, *Gœtz*, *Jonkœping*, *Kœnigsberg* et autres mots commençant par *Kœnigs-*, *Kœrner*, *Malmœ*, *Maëlstrœm*, *Nordenskiœld*, *Œlenschlager*, *Rœntgen*, *Schœnbrunn*, *Schœngauer*, *Tœpffer*, *Tromsœ*, *Wœrth*, etc.

[200] Qu'il me soit permis de dire ici, en passant, que le pluriel, de *lied*, puisque *lied* est francisé, doit être *lieds* et non *lieder*, auquel s'obstinent les musiciens. C'est en général un travers assez pédantesque que d'aller chercher le pluriel des mots dans la langue d'où ils sont tirés. *Lieder* a pour excuse qu'il est peut-être plus employé que le singulier, au moins en musique, où il sert de titre à beaucoup d'œuvres très importantes; aussi est-il sans doute moins ridicule que *sanatoria*, mais il est de même ordre. Pourquoi pas des *harmonia* ou des *pensa*? Tel journaliste, qui s'est par hasard égaré en Algérie, nous apprend que *Touareg* est un pluriel, et qu'au singulier il faut dire *Targui*; et que le pluriel de *chérif* est *chorfa*! Félicitons-le bien sincèrement de sa science toute fraîche, mais les gens qui parlent simplement français n'hésiteront pas à dire: *un Touareg*, *des Touaregs*, puisque c'est le pluriel ici qui est francisé, et des *chérifs*, et aussi *un li(e)d*, des *li(e)ds*, le singulier étant suffisamment connu. On peut évidemment établir une différence entre le sens musical et le sens littéraire; mais vraiment est-il admissible que ce mot ait deux pluriels, *lieds* quand on parle de Gœthe, et *lieder* quand on parle de Schubert?

Les autres mots où l'*e* allonge l'*i* sont des noms propres: *Bjœrnsti(e)rne*, *Di(e)z*, *Elzevi(e)r*, écrit aussi *Elzévir*, *Fi(e)lding*, *Fri(e)dlingen*, *Gri(e)g*, *Ki(e)l*, *Li(e)bknecht*, *Ni(e)belung*, *Ni(e)buhr*, *Ni(e)dermeyer*, *Ni(e)tzche*, *Ki(e)pert*, *Ri(e)sener*, *Schli(e)mann*, *Si(e)gfried*, *Si(e)gmund*, *Spi(e)lberg*, *Ti(e)ck*, *Wi(e)land*, *Wi(e)sbaden*, *Zi(e)m*, etc., et tous les noms anglais terminés en *-field*. Il est pourtant difficile de ne pas admettre ou tolérer *Fri-ed-land*, en trois syllabes: en tout cas la plupart des Parisiens ne connaissent que l'*Avenue de Fri-ed-land*. L'*e* se prononce aussi, à tort ou à raison, dans *Van Swieten*, *Liebig* et *Brienz*, plus correctement dans *Sienkiewicz, Mickiewicz, Sobieski, Sien-Reap,* et aussi dans *Nield* et *Dierx,* à fortiori. Il se prononce également dans les noms des langues romanes, comme *Fieschi* (et *Fiesque*), *Fiesole, Tiepolo, Oviedo,* etc.

[201] *Peer Gynt, Scheele, Seeland, Steen, Van der Meer.* Pourtant *Beethoven* n'a plus en français qu'un *e* bref mi-ouvert.

[202] Et dans *Aberdeen, Beecher Stowe, Flamsteed, Gretna Green, Greenwich, Leeds, Queensland, Queenstown, Seeley, Tennessee,* etc.; mais on admet *é* dans *Dundee.*

[203] L'*oe* flamand se prononcerait correctement *ou* dans des mots comme *Boers, Boerhaave, Goes, Moers, Woevre,* mais cette prononciation est trop éloignée de l'usage français, et nous prononçons généralement *Bo-ers, Bo-erhaave,* etc. Nous germanisons même *Bloemfontein* en *Bleumfontaïn.* Mais *Woëvre* se prononce surtout *Voivre,* et s'écrit même de cette façon.

A côté de l'*o* avec trémas (*eu*), l'allemand a aussi un *a* avec tréma, que nous transcrivons également tantôt par *æ* liés, tantôt par *aë,* et qui se prononce comme *è* ouvert moyen ou même bref: *Auerstæd*(t), *Bædek*(e)*r, Hæckel, Hændel, Hænsel* et *Gretel, Lænsberg, Mælzel,* etc. Toutefois *Lænsberg* se prononce encore *lansber.* D'autre part *aë* se prononce comme *a* long dans *Maëstricht* et *Maëlstræm, Ruysdaël,* Mme *de Staël* et *Gevaërt; Jordaëns* et *Saint-Saëns* se prononcent par *an:* voir aux nasales.

L'*e* est distinct de l'*a* dans *Laënnec, Gaëte, Paër,* etc., et même sans tréma, dans *Laeken* ou *Maes,* et peut-être *Paesiello. Maeterlinck* (et non *Mæ*) doit se prononcer *ma* et non *mé.*

[204] Si ce livre était un livre de phonétique, nous aurions traité le groupe *ai* ou *ei* avec l'*e,* car ils ne font qu'un: *ai* ou *ei,* jadis diphtongues, comme *oi,* ne sont plus que des graphies surannées, qui disparaîtraient, s'il y avait quelque logique dans l'orthographe. On écrit bien *effet* et *préfet:* pourquoi pas aussi bien *parfet* ou *satisfet,* puisque l'étymologie est la même, ou à peu près, et la prononciation identique? Pratiquement, et l'orthographe étant ce qu'elle est, il a paru préférable de maintenir la distinction.

[205] Cette prononciation est naturellement celle de Victor Hugo:

.... L'univers dislo*qué,*
Mal sorti du chaos, penche et se cogne au *quai.*
Religion et Religions, I, 4.

Il était si crûment dans les excès plon*gé*
Qu'il était dénoncé par la caille et le *geai.*
Lég. des Siècles, le Satyre.

Pourtant, V. Hugo lui-même a fait rimer *quais* au pluriel avec *laquais* (voir *Lég., la Colère du bronze*) et avec *expliquais*:

Je l'aimais, je l'avais acheté sur les *quais*,
Et parfois aux marmots pensifs je l'expli*quais*.
Art d'être grand-père, VI, 8.

Aujourd'hui on fera mieux de faire rimer *quai* avec *expliquait*, même au singulier, ou *geai* avec *plongeait* ou même *projet*. On ne saurait toutefois approuver cette rime de Mme de Noailles:

La poussière dorée au plafond volti*geait*:
Je t'expliquais parfois cette peine que *j'ai*.
Ombre des jours, V, *l'Adolescence*.

J'ai est encore fermé aujourd'hui à peu près partout.

[206] Les poètes, toujours traditionnalistes, font encore rimer parfois *mai* avec *aimé*; mais cela ne rime plus.

[207] On le trouve encore dans V. Hugo, où il surprend déjà:

Tout ce que je *sais*,
C'est que des peuples noirs devant moi sont *passés*.
Le Petit Roi de Galice, VIII.

[208] Voir Banville *Diane au bois*, acte I, scène 1:

Le bon tour! O doux vin par le soleil *moiré*,
Sois tranquille, je t'ai volé, je te *boirai*!

Cette rime fut excellente, mais ne s'impose plus du tout.

[209] On devrait aussi écrire *ponet*, puisque ce mot a pris un féminin, qui est *ponette*.

Ay final n'existe plus en français que dans les noms propres, où il a le même son que *ai*; ainsi, dans *Bell*ey ou *Du Bell*ay, *ey* et *ay* sont plus ouverts que l'*e* qui précède: on prononçait *bèlé*, on prononce *bèlè* et aussi *belè*. De même *Seigne*lay, *Eperna*y, *Sarce*y, etc., et aussi *Bomba*y, *Macaula*y, *Berkele*y, *Stanle*y, *Bidpa*y ou *Pilp*ay, comme *Joka*i ou *Toka*y. *Brie*y se prononce aussi *Bri-yi*. Dans certaines localités méridionales, comme *Hay*, *Tournay* et *Espoey*, l'y grec se prononce à part, comme si la finale était *a-ye* ou *e-ye*. Quant à *Pompéi*, on le francise encore le plus souvent en lui donnant trois syllabes: *Pompé-ï*; mais la vraie prononciation est en deux, *ëi* étant en réalité une diphtongue qui se prononce comme dans *paye*; cette prononciation, adoptée par les voyageurs qui ont vu le pays, a des chances de se répandre, depuis que des noms tels que *Tolstoï* nous ont habitués à ce genre de finales. On peut en dire autant de *Mafféi. Véies* aussi vaut mieux prononcé comme *veille*, que *Vé-ies*, en deux syllabes.

[210]

J'étais l'Arioste et l'Homère
D'un poème éclos d'un seul jet;
Pendant que je parlais, leur mère
Les regardait rire, et songeait.
V. HUGO, *Contempl.*, IV, 9.

[211] Voir ce qui est dit page 56, à l'occasion des finales en *ée*. En tout cas *-aie* ne saurait être moins ouvert que *-ai*; par suite, dans *La Fresnaye* (car les noms propres ont gardé l'*y*), c'est la dernière syllabe qui est la plus ouverte, et l'*e* long de *frêne* (fresne) se ferme ici à moitié: prononcez *énè* plutôt que *èné*.

[212] On peut même dire que *parfaite* rime mieux avec *estafette* qu'avec *faîte*, et même *prophète*. Il en est de même de *vous faites*, que les poètes seuls prennent la liberté d'allonger:

Mais songez à ce que vous faites!
Hélas! cet ange au front si beau,
Quand vous m'appelez à vos fêtes,
Peut-être a froid dans son tombeau.
V. HUGO, *Contempl.*, IV, 9.

[213] Qui devrait aussi s'écrire *sèche* (sépia); ces mots sont à distinguer de *fraîche* et *laîche*, qui ont perdu l'*s*, et auraient pu aussi bien s'écrire *frêche* et *lêche*: toutes ces orthographes sont absolument arbitraires.

[214] Ce mot est méridional, et les gens du Nord n'ont pas le droit de l'altérer, comme fait le *Dictionnaire général*, en faisant *ai* long.

[215]

Je ne daigne plus même, en ma sombre *paresse*,
Répondre à l'envieux dont la bouche me nuit.
O Seigneur! ouvrez-moi les portes de la nuit,
Afin que je m'en aille et que je *disparaisse*.
V. HUGO, *Contempl.*, IV, 14.

[216] **Ai** est encore long dans *Alais*, qui se prononce comme les mots en *-ès*, et s'écrit du reste, maintenant, *Alès*.

[217] De même *Leyde* et *Mayne-Reid*, que nous francisons. Au contraire *Thomas Reid* se prononce *Rîd*. Voir page 47 ce que nous avons dit de *roide*.

[218] Tandis que *La Haye*, *Saint-Germain-en-Laye*, *La Fresnaye*, *Houssaye*, etc., n'ont que le son *è*, comme les mots en *-aie*. Ne pas confondre ces noms avec ceux où l'*a* reste séparé de l'*y*, comme *Bla-ye*: voir plus loin, aux semi-voyelles.

[219] Pour *aigne* prononcé *agne*, voir plus loin.

[220] Mais non pas **-ail** prononcé à l'anglaise, dans *rail* (rèl), *cock-tail* et *mail-coach*. *Bayle* et *Beyle* sont douteux, mais plutôt brefs. Il va sans dire que les poètes ne se gênent pas pour allonger les finales en *elle* afin de rimer avec *aile*:

Comme un géant en sentinelle,
Couvrant la ville de mon aile,
Dans une attitude éternelle
De génie et de majesté!
V. HUGO, *Feuilles d'aut.*, VIII.

[221]

L'air est plein d'un bruit de chaînes,
Et dans les forêts prochaines,
Frissonnent tous les grands chênes,
Sous leur vol de feu pliés.
V. HUGO, *Orient., les Djinns*.

Chaîne est pour *chaeine*; mais *faîne* et *traîne* auraient pu se passer de l'accent. *Ai(s)ne* a gardé son *s*, comme *Duche(s)ne* ou *Duque(s)ne*.

[222] Et aussi *Sedaine*, tandis que les autres, *Verlaine* ou *Madeleine*, *Maine* ou *Germaine*, *Lorraine* ou *Touraine*, *Seine* ou *Bazaine*, *Taine*, *Aquitaine*, *La Fontaine*, tendent à allonger leur finale.

[223] Et aussi les noms propres, *Le Caire*, *Beaucaire*, *Baudelaire*, *Bélisaire*, etc., avec *Buenos-Ayres*, que nous francisons; *Nicaise*, *La Chaise*, *Falaise*, *Vaise*, etc.

[224] Voir ci-dessus, page 64, et note 1, et plus loin, page 131.

[225] L'orthographe de *treize* et *seize* est tout à fait arbitraire.

[226] Ce sont *maître, naître, paître, paraître* et *traître* qui ont perdu leur *s*; *reître* aussi, mais ce mot, qui venait de l'allemand *reiter*, n'avait d'*s* que par analogie avec les autres.

[227] Il est même fermé, comme on l'a vu plus haut, pour ceux qui prononcent *gai* fermé.

[228] Il n'est pas rare à Paris d'entendre l'*e* fermé jusque dans *maison* ou *raison*; mais cette prononciation me paraît purement faubourienne.

Les groupes *ay* et *ey*, conservés à l'intérieur des noms propres devant une consonne, se prononcent aussi *è*, plus ou moins bref ou long, suivant les cas, dans les noms français: *Aveyron, Aymon, Caylus, Dalayrac, Feydeau, Freycinet, Gleyre, Raynal*, etc., et même *Taygète*, comme *Reiset* ou *Meissonnier*. Mais *Talleyrand* se prononce *Tal'ran*. Dans le Midi, au contraire, *ey* se prononce *eye* dans *Eymet, Seyne, Peyr(eh)orade*, etc.

[229] Voir plus haut, page 45. L'abbé Rousselot accueille encore *doirière*.

[230] Voir plus haut, page 48.

[231] C'est pour les noms propres surtout qu'il y a eu longtemps hésitation. Ainsi le nom de *Montaigne* était à l'origine le même mot que *montagne* et se prononçait de même; mais tandis que *monta-igne*, nom commun, perdait son *i*, *Monta-igne*, nom propre, gardait le sien, parce que les noms de personnes conservent mieux que les autres mots leur orthographe ancienne: nous en verrons de nombreux exemples; néanmoins sa prononciation s'est longtemps maintenue, grâce sans doute au voisinage du nom commun: par exemple, Delille non seulement prononce, mais écrit partout *Montagne*, notamment à la rime; mais la prononciation du nom a tout de même fini par s'altérer au cours du XIXe siècle: aujourd'hui tout le monde ou à peu près prononce *Montaigne*, comme il est écrit; la prononciation par *a* est considérée comme surannée et serait à peine comprise. *Champagne*, au contraire, nom à demi commun, a perdu son *i*, comme *Bretagne*, sauf parfois dans *Philippe de Champaigne*, qu'on est tenté d'altérer; mais pourquoi ne pas écrire toujours *Philippe de Champagne*? cela supprimerait toute difficulté. *Sardaigne*, moins commun en France que *Bretagne* ou *Champagne*, a gardé son *i*: aussi prononce-t-on *ai*. De même aujourd'hui dans *Cavaignac*. Toutefois, dans *Saint-Aignan*, les diverses prononciations locales sont généralement a*gnan*.

[232] On prononce également par *e* mi-ouvert l'anglais *Reynolds, Seymour, Taylor* ou *Ceylan, Fairfax* ou *Ralei(gh)*, ou encore *Leicester*, qui est souvent germanisé à tort en *aï*. On prononce encore de même *Aureng-Zeyb, Beyrouth, Buenos-Ayres, Bayreuth, Laybach* et aussi *Valparaiso*, et même *Meinam*. En revanche, on prononce l'*i* (ou *y*) à part, mais en diphtongue naturellement, dans *Héphaistos* ou *Poséidôn*, prononcés à la grecque, dans *Maimonide, Kaisarieh* ou *Kaiserslautern* et *Baylen*, dans *Almeida, Peixota, Zeila*, etc., et même *Leitha*,

parce qu'allemand. Dans *Ha-ydée* ou *Ha-ydn*, on sépare les voyelles. Au contraire *Saïgon* devrait s'écrire *Saigon*, puisque tous les Européens du pays ont adopté, à tort ou à raison, la prononciation *ségon*.

[233] Quelques noms propres francisent **ei** en **e** ouvert: *Henri Heine*, Ei*ff*el, *Schn*ei*der, Leibniz, Leipzig, Reischoffen*, et aussi Ey*lau*, *van* Ey*ck, Dr*ey*fus;* la plupart gardent le son allemand: *Eisenach, Eisleben, Fahrenheit, Freia, Freischütz, Geibel, Geissler, Heidelberg, Kleist, Meiningen, Meister* et *Meistersinger* (les personnes qui ne savent pas l'allemand feront mieux de dire *Maîtres chanteurs*), *Reicha, Reichstadt, Reisebilder, Schleiermacher, Schweinfurth* et les mots en *-ein* et *-eim*, et aussi, avec un *y*, *Freytag, Heyse, Van der Heyden, Van der Weyden*, et tous les noms moins connus.

[234] Avec la manie de diérèse qui est la plaie de notre versification, V. Hugo a fait *geyser* et *kayser* de trois syllabes l'un et l'autre, dans l'un de ses poèmes les plus fameux, *Eviradnus* (VI et XVI):

Des *ge-ysers* du pôle aux cités transalpines...
Que Joss fût *ka-yser* et que Zèno fût roi...

Il en fait d'ailleurs autant pour *Heidelberg* et pour *bairam* (*Ane*, V, et *Quatre Vents de l'Esprit*, III, 2)... sans parler de *Shylock*, écrit et prononcé *Sha-ï-lock*. Il faut bien se garder de décomposer ces diphtongues.

[235] Ce groupe, d'abord diphtongue, n'a achevé qu'au XVIᵉ siècle de devenir voyelle simple.

Eu s'écrit assez sottement *œu*, sous prétexte d'étymologie dans *vœu*, œu*vre*, etc.; il se réduit à *œ* dans *œil* et ses dérivés; il s'intervertit même en *ue* dans les mots en *-cueil* et *-gueil*.

[236] Il y a aussi des noms propres: *Boïeld*i*eu, Riche*l*ieu, Chau*l*ieu, Montesqu*i*eu, Saint-L*eu, etc. Pour les mots en *eue*, voir plus haut, page 56.

[237] Et les noms propres *Andri*eux, *Des Gri*eux, *Dr*eux, *Évr*eux, auxquels on peut joindre *Saint-Bri*eu(c) et *Y*s*eu*(lt).

[238] C'est ainsi qu'on disait correctement, naguère encore, *un œu*(f) *frais, un œu*(f) *dur, un œu*(f) *rouge*, avec *eu* fermé, comme on dit encore aujourd'hui *Neu*(f)*château, Neu*(f)*-Brisach*, etc.

[239] Pour plus de détails sur l'*f* final, voir à la lettre F.

[240] Voir sur ce point le chapitre de l'R. Cette prononciation n'avait d'ailleurs rien de si extraordinaire: aujourd'hui c'est dans les mots en *-er* et *-ier* qu'on n'entend plus l'*r*: aime(r), premie(r). Nous allons revenir sur les mots en *eur*.

[241] Y compris *Meuse, Creuse, Greuze, Chevreuse,* etc.

[242] **Eun**, sans *e muet* final, est nasal dans *à j*(e)*un* et *Jean de M*(e)*un*(g).

[243] Ajoutez les noms propres Eu*des*, *Pentateuque, Maubeuge, Reuss, Bayreuth* (cf. *Gœthe* ou *Bœhm*), et surtout les noms grecs en *-eus*, Zeus, *Orpheus, Prométheus*, et même *basileus*. Quand ces noms en *-eus* commencèrent à être introduits dans la littérature, initiative qui revient à Leconte de Lisle, Victor Hugo voulut suivre le mouvement, comme d'habitude; mais comme il savait fort peu de grec, il crut voir dans ces mots la finale latine *us*, et il fit de *Zeus* deux syllabes:

Zéus Jupiter vint, la main d'éclairs chargée,
Et lui cria: Sois pierre, ô monstre! Et le géant
Vit *Zéus*, devint roche et s'arrêta béant.
La Fin de Satan, strophe troisième.

On trouve la même prosodie dans *Religion et Religions* et dans l'*Ane*. Pourtant V. Hugo a fait *Zeus* monosyllabe dans *Dieu*.

[244] Et les noms propres en *-beuf*: Babeu*f*, Brébeu*f*, Rutebeu*f*, Elbeu*f*, Marbeu*f*.

[245] Avec *Chevreul, Saint-Acheul*. Malgré Michaëlis et Passy, on ne saurait fermer *gueule*; tout au plus *gueulard*, quoique ce soit bien trivial.

[246] Sans parler de *heurte*, Meur*the* et *meurtre*, et même *Leuctres* et *Polyeucte*, suivant le principe général: voir page 38; mais la prononciation savante ferme parfois *eu* dans ces deux mots.

[247] Au XVIᵉ siècle, on écrivait non seulement *ueil* pour *œil*, mais *dueil, fueille*, etc. A *Verneuil, Montreuil, Auteuil*, etc., on ajoutera *Arcueil, Argueil, Bourgueil, Longueil, Montorgueil*, etc., et *Bueil*, tandis que *Rueil* appartient à une autre catégorie. *Santeul* a aussi la finale mouillée, et *Choiseul* l'a eue.

[248] *Veux-je* serait peut-être long en même temps qu'ouvert, mais la vérité est qu'on ne l'emploie pas. Nous avons dit que *Maubeuge* avait *eu* fermé.

[249] Ainsi que Eu*re* et *Soleure*, Feu*rs* et Mer*œur*, etc.

[250] *Faucheux* n'est aussi qu'un doublet de *faucheur*. Inversement le peuple dit volontiers *au lieur de*, pour *au lieu de*.

[251] Avec *Sainte-Beuve, Villeneuve, Terre-Neuve*, etc.

[252] *Veuve* fermé, admis par Michaëlis et Passy, est absolument incorrect, malgré l'analogie de *neuf heures*.

[253] Voir au chapitre du *G*.

[254] C'est le même *e*, inutile aujourd'hui, qu'on trouve dans *asseoir* (à côté de *choir* pour *cheoir*), ou dans *Jean* et *Jeanne*.

[255] Michaëlis et Passy enregistrent aussi, et admettent par conséquent *eu* fermé dans *breuvage* et dans *pleurer*: c'est une prononciation qu'on ne doit pas entendre souvent.

[256] Ainsi l'*eu* de *jeûne*, déjà moins long dans *jeûner* et encore moins dans *déjeuner*, qui n'a plus d'accent, y devient si bref dans certaines provinces, qu'on l'y traite comme un *e muet*: *déj'né*; mais ceci est vraiment excessif, quoique enregistré encore par Michaëlis et Passy.

[257] Il faut excepter E*urope* et e*uropéen*, et naturellement E*ure-et-Loir*; mais *eu* est fermé malgré l'*r*, dans les noms anciens, à prononciation savante, dans E*uripide*, E*urotas*, E*uryanthe*, E*uryclée*, E*urydice*, E*urysthée*, aussi bien que dans E*ubée*, E*ucharis*, E*uclide*, E*udoxie*, E*udore*, E*uler*, E*umée*, E*uménides*, E*umolpe*, E*upatoria*, E*upatride*, E*uphrate*, E*upolis*, E*usèbe*, E*ustache*, E*uterpe*, E*utrope*, E*utychès*, etc. Il tend à s'ouvrir dans les plus connus de ces mots, comme E*uphrate* ou E*ustache*, et il est moins fermé dans E*ugène* que dans E*ugénie*, parce que, dans E*ugène*, il tend à s'abréger par le voisinage de la tonique longue, comme dans *peut-être*. D'autre part, les faubourgs disent volontiers U*gène*, U*génie*, U*lalie*, et cette prononciation, qui fut correcte, comme U*stache*, U*rope*, *hureux*, et beaucoup d'autres, le serait encore, comme celle de *vu* pour *veü*, ou simplement comme celle de *j'ai* (e)*u*, sans l'influence de l'écriture qui a prévalu: ainsi E*ure* rime avec *nature* et avec *structure*, dans la *Henriade*, VIII, 55-56, et IX, 125-126. Cf. *bleu* et *bluet*, *heure* et *hurette*, *leurre* et *déluré*, *meute* et *mutin*. M*imeure* même, paraît-il, se prononce encore par *u*.

[258] De même dans B*euchot*, B*eulé*, B*eudant* et B*eugnot*, C*euta*, D*eucalion*, F*euchère*, *La Feuillade*, F*euillet* et F*euquières*, M*eurice* (malgré l'*r*), N*eubourg*, N*euilly*, M*anteuffel* et T*eutatès*. Mais *eu* est ouvert dans B*eurnonville*, moins ouvert dans F*leurus* ou F*leury*.

[259] On devrait le faire un peu plus long dans *Vanlo*(o) et *Waterlo*(o), puisqu'il en représente deux, mais nos finales ne comportent pas ces distinctions. L'*o* final italien s'est souvent francisé en *e*, comme dans *Guido*, devenu *Guide*, ou est tombé purement et simplement comme dans *Perugino*, devenu *Pérugin*; il s'est maintenu dans *André del Sarto*, mais le plus souvent on ne le prononce pas.

[260] Ceux-là se prononcent exactement comme *clôt*, *dépôt* (avec *entrepôt*, *impôt* et *suppôt*), *rôt*, *tôt* et *prévôt*, qui ont perdu l'*s*, et *Prévo*(*s*)*t*, qui l'a gardé.

[261] Et même *Goths*, ainsi que beaucoup d'autres noms propres: *Didot*, *Renaudot*, *Carnot*, *Guizot*, etc. Les poètes ne font pas ces distinctions, et les

mots en *-ot* ou *-ots* riment tous aujourd'hui couramment avec les mots en -*eau*.

Le faubourg Saint-Antoine accourant en sa*bots*,
Et ce grand peuple, ainsi qu'un spectre des tom*beaux*,
Sortant tout effaré de son antique opprobre.
V. HUGO, *Contempl.*, V. 3.

[262] Il en est exactement de même dans telles expressions toutes faites, comme *aller* au *trot*, ou dans tel nom propre, comme *Renaudot*.

[263] Avec *palinod* et quelques noms propres en **-od**, comme *Pernod* et *Gounod*.

[264] Le français avait autrefois la finale muette *oe* (*Pirithoe*, redevenu *Pirithoüs*, *coe* devenu *queue*, ou *roe* devenu *roue*), et sans doute elle était longue. L'*o* est la seule voyelle fermée qui ait perdu sa finale féminine (cf. *-ie*, *-ue*, *-oue*, *-ée*, *-eue*); mais nous la retrouvons dans quelques noms anglais: voir plus haut, page 53. L'*o* final suédois, avec tréma, se prononce *eu*, et s'écrit d'ordinaire *œ*, comme dans les mots allemands: voir page 76.

[265] C'était sans doute pour empêcher qu'on ne s'y trompât, que Fabre d'Églantine, d'origine méridionale, a cru devoir mettre un accent circonflexe aux jolis mots qu'il inventa pour le calendrier: *pluviôse*, *ventôse* et *nivôse*; un homme du Nord n'en aurait pas eu l'idée.

[266] Nous ne parlons pas non plus ici des finales dont il est question page 38: *docte* et *dogme*, *golfe* et *révolte*, *absorbe*, *écorche* et *informe*, *morne*, *morse* et *morte*, *paradoxe*, etc., ont toujours l'*o* bref ou moyen.

[267] De même *Maroc*, *Enoch*, *Bankok*, *Shylock*, *Locke* ou *Archiloque*; *Eliot*, *Scott*, *Naboth*, *Hérodote*, *don Quichotte*, *La Mothe*; *Ésope*; *Romanof*, *Malakoff*, *Christophe*; *Antioche*; *Thanatos*, *Cappadoce*, *Écosse*.

Côte, *hôte* et *ôte* ont perdu un *s*, ainsi que *Pentecôte*, qu'on a longtemps ouvert, mais qu'il vaut mieux fermer.

[268] En revanche, chez le boucher, on dit volontiers *des os* avec *o* ouvert, comme au singulier, et de même *désosser*, la distinction étant trop délicate. Sans aller jusque-là, il est assez naturel de dire *un paquet d'os* (*o* fermé) plutôt que *un paquet* d'o(s).

[269] Le *Dictionnaire général* l'ouvre (à volonté dans *albinos*), mais cela, c'est peut-être la théorie plutôt que la pratique. Michaëlis et Passy l'ouvrent aussi, mais en le faisant *long*: cette fois je ne comprends plus. L'*o* est fermé également dans les noms de cigares, *trabucos*, *crapulos*, etc., et dans les

accusatifs latins, *intra muros*, *benedicat vos*, et par conséquent *salvanos*; également dans *Calvados*, *Burgos*, *don Carlos*, *Cornélius Népos* et *Hyesos*.

[270] Il en est de même pour les noms propres. Beaucoup d'entre eux ont remplacé simplement la forme latinisée en **-us**, seule usitée autrefois, comme *Laïos*, *Danaos* ou *Phœbos*. Pour ceux-là, l'*o* doit être et est toujours ouvert et bref. Pour les autres, c'est encore l'étymologie qui devrait déterminer la prononciation, puisque ces mots appartiennent uniquement à la science ou à l'érudition. On devrait donc fermer l'*o* seulement chez ceux qui en grec ont un oméga, *Eos*, *Cos*, *Argos*, *Minos*, *Eros*, *Athos* (réservant *Athos* avec *o* ouvert pour l'ami de *Porthos* et de d'*Artagnan*). Or ceux-là sont le petit nombre; et on devrait ouvrir l'*o* chez les autres, *Lesbos*, *Ténédos*, *Paphos*, *Délos*, *Samos*, *Pathmos*, *Lemnos*, *Claros*, *Paros*, *Naxos*, etc. Malheureusement ceux qui ferment l'*o* de *pathos* ne manquent pas de fermer celui de *Lesbos*, *Pathmos* ou *Paros*.

[271] Cependant *alco-olisme* garde les *o* séparés, comme *Bo-oz* ou *zo-ologie*, qui ne sont pas des mots populaires.

[272] Suivant son principe, le *Dictionnaire général* fait *o* ouvert, mais long, dans les finales **-oge**, **-ove** et **-ogne**. L'accent circonflexe s'est mis dans *geôle* et *enjôle*, dans *môle*, *pôle*, *rôle* et *contrôle*, *drôle*, *frôle*, *trôle* et *tôle*, ainsi que dans *rôde* et *alcôve*: ce fut arbitraire et pas toujours justifié. En tout cas cela est, et si Corneille a pu, en son temps, faire rimer *rôle* et *pôle*, qui n'avaient point d'accent, avec *parole*, ces rimes sont détestables dans V. Hugo.

Kohl a aussi l'*o* fermé, à cause de l'*h*. *Doge* a été longtemps long et fermé, ainsi que *globe* et *lobe*, qui étaient d'abord des mots savants: tous ont suivi depuis l'analogie des autres. L'*o* est également ouvert et suffisamment bref dans *Jacob* ou *Déiphobe*, *Nemrod* ou *Hérode*, *Magog* ou *La Hogue*, *Tirol* ou *Arcole*, *Norodom*, *Rome* et *Somme*, *Edison*, *Bonn*, *Antigone* et *Lisbonne* et même *Limoges*. Il est un peu plus long dans *Laure de Noves* ou *Dordogne*. *Vo(s)ges*, qui a gardé son *s*, a l'*o* long et fermé.

[273] On y joignait généralement *Rome*, qui pour ce motif s'est longtemps écrit avec deux *m*.

[274] De même *Deutéronome*, *Chrysostome* et *Sodome*, à côté de *Rome*, qui gardait seul l'*o* ouvert.

[275] S'ajoutant à *diplôme* et *symptôme*, qui auraient pu s'en passer aussi bien qu'*idiome* et *axiome*. L'accent est encore dans *chôme* (par confusion sans doute, car on écrivait *chomme* bref à l'origine), dans le mot populaire *môme*, dans *fantôme*, qui a perdu son *s*, et dans *Côme*, *Pacôme*, *Puy-de-Dôme*, *Vendôme*, *Jérôme*, *Drôme*, *Brantôme*.

[276] Sauf peut-être sur *majordome*. Le *Dictionnaire général* fait aussi l'*o* ouvert dans *prodrome* et *hippodrome*, *tome* et *atome*, et *Deutéronome*; mais c'est manifestement l'étymologie qui le guide, car ces mots sont encore loin d'être indiscutés.

[277] Le *Dictionnaire général* fait l'*o* fermé dans *amome* et ouvert dans *cardamome* et *cinnamome*. L'opinion a pu changer au cours de l'impression.

[278] Il y a encore quelques termes de médecine qui ferment l'*o*, comme *sarcome*, *fibrome*, etc. Mais il faut bien que *chrome* suive *polychrome*, et il entraînera avec lui *brome* et *bromure*, à qui le *Dictionnaire général* donne déjà un *o* ouvert. L'*o* n'est plus fermé à peu près régulièrement que dans *Chrysostome*, sans raison d'ailleurs.

[279] De même que dans *Babylone*, *Dodone* et *Pomone*, *Bellone* et *Suétone*.

[280] Pas davantage dans *Antigone*, *Tisiphone* ou *Gorgone*, qui longtemps eurent l'*o* long, comme *Barcelone*.

[281] Tous ces mots ont l'*o* ouvert dans le *Dictionnaire général*, ainsi qu'*ozone*, pour lequel Michaëlis et Passy admettent quatre prononciations différentes.

[282] Outre *prône* et *trône*, l'accent s'est mis sur *cône* et *pylône*, qui avaient l'*o* long; quant à *aumône* qui a perdu son *s*, son *o* s'était néanmoins ouvert, mais il est plutôt fermé aujourd'hui. L'*o* est bref aujourd'hui dans tous les noms propres en *-one*, même anglais, comme *Gladstone* ou *Folkestone*. Corneille ou Racine avaient le droit et le devoir de faire rimer *Antigone* ou *Babylone* avec *trône*; mais dans V. Hugo cela ne rime plus; et sans doute il se croyait autorisé par l'exemple des classiques, en quoi il se trompait radicalement. D'ailleurs il ne distingue pas, et fait constamment rimer *trône* avec *couronne*:

Quand il eut bien fait voir l'héritier de ses *trônes*
Aux vieilles nations comme aux vieilles *couronnes*,...

rime détestable, qu'on chercherait en vain chez les classiques, et qu'aucune prononciation ne saurait pallier.

Le seul nom propre en *-one* où l'*o* soit peut être long sans accent, c'est *Hippone*, qui est savant. Il est naturellement long dans *Bône*, *Ancône*, *Rhône* et *Saône*, avec *Co(s)ne* et *Sain-Jean-de-Lo(s)ne*, et aussi *khitôn* et *Poseidôn*. En revanche, beaucoup de personnes abrègent et ouvrent l'*o* même dans *Mendelssohn*, ce qui est encore une erreur, à cause de l'*h*.

[283] Dans les noms anciens ou étrangers l'*o* est ouvert: *Booz*, *Badajoz*. En France, la finale *-oz*, comme la finale *-az*, est assez fréquente dans les noms

propres de l'antique pays des Allobroges, Dauphiné, Savoie, Valais. Mais la prononciation locale met plutôt l'accent sur la précédente, ou même la pénultième, selon la règle latine, et la dernière devient à peu près muette. Ainsi *Berlioz* se prononce *berl* mouillé (*berlye* en une syllabe). Le français ne saurait évidemment accepter cette accentuation, et dans le pays même on prononce aussi *Berlio*, sans articuler le *z*, et par suite avec *o* fermé. Cette prononciation aurait dû suffire; mais l'orthographe a réagi sur elle, comme d'habitude, et le *z* est passé définitivement dans l'usage; seulement le *z* amène beaucoup de gens à ouvrir l'*o*, comme dans *Booz*, malgré le son bien connu des finales en -*ose*.

[284] De même *Médor, Cahors, Niort, Chambord*, etc.

[285] *Notre* et *votre* ne sont que la forme atone de *nôtre* et *vôtre*, qui ont perdu leur *s*, ainsi qu'*apôtre* et *patenôtre*. L'*o* est également ouvert dans *Thémistocle* ou *Locres, Constantinople* ou *Christofle*, mais fermé dans *Le Nôtre*.

[286] De même *Grenoble* et *Hanovre*, dont l'*o* s'est également ouvert (comme partout devant *v*), quoi qu'en disent Michaëlis et Passy. Et c'est tant pis pour les poètes, car *pauvre* n'a plus de rime, sauf à Marseille.

[287] On notera ici aussi que des mots comme *conique* ou *conifère, drolatique, polaire, diplomate* et ses dérivés, ou *symptomatique*, n'ont pas conservé l'accent circonflexe du simple, qui n'est qu'un signe arbitraire de quantité; aussi n'ont-ils pas l'*o* fermé: voir ci-dessus, page 33, et page 73, note 1.

[288] L'*o* fermé qu'indique le *Dictionnaire général* est-il là pour l'accent circonflexe, ou est-il dû à une faute d'impression? En revanche Michaëlis-Passy et Ch. Nyrop veulent qu'*hôtel* ait l'*o* ouvert, ainsi que tous ses dérivés: je pense que cette prononciation, qui a été fort répandue, tend à disparaître, sans doute à cause de l'orthographe. De même pour *prévôtal*.

[289] Mais non dans o*sseux*, o*ssuaire*, o*ssifier*, où les deux *s* se prononcent le plus souvent, et o*ss*(e)*let*, où l'*e* est suivi de *sl*, pour l'oreille.

[290] Mais, malgré Michaëlis et Passy, il est plus souvent ouvert dans *fossette*, toujours dans *fos-sile*, surtout si l'on prononce les deux *s*, généralement dans *fossoyer* et *fossoyeur*.

[291] Beaucoup moins régulièrement, ou même rarement, malgré *rosier*, dans *rosace, rosat, roséole, rosaire, roseau, rosette*, et même *rosière*, si bien que *rosier* lui-même tend à s'ouvrir, ainsi qu'*osier*. *O* est encore long et fermé dans *Boson* ou *Spinosa*; mais il n'est guère fermé dans *Joseph* ou *Joséphine*, sauf à Paris.

[292] Et dans *Phocion*, et plus sûrement encore dans *Procyon*, comme dans *Momus*. Il est douteux dans *Salomon*. Il est fermé dans O*hnet* ou *Frohsdorf*, par l'effet de l'*h*, mais il est ouvert dans *Rothschild*, par l'effet des

deux consonnes *tch*; il est aussi à peu près ouvert aujourd'hui dans *Cobourg*, tout à fait dans *Roland, Rollin* ou *Rollon*.

[293] Michaëlis et Passy croient qu'on peut fermer l'*o* dans *poney*, et aussi dans *toast*, et même dans *diagnostic*! Il en résulte que pour eux *poney* a, comme *ozone*, quatre prononciations: *pôné, pônè, poné, ponè*: je ne connais pour ma part que la quatrième qui soit usitée.

[294] Et même dans *gratis pro Deo*, et encore, à cause de l'*r* sans doute, dans *ad honores, ad valorem, coram populo*, ou *ad majorem Dei gloriam*. On fera bien cependant de fermer quelques *o* latins, qui sont longs: *donec eris felix, ex ungue leonem, finis coronat opus, in utroque jure, odi profanum vulgus, o tempora o mores, ore rotundo, proprio motu, quousque tandem, væ soli*; en revanche il faudra faire bref et ouvert l'*o* de *tu quoque*, qu'on ferme souvent, très mal à propos.

[295] Cf. maman, page 39. Le *Dictionnaire général* ouvre le premier *o* de ces mots (les deux premiers dans *rococo*).

[296] Voir plus loin, à la fin du chapitre des semi-voyelles, page 199 et la note.

[297] Et dans quelques noms propres anciens, comme *Bo-oz*, et aussi bien *Démopho-on* ou *Laoco-on*, qui autrefois se contractaient.

[298] L'*o* tend vers *eu* ouvert et très bref dans les noms propres en *-son* et *-ton*, non francisés, comme *Addis*(o)*n, Emers*(o)*n, Palmerst*(o)*n*, et aussi bien *Beac*(o)*nsfield*; on peut cependant le prononcer un peu plus en français qu'en anglais.

[299] De même dans *Atwood, Booth, Brooklyn, Cook, Cooper, Robin Hood, Lammermoor, Liverpool, Longwood, Moore, Rangoon, Woolwich*, etc.

[300] Et dans *Berg-op-Zoom, Cloots, Loos, Roosevelt, Roosebeke*, aussi bien que dans *Vanloo* et *Waterloo*: où a-t-on vu qu'il fallait dire *la prise de Berg-op-Zoum*? Il en est de même dans le basque *Puyoo*. Le breton *Broons* se prononce *Bron* nasal, par contraction de *bro-on*. Pour *ow*, voir au *W*.

[301] *Au* est encore diphtongue au XVIe siècle, et *eau* parfois triphtongue. Depuis le XVIIe siècle, ce n'est plus qu'une voyelle simple.

[302] De même dans *Beauveau* ou *Boileau, Regnaud, Escaut, Géricault* ou *La Rochefoucauld, Despréaux, Chenonceaux* ou *Roncevaux*.

La finale *eaue* a aussi existé jadis (cf., p. 100) dans le substantif *eaue*, qui a précédé *eau*; elle a disparu depuis le XVIe siècle.

[303] *Au* est de même fermé dans les noms propres: *Aube, Claude, Gaule* ou *Beaune*. Mais on ouvre toujours *Paul*, qui devrait s'écrire *Pol*. On ouvre même *Népaul*. Il est vrai que *Paule* est plus souvent fermé; mais il y a là

quelque affectation. On ouvre aussi fatalement Fau*st*, à cause des deux consonnes, mais ce n'est pas nécessaire. On ouvre également Au*ch* dans le Midi: prononciation locale qui s'impose difficilement au Nord.

[304] Cf. l'espagnol *toro* ou *torero*. On sait que la diphtongue latine *au* devient régulièrement *o* en français, transformation qu'on trouvait déjà dans le bas latin. Or cet *o* a pu rester fermé devant *s* ou *v*: a*lo*se, c*ho*se, *lo*s, o*se*r, c*lô*ture (pour closture), et aussi *po*vre et *po*se, devenus *pau*vre et *pau*se par réaction étymologique; mais devant *r* il s'est ouvert, témoin o*r*, o*ri*flamme, o*ri*peau et *do*rer (qui tous se rattachent au latin au*rum*), ou encore o*rei*lle et ses dérivés (au*ricula*) ou o*rage* (au*ra*), ou c*lo*re (c*lau*dere).

[305] On l'ouvre aussi en majorité dans Mau*re*s, qui s'écrit aussi M*o*res, et dans Fau*re*, Du*fau*re, Lau*re*, Roque*lau*re, Saint-M*au*r. Les érudits le ferment encore volontiers dans la plupart de ces mots, ainsi que dans Bucen*tau*re, et dans Epi*dau*re, Montm*au*r, Is*au*re, Lav*au*r, Mét*au*re, qui sont moins populaires; mais ces mots eux-mêmes sont touchés. Ne faut-il pas d'ailleurs aider le poète à rimer?

Fatal oracle d'*Épidaure*,
Tu m'as dit: Les feuilles des bois
A tes yeux jauniront *encore*,
Mais c'est pour la dernière fois.

Ne pouvant fermer en*co*re, il faut bien ouvrir *Épi*d*au*re.

[306] Mais non dans ceux de *valoir*, malgré Michaëlis et Passy.

[307] Le *Dictionnaire général* ferme partout *au* initial, même dans *aurore* et *augmenter*! C'est évidemment l'étymologie et non l'expérience qui en a décidé.

[308] De même pour les noms propres: on ferme correctement Au*rillac*, malgré l'*r*, aussi bien que Au*ber*, Au*dran*, Au*gias*, Au*guste*, Au*lis*, Au*male*, Au*stralie*, Au*teuil*, Au*vergne*, Au*xerre* ou Saint-Au*laire*; et Ca*lau*rie, Lau*raguais*, Laurent, Lau*rium*, Mau*repas*, Mau*rice*, Mau*ritanie*, Mau*ry*, etc., aussi bien que Bau*delaire*, Bau*din*, Bau*dry*, Beau*vais*, Cau*case*, Cau*chy*, Cau*debec*, Cau*laincourt*, Lau*sanne*, Pau*lin*, Pau*line*, Pour*œaugnac*, etc., ou même Ch*au*cer. Notons en passant qu'au XVIIᵉ siècle les gens instruits prononçaient a*s*tomate et même a*s*tographe, sous prétexte d'étymologie grecque!

[309] De même dans Au*erbach*, Au*erstædt*, Au*gsbourg*, Au*sterlitz*, Ey*l*au, Gau*ss*, Gl*au*ber, Hague*n*au, Hau*ss*mann, Na*ss*au, Nau*ndorff*, Rant*z*au, R*au*ch, Schopenh*au*er, Str*au*ss, Zwick*au*. Autrement il se prononce *ao*, comme dans: Do*n*au (Danube), ou *aou*, comme dans: Jungf*r*au, Hau*ptmann*, Hohenst*au*fen, Kauf*mann*, Kau*l*bach, Kau*nitz*, Le*n*au, Münch*au*sen, et les noms moins connus. L'anglais fait entendre un *o* ouvert dans Con*n*au(gh)*t*.

[310] On avouera, d'ailleurs, que la différence qu'il peut y avoir entre les deux *i* de *midi* n'intéresse que la science, et n'a guère d'utilité pratique, si ce n'est pour les étrangers, et encore! Quant à *i*, *u*, *ou*, semi-voyelles, on en parlera dans un chapitre spécial.

[311] Le peuple dit volontiers *et pis* pour *et puis*.

[312] Corneille, *Le Cid*, acte III, scène 4.

[313] *Castries* se prononce *Castre*.

[314] Michaëlis et Passy trouvent qu'*i* est long dans les mots en *is*.

[315] Ce qui n'a pas empêché H. de Régnier de faire *ri-i-ons* de trois syllabes:

Nous ri-i-ons en regardant la parodie.
Jeux rustiques, la Grotte.

Il est vrai que dans le même volume il fait aussi *naufrage-ri-ons* de cinq syllabes (*ibid.*, Péroraison).

Ici encore on ferait bien d'appuyer sur quelques *i* latins: *ad vitam æternam*, *mirabile visu*, *in fine*, *in vino veritas*.

[316] De même on sépare l'*i* dans des mots français ou francisés, comme *Acha-ie*, *Isa-ie*, *A-ï*, *Sina-ï*, *Adona-ï*, *et aussi Godo-y*. *Shang-Haï* n'est pas dans le même cas, et doit se prononcer uniquement en deux syllabes, l'*i* mouillant l'*a*, ou plutôt faisant fonction de semi-voyelle. De même *Angelo Maï*, *Moulaï-Hafid*, *Ouadaï*, *Bosna-Seraï*, et aussi *Hokousaï*, et d'autre part *Hanoï* ou *Tolstoï*, *avec Croÿ*, qui se prononce *Crou-y*. Le cas est exactement le même que celui de *Pompéi* et *Véies*, où l'accent aigu permet de ne pas employer le tréma: voir page 81, note de la page 80.

[317] On rattache souvent ce mot au *fleurette* français, dont les Anglais auraient jadis tiré leur *flirt*. Cette étymologie est plus que douteuse, et *fleureter*, qu'on lit quelquefois au lieu de *flirter*, est inutile autant que discutable.

[318] De même dans *Bri(gh)t* et *Bri(gh)ton*, *Childe-Harold*, *Fife*, *United States*, *Wi(gh)t* ou *(W)ri(gh)t*, et aussi *Shylock* et *Wyoming*. *Girl* se prononce *gheurle*.

[319] Pour *baby*, voir page 43, note 4. On prononce nécessairement *i* dans *Cantorbéry*, qui est la forme française de *Canterbury* (beuré); généralement aussi dans *Salisbury*, et très souvent dans *Byron*, prononciation très ancienne, et toujours parfaitement admissible pour ceux qui ne savent pas l'anglais. On hésite entre *i* et *aï* pour *Carlyle*; on prononce *aï* de préférence dans *Hyde Park*, *Dryden*, *Clyde*, et surtout *Shylock*; dans *Byron*, si l'on veut. Quant à *Van Dyck*,

qui n'est pas anglais, c'est à tort qu'on le prononce souvent *van' daïc*: ce serait plutôt *van' dèïc*; mais le plus simple est de le franciser en *i*, comme on fait pour *Zuiderzée*.

[320] Et dans *fût* substantif et *fût* verbe, dans *dû*, *mû*, *crû*, et *affût*, comme dans (a)*oût*, *coût*, *goût*, *dégoût*, *ragoût*, *moût* et *saoûl*. Pour *-ue* et *-oue*, voir ce qui est dit page 56.

[321] Moins dans *sur* préposition, qui est proclitique, à moins qu'on ne dise, par exemple, *j'aime mieux sous que sur*.

[322] Il ne faut pas confondre les finales latines en *-us*, qui sont moyennes, avec les finales grecques en *-eus*: voir page 92, note 2.

[323] La Noue, auteur, bien avant Richelet, d'un excellent «Dictionnaire des Rimes» (1596), distinguait déjà *fouille* long et *farfouille* bref, et cette distinction n'a pas entièrement disparu.

[324] L'accent n'est pas plus sensible dans les prétérits en *-ûmes* et *-ûtes* que dans les autres. Il ne l'est guère dans *bûche* et *embûche*. Il ne peut pas l'être non plus dans *mûr*, *mûre* et *sûr*, puisque *-ur* est déjà long sans accent, ni dans *piqûre*, orthographe conventionnelle destinée à éviter le double *u* de *piqu-ure*.

[325] Il serait bon de faire longs quelques *u* latins: *ab uno disce omnes*, *audaces fortuna juvat*, *dura lex sed lex*, *in utroque jure*, *nec pluribus impar*.

[326] Il faut éviter avec le plus grand soin d'élider l'***u*** de *tu* devant un verbe: cette prononciation révèle une éducation insuffisante. Il en est de même de *aujord'hui* pour *aujourd'hui*, et *s'coupe* pour *soucoupe*, qui s'entendent fréquemment dans le peuple. Dans la conversation très rapide et familière, on supprime souvent *ou* dans *vous* devant une voyelle: *si v(ou)s avez*, ainsi que dans *t(ou)t à fait* ou *t(ou)t à l'heure*, après une voyelle; ce n'est point à encourager.

[327] La finale *-um* était autrefois francisée en *on* nasal; par exemple, *te Deum* se prononçait *tédéon*. Cela dura jusqu'à la fin du XVIIIe siècle, et l'on écrivait aussi bien *on* que *um*: on trouve *matrimonion* dans le *Dépit amoureux*, et Voltaire fait encore rimer *palladium* avec *Ilion*. Nous avons conservé quelques traces de cette prononciation. Si *factotum*, longtemps écrit *factoton*, a repris définitivement le son *om*, si *factum* ne se prononce plus *facton*, comme le voulait encore Mme Dupuis, en revanche, *dictum*, *rogatum* et *totum* sont devenus définitivement *dicton*, *rogaton* et *toton*. *Aliboron* est aussi pour *Aliborum*, dont l'origine est inconnue. Que dis-je? *péplon*, pour *peplum*, est encore dans le *Dictionnaire général*, mais en vérité on ne l'emploie plus.

[328] Ou en latin devant un autre *m*: *consum-matum est*, *sum-mum jus*, *summa injuria*; mais *num-mulite*, et *num-mulaire* ont pris le son *u*.

[329] On prononce naturellement -*um* par *o* dans les noms propres latins: *Latium, Herculanum, Pæstum*, etc.; mais on prononce par *u Vertumne, Dum-norix* et *Mum-mius*. En Suisse romande, on dit même *alboum, foroum*, etc., comme en Suisse allemande ou italienne, suivant la véritable prononciation du latin.

[330] On vient d'en voir des exemples. L'*u* scandinave ou hollandais se prononce toutefois comme le nôtre: U*léa*, U*méa*, U*trecht*.

[331] *Ad libitum*, qui s'emploie aussi en musique, ainsi que les mots précédants, n'est pas italien, mais latin, et se prononce par *o*, suivant la manière française de prononcer le latin.

[332] Nous francisons surtout une infinité de noms propres qu'il serait impossible d'énumérer, italiens ou espagnols aussi bien qu'allemands ou anglais. Même dans un nom comme *Gervinus*, il arrive qu'on prononce *ghe* à l'allemande et *nus* à la française. On hésite pour quelques-uns, comme U*r*, *Estramadure, Cherubini, Gluck, Kurdistan, Vera-Cruz, Yukon*. On prononce toujours ou de préférence *ou* dans *Abatucci, Carducci, Ciudad-Réal, Pulci* et *Yuste*; dans *John Bull* et *British Museum*; dans *Bochum, Carlsruhe, Fuchs, Gmund, Humperdinck, Jungfrau, Kotzebue, Krupp, Metzu, Munkaczy, Niebeluhng, Niebuhr, Rigikulm, Rubinstein, Ruhmkorff, Schubert* (quoique on ne prononce pas le *t*), *Schulhoff, Schumann, Siegmund, Suppé, Thun, Tugendbund, Uhland, Unterwalden, Wundt* et *Zug*, et tous les noms en -*burg*; dans *Bukovine, Lule-Bourgas* et *Uskub*, dans *Yusuf* et *Hammurabi*, dans *Pégu* (écrit aussi *Pégou*), *Bégum, Thugs, Chemulpo, Shoguns* et *Fusi-Yama*, et à fortiori les noms moins connus. En France même, *Banyuls* se prononce par *ou* dans la région, ainsi que le *golfe Juan*. L'*u* ne se prononce pas dans l'italien *buona*, pas plus dans B(u)*onaparte* que dans B(u)*onarotti*, malgré les efforts des émigrés, ni dans *e pur si m*(u)*ove* ou *galant*(u)*omo*.

On remarquera que le cas de *Schuber*(t) est un admirable exemple de demi-francisation. Mais le cas de *Gluck* est bien particulier. Ce mot fut sans doute francisé au XVIIIᵉ siècle. Au XIXᵉ siècle, on s'imagina que *gluc*, prononciation courante, était aussi la prononciation allemande, et on se mit à écrire *Glück*, avec le tréma qui, en allemand, sert à distinguer *u* de *ou*. Mais jamais les Allemands n'ont écrit ni prononcé *Glück*. S'ensuit-il qu'il faille nécessairement prononcer *glouc*, comme font les spécialistes? En aucune façon, car on n'a pas affaire ici à une tradition établie, comme pour *Schubert* et *Schumann*. On a donc le choix; mais de quelque façon qu'on prononce, il faut écrire *Gluck* uniquement. Mais dans la prononciation de *Kluck*, il n'y a pas le choix. Beaucoup disent et écrivent: le général allemand von Klück, avec le tréma. C'est une faute. Et l'on doit prononcer Klouck.

[333] De même *Burne Jones, Burns*, les mots en -*burn* et -*burne*, Burton, *Churchill, Ruskin, Russel*, et les mots en -*bury*, encore que *Salisbury* puisse très

bien être francisé par les personnes qui ne savent pas l'anglais. *U* initial se prononce *iou* dans *David Hume*, et dans U*nited States* (ce qui fait *iounaïted*).

[334] Avec quelques noms propres: *Deca*m*ps, Féca*m*p, Longcha*m*p, Descha*m*ps, Colo*m*b*. De même *Paim*b*euf* ou *Gam*b*etta.* Cet *m* n'est en réalité qu'un *n* modifié, soit en latin, soit en français, pour s'accommoder à *b, p,* ou *m,* par exemple dans les composés de *en*: em*barquer,* em*porter,* em*mener. L'm* de *triu*m*vir* ou *déce*m*vir* n'étant pas dans ce cas, il n'y a point de nasale dans ces mots, qui gardent le son latin.

[335] On trouve aussi l'*m* exceptionnellement dans quelques noms propres: *Cha*m*fort* et *Cha*m*lay,* Do*m*front, Da*m*rémont* et *Dam*ville,* et *Sam*son,* qui ont tous le son nasal, ainsi que *Dom*martin,* où les éléments composants, *dom* et *Martin,* restent distincts, comme dans Maiso*m*neuve.

[336] Avec *Adam.* Autrefois les finales en **-am** et **-em**, sauf l'interjection *hem,* étaient toutes nasalisées (même dans la prononciation du latin), aussi bien que les finales en *-um*: *Abraham, Balaam, Roboam,* rimaient avec *océan, Jérusalem* avec *élan,* comme *Te Deum* avec *odéon.*

Ce n'est qu'à partir du XVIIᵉ siècle qu'on commence à séparer l'*m* dans les finales en *-am* et *-em*; mais Voltaire fait encore rimer *Balaam* avec *Canaan* dans *la Pucelle.* De cette prononciation nasale, il est resté, comme on voit, peu de traces. On ne prononce plus guère *quidam* comme au temps de La Fontaine (*kidan*):

Ils allaient de leur œuf manger chacun sa part,
Quand un *quidam* parut...

Ce mot avait même alors un féminin, qui était *quida*ne et non *quida*me; aujourd'hui on prononcerait plutôt *kidame* ou *kuidame,* à la manière dont nous prononçons le latin; mais le mot n'est plus guère employé. De même *dam,* que La Fontaine fait rimer avec *clabaudant* dans la fable du *Renard anglais,* n'appartient plus guère qu'au vocabulaire théologique: *la peine du dam. Adam* est, en définitive, le seul mot usuel en *am* qui ait gardé la finale nasale: il était trop populaire pour que sa prononciation pût être altérée, je veux dire défrancisée, comme l'a été celle d'*Abrah*am, par exemple: il en est ainsi de tous les mots qui s'apprennent par l'oreille et non par l'œil. *Macadam* vient, il est vrai, de l'anglais *Mac-Adam;* mais *Adam* n'est pas nasal en anglais, et *macadam,* en qualité d'étranger, s'est francisé, sans nasaliser sa finale. On connaît l'anecdote de *quanquam,* autrefois prononcé *kankan,* comme *quisquis* était prononcé *kiskis:* la réforme de cette prononciation est due au fameux Ramus. Mais comme cette réforme avait été faite en dehors de la Sorbonne, les docteurs de Sorbonne menacèrent de la censure ecclésiastique ceux qui adopteraient la nouvelle prononciation. Aussi, un jeune prêtre, ayant négligé de prononcer *kankan* dans une thèse publique, vit la Sorbonne déclarer vacant un bénéfice considérable qu'il possédait. La question fut portée au Parlement, et il fallut l'intervention des professeurs du Collège Royal, Ramus en tête, pour prouver le ridicule de ce procès. On sait par ailleurs que c'est le grand usage du mot *quanquam* dans les discussions de l'école qui a donné naissance au mot *cancan*.

Les suffixes *hem* et *hen*, qui terminent beaucoup de noms de lieu dans le nord de la France, nasalisent en *an* ou *in*: Elinehem, Tournehem font: *Elinan, Tournan*.

[337] Ces mots s'écrivaient par un *n* au moyen âge, et c'est la réaction étymologique qui leur a rendu un *m*; mais le féminin de *daim* est toujours *daine*, et même *dine* (formé du son *din*). Ne pas confondre *étai*m avec *étai*n. Il faut ajouter ici *Joachim*, dont nous reparlerons.

[338] Ajouter *Riom, Billom, Condom*.

[339] Pour les finales latines en *-um*, voir page 123.

[340] Plus souvent encore des noms propres: *Pria*m, *Isla*m, *Wagra*m, *Se*m, *Château-Yque*m, etc.

[341] Voir pages 48, 64 et 74; de même dans *dam-ne* et *autom-ne*.

[342] C'est la prononciation du temps qui justifie le calembour involontaire de Martine, dans *les Femmes savantes*:

—Veux-tu toute ta vie offenser la *gram-maire*?
—Qui parle d'offenser grand-père ni grand-mère?

[343] *Savamment* est en effet pour *savant-ment*, et *fréquemment* pour *fréquent-ment*.

[344] C'est le même phénomène que nous avons vu tout à l'heure dans *rouennerie*: voir page 75, note 1. Nous reparlerons encore de la décomposition de la nasale à propos des liaisons.

[345] *Ennui* a longtemps oscillé entre an-*nui* et a-*nui*: de même en-*noblir* se confondait avec a-*noblir*. Les mots savants *em-ménagogue* ou *en-néagone* n'appartiennent pas à cette catégorie et n'ont pas le son nasal.

[346] Ils peuvent subir aussi l'analogie de mots comme *enhardir*, où l'*h*, étant aspiré, fait fonction de consonne, ce qui n'est pas le cas d'*enharmonique*, malgré Michaëlis et Passy. Je laisse de côté des mots plus rares encore, comme *enarbrer* ou *enarrher*, qui gardent aussi le son nasal.

[347] Ils sont probablement exposés à subir le sort de *dorénavant*, qui est pour *d'ore en avant*; toutefois *en* initial doit résister mieux.

[348] Quoique Mme Dupuis recommandât déjà *énorgueillir*!

[349] Ces mots eurent jadis deux syllabes, puis une diphtongue; mais la diphtongue elle-même s'est résolue depuis longtemps, et dès le XVIe siècle on écrivait sans difficulté *fan*, et parfois *pan*, qui manifestement auraient dû s'imposer. Que l'*o* se soit conservé dans les noms propres, comme *La*(o)*n*, *Cra*(o)*n*, *Ra*(o)*n-l'Étape*, *Tha*(o)*n*, etc., qui se prononcent aussi par *an*, cela même n'était déjà pas indispensable; mais dans des noms communs, cela est parfaitement absurde: on écrit bien *flan*, qui est aussi pour *flaon*. Écrit-on *paeur*, *veu*, ou *cheoir*? Il est vrai qu'on écrit *asseoir*, et c'est inepte. On écrit aussi *Jean* et *Jeanne*, mais ce sont encore des noms propres; et d'ailleurs eux aussi pourraient bien se passer de leur *e*, aussi bien que *à jeun*.

C'est encore par *an* que se prononcent deux mots français que nous retrouverons, *C*(a)*en* et *Saint-S*(a)*ëns*, avec *Jord*(a)*ens*; mais on sépare *Lyca-on*, *Pha-on*, *Phara-on*, etc., mots anciens et savants. *Saint-L*(a)*on* se prononce par *on*.

[350] De même *La*(on)*nais*, *Cra*(on)*nais* ou *Ca*(en)*nais*, et aussi *Cra*(on)*ne*, le tout avec un *a* simple.

[351] La finale est presque toujours nasale aussi dans les noms propres en -*an*, étrangers aussi bien que français: *Aldébar*an, *Burid*an, *Ceyl*an, *Cor*an, *Érid*an, *Ériv*an, *Haïn*an, *Lém*an, *Magell*an, *Michig*an, *Ir*an, *Kaz*an, *Lockm*an, *Man*, *Nich*an, *Osm*an, *Othm*an, *S*an-(pour Saint), *Turkest*an, *Tuyen-Qu*an, *Wot*an (sauf dans Wagner), *Yucat*an, *Yunn*an, *Zurbar*an, et la particule flamande *Van*, du moins devant une consonne: *Van Dick*. Nous ne nasalisons pourtant ni *Ahrim*an, ni *Flaxm*an, *Wisem*an ou *Wouverm*an, ni bien entendu les noms en -*mann*.

[352] On nasalise la finale **-and** ou **-ant** dans *Coven*ant, *Rembr*andt, et tous les noms géographiques en -*land*, qu'on y prononce le *d* ou non: voir au chapitre du *D*. De plus, et sans parler des noms anciens, comme *Sam*son, *Pam*phylie ou *Zan*te, ni des noms à forme française, comme *Moza*mbique, *Pam*pelune ou *Zan*zibar, on nasalise aussi *an* intérieur dans *An*dersen, *An*gelico, *Ba*mberg (malgré le *g* qui sonne), *Ca*mbridge, *Ca*mpanella, *Ca*mpo-Formio, *Ca*mpo-Santo, *Ca*mpra, *Ch*andos (malgré l'*s* qui se prononce), *Cra*nmer, *Exel*mans, *Géra*ndo, *Ka*ndahar, *Ka*nsas, *Ka*nt, *Ma*ncini, *Ma*ntegna, *Ma*nzoni, *Oub*anghi, *Ra*ncke, *Sa*ndwich, *Sa*n-Francisco, *Sa*ngrado, *Sa*nta- (pour Sainte-), *Sa*ntander, *Sa*ntiago, *Sa*nzio, *Serva*ndoni, *South*ampton (malgré la finale sonore), *Sta*mboul, *Sta*mboulof, *Sta*ndard, *Taga*nrog, *Tanga*nyika, *Trava*ncore, *Va*mbéry, *Va*ncouver, *Za*mpa, *Za*mpieri, etc. On ne nasalise pas *Eva*ns, *Kilima*-n'djaro, *Ma*nteuffel, *Sta*nley, fort peu *Uhla*nd ou *Wiela*nd, et les noms moins connus, ni *am* suivi d'une consonne autre que *b* ou *p*. Toutefois, dans *Sala*mmbô, on nasalise *am*, comme dans *Sam*son, tout en prononçant le second *m*.

[353] *Bienfaisant, bienséant, bientôt, bienvenu,* etc. (*bi-ennal* n'en est pas), *chiendent* et *vaurien.* Notons en passant que dans la conversation très familière, *eh bien* se réduit souvent à *eh ben,* et même à *ben* tout court, toujours avec le son *in.*

[354] De même tous les noms propres anciens, *Aché-ens, Phocé-ens,* etc., *Claudien, Julien, Justinien, Valérien, Lucien, Vespasien,* etc., avec *Éduens;* et aussi les noms modernes, *Gien, Tallien,* le *Titien,* avec *Engh*(i)en, quoique ce mot perde son *i* (anghin).

[355] Dont le son se reconnaît et se conserve dans *chienlit,* malgré la diphtongue: ce mot est en effet sans rapport avec *chiendent,* composé de *chien.* A la préposition *en* il faut ajouter trois ou quatre noms de villes: *Caen* (et *Decaen*), *Ecouen, Rouen,* et *Saint-Ouen,* que les Parisiens prononcent volontiers saintou*in,* on ne sait pourquoi.

[356] En 1878, l'Académie prétendait encore que la prononciation *examène* n'avait pas tout à fait disparu: elle ne peut être que méridionale.

[357] On trouve aussi *éden* rimant avec *jardin,* rime particulièrement fréquente dans Delille; mais dans les *Juifves,* Robert Garnier faisait rimer *éden* avec *Adam.* Émile Goudeau, dans sa fameuse *Revanche des Bêtes,* a fait rimer *abdomen* avec *carmin:* je n'en connais pas d'autre exemple. Quant à *spécimen* prononcé par *in,* qui est admis par Michaëlis et Passy, je ne crois pas qu'on le rencontre bien souvent. Le son nasal *in* s'est maintenu dans quelques noms propres, *Agen, Ruben, Sirven,* et aussi *Boën* (boin) et *Cahen,* et surtout dans les noms bretons: *Chatelaudren, Dupuytren, Elven, Guichen, Kerguélen, Lesneven, Pleyben, Pont-Aven, Rosporden, Suffren,* etc. Il est vrai qu'on prononce fréquemment *sufrène* ou *kerguélène,* mais c'est une erreur, et les marins, qu'on doit apparemment suivre sur ce point, ignorent complètement cette prononciation.

[358] On notera par suite la différence de prononciation entre *comédi*en (yin) et *ingrédi*ent (yan), *draconi*en (yin) et *inconvéni*ent (yan), *histori*en (yin) et *Orient* (yan), etc. C'est aussi *an* qu'on entend dans *Hers*ent, *Sarg*ent ou *Bénév*ent.

[359] Il va sans dire qu'il n'est pas question non plus des finales des troisièmes personnes du pluriel, qui, après s'être longtemps prononcées *ont* ou *ant,* ont fini par devenir aussi muettes que l'*e* simple: *aim*(ent) ou *aim*(e), *aimai*(ent), *aimèr*(ent). Enfin quelques mots étrangers ne se nasalisent pas, et articulent le *t,* comme *psch*ent, *privat-doc*ent, *great-ev*ent, *Kent, Taschk*ent; *zend* se nasalise en *in,* et on articule la consonne, comme dans le latin *bis repetita placent.*

[360] Je parle de -ens après consonne, bien entendu: nous savons déjà que *tiens* et *viens* et leurs dérivés, et les pluriels en -*éens* et en -*iens*, avec *Amiens* ou *Damiens*, ont toujours le son *in*.

[361] C'est aussi le son latin (*incè*) qu'on entend dans presque tous les noms propres, qui sont pour la plupart méridionaux ou étrangers: *Camoëns*, *Dickens*, *Flourens*, *Huyghens*, *Martens*, *Perrens*, *Pougens*, *Puylaurens*, *Rabastens*, *Rubens*, *Saint-Gaudens*, *Thorens*, *Valens*, etc. (avec *Morœnx* ou *Navarrenx*). Ajoutons que des noms comme *Dickens* et *Huyghens* peuvent aussi ne pas se nasaliser, de même que *Stevens*. Toutefois quelques noms propres français ont réussi à garder le son *an* tout en faisant sonner l's: *Argens*, *Dulaurens*, *J.-P. Laurens*, *Lens*, *Sens*, et aussi *Jord*(a)*ëns* (dance), avec *Saint-S*(a)*ëns*. *Coblentz* se prononçait naguère encore *Coblance*; aujourd'hui on ne nasalise plus guère ce mot. On voit qu'après *en* l's se prononce toujours ou à peu près dans les noms propres. Il y en a pourtant quelques-uns où on a tort de le prononcer; et dans ceux-là, à part *Samoëns*, qui se prononce *Samoin*, c'est le son *an* qui se maintient, comme dans les mots proprement français, *gen*(s) ou *dépen*(s). Ce sont d'une part *Furen*(s), *Confolen*(s) et *Doullen*(s), d'où *Confolennais* et *Doullennais* prononcés par *a*, avec *Saint-S*(a)*en*(s), localité de la Seine-Inférieure; d'autre part une héroïne et une localité vaudoises, *Claren*(s) et *Mme de Waren*(s). Malheureusement notre habitude de prononcer les noms propres par *ince*, comme les mots latins, fait altérer constamment la prononciation de ces noms, qui est pourtant conforme aux plus pures traditions françaises. Peu de gens en France la respectent ou même la connaissent; et si elle se maintient en Suisse, on prétend qu'à Confolens même la prononciation *confolince* commence à se répandre: ce serait donc la prononciation méridionale qui monterait vers le nord; mais est-ce bien sûr?

[362] Et aussi dans *Timour-Leng* (d'où *Tamerlan*) et *Aureng-Zeyb*, noms anciens; mais le moderne *Flameng* se prononce par *ingue*, comme on prononce *inque* dans *Mézenc*, *Teisserenc de Bort* ou *Dehodenc*, noms méridionaux.

[363] Ceci entraîne naturellement la prononciation de tous les noms propres qui ont ces finales, même les noms étrangers: *Clarence*, *Mayence* et *Valence* (d'Espagne), aussi bien que *Prudence*, *Fulgence*, *Térence*, *Jouvence*, *Valence* (de France), *Vence* et *Provence* (*Lawrence* fait exception et se prononce *Lôrèns*'); de même *Wendes* et *Ostende*, comme *Mende*, *Tende* ou *Port-Vendres*; *Tarente*, *Sorrente* et *Trente*, comme *Salente*; *Nouvelle-Zemble*, comme *Gartempe* et même *Gardonnenque*.

[364] Même dans les noms propres anciens: on prononce *Empédocle*, *Encelade*, *Endor*, *Endymion*, comme *Embrun* ou *Entragues*; toutefois on prononce *Emporium* par *in*, parce que sa forme est purement latine.

[365] Ce qui a entraîné *œntumvir*, que quelques-uns prononcent par *in*. Dans *quattrocento*, on ne doit pas nasaliser *en*, le mot restant italien; mais *quattrocentiste*, qui est francisé, se nasalise par *in*.

[366] De même dans les noms propres: *Argenson*, *Argentan*, *Argenteuil*, *Armentières*, *Beaugency*, *Bérenger*, *Besenval* (il paraît qu'on devrait prononcer *bézval*), *Carentan*, *Carpentras*, *Caventou*, *Charenton*, *Clemenceau*, *Cotentin*, *Daubenton*, *Fromentin*, *Genlis*, *Gensonné*, *Hendaye* (autrefois écrit *Andaye*), *Lenglet-Dufresnoy*, *Menton*, *Montmorency*, *Montpensier*, *Porrentruy*, *Saint-Quentin*, *Senlis*, *Tarentaise*, *Tencin*, *Lally-Tollendal*, *Valençay*, *Valenciennes*, *Valentinois*, *Vendée*, *Vendôme*, *Ventoux*, *Ysengrin*, etc., etc.

[367] Avec les expressions latines *castigat ridendo mores*, *festina lente*, *habemus confitentem reum*, *intelligenti pauca*, *nunc est bibendum*, *o tempora*, *panem et circenses*.

[368] Et aussi *Pentateuque* ou *Penthésilée*; mais *Pentecôte*, qui est ancien et populaire, a gardé le son *an*; *Penthée* aussi, généralement. Pour *Pentélique*, il y a doute.

[369] On l'a fait pourtant dès l'origine, et l'abbé Barthélemy écrivait même *vindémiaire*, au témoignage de Domergue.

[370] *Mentor* n'est répandu que depuis le *Télémaque* de Fénelon, et l'on prononça d'abord *Mén-tor*, qui naturellement s'est nasalisé en *in*.

[371] Il y a aussi quelques noms propres français qui ont le son *in*, sans qu'on sache pourquoi, comme *Benserade* (attesté dès 1711), *Buzenval* (à côté de *Besenval* par *an*), *Magendie*, *Penthièvre* (que quelques-uns prononcent par *an*, mais qui est attesté depuis 1761). Ces noms sont rares, sauf dans le Midi. On prononce encore par *in* Em*porium*, quoique *em* soit initial, et surtout *Benjamin* et *Memphis*, *Lentulus*, *Sempronius* et *Sempronia*, et *Terentia*. *Hortensius* semblerait devoir aussi se prononcer par *in*: il a probablement subi l'analogie de *Hortense* et *hortensia*, qui en dérive; *Aventin* a dû subir celle du français *avent*, d'autant plus que *intin* était désagréable; enfin *Tempé*, sur lequel on hésite, suit aisément celle de *temps*. Nous avons vu que la finale *-en* se prononçait *in* dans les noms propres bretons; à fortiori *-en-* intérieur: *Penmarch* se prononce peut-être *pèn(e)mark* en breton, mais en français de Bretagne on nasalise, et on prononce *pin-mar*, comme dans *Lesneven* ou *Suffren*.

[372] *Crescendo* se francise certainement en *cressindo*, et on en a même fait un substantif. Pourtant les musiciens le prononcent volontiers à l'italienne, *créchèndo*; et on doit le prononcer ainsi dans la grande tirade de la calomnie du *Barbier de Séville*, où ce mot vient après *rinforzando*, qui ne tolérerait pas les nasales. *Crechin-do* seul est à éviter.

[373] Il en est de même pour les noms propres que pour les autres. Très peu de noms étrangers nasalisent *en* par *an*: *Engadine*, où *en* est initial, *Carpentarie*, quelquefois *Grenville* (mais à tort), *Gengis-Khan* et *Genséric*, qui sont fort anciens, *Hottentots* et *Mazendéran*, qui s'écrit aussi *Mazandéran*, *Luxembourg*, *Rembrandt*. Presque tous les noms qui nasalisent *en* le font naturellement en *in*: *Abencérages*, *Altenbourg*, *A Kempis*, *Appenzel*, *Bender*, *Benda*, *Benfey*, *Bengale*, *Benguela*, *Bentivoglio*, *Bentley*, *Benvenuto Cellini*, *Brenta*, *Brentano*, *Cavendish*, *Cenci*, *Clementi*, *Cosenza*, *Daremberg*, *Emmenthal*, *Faënza*, *Flensbourg*, *Folengo*, *Formentera*, *Furstemberg*, *Gassendi*, *Girgenti*, *Groënland*, *Guttemberg*, *Lorenzaccio*, *Lowendal*, *Mackenzie*, *Magenta*, *Marengo*, *Mecklembourg*, *Mencius*, *Mendelssohn*, *Mendoza*, *Mentana*, *Nuremberg*, *Odensée*, *Offenbach*, *Oldenbourg*, *Pendjab*, *Pensylvanie*, *Sacramento*, *Semendria*, *Smolensk*, *Struensée*, *Tagliamento*, *Tolentino*, *Valentia* et *Valencia*, *Wenceslas*, *Wissembourg*, *Wurtemberg*, et aussi *Mendès* et *Stendhal*. Plusieurs de ces noms peuvent aussi se prononcer sans se nasaliser comme Daremberg, Wissembourg. Doivent être prononcés sans nasale la plupart de ceux qui ne sont pas cités ici: d'abord ceux qui ont *em* suivi d'une consonne autre que *b* ou *p*, comme *Emden*, et même *Bembo*, *Lemberg* et *Pembroke*, malgré le *b* qui suit; et d'autre part *Encke*, *Engelman*, *Hohenlohe*, *Kentucky*, *Mentchikoff*, *Rienzi*, *Rodenbach*, *Stephenson*, *Swedenborg*, *Sienkiewicz*, *Siem-Reap*, *Tien-tsin*, *Tuyen-Quan*, et tous les autres, moins connus, dans lesquels l'*e* est ordinairement presque muet, quand il n'est pas tonique ou initial, comme dans *Wall*(e)*nstein*, *Liecht*(e)*nstein* ou *Tug*(e)*ndbund*.

[374] Le groupe final *in* (avec *ain* et *ein*) étant toujours nasal dans les mots proprement français, il ne faut pas le décomposer dans *Ysengrin*, *Lohengrin* (sauf en musique), *Caïn*, *Ebroïn*, *Méchain*, *Tain*, *Etain*, *Sein* ou *Cain* (ne pas confondre avec *Caïn*), pas plus que dans *Hincmar*, *Maimbourg*, *Paimbœuf* ou *Paimpol*, ou dans *Cymbalum mundi*. L'*y* ne change rien non plus à la nasale finale de *Jocelyn* et *Jamyn*, qu'on décompose quelquefois très mal à propos, surtout pour *Jamyn*, qui était certainement nasal au XVIᵉ siècle.

[375] Pour les noms propres, les finales de *Berlin*, *Dublin*, *Eliacin*, *Ficin*, *Franklin*, *Guerchin*, *Kremlin*, *Pékin*, *Pérugin*, *Tessin*, *Tonkin*, *Wisconsin*, *Witikin*(d), sont françaises depuis longtemps; on peut y ajouter *Arg*(u)*in*, *Kœchlin*, *Vielé-Griffin*, *Yersin*, *Zeppelin*, etc. A l'intérieur, outre *Edimbourg*, *Fingal*, *Finlande*, *Irminsul*, *Minturnes*, *Simplon*, *Thuringe* ou *Vercingétorix*, qui sont anciens, outre *Robinson*, *Gœttingue*, *Tubingue* et *Zwingle*, on nasalise aussi *Chimborazo*, *Cintra*, *Damoreau-Cinti*, *Mincio* et *Vinci*, *Birmingham*, *Cincinnati*, *Lincoln*, *Lingard*, *Lynch* et *Singer*. On nasalise également *Champlain* et *Chamberlain* (mais non *Gainsborough*), ainsi que *Mein*, *Heinsius*, *Hussein-Dey*, *Seingalt* et *Steinkerque*. On hésite pour certains mots, comme *Stettin* et *Behring*. On ne nasalise pas la finale de *Boecklin*, *Brooklin*, *Darwin*, *Elgin*, *Emin-pacha*, *Erin*, *Erwin*, *Robin-Hood*, *Kazbin*, *Sakhalin* (écrit aussi *Sakhaline*), *Schwerin*

(quoique *Mecklembourg* soit francisé), *Szegedín, Tien-tsin, Widdín,* ni même *Lohengrin,* du moins en musique, car ce nom, qui sans doute nous appartient par l'origine, étant frère de notre national *Ysengrin,* nous est revenu par Wagner, qui l'a fait allemand. Si on nasalise certains noms flamands en *-inck,* comme *Edelinck, Maeterlinck,* il ne paraît guère possible de nasaliser les noms en *-ing* ou *-ings, Essling, Kipling, Memling* ou *Hastings,* ni *Semipalatinsk;* pas davantage le groupe intérieur ou initial de *Kimberley, Himly, Timgad* ou *Wimpffen,* de *Berlichingen, Bolingbroke, Bonington, Buckingham, Elchingen, Finmark, Glinka, Grindelwald,* In-*salah,* Inter*laken,* Inver*ness, Livingstone, Mac-Kinley, Mackintosh, Meiningen, Minnesinger, Pinturicchio, Strindberg, Swinburne,* rio Tinto, Tyndall, Vinhlong, Waddington, Washington, Wellington, Westminster, Windsor, Zinder, etc., etc. Le groupe *ein* qui termine beaucoup de noms propres allemands, et qui se prononce *aïn,* en une syllabe, ne saurait se franciser en *in,* sauf dans *Mein;* mais il se francise parfois à moitié en *èn:* toujours la demi-francisation. Ainsi prenons *Rubinstein* (roubin'staïn): on nasalise *in* sans difficulté pour le franciser, parce qu'il est à l'intérieur du mot; mais quand il s'agit de la finale, tout le monde sait que les finales nasales sont propres au français: on tient donc à respecter l'*n,* comme on le fait dans *Ibsen* ou *Beethoven,* ou dans *policeman,* et c'est *ei* tout seul qui se francise comme dans *Leibniz;* on a ainsi *Rubinstèn.* Il n'y a pas grand'chose à dire à cela: on n'est pas obligé de savoir l'allemand, et tout vaut mieux que d'affecter de savoir ce qu'on ne sait pas. On fera bien cependant de prononcer à l'allemande *Holbein* et aussi *Gérolstein.*

[376] *Contemplations,* XIII: le morceau date de 1855, et non de 1835. Cf. *l'Ane,* VI, et *Toute la Lyre,* IV, XXV.

[377] En revanche, c'est *o-in* qu'il faut prononcer dans les composés de *co-,* comme *co-ïncidence,* ou *co-intéressé,* où la diphtongue *oin* n'a rien à faire.

[378] *Châtiments,* IV, XIII, pour rimer avec *Drouyn,* dont la finale est nasale, comme celle de *Gédoyn.*

[379] Le cas n'est pas du tout le même que celui de *meur-trier* ou *en-crier,* qui ont dû nécessairement se décomposer.

[380] Sauf tout au plus dans *Drouyn* el *Duguay-Trouin.* Si *Ébro-*ïn a trois syllabes, c'est à cause du tréma.

[381] Nous avons déjà rapproché *m'sieur* de *m'man:* voir page 39.

[382] Voir page 133. *A-on* s'est maintenu dans *Phara-on* et *Lyca-on,* comme *o-on* dans *Démopho-on* ou *Laoco-on.*

[383] On ne nasalise pas non plus l'allemand *kronprinz.* **On** final est naturellement nasal dans les noms propres anciens, français depuis longtemps, *Aaron, Platon, Solon,* etc., etc., mais non dans quelques noms

savants en *-eion*, ni dans *Poseidôn*, ni dans *Organon* ou *Satyricon*. *On* final anglais, qui s'est nasalisé et francisé dans *singleton* et *Robinson*, le héros de Daniel de Foë, se nasalise encore sans difficulté dans *Bacon*, *Byron*, *Casaubon*, *Dominion*, *Eton*, *Fulton*, *Gibbon*, *Gordon*, *Mélanchton*, *Newton*, et au besoin *Nelson* et *Milton*; mais la plupart des noms propres en *-son* et *-ton* se prononcent sans nasale, avec un *o* faible: *Addison*, *Ben Johnson*, *Edison*, *Emerson*, *Hudson*, *Mac-Pherson*, *Robertson*, *Stephenson*, *Tennyson*, *Thomson*, et aussi *Bergson*; de même *Chatterton*, *Fulton*, *Hamilton*, *Palmerston*, *Preston*, *Southampton*, *Washington*, *Wellington*, etc. On nasalise *Apchéron*, *Bagration*, *Balaton*, *Fouta-Djallon*, *Kherson*, mais non *Lang-Son*. Quant à *on* non final, il se nasalise généralement comme en français: *Bombay*, *Concini*, *Cronstadt*, *Dombrowski*, *Gongora*, *Klondyke*, *Lombroso*, *Missolonghi*, *Monck*, *Monmouth*, *Ontario*, *Sebastien del Piombo*, *Pombal*, *Spontini*, *Tombouctou*, *Tonga*, *Tongouses*, *Toronto*, *Wisconsin*, etc.; plus rarement dans *Schomberg* ou *Sonderbund*, ou dans *Heautontimoroumenos*; jamais dans *om* suivi d'une consonne autre que *b* ou *p* (malgré le français *Domfront* et *Dommartin*).

[384] Avec *acupuncture*, *avunculaire*, *becabunga*, *infundibuliforme*, *nuncupatif*, *opuntia*, *tungstène* ou *unguis*; mais il se prononce *un* dans *hic et nunc*. *Umble* (poisson) est devenu *ombre*. Quant aux noms propres, on prononce *on* dans *Annunzio*, *Aruns* (que Voltaire écrit *Arons*), *Columbus*, *Dunciade*, *Dundee*, *Duns Scot*, *Dunstan*, *Funchal*, *Humboldt*, *Northumberland* et *Cumberland*, et même *Bunsen*; on hésite entre *on* et *un* pour *Duncan* ou *Majunga*, *Lund* et *Sund*, et par suite *Stralsund* et *Bomarsund*; mais on prononce *un* quand le groupe est final, dans *Irun*, *Lescun*, *Ossun*, et même *Fahun*, comme dans *Loudun*, *Mehun* ou *Châteaudun* (et *Dunkerque*); on prononce encore *un* dans *Belsunce* ou *Humbert*, dans *Cunctator*, dans *Brunswick*, *Gunther* et *Munster*. Quand *un* ou *um* n'est pas nasal, *u* se prononce *ou* (voir page 125, note 1).

[385] Ce chapitre a paru à peu près textuellement dans la *Revue de philologie française*, 1912, 2e trimestre; on y a fait ici quelques additions.

[386] C'est une bizarrerie de la langue: pourquoi est-il tonique dans *dis-le*, et muet dans *dis-je*? Tonique à l'origine dans l'un et l'autre, il tendit à devenir muet dans les deux, comme partout ailleurs; mais *le* résista. Au XVIIe siècle, la prononciation n'est pas encore fixée, et Molière a le droit d'écrire par exemple:

Mais, mon petit Monsieur, prenez-l(e) un peu moins haut,

où *l'e* est *muet*. Mais cette prosodie, encore fréquente dans Voltaire, était ridicule au XIXe siècle chez V. Hugo, et chez beaucoup d'autres, qui se crurent autorisés par son exemple. V. Hugo est même allé jusqu'à l'extrême en élidant cet *e* devant un point dans *Cromwell*:

Chassons-l(e). Arrière, tous!

[387] L'*e* est cependant muet, ou du moins il sonne comme l'*e muet*, devant deux consonnes, dans le préfixe *re-* (*re*ssembler, *re*ssortir), dans *de*ssus et *de*ssous et quelques noms propres commençant par *de-* ou *le-*, la seconde consonne étant *l* ou *r*: *De*braux, *De*bry, *De*crès, *De*prez, etc., *Le*blanc, *Le*brun, *Le*clerc, *Le*dru-Rollin, *Le*franc, *Le*grand, *Le*prince, *Le*tronne, *Le*vroux, etc.; de même dans *le*vraut, *le*vrette et *le*vron. Nous reviendrons sur le préfixe *re-*.

[388] Il arrive même souvent que l'élision de l'*e muet* se fait par-dessus *s* ou *nt* pour éviter la liaison: *tu aim*(es) *à rire, ils aim*(ent) *à rire*; mais que la liaison se fasse on non, c'est tout un pour l'*e muet*, qui ne se prononce pas plus dans un cas que dans l'autre. Cette question n'est donc intéressante qu'au point de vue de la liaison; elle sera étudiée au dernier chapitre.

[389] De même *le Yalou, le Yang-tsé-kiang, le Yémen, le Yucatan, le Yunnan*, etc., quoiqu'on dise souvent, à tort, l'*Yémen*. L'*i* initial lui-même, placé devant une voyelle, ne peut être que consonne dans les mots allemands, même si on l'écrit *i* ainsi dans I*éna*, aussi bien que dans J*ohannisberg*; et les matelots qui parlaient naguère de la catastrophe *du I*éna, parlaient, en réalité, plus correctement que leurs officiers ou les journalistes, qui disaient l'*Iéna*, en trois syllabes sans doute, comme V. Hugo. Néanmoins tout le monde dit *le pont d'Iéna*, mais cela tient à ce que, après un *d, ié* reste plus facilement diphtongue qu'après un *l*.

[390] MOLIERE, *les Femmes savantes*, acte I, scène 1. On dirait de même, le cas échéant, *ce ouais*, et aussi bien *ce ah, ce oh*: en général, il n'y a pas d'élision devant un mot qu'on cite, sauf tout au plus celle de la préposition *de*.

[391] Après d'autres mots que *le, de, ce, que*, l'élision se fait couramment, surtout en vers. Pourtant Molière n'a pas hésité à conserver l'hiatus apparent, même entre deux interlocuteurs:

Quoi! de ma fille?—Oui; Clitandre en est charmé.
Moi, ma mère?—Oui, vous. Faites la sotte un peu.
Femmes savantes, II, 3, et III, 6.

Il a fait la même chose devant *ouais* (*ibid.*, V, 2).

[392] On respecte davantage la semi-voyelle des noms propres qui commencent par *oua-*, comme *le Ouadaï*, plus usité que *l'Ouadaï*.

[393] Nous reviendrons sur *huit*, au chapitre de l'*H*.

[394] Quoiqu'il entrevît les raisons de ce fait, Vaugelas exigeait *l'onzième*; mais si Corneille aussi disait *l'onzième* (*Cinna*, acte II, scène 1), peut-être était-ce simplement de peur de faire un hiatus, comme V. Hugo disait *l'y-ole*.

Leconte de Lisle aussi, pour le même motif, n'osant pas d'ailleurs aller jusqu'à dire *l'onzième siècle*, dit, du moins, dans *les Deux Glaives*, IV:

Le siècl(e) onzième est mort...

Ponsard, dans *Ulysse*, II, 4, a judicieusement accepté l'hiatus:

Et *le* onzième jour, la tempête calmée
Lui permit de partir, suivi de son armée.

[395] Mme DE NOAILLES, *Éblouissements, La douceur du matin*.

[396] CORNEILLE, *Au roi, Sur sa campagne de 1676*.

[397] Dans les cafés ou restaurants, on dit: *servez à l'as, voyez à l'as*, pour dire *à la table 1*. C'est très probablement parce que *servez au un* serait désagréable, *l'un* étant d'ailleurs évité instinctivement. Certains, comme les journalistes, disent *la une*, pour la première page.

[398] *Légende des siècles*, XXI, II.

[399] Voir M. GRAMMONT, *Mémoires de la Société de linguistique*, tome VIII, pages 53-57.

[400] Ou *éch'vèlé*, qu'enregistrent Michaëlis et Passy: mais où diable prononce-t-on ainsi?

[401] C'est ainsi que certains mots étrangers ne se sont francisés complètement que par la chute d'une consonne: *sauerkraut* est devenu *choucroute* en perdant un *r*, *roastbeef* et *beefsteack* ont perdu un *t* ou un *s*. D'autres ont intercalé un *e muet* après la seconde consonne, comme *partenaire*, de l'anglais *partner*, ou *lansquenet*, de l'allemand *landsknecht*. Voir sur ce point Léonce ROUDET, *Remarques sur la phonétique des mots français d'emprunt*, dans la *Revue de philologie française* de 1908.

[402] Domergue l'entendait encore, mais on ne l'entend plus aujourd'hui que dans le Midi, et aussi dans le chant, où on entend même beaucoup trop de chanteurs le prononcer comme *eu* fermé. Cette prononciation de l'*e* final est particulièrement grotesque au café-concert, où on appuie d'une façon invraisemblable:

Mariet'teu,
Ma mignonet'teu,
Tu m'as quitté, ça, c'est pas chouet'teu.

Il paraît que cela fait partie intégrante du genre!

[403] Il y a encore des gens à l'esprit prévenu qui ne veulent pas en convenir: des raisons littéraires ou purement subjectives leur font contester même des phénomènes constatés par des instruments enregistreurs. C'est à peu près comme s'ils disaient qu'il ne fait pas froid quand le thermomètre est à dix degrés au-dessous de zéro. Mais leurs dénégations obstinées n'empêchent pas les faits d'être les faits.

[404] Voir surtout pages 56 et 117.

[405] Pour l'*e* final des mots latins ou italiens, voir page 52. On se rappelle que l'*e* final anglais atone ne s'entend pas non plus.

[406] Le peuple conserve volontiers l'*e* final de *cette* au détriment du premier: *c*(et)*te femme*; mais cette prononciation, autorisée autrefois, est aujourd'hui expressément évitée par les gens qui veulent parler correctement.

[407] En ce cas, on ne peut prononcer en réalité qu'une seule consonne; mais on prolonge l'occlusion totale ou partielle de la bouche, qui paraît ainsi précédée d'une consonne et suivie d'une autre. Quelques personnes se croient obligées de prononcer l'*e* muet dans une rencontre comme celle de *onze sous*, afin de maintenir la distinction de la douce et de la forte; mais *ons' sous* est plus fréquent et parfaitement naturel. J'ajoute que dans ce cas, comme dans tous les cas pareils, il est indispensable de prononcer la consonne double, sans quoi on confondrait, par exemple, *une noix* avec *une oie*.

[408] Sans quoi *rien* se décomposerait. Nous reviendrons plus loin sur ce phénomène. Mais on notera ici qu'on dit fort bien *une petit' lieue*, sans que *lieue* soit décomposé, l'influence de l'*l* étant moins forte que celle de l'*r*.

[409] Pour que la liquide soit troisième dans un tel groupe, il faut qu'elle soit précédée d'une explosive ou d'une fricative, précédée elle-même d'une spirante, comme ici *j*: le tout peut alors être suivi de *ou* ou *u* consonnes.

[410] Et cela ne date pas d'aujourd'hui: au XVIe siècle, plusieurs écrivains, notamment Du Bellay, écrivaient de préférence à l'imparfait *tomboint*: *oient* a prévalu, sans doute pour éviter la confusion avec la nasale de *point*, et plus tard celle de *saint*. Cette finale muette *-ent* nous a conservé toute une série de formes verbales dont l'orthographe est identique (sauf parfois l'accent) à celle de mots en *-ent* tonique: *expédient, affluent* et *influent, coïncident, résident* et *président, négligent, émergent, détergent* et *abstergent, divergent* et *convergent, équivalent, excellent, violent, somnolent, pressent, content* et *couvent*, et d'autre part *convient* (avec *précèdent* et *excèdent, different* et *adhèrent*, et *dévient*).

Il va sans dire que la liaison de l'*s* ou du *t* devant une voyelle produit le même résultat que quand l'*e* muet final est suivi d'un mot commençant par une consonne: *tristes événements, pauvres hommes, ils ressemblent à leur père*, à moins qu'on ne dise familièrement *pauv*(re)*s hommes* ou *i*(ls) *ressemb*(len)*t à leur père*.

[411] *Gré(e)ment* a pourtant l'*e* plus fermé et plus long qu'*agrément*. Bien d'autres *e* sont tombés au moyen âge, sans laisser aucune trace: *bé(e)gueule*, *di(e)manche*, *écu(e)ler*, *li(e)cou*, *li(e)mier*, *mi(e)nuit*, *rou(e)lette*, etc.

[412] *Rou(e)rie* et *flou(e)rie* ont cependant *ou* plus long que *sourie* ou *souris*, et *fé(e)rie* a l'*e* plus fermé que *série*.

[413] En vers, l'*e*, qui ne compte pas dans *pai(e)rai*, compte dans *payerai*, comme dans *sommeillerai*, précisément parce qu'il s'appuie sur une consonne. Molière comptait encore l'*e muet* de *gayeté*. Sur ce point, voir plus loin, page 193.

[414] C'est dans *le Lévrier de Magnus*. Ailleurs, dans *les Paraboles de don Guy*, il écrit *flamboyement* en quatre syllabes, ce qui est encore pis. C'est tout au plus si on peut admettre *balayeront*, qui est dans *la Paix des dieux*.

[415] Ou *voye*, ou même *soye* ou *aye*, pour *soit* ou *ait*.

[416] Et dans quelques noms propres: *J(e)an*, *J(e)anne*, *J(e)annot*, *J(e)annin*, etc., *Dej(e)an*, *Maup(e)ou*, *Jean de M(e)ung*, etc., et même *Sainte-Men(eh)ou(ld)*, qu'on tend à remplacer par *Sainte-Menehoul(d)*. *É-u* (eu) s'est maintenu très longtemps dans certaines provinces, témoin l'anecdote contée encore par Domergue: Un homme disait un jour à M. de Boufflers: «Vous avez *é-u* ma sœur dans votre société.—Pourquoi pas? répondit gaiement M. de Boufflers. Jupiter *à é-u I-o* dans la sienne.»

[417] De même *M(e)aux*, *Carp(e)aux*, etc. Mais la diphtongue ne s'est pas faite dans *E-auze*, quoiqu'il n'y ait point d'accent.

[418] Voir plus loin page 240. On essaya quelque temps du même procédé pour donner au *c* le son sifflant devant *a, o, u*: *commenc(e)a*; puis on adopta la cédille, sauf pour le seul et unique mot *douc(e)âtre*: pourquoi pas *douçâtre* aussi bien que *commençâmes*? Il est regrettable que les typographes n'aient pas adopté aussi un signe analogue pour le *g*: cela épargnerait quelques confusions.

[419] L'*e* est ici précédé de trois consonnes en apparence; mais *an* est une voyelle simple, et *ch* une consonne simple; plus loin, dans *longuement* et *craquement*, l'*u* n'est qu'un signe orthographique.

[420] On s'explique mal que le peuple prononce quelquefois *trouvérai*. *Dangéreux* n'est pas meilleur, ni *cuillèrée*; et *aquéduc*, qui fut longtemps correct, ne se dit plus. Mais *ass(e)ner* a cédé la place à *asséner*, malgré les dictionnaires. Il faut également se garder de déformer, comme il arrive trop souvent, l'*e* muet de *Saint-Val(e)ry*, *Saint-Sév(e)rin* ou *Sév(e)rine*, *Ag(e)nais*, et surtout *Mal(e)sherbes* ou *Fén(e)lon*, que Delille, et aussi Domergue, écrivaient *Fénélon*, je ne sais pourquoi. *Pézenas* même ne se prononce *Pézénas* que dans le Midi;

mais le second *e* n'a point d'accent. En revanche *appétit* en a un: il ne faut donc pas prononcer ap'tit.

[421] Ici encore, quand il y a suffisante affinité entre les consonnes, il est arrivé souvent que l'*e* muet est tombé dans l'orthographe, sans qu'on sache toujours pourquoi il est resté à côté, dans les mêmes conditions. Car il est tombé non seulement dans les mots comme *esp*(e)*rit*, *chaud*(e)*ron* ou *rég*(ue)*lisse*, où la muette et la liquide s'attiraient, mais aussi bien dans des mots comme *soup*(e)*çon*, *der*(re)*nier*, *lar*(re)*cin*, pendant que *dur*(e)*té* et *sûr*(e)*té*, longtemps écrits comme *fierté*, reprenaient leur *e*, par un caprice des grammairiens. Au surplus, l'orthographe de ces deux mots et de beaucoup d'autres a été longtemps flottante: on trouve encore *carfour* dans Corneille et dans Molière, *épouster* dans Molière et dans La Fontaine, *laidron* dans Voltaire, que dis-je? dans Béranger, avec *bourlet*.

[422] Et même, par l'effet de la liaison, *ils se batt*(en)*t avec fureur*. Ici encore, bien entendu, on prononce les deux consonnes, pour ne pas confondre *là-dedans* avec *la dent*, et ne pas créer de barbarisme comme *honnêté*. D'autre part, il faut éviter aussi avec grand soin de donner deux *r* à *mairie* ou à *seigneurie*, comme si c'était *mair*(e)*rie* ou *seigneur*(e)*rie*. Dans *Rochechouart*, on se croit souvent obligé de prononcer l'*e*, comme dans *onze sous*, mais ce n'est pas absolument indispensable.

[423] Et *Richelieu*. Deux mots qui auraient dû être aussi en *-elier*, sont à tort en *-ellier*: *prun*ellier et *dent*ellière. Dans ceux-là on ne se borne pas à prononcer l'*e*: on le ferme le plus souvent; mais on prononce aussi très bien *dent*elière, et peut-être cela pourra-t-il amener l'Académie à changer l'orthographe défectueuse de ce mot. Le seul substantif qui fut jadis en *-erier*, *cellerier* (de *cellier*), a fait mieux encore; il a pris l'accent: *cellérier*.—Notons en passant que les dictionnaires mettent aussi un accent à *sorbétière*; mais le mot était mal formé, et l'usage a refait *sorbetière*, comme de *gilet*, *gil*(e)*tière*, de même qu'on dit souvent, non sans raison, *gen*(e)*vrier*, au lieu de *g*(e)*névrier*. De même les médecins prononcent *cur'ter*, *cur'tage*, et écrivent *curetter*, *curettage*: c'est la prononciation qui est bonne et l'orthographe qui ne vaut rien, car les deux *t* de *curette* n'ont pas plus de raisons de se conserver dans *cur*(e)*ter* que les deux *l* de *chandelle* dans *chand*elier.

[424] Autrefois, tous ces mots avaient deux syllabes, ayant les mêmes finales monosyllabiques que *poir-ier*, *atel-ier*, *aimer-ions*, *aimer-iez*. Les nécessités de la prononciation ont amené la diérèse dès le XVIe siècle ou avant; mais les poètes ne se sont conformés à l'usage qu'à partir de Corneille. Dans les deux premières pièces de Molière, on trouve encore *voudr-ions*, *voudr-iez*, et même *ouvr-ier* en deux syllabes, sans parler de *sanglier*, dont le cas est spécial. Sur cette question, voir mon article, *les Innovations prosodiques chez Corneille*, dans la *Revue d'histoire littéraire de la France*, 1913.

[425] Ce phénomène est si marqué que, dans *ouvri-er*, le peuple refait parfois la diphtongue primitive par l'addition d'un *e muet*: *ouve-rier*; de même *voude-riez*.

[426] Pour que la diérèse s'impose, il faut que la seconde consonne *seule* soit une liquide; le groupe *rl* s'accommode donc de la diphtongue.

[427] C'est uniquement à cause de la discordance de *tn* ou *dn*, car on prononce facilement *diz'nier*, et *derrenier* est devenu sans peine *dernier*. On prononce également l'*e muet*, par nécessité, dans nous *pesions*, ou nous *faisions*. Dans *relier* ou *renier*, on ne devrait pas avoir à craindre de séparer *i-er*, puisqu'en effet ce sont étymologiquement des syllabes distinctes; mais comme l'usage n'en fait qu'une, aussi bien que dans les substantifs, on dit plus fréquemment *à relier* ou *à renier* que *à r'lier* ou *à r'nier*.

[428] Toutefois une rencontre telle que *il rest' debout* est un peu dure, et il arrive qu'on dit *il reste d'bout*, par exception à la règle générale; mais on prononce aussi bien les deux *e*: *il reste debout*; de même *le maître venait* ou *v'nait de partir*. Je dois ajouter que le peuple paraît dire volontiers *elle v'nait* ou *elle r'vient*; mais en réalité les deux *e* tombent ici par parti pris; seulement les nécessités de la prononciation font renaître un *e* factice devant la consonne initiale: *ell' er'vient*, comme dans l'infinitif *er'venir*. Nous allons retrouver ce phénomène avec les monosyllabes.—Ajoutons que l'*e* de *serein* se maintient généralement, par opposition à celui de *serin*.

[429] Ici encore le peuple évite l'inconvénient en supprimant la liquide avec l'*e* muet (voir page 182); mais ici la liquide est après l'*e*: *c(el)ui-là*. Cette prononciation, qui est triviale, est à rapprocher de celle de *d'jà* pour *déjà*.

[430] Inversement *premier* avait autrefois un accent, et cette prononciation n'a pas complètement disparu, quoique l'Académie ait ôté l'accent depuis 1740.

[431] Quoique l'Académie ne l'ait pas encore enregistré pour ces mots. Au contraire, on commence à dire *tenacité*, par analogie avec *tenace*; mais *ténacité*, qui vient du latin, est encore seul considéré comme correct. On écrit et on prononce *chéneau*, au sens de *gouttière*; mais *cheneau*, qui se rattache à *canal*, se dit encore dans certaines provinces; et en tout cas *chêneau* vaudrait mieux que *chéneau*, car *chéneau* remplace en réalité *chesneau*, qui se rattache peut-être à *chêne* (chesne).

[432] Le *Dictionnaire général* dit déjà: *Retable*, et mieux *rétable*. Cet *et mieux* est discutable.

[433] Celui-là a des raisons particulières que nous allons voir dans un instant.

[434] De même que *réfugier* ne change rien à *refuge*, ni *irréligion* à *religion*, l'*é* fermé étant réservé au mot savant. Je rappelle en outre la différence de sens que l'accent établit entre *répartir*, *récréer* ou *réformer*, et les verbes à préfixe populaire, *repartir*, *recréer*, *reformer*, etc.

[435] Malgré Michaëlis et Passy. On altère aussi assez souvent l'*e* muet de *René*, *Rethel*, *Sedan*, *Sedaine*, *Segrais*, *Segré*, *Senef*, *Velay*, *Vevey*, et surtout *Regnard*. On est fort partagé entre *Remi* et *Rémi*: ce qui est sûr, c'est que *saint Remi* et *Domremy* ont l'*e muet*, quoiqu'on prononce plus souvent et qu'on écrive même *Domrémy*. Mme Dupuis fermait aussi l'*e* de *Mont-Cenis*, sans doute comme italien.

[436] On prononce aussi un *e* muet, avec une seule consonne, ou plutôt l'*e* muet tombe aussi dans un certain nombre de noms propres qui ont conservé une consonne double, car autrefois la consonne double n'empêchait pas l'*e* de rester muet. Ainsi *Cha*(s)*t*(el)*lain* et *Cha*(s)*t*(el)*lux*, *Ev*(el)*lin*, *Mor*(el)*let*—témoin le calembour de Voltaire, *mords-les*—, et *La M*(en)*nais*, dont on a fait l'adjectif *menaisien*, qui n'a qu'un *n*. C'est aussi un *e muet*, mais un *e muet* prononcé, qu'on a dans *Claude Ge*(l)*lée*, dit *le Lorrain*, ou le parfumeur *Ge*(l)*lé*, ou dans *Montpe*(l)*lier*, qu'on a souvent écrit jadis avec un seul *l*: cf. *chapelier*, page 166.

[437] Cf. *vil*(e)*brequin*, dont le premier *e* ne s'explique d'ailleurs pas du tout.

[438] Pourquoi ces quatre mots n'ont-ils pas pris deux *t*, aussi bien que les autres? C'eût été plus simple. Tous les substantifs en *-erie*, dérivés des mots en *-elier*, ont fini par prendre deux *l*: *chapell'rie*, *tonnell'rie*, *batell'rie*, etc.

[439] On voit que l'*r* est encore troisième. Cette prononciation est accueillie par le *Dictionnaire général*; mais je ne crois pas, malgré son autorité, qu'on puisse aussi prononcer *panèt'rie*, *pellèt'rie*, on *grénèt'rie*; il donne même exclusivement *louvèt'rie*: ce sont des prononciations purement théoriques, et qu'on n'entend nulle part.

[440] Nous en reparlerons dans un instant.

[441] Pourquoi *papèt'rie* et pas *louvèt'rie*? C'est un fait, voilà tout. D'ailleurs on entend aussi, surtout dans le peuple, non pas peut-être *caqu't'rie*, mais en tout cas *briqu't'rie* et *bonn't'rie*, parfois même *pap't'rie*.

[442] On dit aussi *Gen'vois*, bien plus souvent que *G'nevois*, mais ici, le plus généralement, on ne ferme pas l'*e*; jamais dans *Gen'viève*. On sait que dans la conjugaison, comme dans les substantifs en *-ment*, il y a mieux: on met un accent grave sur le premier *e*, quand on ne double pas la consonne: *j'achèt'rai*, formé sur *j'achète* (et non *j'ach't'rai*, qu'on entend trop souvent), et par suite *éch'vèl'ra*, formé sur *éch'vèle*, comme *achèvement* sur *achève*. C'est ce

qu'on aurait dû faire pour *papet'rie*, et les autres.—Nous rappelons ici que le français n'admet pas deux *e* muets de suite à la fin d'un mot: tant qu'on écrira *fureter*, *décolleter* ou *épousseter*, avec un *e muet*, les personnes instruites se croiront obligées de dire *je furète*, *j'époussette* ou *je décollète*, et non *je fur'te*, *j'épous'te*, ou *je décol'te*. Il est vrai que les futurs ou conditionnels *épouss'terai(s)* ou *décoll'terai(s)* sont généralement admis, ainsi que d'autres pareils, comme *étiqu'terai*: cela tient à ce que leurs *e muets* sont intérieurs, et que le second *peut* se prononcer, ce qui n'a pas lieu dans *décollète*. Cela n'empêche pas d'ailleurs qu'on ne prononce le plus souvent *décolte* d'après l'analogie de *récolte*, *décoll(e)ter* étant pareil à *récolter*. Le mieux serait que l'Académie acceptât *épouster*, *décolter* et *furter*, et aussi *filter*, car qui peut dire qu'*on filète une vis*, quand tous les gens du métier disent qu'*on la fil'te?*

[443] *Receler* est devenu *recéler*, mais *receleur* est demeuré; *receper* est devenu aussi *recéper*.

[444] Le peuple s'obstine parfois dans ce cas à laisser tomber l'*e* du monosyllabe, mais alors il le remplace involontairement, et de toute nécessité, par un autre, et aboutit à *car ej' dis* ou à *bec ed gaz*, et même, en tête de phrase, *ej' dis pas*: il ne faut pas perdre de vue que c'est uniquement le parti pris, d'ailleurs inconscient, de ne pas prononcer l'*e* muet qui aboutit à ce résultat, de même que dans *une er'mise*, où ce n'est pas du tout l'*e* de *une* qui se prononce, comme on pourrait croire: voir plus haut, page 168, note 1.

[445] On peut choisir, dans la conversation, entre *pas* de *dieu* et *pas d'dieu*, *pas* de *lien* et *pas d'lien*: voir ci-dessus page 160 et note 1. On peut même dire *pas d'scrupules*, à cause de l'*s* médian (voir ci-dessus, page 157).

[446] Cela est si vrai qu'on dira *entend' le discours*, et *pac' que tu es venu*, plutôt que de dire *entendre l'discours* et *parce qu' tu es venu*; mais d'ailleurs il est possible de prononcer *parc' que*, aussi bien que *lorsque*, et c'est ce qu'on fait d'ordinaire. Nous allons retrouver le groupe *ce que*.

[447] Pourvu que le même son ne soit pas répété: *je jette, ce signe*. On notera qu'avec *je* et *ce* initiaux, on va familièrement par l'élision jusqu'à trois et quatre consonnes initiales, dans *j' crève de faim, j' crois bien, c' train là*; mais il est impossible de dire *c' rien, c' ruisseau*, ni *c' roi*, le groupe *sr* n'admettant pas après lui d'autre consonne, ni même de semi-voyelle: la liquide doit être ici finale et non médiane (voir plus haut, page 160 et note 1).

[448] Mais naturellement on est bien obligé de dire *les pas d' celui qui vient*, sans quoi il y aurait quatre consonnes, qui ne s'accommodent pas. On prononcera aussi nécessairement les deux *e* dans *pour l'amour de celui*, l'*e* de *de* étant maintenu par *rd*, et la sifflante qui suit étant initiale du groupe et non médiane.

[449] On dit naturellement: *il croit qu' tu viens*, parce qu'il n'y a qu'un seul *e muet*.

[450] A fortiori, *ça n' me* fait rien (chute du premier *e*), et non *ça ne m' fait rien*.

[451] On évitera cependant d'aller, surtout en tête de phrase, jusqu'à *j' ne d'mande rien*; on préférera *je n' demande rien*: *de-* initial est sans doute moins faible que *re-*.

[452] Ou *je n' te l'remets pas*, moins bien, parce que, si *le* est subordonné à *te*, la muette initiale de *remets* est subordonnée à *le*.

[453] On n'a pas oublié le président de la République que le peuple appelait généralement *Félixe Faure*, à moins que ce ne fût *Felisque*.

[454] Nous reviendrons sur ce point au chapitre de l'*S*. C'est pour le même motif que le *p* est tombé dans (p)*tisane* ou (P)*falsbourg*, et aussi, au XVIᵉ et au XVIIᵉ siècle, dans *psaume*.

[455] ROTROU, *Laure persécutée*, acte I, scène 10.

[456] De même, à fortiori, *Plutôt* que *d' lever tes voiles*, et non *plutôt qu' de lever* (V. HUGO, *Contemplations*, IV, III).

[457]*Les Burgraves*, acte I, scène 3.

[458] Par exemple, avec cet hémistiche de V. Hugo ou d'Edmond Rostand: *Qu'est-ce que c'est que ça*, où le second *que* ne peut pas rester tout à fait muet, même entre deux toniques.

[459] De même *Bo-ie*l*dieu*. Mais il ne faut pas confondre ces cas, qui d'ailleurs ne sont pas fréquents, avec celui des voyelles suivies d'un *e muet* final, qui ne s'entend plus, mais qui a toujours été distinct: *hai-e, haï-e, joi-e, obéi-e*.

[460] Pourtant Edmond Rostand consent à la diphtongue dans *ruine*, et cela régulièrement, chose extraordinaire. Il est à souhaiter qu'on l'imite.

[461] Ceux-là se distinguent aussi par la prononciation du *t*, et la liste est assez longue: *dations, relations, délations, translations, rations, complétions, éditions, rééditions, notions, exécutions, persécutions, mentions, exemptions, attentions, intentions, contentions, inventions, réfractions, rétractions, contractions, affections, désaffections, infections, désinfections, injections, objections, inspections, dictions, acceptions, exceptions, options, adoptions, désertions, portions*.

[462] Auxquels il faut joindre *gri-ef*, *bri-èveté* et *quatri-ème*. On est stupéfait de voir Michaëlis et Passy indiquer deux prononciations différentes, avec ou sans diphtongue, pour *meurtrier, encrier, tablier*, et tous les substantifs de ce groupe, sauf *ouvrier*!

[463] Nous avons conseillé d'éviter cette prononciation. De même, et plus encore, dans les mots où les poètes maintiennent, par tradition, une diérèse que l'usage ne connaît plus, il faut éviter le *yod*: *passion* ne doit se prononcer en vers ni *pass-yon*, comme en prose, ni *passi-yon*, qui serait ridicule, mais simplement *passi-on*, qui est entre les deux. D'ailleurs, certains mots savants du type *meurtrier*, comme *pri-orité*, *à pri-ori*, ne développent pas non plus de *yod* entre l'*i* et la voyelle.

[464] Voir plus haut, page 119.

[465] D'autres disent *moi-lien*!

[466] Dans certains endroits, on dit encore *pè-san*; mais quand on trouve *paysan* en deux syllabes chez nos vieux poètes (il y en a encore un exemple dans *l'École des Femmes*), c'est qu'ils prononçaient *pay'san*, avec diphtongue initiale: ils écrivaient même parfois *païsan*. *Fays-Billot* se prononce comme *pays*. Je ne sais pourquoi *Baïse* se prononce comme *payse*; cette prononciation est d'ailleurs peu répandue en France.

[467] Il y en avait bien davantage autrefois; mais leur *y* grec a été changé en *ï*, précisément pour ce motif: ainsi *pa-ïen*, *ba-ïonnette*, *a-ïeul*, *gla-ïeul*, qu'on eût pu sans cela prononcer par *è*; ou bien ils ont été ramenés à la règle, comme *alo-yau*, *ho-yau*, *mo-yen*, prononcés autrefois par *o*, aujourd'hui par *oi*.

[468] Au contraire, *aigayer* devrait se prononcer par *a*, venant d'*aiguail*, et même s'écrire *aiguailler*: mais il semble qu'on le prononce plutôt par *è*.

[469] Sans parler des mots étrangers, comme *a-yuntamiento*. Il en est de même dans la plupart des noms propres, *même français*: *Bisca-ye*, *Bla-ye*, *Fa-ye*, *Henda-ye* et *Uba-ye*, comme *Ka-yes* ou *Luca-yes*; *A-yen*, *Ba-yard*, *Ba-yeux*, *Ba-yonne*, *Ca-yenne*, *Ca-yeux*, *Le Fa-yet*, *La Fa-yette*, *La-ya*, *Ma-yence*, *Ma-yenne*, *Ma-yeux*, *Pa-yerne*, *Ra-yet*, *Le Va-yer*, aussi bien que *Fa-youm*, *Gua-yaquil*, *Himala-ya*, *Ma-yer*, *Ma-yotte* ou *Rama-yana*. Il est vrai aussi que *Claye*, *La Haye*, *Saint-Germain-en-Laye*, *Laboulaye*, *La Fresnaye*, *Houssaye*, *Puisaye*, se prononcent par *è*: cela tient à ce que ces mots ont gardé la prononciation des primitifs, *clai-e*, *hai-e*, *lai-e*, *boulai-e*, *frênai-e*, *houssai-e*, *puisai-e*, qui sont ou furent des noms communs. On prononce de même *La Curne de Sainte-Palaye*, *les rochers de* N*aye* et *Laveleye*. Au contraire, on prononce *Ysa-ye* en trois syllabes (*isaï*), comme s'il y avait un tréma: cf. *Ay*, qui s'écrit mieux *Aï*, et aussi l'*Hay*. J'ajoute qu'on prononce aussi *Merlin Cocca-ie* comme *Bisca-ye*.

[470] Contrairement à ce qui se passe pour l'*a*, *o* devient généralement *oi* dans les noms propres français, comme dans les autres mots: *Boyer*, *Giboyer*, *Doyen*, *Joyeuse*, *Noyon*, *Royan*, *Royat*, *Royer-Collard*, *Troyon*, *Vaudoyer*, aussi bien que *Roye*, *Bridoye*, *Troyes* (prononcé comme *Troie*) et même *Loyalty*, probablement sous l'influence de *loyal*. L'*o* reste séparé

seulement dans les noms étrangers: *Go-ya, Van Go-yen, Lo-yola, O-yama, Samo-yèdes*, et aussi *Go-yon* et quelques autres. *Soyecourt* se prononce, *sôcour.*

[471] Le mauvais calembour, *comment vas-tu, yau de poêle?* en est un témoignage irrécusable.

[472] L'*u* reste distinct régulièrement dans *Berru-yer* ou *Tu-yen-Quan*, comme dans *Gru-yère* et *La Bru-yère*. Au contraire, et quoique le prénom *Guy* se prononce *ghi, ui* l'emporte dans les noms commençant par *Guy*-; on doit donc prononcer *ui* correctement dans *Guyane, Guyenne, Guyau, Guyot, Guyon*, avec *Chatel*-Guy*on, La Vauguy*on, Longu*yon*. A vrai dire, beaucoup de personnes prononcent *Gu-yot*, voire même *Ghi-yot*, sans parler de l'algérien *Guyotville*, réduit à *ghyo-vil*, en deux syllabes; mais tout cela est très incorrect. Dans les premières éditions du *Poème de Fontenoy*, Voltaire avait fait aussi *Vauguyon* de deux syllabes, comme si c'était écrit *Vaughyon*; mais il s'est corrigé dans les suivantes. Il a réduit aussi *Guyon* à une syllabe et *Guyenne* à deux, mais en écrivant *Guion* et *Guienne*, ce qui ne pourrait plus se faire.

[473] On a déjà parlé de ce phénomène, page 163.

[474] Les poètes ne s'en privent pas, et il n'y a pas lieu de les en blâmer. Ch. Nyrop, rencontrant *paye* en deux syllabes dans *Cyrano de Bergerac*, admire «la belle intrépidité de Rostand» qui fait «revivre cette prosodie médiévale». Mais cette prosodie n'a jamais disparu, et Ch. Nyrop confond *paye* avec les finales en -*ée, -aie, -ue, -oue*, qui sont fort différentes. Il va sans dire qu'en pareil cas, il faut nettement distinguer les deux syllabes au moyen du *yod*. Quand Mme Sorel prononce dans Molière:

Mais elle bat ses gens et ne les *pai*(e) point
(*Misanthr.*, acte II, scène 3).

elle se conforme sans doute à l'usage le plus répandu aujourd'hui, mais elle devrait bien s'apercevoir qu'elle fait un vers faux! Et il est bien possible que *pai-ye point* la choque, mais c'est *pai-ye point* qu'il faut dire.

[475] Voir encore p. 163, note 2.

[476] Voir plus haut, page 152 et la note.

[477] Sans parler de *ya* tout court, qui n'en a qu'une: *ya des gens qui...*, mais ceci est un peu familier!

[478] Si bien que les poètes eux-mêmes, quand ils acceptent ce double hiatus, sont obligés, pour peu qu'ils aient de logique ou d'oreille, de compter les trois mots pour deux syllabes, d'autant plus que l'expression est toujours de style familier. On peut citer Richepin, *Don Quichotte*, acte VII, scène 20:

Au premier choc... *Ça y est!* patratas! la culbute!

et *la Route d'émeraude*, vers final:

Fais des chefs-d'œuvre... Moi, *ça y est*, j'ai fait le mien.

Jean Aicard a compté le groupe pour trois syllabes, mais il n'y a pas lieu de l'en féliciter.

[479] C'est Corneille qui a rénové en poésie l'usage de compter *hier* pour une syllabe, usage déjà suranné de son temps, et son autorité a malheureusement justifié les poètes qui l'ont suivi. Pourtant le XVIIIᵉ siècle avait repris les saines traditions, et Voltaire fait toujours *hier* de deux syllabes (et même *avant-hier* de quatre). Malheureusement, V. Hugo a cru pouvoir le faire presque indifféremment de deux ou de trois, et la plupart des poètes du XIXᵉ siècle l'ont suivi; mais c'est une erreur certaine: voir sur ce point notre article sur *les Innovations prosodiques dans Corneille*, dans la *Revue d'histoire littéraire de 1913*.

[480] Au XVIIᵉ siècle, on trouvait ce groupe initial dans *Hiérome*, *Hiérusalem* et *Hiéricho*, mais *hi* s'y prononçait déjà *j*, comme on l'écrit aujourd'hui: *hi* ou *hy* se prononçait alors *j*, même dans *Hyacinthe* (devenu *jacinthe* comme nom de fleur), même dans *hiérarchie* et *hiéroglyphe*, et c'est ce qui explique la prosodie de certains vers classiques, où il faut lire *jérarchie* et *jéroglyphe*: voir page 250, note 3.

[481] Si les *ll* mouillés sont suivis d'un *i*, les deux *yods* primitifs se confondent aujourd'hui: *bailliage* se prononce comme *pillage*, *voyage* ou *mariage*, *joaillier* comme *fouailler*, *médaillier* comme *médaillé*. Il peut cependant y avoir deux *yods* dans une même finale, mais séparés par une voyelle: ainsi dans *vieille* (vyeye) ou *piaille* (pyaye) ou *qu'il y aille*.

[482] Nous avons vu aussi que l'*i* final faisait fonction de consonne dans certains noms propres étrangers: *Pompéi*, *Hanoï*, *Shanghaï*: voir page 119, note 2.

[483] L'*u* a la même fonction devant *y* dans *Cuyp*, *Ha-üy*, *Le Puy*, *Lhuys*, *Luynes*, *Porrentruy*, *Ruyter*.

[484] Je ne parle pas de *fabriq(u)-ions* ou *navig(u)-ions*, où l'*u* n'est qu'un signe orthographique.

[485] Les groupes *brui* ou *trui* sont, en effet, beaucoup plus faciles à prononcer sans décomposition que *bryer* ou *tryer*. C'est pourquoi la diphtongue a pu se conserver là où elle existait; mais elle n'a jamais existé dans *dru-ide* et *flu-ide*, et ne s'y est point formée.

[486] Voir plus loin, aux chapitres du *G* et du *Q*.

[487] Éviter seulement de prononcer *voui* pour *oui*, ou de la *vouate* pour de la *ouate*.

[488] *Souhait* lui-même, malgré l'*h*, ne fait qu'une syllabe dans l'usage courant, et nous savons que quelques-uns prononcent encore *soiter*, mais ceci est suranné: voir page 87.

[489] Et encore *tramway* pas toujours: voir au chapitre du *W*.

[490] La diérèse de *oi* est d'ailleurs impossible dans l'écriture; quant à celle de *groin*, elle aboutit à *gro-in*, où la prononciation du mot est évidemment altérée. Nous avons déjà vu cela.

[491] Je ne pense cependant pas qu'on aille jusqu'à *clouaque*, parce que le groupe *cl* maintient l'*o* séparé de l'*a*.

[492] Avant Boileau, quelques poètes hésitaient, quoique la majorité fût pour *po-ète*: ainsi Corneille ne connaît que la synérèse, et La Fontaine l'a faite trois fois sur quatre dans ses *Fables*. Le XVIIᵉ siècle faisait encore la synérèse jusque dans *Moïse* (écrit *Moyse*), *Bohême*, *Noailles* ou *Noël*, et l'on trouverait encore des endroits où l'on prononce *Mouise* ou *Nouel*, ou même *Noil* (nwal), qui est encore donné par Mᵐᵉ Dupuis, concurremment avec *poite*, *poisie* et *Boime*, prononcés par *ouè*.

Mais ces prononciations sont depuis longtemps purement locales. Cependant *Roanne* se prononce *roine*. *Coëffeteau* ou *Boësset* se prononcent aussi par *oi*. *Poey*, *Espoey* se prononcent par *oueye* dans le Midi.

[493] Voir page 62. Pour les groupes anglais *oa* et *oo*, voir pages 45 et 112.

[494] Le phénomène avait déjà été observé par Dangeau, en 1694.

[495] A l'intérieur des mots, l'*assimilation* proprement dite est généralement réalisée par l'écriture. De là les consonnes doubles, généralement héritées du latin: *ac*complir, *af*fecter, *col*laborer, *im*merger, etc., etc.

[496] Il arrive quelquefois, mais rarement, que l'accommodation, au lieu d'être *progressive*, est *régressive*, c'est-à-dire que c'est la seconde consonne qui s'accommode à la précédente, par exemple dans *subsister* (*ubz* au lieu de *ups*); mais ceci tient souvent à d'autres causes, comme on verra.

[497] Ici encore, exceptionnellement et par accommodation régressive, *à cheval* peut devenir *achfal*, jamais *ajval*.

[498] Exceptionnellement aussi, une douce devient forte même devant un *m*, dans *tout de même* (tout *t'* même).

[499] L'abbé Rousselot, qui a constaté le fait, l'explique en disant (*Précis*, page 86) que c'est la voyelle qui transforme en douce la consonne forte; mais on ne voit pas du tout pourquoi *ou* changerait *s* en *z*. Il en est de cet exemple comme des autres: dans un débit rapide, les organes se préparent d'avance à l'émission des sons qui vont suivre, ici l'*s* doux de liaison, et c'est ce qui adoucit le premier. Comme dit M. Paul Passy, tout son subit, dans une certaine mesure, l'influence des sons voisins: c'est ainsi que la prononciation rapide aboutit encore facilement à *ton-*m*neuve* pour *tomb*e *neuve* ou *lan-*n*main* pour *lend*e*main*.

[500] Voir page 182. C'est exactement le principe opposé qu'on applique sans s'en douter, quand on se fonde uniquement sur l'étymologie: *cela doit être, donc cela est.* Le principe des phonéticiens est certainement le bon, mais il ne faut pas l'appliquer sans distinction ni restriction.

[501] Voir plus haut, page 10.

[502] Sauf en liaison, bien entendu: mais ceci sera l'objet d'un chapitre spécial.

[503] Ces exceptions s'appliquent généralement aux lettres dites étymologiques (souvent fausses d'ailleurs, comme *d* de *poids*, ou le *g* de *legs*), que les érudits du XVIe siècle ont introduites dans l'écriture, en guise d'ornements! Le malheur est que, dès le XVIIe siècle, on s'est mis à prononcer, mal à propos, quelques-unes de ces lettres. Mais c'est surtout au XIXe siècle que le développement de l'enseignement primaire, et l'ignorance de beaucoup d'instituteurs, à qui manquait la tradition orale, ont profondément altéré la langue, en faisant revivre ces consonnes, tombées depuis des siècles.

[504] Cette prononciation de la consonne double est exactement la même que celle qui se produit entre deux mots, la première étant finale, la seconde initiale, notamment quand un *e muet* tombe; et nous avons vu qu'en ce cas la consonne n'est double qu'en apparence. Voir au chapitre de l'*e muet*, page 159, note 4.

[505] Il n'en a pas toujours été ainsi: si aujourd'hui nous ne distinguons plus entre les finales *tère, taire* et *terre*, autrefois on prononçait parfaitement les deux *r* de *terre*, et peut-être trouverait-on un reste de cette prononciation dans le Midi, qui a conservé l'habitude et la faculté de vibrer!

[506] C'est en effet par le latin que la prononciation des lettres doubles a commencé, au XVIe siècle, pour s'introduire de là dans la langue savante, mais plus tard; pendant longtemps on n'a guère doublé que les *r*, mais on les doublait beaucoup plus souvent qu'aujourd'hui, et même devant l'*e muet*, comme on vient de le voir.

[507] J'ai un jour entendu articuler *don-ner*, et cela est ridicule, assurément; toutefois ce n'est pas une raison pour aller contre l'usage, et le *Dictionnaire phonétique* de Michaëlis et Passy, aussi bien que le *Manuel phonétique* de Ch. Nyrop, qui n'admettent presque point de consonnes prononcées doubles, sont certainement en contradiction avec l'usage général pour des centaines de mots.

[508] Pourtant Michaëlis et Passy donnent le choix presque partout.

[509] De même dans *Christophe Colom*(b), qui est complètement francisé, et dans *Dou*(bs) ou *Dussou*(bs).

[510] De même dans le latin *ab*, et dans les noms propres *Moa*b, *Acha*b, *Ma*b, *Cale*b, *Hore*b, *Aureng-Zey*b, *Sennachéri*b, *Job*, *Jaco*b. Même dans ces mots, le *b* ne se prononçait pas toujours autrefois, ou il se prononçait *p*, surtout devant une voyelle. Nous verrons en effet, au cours des chapitres suivants, que les muettes sonores finales se sont d'abord assourdies régulièrement, avant de cesser de se prononcer: c'était l'étape naturelle; et nous retrouverons la trace de ce phénomène dans les liaisons.

[511] Quoique cette prononciation ait été correcte jusqu'au milieu du XVIIe siècle, dans tous les mots commençant par *abs-*, *obs-*, *subs-*, où les grammairiens avaient rétabli récemment le *b*; car, au moyen âge, on écrivait *ostiner*, *oscur*, *astenir*, etc. Le *b* a toujours été muet dans *de*(b*voir*, où il était absurde, et aussi dans *de*(b)*te*, *dou*(b)*ter*, *pre*(bs)*tre* et d'autres. Il l'est encore dans certains noms propres, devant un *v*: *Fa*(b)*vier*, *Lefe*(b)*vre*; mais il tend naturellement à y revivre.

[512] Davantage dans quelques noms propres, *Ab-ba*s et *Ab-ba*ssides, *Ab-ba*tucci, *Ab-bo*n.

[513] De même *Aurilla*c, *Caudebe*c, *Porni*c ou *Pernambou*c.

[514] Les composés *bec-d'âne* et *bec-jaune* ont conservé la prononciation sans *c*, qui était de règle devant une consonne, mais ils s'écrivent plutôt *bédâne* et *béjaune*. Le *c* a revécu dans *bec-de-corbin*, *bec-de-cane*, *bec-de-lièvre*; il s'est toujours prononcé dans *bec fin*, *bec figue* (qui est pour *bèquefigue*) et *bec-cornu*. Dans *pi*(c)*vert*, le *c* a disparu aussi de l'écriture.

[515] Naturellement, quand Boileau fait rimer *estoma*c avec *Sidra*c, le *c* doit sonner.

[516] Mais non dans *cri*c, onomatopée, ni même dans *cric cra*c, ou *de bri*c *et de bro*c, où tous les *c* se prononcent. L'Académie prétend que *taba*c est familier, comme si le peuple ne disait pas *taba*(c). Le *c* est également muet dans *Saint-Brieu*(c).

[517] Et plus encore celui de *lombri*c, malgré Michaëlis et Passy, aussi bien que celui de *porc-épi*c.

[518] Il n'en était pas ainsi autrefois. De là la confusion qui a changé la *rue Saint-André-dès-Arc*s en *rue Saint-André-des-Art*s. Toutefois d'autres prétendent que *arts* a remplacé dans ce nom *ars*, brûlé, c'est-à-dire atteint du mal des ardents.

[519] De même *Gobse*c(k), *Brunswi*c(k), *Van Dy*c(k), *Glu*c(k), etc., et aussi *Leco*c(q), *Lesto*c(q), *Vi*c(q) *d'Azyr.*

[520] Il faut excepter quelques noms propres comme *Ran*c.

[521] Le *Dictionnaire général* trouve encore cette prononciation «familière». Familière ou non, il n'y en a pas d'autre qui soit usitée, quoi qu'il en dise, et malgré Michaëlis et Passy; et je ne sache pas qu'on dise non plus *zinquer*, ni *zinqueur*. On devrait tout simplement écrire *zing*, comme on écrit *zingueur.*

[522] Pourtant le *c* sonne très rarement dans *porc* (voir page 363).

[523] Ce dernier mot vient pourtant du germanique *mark*; mais il est francisé sous la forme *marc*, tandis que dans *mark*, monnaie allemande, le *k* sonne naturellement. Dans *Marc*, nom propre, le *c* avait cessé de se prononcer, et l'on dit de préférence: *le lion de Saint-Mar*(c), à Venise, ou *Saint-Mar*(c), nom propre; mais on dit *l'Évangile de Mar*c ou de *saint Mar*c, et surtout on fait sonner le *c* de *Mar*c prénom. De même a fortiori dans *Mar*c*-Aurèle* ou *Mar*c*-Antoine*, et même *Saint-Mar*c*-Girardin.*

[524] Ni dans *Lecler*(c) ou *Lecler*(cq) ou *Maucler*(c) pas plus que dans l'expression *de cler*(c) *à maître*, qui n'est plus usitée que dans l'administration militaire. Il sonne dans *Our*c(q).

[525] *Contra*(ct) a au contraire perdu son *c* dans l'écriture, ce qui l'a mis à l'abri.

[526] Au XVIe siècle, *infect* et *abject* s'écrivaient souvent *infet* et *abjet*, et rimaient avec *effet* et *projet*, dont l'étymologie est la même. C'est la prononciation dite emphatique qui a dû rétablir *ct* d'abord dans *infect*, puis dans *abject*, à cause du sens. Mais Corneille fait toujours rimer régulièrement *abject*, ou plutôt *abjet*, avec *projet* ou *sujet*:

Et dans les plus bas rangs les noms les plus *abjets*
Ont voulu s'ennoblir par de si hauts *projets*.
(*Cinna*, acte IV, scène 3.)

Il n'y avait là aucune «licence poétique», malgré le reproche que lui faisait déjà Aimé Martin.

[527] Voir livre X, fables 8 et 12, et livre XII, fable 2.

[528] Je ne sais comment il peut se faire que le *Dictionnaire général* admette *uniquement*—et simultanément—*aspe*(ct) sans *c* ni *t*, *circonspe*c(t) et *respe*c(t) avec *c* seul, et *suspe*ct avec *c* et *t!* Toutes ces variétés de prononciation ne se seraient pas produites si l'on avait pris le sage parti d'écrire tous ces mots comme *effet*, qui est, lui aussi, pour *effect*. Le *c* est également muet dans *les frères Parfai*(ct).

[529] Il serait si simple de lui ôter son *c*, comme on a fait à *défunt*, pour *défunct*.

[530] Et aussi devant les diphtongues latines *œ* et *æ*: *Cæsar*, comme *César*.

[531] Autrefois on écrivait aussi *cueur*, où le premier *u* n'était qu'un signe orthographique, qu'on ne prononçait pas.

[532] On trouve d'ailleurs *ck* devant une voyelle quelconque: *blockaus* ou *gecko* comme *jockey, Stockholm* comme *Necker*.

[533] Où donc Michaëlis et Passy ont-il entendu prononcer ces mots sans *c*? C'était la prononciation du XVIIᵉ siècle, ainsi que *pon*(c)*tuel, di*(c)*ton* et *antar*(c)*tique* ont duré plus longtemps. Aujourd'hui que la plupart des *c* étymologiques inutiles ont disparu, comme dans *bienfai*(c)*teur, je*(c)*ter*, etc., il n'y a plus d'exceptions. On prononce le *c* même dans *Francfort*, sous prétexte que le *k* allemand de *Frankfurt* se prononce: à la vérité, puisque le mot est francisé, rien n'empêcherait de prononcer *Fran*(c)*fort*, mais ce n'est pas l'habitude.

[534] On sait qu'*églogue* et *cigogne* étaient autrefois *éclogue* et *cicogne*; *égale, migraine, église*, et depuis bien plus longtemps, n'ont-ils pas remplacé aussi un *c* par un *g*? De même on a prononcé *segret* et *segrétaire* jusqu'au XIXᵉ siècle: Domergue ne prononce pas autrement; ce n'est qu'au siècle dernier que le *c* s'est rétabli dans ces mots. Pendant longtemps on a non seulement prononcé, mais écrit *négromant* et *négromancie*. C'est naturellement aussi un *g* qu'on entend dans *Jean Second* ou *Secondat de Montesquieu*. C'est le contraire de *gangrène*, qui s'est prononcée *cangrène* jusqu'au siècle dernier.

[535] Parce qu'il l'avait aussi dans *Claude* et *Claudine*.

[536] Le *Dictionnaire général* joint à ces mots *ac-clamer*, mais cela s'impose encore moins. Michaëlis et Passy n'admettent le *c* double que dans *gecko*, alors que précisément *ck* se prononce partout comme un seul *c*. On *peut* encore prononcer deux *c* dans les noms latins: *Bac-chus, Boc-choris, Boc-chus, Flac-cus, Grac-chus*, et quelques noms étrangers: *Bec-caria, Boc-cador, Boc-cherini, Civita-Vec-chia, Pic-colomini, Sac-chini, Sec-chi, Veroc-chio*, mais plus dans *Bo*(c)*cace*, complètement francisé avec un seul *c*.

[537] Au XVIᵉ siècle, on prononçait les deux *c* comme un seul, même dans ce cas: *a*(c)*cident*; et cette prononciation s'entend encore dans les pays qui ont l'*acent*. *Aja*(c)*cio* se prononce toujours avec un seul *c*.

[538] Voir plus loin, an chapitre de l'*S*.

[539] Le cas de *cqu* est le même que celui de *ck*.

[540] De même *Cellini* et *Forcellini*, *Cenci* et *Cérisoles*, *Bonifacio*, *Ajaccio*, avec un seul *c*, *Cialdini*, *Cimabué*, *Civita-Vecchia*, *Concini*, *Garcia*, *Mancini*, *Mincio*, *Terracine*, et même *Vinci*, et peut-être *Cimarosa* et *Botticelli*. On prononce le *c* de même dans *Cecil*, *Cellamare*, *Cervantès* et *Ceuta*, *Cincinnati*, *Cintra*, *Ciudad-Real*.

[541] De même *Abatucci*, *Bacchiochi*, *Carducci*, *Carpaccio*, *Lecce*, *Lorenzaccio*, *Picciola*, *Piccinni*, *Pulci*, *Ricci*, *Vecellio*. *Vermicelle* et *violoncelle* ont connu longtemps une étape intermédiaire, en se prononçant *vermichelle* et *violonchelle*, admis par Domergue et Mᵐᵉ Dupuis, et dont on trouve encore des traces, mais fort rares.

[542] Le **cz** polonais se prononce **tch**, mais nous ne le prononçons guère ainsi qu'à la fin des noms, comme dans *Mickiewicz* ou *Sienkiewicz*: partout ailleurs on le prononce généralement *gz*, et c'est un tort. Notons en passant que le premier *c* de *Mickiewicz* doit se prononcer à part, comme *ts*. Le *cz* hongrois, qui s'écrit aujourd'hui *c*, doit se prononcer *ts*, et non *gz*, dans *Czerny*, *Munkaczy*, *Ra-koczy*.

[543] Pour ce mot, voir p. 49. De même *Lamec*(h), *Metternic*(h), *Munic*(h), *Zuric*(h), *Koc*(h), *Moloc*(h), *Enoc*(h), *Saint-Roc*(h), *Sacher-Masoc*(h), *Baruc*(h), etc., et aussi *Utrec*(ht) ou *Maëstric*(ht).

[544] Et dans quelques noms propres du Midi, comme *Auch*, *Foch*, *Buch*, *Tech*, *Puech*, *Delpech*, avec *Monjuich*, sans compter *Sidi-Ferruch*, *Marrakech* et *Nich*.

[545] Il est muet aussi dans *Penmar*(ch) francisé.

[546] Ceci vient tout simplement d'une confusion inconsciente entre *acheter* et *jeter*. En effet, *jeter* se prononce nécessairement comme *acheter*, quand l'*e muet* tombe; dès lors, on a la proportion fatale: *j'ajète* est à *acheter* comme *je jette* à *chter*.

[547] De même dans tous les noms propres anciens: *Macc*(h)*abée*, *C*(h)*am*, *C*(h)*anaan*, *Zac*(h)*arie*, *Néc*(h)*ao*, *C*(h)*aldée*, *Epic*(h)*aris*, *C*(h)*arybde*, *C*(h)*aron*, *Anac*(h)*arsis*, *Calc*(h)*as*, etc., etc., avec quelques noms modernes étrangers: *Buc*(h)*anan*, *Buc*(h)*arest*, *C*(h)*andos*.

[548] Et autrefois *métempsyc*(h)*ose*, qui n'a plus d'*h*; pourquoi *psyc*(h)*ologie* en a-t-il un?

[549] On prononce *co* dans *Jéric*(h)*o*, *Jéc*(h)*onias* et *Nabuc*(h)*odonosor*, *Terpsic*(h)*ore*, *Stésic*(h)*ore*, *C*(h)*oéphores*, *Orc*(h)*omêne* et *Colc*(h)*os*, *Sanc*(h)*oniaton*, *C*(h)*osroès*, *C*(h)*oa* et *Tyc*(h)*o-Brahé*, et même *La Péric*(h)*ole*, *Picroc*(h)*ole*; mais non dans *Michol*, *Sancho* ou *don Quichotte* (francisé de l'espagnol *Quijote* à *j* guttural).

[550] Et dans les noms propres anciens en *-chus*, comme *Antioc*(h)*us*, *Malc*(h)*us*, etc., mais non dans *Chuquisaca*.

[551] De même *Michée*, *Zachée*, *Sichée*, aussi bien que *Mardochée*, et aussi bien *Psyché*. Cependant on a longtemps dit *trokée*.

[552] Je n'ai pas, dans ces mots et les suivants, devant *e* et devant *i*, mis l'*h* entre parenthèses, à cause du son sifflant que prend le *c* devant ces voyelles; j'espère néanmoins que le lecteur ne s'y trompera pas.

[553] De même dans *Michel* et *Rachel*, deux prénoms trop populaires pour s'altérer, et aussi, le plus souvent, dans *Pulchérie* et *Sichem*. Mais on prononce *ké* dans la plupart des noms propres anciens: *Achéloüs*, *Achéménides*, *Achéron*, *Carchémis* *Chéronée*, *Chéronèse*, *Chérusques*, *Lachésis*, *Pulcher* (rarement *Pulchérie*) et *Sennachérib*. Autrefois le *ch* d'*Achéron* était francisé ainsi que beaucoup d'autres. C'est à la fin du XVIIᵉ siècle que les divergences se produisirent. La *Comédie*, avec Racine, tenait pour *Achéron* (La Fontaine aussi); l'*Opéra*, avec Lulli et Quinault, tenait pour *Akéron*, qui prévaut aujourd'hui. On prononce aussi *ké* dans les noms italiens, *Chérubini*, *Michel-Ange*. A la vérité, *Mikel-Ange* paraît bizarre, car on francise le second mot (pour *Angelo*) et pas le premier, alors que nous avons pourtant *Michel* en français; mais, en réalité, le nom italien s'est francisé en bloc avec la prononciation originelle et en conservant son accent sur la même syllabe *an*: c'est ainsi que sont traités les noms des plus grands hommes, appris par l'oreille et non par l'œil, comme Shakespeare et Gœthe. On prononce encore *ké* dans *Chemnitz* et *Sacher-Masoch*, mais *ché* dans *Blücher* ou *Schœlcher*.

[554] Excepté *lysimachie* (kie). *Malachie* est flottant, tandis que *Valachie* est toujours resté chuintant, malgré *Valaques*.

[555] Pourtant on dit souvent *monakisme*, toujours *masokisme*.

[556] Surtout à côté d'*architectonique* ou *architriclin*, qui ne sont pas moins savants qu'*archiépiscopal*, et qui pourtant chuintent comme les autres. *Arkiépiscopal* a d'ailleurs l'air prétentieux, à côté d'*archevêque*.

[557] On chuinte même dans quelques noms propres anciens, comme *Colchide*, *Achille*, *Eschine*, *Eschyle*, *Chypre*, *Archiloque* et *Joachim*. Il est vrai que ce mot est bien maltraité: beaucoup de personnes prononcent *Joakin*, d'autres *Joakime*, ou plutôt *Yoakime*, surtout en parlant de *Du Bellay*; mais précisément

Du Bellay prononçait sans aucun doute son prénom en chuintant; et c'est la vraie prononciation, notamment celle de l'Église.

[558] Ajouter les noms propres anciens: *Ezéchias* et *Ezéchiel*, *Melchior* et *Melchisédec*, *Chio* et *Sperchius*, *Bacchylide* et *Archytas*, *Trachiniennes*, *Echidna*, *Achillas*, et même *Achilléide* (malgré *Achille*); le plus souvent aussi aujourd'hui *Chiites*, *Chilon*, *Chiron* et *Anchise*; et surtout les noms italiens: *Brunelleschi*, *Cernuschi*, *Bacciochi*, *Fieschi*, *Monaldeschi*, *Machiavel* (d'où *machiavélique* et *machiavélisme*), *Sacchini*, *Chianti*, *Chioggia*, *Ischia*, *Civita-Vecchia*, *Porto-Vecchio*, *Secchi*, *Verocchio*, etc., avec *chi va sano, chi lo sa?* ou *anch'io*. *Machiavel* (avec ses dérivés) est de ceux qui furent longtemps francisés, ainsi que *Chiron*, *Chilon*, *Anchise*, et bien d'autres, même *Ezéchias* ou *Ezéchiel*: de tous ces noms, je ne vois guère qu'*Anchise* qu'on fasse encore chuinter quelquefois.

[559] D'où *Ac(h)met*, *Roc(h)dale* et *Mélanc(h)ton*, comme *C(h)loé*, *Ménec(h)mes*, *C(h)ristophe*, *Arac(h)né*, *Erec(h)tée*, *Erésic(h)ton*; tous ces *h* devraient disparaître. *Drac(h)me* se prononçait naguère encore *dragme*; mais cette prononciation est surannée. On chuinte dans *Fechner* ou *Richter*, comme dans *Metchnikoff*.

[560] De même dans *Lynch*, d'où le verbe *lyncher*, et aussi dans *Chaucer*, *Chesterfield*, *Chicago*, *Manchester*, *Michigan*, tandis qu'on prononce de préférence *tch* dans *Sandwich* ou *Greenwich*, dans *Channing*, *Charleston*, *Chatterton*, *Childe-Harold*, et en général dans les noms moins connus, ainsi que dans *Pacheco* ou *Echegaray*. Dans les noms arabes ou asiatiques, *ch* a le son français, comme on l'a vu déjà dans *chaouch* ou *Marrakech*: ainsi *Aïcha*, *Krichna* et *Vichnou*, avec *Chandernagor* et *Pondichéry*; *Chan-si*, *Chan-toung*, *Thian-Chan*, *Sou-chong*, *Petchili*, *Mandchourie* et *Chemulpo*; *Chatt-el-Arab*, *Chiraz*, *Apchéron*, *Recht*, *Meched* et *Kachgar*; *Skouptchina*, *Prichtina*, *Choumla* et *Chodzko*. Ajoutons les noms américains: *Chili*, *Chihuahua*, *Chiquitos*, *Chimborazo*, *le Grand Chaco*, avec *Chactas*; et aussi *Achantis*, *Achem*, *Funchal*, etc. Pourtant on prononce ordinairement *ki* dans *Chiloë*, et cela est assez bizarre.

[561] Ajouter presque tous les noms propres commençant par *Sch-*: (S)*chaffouse*, (S)*chehérazade*, (S)*chelling*, (S)*chiller*, (S)*chlegel*, (S)*chlestadt*, (S)*chliemann*, (S)*chmid*, (S)*chneider*, (S)*chœlcher*, (S)*choll*, (S)*chomberg*, (S)*chopenhauer*, (S)*chubert*, (S)*chumann*, (S)*chwartz*, etc., etc., et aussi *Fe(s)ch*, *E(s)chenbach*, *Her(s)chell*, *Frei(s)chütz*, *Frœ(s)chwiller*, *Haroun-al-Ra(s)chid*, *Kamt(s)chatka* ou *Kamt(s)chadales*, et même *Ta(s)cher*. Mais il ne faut pas confondre le groupe *sch* avec l'*s* suivi du *ch* guttural dans les noms flamands ou italiens, comme *Hondschoote* ou *Schiedam*, *Monaldeschi*, *Cernuschi* ou *Peschiera*.

[562] On dit bien quelquefois *skéma*, mais c'est fort rare. *Saint-Anschaire* se prononce pourtant par *sk*. *Scholastique* a gardé son *h* en qualité de nom

propre; mais *scolaire, scolie, scoliaste*, et *scolastique* adjectif, ont perdu le leur. D'autre part, l'*s* s'est mis inutilement dans (s)*chah*; *schako* s'écrit mieux *shako* (voir le groupe *sh* à la lettre *s*); *schall* est depuis longtemps remplacé par *châle*; *scheik* est devenu *cheik*.

[563] De même *Chateaubrian*(d), *Edmon*(d), *Bugeau*(d), *Saint-Clou*(d), *Ronsar*(d), *Chambor*(d), etc.

[564] Cette prononciation de *quan*(d) est d'ailleurs très ancienne, et quand le *d* final se prononçait au XVIe siècle, c'est toujours *t* qu'il se prononçait, la sonore s'assourdissant d'abord avant de s'amuir.

[565] Avec *Shetlan*d et *Christiansan*d, *Samarkan*d et *Yarkan*d, *Clevelan*d et *Wielan*d, auxquels il faut joindre *George San*d, et les noms géographiques en -*land*. Mais plusieurs noms en -*land* peuvent ou doivent se prononcer à la française aussi bien que *Gan*(d), à savoir *Falklan*(d), *Marylan*(d), *Cumberlan*(d), *Northumberlan*(d), *Jutlan*(d), *Groënlan*(d) en trois syllabes, et *Friedlan*(d) également en trois syllabes, au moins à Paris (voir plus haut page 78); de plus, *Kokan*(d), sans compter *Rembran*(dt), et aussi *Witikin*(d). On prononce encore le *d* dans *Mahmou*d et *Lau*d, mais non dans *Bedfor*(d), *Bradfor*(d), *Oxfor*(d) ou *Straffor*(d), pas plus que dans *lor*(d).

[566] Et naturellement dans la plupart des noms propres: *Joa*d, *Bagda*d, *Timga*d, *Moura*d, *Alfre*d, *Port-Saï*d, *le Ci*d, *Davi*d, *Nemro*d et *Robin-Hoo*d; *Sin*d, et même *Sun*d et ses composés (*soun*, en danois); *Romual*d, *Bonal*d, *Brunehil*d, *Rothschil*d, et les mots en -*field*; *Harol*d, *Hérol*d et aussi *Foul*d. Mais le *d* est muet dans *Gouno*(d), *Courajo*(d), *Grimo*(d) *de la Reynière*, *Perno*(d), les noms en -*auld* et -*ould*, comme *La Rochefoucau*(ld) ou *Arnou*(ld), et même *Léopol*(d). On notera que l'*l* qui ne se prononce pas dans A*rnou*(ld) se prononce dans A*rnoul*. Le *d* de *Madrid* peut se prononcer *d* ou *t*, ou pas du tout; toutefois *Madri*(d) paraît tomber en désuétude, comme l'a fait *Davi*(d), qui fut aussi usité.

[567] C'était presque toujours à la suite de *a* initial, devant *j* ou *v*, où on l'avait rétabli sous prétexte d'étymologie, vraie ou fausse: *a*(d)*journer*, *a*(d)*jouter*, *a*(d)*veu*, *a*(d)*vouer*, *a*(d)*vocat*, *a*(d)*venture*, *a*(d)*vis*, etc., et même *a*(d)*miral*. Ces *d* n'ont disparu qu'en 1740, dans la troisième édition du *Dictionnaire de l'Académie*, sauf ceux que la prononciation avait adoptés mal à propos.

[568] Il est resté à peu près muet dans *La*(d)*vocat* et dans *Gérar*(d)*mer*, sans parler des mots composés, comme *Gran*(d)*mesnil* ou *Gran*(d)*pré*. Il sonne dans *Man*d*chourie* ou *Richar*d*son*, *Cambo*d*ge*, *Cambri*d*ge* ou *Hu*d*son*, mais non dans *Milne-Edwar*(d)*s*, ni dans *wel*(d)*t* et *Barnevel*(d)*t*, ni dans les noms en -*dt*, comme *Cronsta*(d)*t*, *Golschmi*(d)*t* ou *Humbol*(d)*t*; pour *Auerstædt* et *Hochstedt*, on hésite entre le *d* et le *t*. On prononce aussi le *d* dans *Ma*d*gyar*, mais nous écrivons généralement ce mot sans *d*.

[569] Et dans *Ad-d*a ou *Ed-d*a, *Djed-d*a, et, si l'on veut, *Boud-dha*, ainsi que dans *Ad-d*ison et *Maged-d*o.

[570] Ce sont précisément les mots en -*if*, presque tous savants, et où l'*f* se prononçait, qui ont fait revivre l'*f* dans les autres mots où il était tombé: d'abord dans les mots en -*if* non savants, comme *jui(f)* et *sui(f)*, puis dans les autres, à moins qu'ils n'eussent déjà perdu leur *f* dans l'écriture, comme *apprenti*, *bailli* et *clé*. Toutefois le rétablissement de cet *f* final n'est pas encore complètement achevé, comme on va voir. Je ne parle pas des noms propres, où l'*f* final sonne toujours.

[571] L'*f* a revécu même dans *bie*f, autrefois *bié*, et même *biez*. L'Académie prononce encore *éteu*f sans *f*, en 1878! Le mot ne s'emploie plus guère, mais quand on l'emploie, c'est certainement avec un *f*, puisque c'est par l'œil qu'on le connaît.

[572] Mme Dupuis trouvait déjà dans *bœu*(fs) et *œu*(fs) prononcés sans *f* «une sorte de trivialité qui convient plutôt au langage du peuple». Pourtant ces mots tiennent encore bon, quoi qu'en dise Ch. Nyrop.

[573] Voir ci-dessus, page 91.

[574] C'est la règle générale des noms de nombre. On énumère ordinairement les cas où se prononce la consonne finale des noms de nombre, et naturellement l'énumération n'est jamais complète. C'est le contraire qu'il fallait faire, c'est-à-dire énoncer les cas où elle ne se prononce pas, et la formule est si simple, qu'il est très surprenant que personne ne l'ait encore donnée.

[575] On prononçait *vi*(f) *v*ou *mort, du bœu*(f) *v*à *la mode*, et surtout on a dit longtemps *vi*(f) *v*argent et *neu*(f) *v*et *demi*.

[576] Voir au chapitre des liaisons.

[577] Autrefois on écrivait, très mal à propos d'ailleurs, mais sans prononcer l'*f*, car ç'eût été impossible, *brie*(f)*ve*, *brie*(f)*vement*, *veu*(f)*ve* ou *ve*(f)*ve*, et *tre*(f)*ve*, tous mots où l'*f* étymologique était en réalité représenté deux fois.

[578] Michaëlis et Passy n'admettent l'*f* double que dans le latin *af-fidavit*!

[579] De même *Cherbour*(g), *Strasbour*(g), et tous les noms francisés en -*bourg*, *Hambour*(g), *Edimbour*(g), *Pétersbour*(g), etc., et aussi *Bour*(g)*neuf* ou *Bour*(g)*théroulde*. Toutefois *Bour*g, chef-lieu de l'Ain, a gardé l'ancienne prononciation *bour*c, même isolément, et non pas seulement dans *Bourg-en-Bresse*; car si l'on prononçait *bour* isolément, on dirait tout aussi bien *Bour*(g)-*en-Bresse*. D'autre part, le *g* se prononce tel quel dans *bourgmestre*, qui désigne une magistrature étrangère (cf. *Francfort*); mais on fera bien d'éviter

*bourgue*mestre, qui est pourtant écrit ainsi par M. Verhæren, dans *les Villes à pignons*, pages 112 et 114. A l'inverse des noms francisés en -*bourg*, le *g* se prononce toutes les fois que la finale garde la forme germanique *burg* (toujours avec le son *ou*): *Terburg*, ainsi que dans le mot *burg* lui-même. En revanche, nous avons francisé aussi, par l'amuissement du *g*, quelques finales germaniques en -*berg*: *Gutenber(g)*, *Nurember(g)*, *Furstember(g)*, *Wurtember(g)*, et si, l'on veut, *Spitzber(g)*, mais non *Berg*, *Heidelberg* et les autres.

[580] De même *Bussan(g)*, *Capestan(g)*, *Castain(g)*, *Estain(g)*, *Serain(g)*, *Loin(g)*, *Bourgoin(g)*, *Jean de Meun(g)* et *Neun(g)*, et aussi *Lon(g)jumeau*, *Lon(g)champ*, *Lon(g)périer* ou *Lon(g)wy*.

[581] Le *Dictionnaire général* ne prononce pas le *g*, mais Michaëlis et Passy l'acceptent. Ce *g*, qui avait disparu, même de l'écriture, est dû à la réaction orthographique.

[582] Le *Dictionnaire général* n'admet pas plus le *g* de *legs* que celui de *joug*.

[583] On ne devrait pas non plus prononcer le *g* dans les noms chinois en **-ang**, **-eng** et **-ong**, où les Anglais ont mis un *g*, en transcrivant les noms, uniquement pour conserver à la finale le son nasal. C'est une méthode que le XVIᵉ siècle avait pratiquée en France même, et dont il nous reste plus d'une trace. Comment donc une telle orthographe a-t-elle pu nous tromper, nous qui écrivons encore *rang*, *sang*, *long*, etc., sans parler des graphies anciennes, *soing*, *loing*, *témoing*, etc.? Le mal vient de ce que nous avons l'habitude de prononcer toutes les consonnes dans les mots étrangers, par principe; on s'est donc mis en France, même les professeurs, à prononcer les *g* de tous ces mots en -*ong*, -*eng*, -*ang*, surtout -*ang*, oubliant qu'autrefois *Tonkin* s'écrivait *Tong-King*, sans se prononcer autrement, et que *Kouang-Toung* a donné *Canton*. Correctement, on devrait prononcer uniquement *Kouan(g)-Toun(g)*; et de même *Kouan(g)-Si*, *Yan(g)-tsé-Kian(g)*, *Si-Kian(g)*, *Kian(g)-si*, *Kian(g)-sou*, *Li-Hun(g)-Tchan(g)*, *Louan(g)-Praban(g)* et *Samaran(g)*, aussi bien que *Timour-Len(g)* et *Auren(g)-Zeyb*, qu'on respecte davantage, et aussi bien *Sou-Chon(g)*, *Hon(g)-Kon(g)*, *Mékon(g)*, *Haïphon(g)*, etc. Les marins ne prononcent pas autrement, ni les marchands de thé *Souchon(g)*. On ne devrait même pas prononcer le *g* dans *Hoan(g)-Ho* ou *Shan(g)-Haï*; toutefois, comme ici le second mot commence par une aspiration, comme, d'autre part, on écrit même aujourd'hui *Shanghaï* ou *Changhaï*, en un seul mot, il est naturel que le *g* s'y prononce, ne fût-ce que pour remplacer l'aspiration. Le *g* est aussi bien établi dans *Lang-son*. On pourrait au moins s'en tenir là.

[584] Le *g* se prononce de même dans la plupart des noms propres: *Agag*, *Zadig*, *Rig-Véda*, *Liebig*, *Schleswig*, *Grieg*, *Herzog* (avec *o* fermé), *Magog* (avec *o* ouvert), *Flameng*, *Canning*, *Fielding*, *Lessing*, *Long-Island*, *Young* et *Yung*, *Astorg*, *Swedenborg* et *Viborg*, etc., avec les noms géographiques en-*burg*, et la plupart des noms en -*berg*, *Berg*, *Lemberg* et *Schomberg*, *Heidelberg*, *Johannisberg*,

Lænsberg, Scanderberg, etc., et même *Altenbourg*, quoique on l'écrive par *ourg*. Toutefois *Leipzig* et *Dantzig* qui se sont longtemps écrits *Dantzick* et *Leipsick*, se francisent encore le plus souvent par *c* au lieu de *g*.

[585] Et devant les diphtongues latines *æ* et *œ*. De plus, aux noms propres français, *Angers, Béranger, Gilles*, etc. (y compris *Gerle* ou *Murger*), s'ajoutent les noms propres anciens ou bibliques: *Géla, Gélase, Gelboé, Gélon, Génésareth, Géta, Gethsémani, Phlégéton, Ségeste, Tégée, Sergius, Gygès, Gyptis*, et quelques noms modernes francisés, comme *Clésinger, Kruger, Niger, Scaliger, Gérando, Magellan, Scager-Rack* ou *Urgel, Gibraltar* ou *Giralda*. Mais le *g* garde le son guttural en tête des mots germaniques, *Gemmi, Gerolstein, Gervinus, Gessler, Gessner* ou *Gewaert*, et aussi *Gebhart*, quoique le *t* ne s'y prononce pas, et encore *Gœttingue, Peer Gynt*, ou *Gibbon*; de même dans d'autres mots non francisés, *Engelmann, Hegel, Schlegel* ou *Vogel, Meiningen, Niebelungen, Bergen* ou *Rœntgen, Dœllinger* ou *Minnesinger, Erzgebirge, Szegedin* ou *Djaggernat*, et *Rigi*, écrit aussi *Righi*, avec *vergiss mein nicht*.

[586] On a vu déjà que *gangrène* s'est longtemps prononcé *cangrène*, ce qui est le contraire de *second* prononcé *segond*; les médecins ont fini par imposer *gan*, mais l'Académie ne s'est inclinée qu'en 1878. D'autre part, *frangipane* s'est longtemps prononcé *franchipane*.

[587] De même *Fig(e)ac, G(e)orges, Albig(e)ois, Clos-Voug(e)ot*, et même *Karag(e)orgewitch*.

[588] On aurait pu écrire *jôle*, puisqu'on écrit *enjôler*.

[589] L'*e* étant nécessaire pour donner au *g* le son chuintant devant un *u*, il en résulte que *gu* ne saurait en aucune façon se prononcer *ju*, comme on l'entend parfois dans *envergure*, mot qui vient de *vergue* et non de *verge*.

[590] Même dans les noms propres étrangers, dans *Gueldre, Guelfes, Guelma, Guerchin, Guernesey, Guerrero, Guevara*, comme dans *Guébriant, Guéménée, Guénégaud*, ou *Guérande*, et même dans *Figueras* ou *San Miguel*, comme dans *Vauvenargues* ou *Aiguesmortes, Kerguélen* ou *Linguet*. Il n'y a d'exception que pour les mots latins *ex ungue leonem, lapsus linguæ*, et dans *Vogüé*, qui a un tréma sur l'*u*, faute de pouvoir en prendre sur l'*é*, qui a déjà un accent. En outre l'*u* se prononce *ou* dans *Finiguerra*.

[591] Il en est du nom propre *Aiguillon* comme du nom commun: il maintient son *u*, mais il a de la peine. De même *Figuig*, que les Allemands eux-mêmes écrivent à tort *Figig (fighig)*.

[592] Y compris *Guines, Guinegatte* ou *Guiscard* et *Guy de Maupassant, Guy Patin* ou *Guyton de Morveau*, et même les *ducs de Guise*, quoique la localité d'origine ait la diphtongue *ui*: le nom commun *guise* a aidé à l'altération de ce mot. L'usage de M. Guizot n'a pas non plus sauvé l'*u* de son nom. Certains

noms étrangers eux-mêmes ont cédé: Gu*i*chardin, d'ailleurs francisé, Gu*i*do *Reni* ou *le* Gu*i*de, Gu*i*ldhall; mais l'*u* résiste dans *Guipuzcoa*. Pour *Guyau*, *Guyot*, etc., voir page 192, note 2.

[593] Ceci est tout à fait correct, l'étymologie étant *aigue* (eau) et non *aigu* (cf. *évier*). Aussi le mot a-t-il naturellement trois syllabes, et non quatre:

Est-ce qu'elle a laissé, d'un esprit négligent,
Dérober quelque *aiguière* ou quelque plat d'argent?

On prononce de même *Falguière*, *Laromiguière* ou *Lesdiguières*, *Séguier* ou *Tréguier*, et aussi Gu*ieysse*, *Laguiole* ou *Manguio*.

[594] On prononce également *ghi* dans *Draguignan*, et *ghin* nasal dans banc d'*Arguin* (et non *Argouine*), comme dans *Gaguin* ou Gu*ingamp*.

[595] *Gua* se prononce *goua* dans les noms italiens ou espagnols: *Aconcagua*, *Managua* et *Nicaragua*, *Aguado*, *Guadalaxara*, *Guadalquivir*, *Guadarrama*, *Guadiana*, *Guaranis*, *Guardafui*, *Guarini*, *Guarnerius*, *Guastalla*, *Guatemala*, *Guatimozin*, *Guayaquil*, *La Guayra*, etc., et même *Guadeloupe*, qui est pourtant francisé. Toutefois le son *ghè* a prévalu en France, au lieu de *gouè*, pour *Paraguay* et *Uruguay*, sauf dans les départements qui fournissent des immigrants à ces pays. Je ne parle pas de *Lauraguais*, qui devrait s'écrire *Lauragais*: c'est un nom français dont la prononciation ne saurait être douteuse. Gu*adet* et Gu*ay* se prononcent avec ou sans *u*, mais pas avec le son *ou*. *Liguori* se prononce par *go*.

[596] Dans les noms propres, surtout étrangers, il se trouve devant d'autres consonnes, et s'y prononce: *Longfellow*, *Mengs*, *Longwood*, et même *Augsbourg*. On sait que dans *Lon*(g)*wy* il ne se prononce pas.

[597] De même *Pygmalion*, *Agde* ou *Bagdad*.

[598] Nous retrouverons l'*n* mouillé à la suite de l'*N*.

[599] *Ig*name a toujours été mouillé, venant de l'espagnol: *ig-name*, indiqué par quelques dictionnaires, sans doute parce que ce mot n'est pas populaire, est une erreur. Le *g* s'isole encore dans *Gnathon* et *Gnide*, *Ag-ni* et aussi *Anag-ni* (quoique à tort), *Ig-natief*, *Mag-nus* et *Mag-nence*, mais non dans *Agnès*, prénom populaire. Dans *Prog-né*, il peut d'autant moins se mouiller que la meilleure forme est *Procné*.

[600] Pour *signet* et quelques autres mots, voir au chapitre de l'*N*.

[601] De même *Ag-gée*, *Eg-ger*, *Fug-ger*, *Eg-gis*. Les noms propres offrent parfois deux *g* devant d'autres voyelles, et ils s'y prononcent tous les deux: *Hog-gar*, *Toug-gourt*, et aussi *Djag-gernat*.

[602] On prononce de préférence *dj* dans *Giacomelli, Giacomo, Giordiano, Giorgione, Giotto, Giovanni,* et aussi *Chioggia, Reggio,* ou *Ruggieri,* où les deux *g* ne font qu'un. *Borgia* a toujours été francisé complètement en *gi* comme *Scaliger* en *jèr.*

[603] De même *Borghèse, Alighieri, Arrighi, Ghiberti, Ghirlandajo, Missolonghi, Righi;* de même *Birmingham, Enghien, Ghika, Oubanghi,* etc.

[604] Prononcez *drèdnot.* De même dans *Wi*(gh)*t* ou *Wri*(gh)*t, Castlerea*(gh) ou *Ralei*(gh) ou *Connau*(gh)*t.*

[605] On trouve pourtant *imbroglio* en trois syllabes dans Musset. Nous francisons également, à tort ou à raison, les noms propres les plus connus, *Castigli-one, Cagli-ostro, Cagli-ari,* moins peut-être *Bentivoglio* ou *Tagliamento.* Quant à *Broglie,* de l'italien *Broglio,* il se prononce *broille* et, quelquefois *brog-lie. Vintimiglia* s'est francisé en *Vintimille* mouillé, afin de garder son accent.

[606] Voir page 43, note 1.

[607] Et surtout des noms propres: *Kehl, Bœhm, Ohnet, Frohsdorf, Spohr:* voir aussi page 39, note 1. Après *i* et *u,* qui ne peuvent guère se fermer, l'effet de *h* ne se sent plus que fort peu: *Schlemihl, Eckmühl.*

[608] Pour *sch,* voir au *CH,* page 227; pour *sh,* voir à l'*S,* page 323.

[609] Voir ci-contre. *Ranelagh* se francise nécessairement à Paris. *Malbrou*(gh) se prononce quelquefois *malbrouk,* à tort.

[610] On peut ajouter que, même à l'intérieur des mots, l'*h,* évidemment inutile dans *rhéteur* ou *Athènes,* comme dans *malheur* ou *inhabile,* peut encore jouer son rôle, soit en empêchant aussi la liaison comme dans *enhardir,* soit en maintenant séparées des voyelles qui se fondraient sans cela, comme dans *ahuri, cohue, dehors, rehausser, Rohan, Villehardouin.* Il a même été ajouté pour ce motif dans un certain nombre de mots: *cahoter* et *Cahors, ébahir, envahir,* et surtout *trahison,* qui devient souvent au XVIe siècle *traï-son,* en deux syllabes. Ce n'est pas une raison cependant pour prononcer *bayut* ou *cayoutchouc,* comme on fait quelquefois: c'est assez que la *sauce mahonnaise* soit devenue définitivement *mayonnaise.*

Ce n'est pas tout; si, après une voyelle, l'hiatus est tout ce qui reste de l'aspiration, il n'en est pas tout à fait de même de la consonne articulée. *Par h*asard se prononce bien comme *par amour,* sans doute à cause du grand usage qu'on fait de l'expression: ne dit-on pas, dans le peuple, *à l'h*asard de la fourchette? Mais *par h*auteur ne se confond pas avec *par auteur,* et *avoir h*onte s'articule un peu autrement que *fanfaron:* il semble qu'après la consonne il y ait comme une espèce d'arrêt ou d'hésitation, une espèce d'hiatus, au sens de lacune. Cela est si vrai, qu'on entend parfois *avoir honte,* ce qui, évidemment, est excessif.

[611] On vient de voir que ceux même qui avaient un *h* en latin l'avaient perdu au moyen âge; ils l'ont repris depuis par réaction étymologique.

[612] C'est pourtant ce que fait malencontreusement Musset dans *la Coupe et les Lèvres*:

Capable *de h*uiler une porte secrète.

[613] *Hiéroglyphe* n'est pas aspiré dans La Fontaine, *Fables*, IX, 8:

Ce sont ici *hiéroglyphes* tout purs;

on prononçait alors *jéroglyphes*, tout comme Racine prononçait *Jérôme* en écrivant *Hiérosme*, dans *les Plaideurs*, II, 4.

[614] Le mot *hyène* n'est pas dans le même cas que *yacht, yak, yatagan, yole, yucca, youyou*: nous avons vu plus haut, page 152 et suivantes, que ces mots, où l'*y* est semi-voyelle, sont toujours traités comme s'ils avaient un *h* aspiré, de même que *oui* dans certains cas, et quelques autres, particulièrement *uhlan*.

[615] Notamment dans ces mots sur lesquels on se trompe quelquefois: h*alle*, h*ameau*, h*anche*, h*anneton*, h*anter*, h*arasser*, h*ardi*, h*areng*, h*aricot*, h*arnais*, h*asard*, h*ibou*, h*ideux*, h*oche*, h*ochet*, h*omard*, h*onnir*, h*onte*, h*onteux*, h*oue*, h*oux*, h*oublon*. On se rappelle encore la «scie» du Moulin-Rouge: En voulez-vous *de*(s) *z*h*omards?* Ces erreurs ne sont pas nouvelles. Ainsi Scarron fait plusieurs fois l'*h* muet dans h*allebarde*, h*ardi*, h*asarder*, h*aïr* ou h*aine*, sans compter une dizaine d'autres, et Voltaire dans h*arassé*. V. Hugo, dans *les Gueux*, a encore fait l'*h* muet dans h*aridelle*. Tous ces mots ont l'*h* aspiré. Pourtant, quand nous avons adopté récemment en géographie le mot h*interland*, nous lui avons fait l'*h* muet.

[616] Quelques *h* aspirés nous viennent aussi d'ailleurs. Ainsi l'italien nous a donné h*alte*; l'espagnol, h*âbler* et h*amac* (mais l'*h* est muet dans (h)*idalgo*, malgré Rostand, *Cyrano*, IV, 5, et dans (h)*ombre*); l'arabe, h*aschisch*, h*aras*, h*arem*, h*enné*, h*ouri*, h*ousse*; le hongrois, h*ongre*, h*ousard* et h*ussard* (mais h*eiduque* a l'*h* muet); le tartare, h*orde*; le valaque, h*ospodar*. L'hébreu h*osanna* a l'*h* muet au moins au singulier, et la liaison s'impose dans *un h*osanna; mais j'avoue que le pluriel serait gênant.

[617] Dans *ex*h*ausser* (egzôcé), l'*h* est forcément devenu muet. On disait aussi *la maison d'H*autefort, et on dit encore, à Paris, *rue d'H*auteville, *rue d'H*autpoul.

[618] Mais il n'a pas été toujours aspiré: Scarron le fait *toujours* muet.

[619] De même dans h*oc* et même h*ile*: pouvait-on dire *l'h*ile?

[620] Notamment celles de h*aste*, h*âtier*, h*ernie*, h*erse* et h*ercheur*. Pour certains mots, l'usage a varié. Ainsi Corneille aspire h*ésiter* dans les premières éditions du *Menteur*, et il n'est pas le seul; Molière aspire h*ier*, et d'autres poètes aussi, jusqu'à Banville (il s'agit naturellement de *hier*, monosyllabe: voir sur ce point notre article sur *les Innovations prosodiques chez Corneille*, dans la *Revue d'histoire littéraire*, 1913).

[621] Car il vient d'*octo*. Cet *h* a été mis devant *uit*, ainsi que devant *uile* (oléum), *uis* (ostium) et *uître* (ostrea), afin de distinguer ces mots de *vit*, *vile*, *vis*, *vitre*, à l'époque où l'*u* et le *v* n'avaient qu'un seul caractère dans l'impression, comme *i* et *j*; l'*h* marquait donc le caractère *vocalique* de l'*u*, et n'aspirait nullement ces mots.

[622] On prononce naturellement *quatre-vingt-h*uit comme *quatre-vingt-deux*, et aussi *cent-h*uit, sans liaison. Mais Scarron dit fort bien, dans *Don Japhet d'Arménie*:

Mon cousin aux deux mille huitantième degré;

et Mendès fait un vers faux, en même temps qu'une faute d'orthographe, quand il dit à la fin d'*Hespérus*:

C'était le seize avril mille huit cent soixante.

[623] Le *Dictionnaire général* oublie l'*h* aspiré de h*éraut*, comme celui de h*ersé* et h*ersage*; en revanche, il aspire mal à propos celui d'(h)*anséatique*, d'(h)*umus* et d'(h)*urluberlu*.

Il en est des noms propres comme des autres. Ceux qui sont d'origine latine ou grecque ont l'*h* muet: (H)*arpagon*, (H)*ébé*, (H)*ébreux*, (H)*écate*, (H)*ippolyte*, (H)*orace*, etc. Ceux qui sont d'origine germanique, et ce sont les plus nombreux, sont aspirés la plupart du temps: H*absbourg*, H*ainaut*, H*ampshire*, H*anovre*, H*erder*, H*ollande*, etc., etc., et aussi H*ottentots*, H*uns*, H*urons*, H*urepoix*. Il y a cependant une certaine tendance à supprimer leur aspiration. Ainsi l'*h* est muet dans (H)*alifax*, (H)*amilton*, (H)*amlet*, (H)*astings*, (H)*ausmann*, (H)*ébrides*, (H)*écla*, (H)*ermann*, (H)*udson*; a fortiori dans (H)*arcourt*, (H)*arfleur* et (H)*onfleur*, (H)*autpoul*, (H)*éloïse*, (H)*enri*, (H)*érault*, (H)*ortense* (et par suite *hortensia*), (H)*yères*, etc., et aussi dans (H)*aïti*. Il l'a été autrefois dans les expressions: *toile d'*(H)*ollande* ou *fromage d'*(H)*ollande*, *point d'*(H)*ongrie* et *eau de la reine d'*(H)*ongrie*; et Corneille écrit même, en prose, *guerre d'*(H)*ollande*, *campagne d'*(H)*ollande*. Mais cela n'a jamais passé pour nécessaire, et cela serait incorrect aujourd'hui. On ne saurait dire non plus, avec V. Hugo, dans *la Marquise Zabeth*:

C'est un de ces bouquets qu'on a pour trente sous
Chez la fleuriste, au coin du pavillon d'*Hanovre*.

Je pense que les noms géographiques, comme *Hanovre* et *Hollande*, subissent moins facilement ce traitement que les noms de personne, même *Jeanne* (H)*achette* ou (H)*amlet*, déjà cité. C'est pourquoi on critiquera encore ce vers de V. Hugo, dans le *Prélude* des *Quatre Vents de l'Esprit*:

Il est l'âcre Archiloque et *le Hamlet* amer.

Henri a été longtemps aspiré, et Voltaire l'aspire régulièrement dans *la Henriade*. *Henriade* est toujours aspiré, mais *Henri* ne l'est plus guère, et l'on dit avec élision: *vive* (H)*enri IV!* avec liaison: *un* (H)*enri, deux* (H)*enri, c'est* (H)*enri*. Pourtant *le règne de Henri IV* n'est pas encore inusité. L'*h* d'(H)*enriette* est encore plus muet que celui d'(H)*enri* et depuis plus longtemps. On a autrefois repris Molière, au témoignage de Richelet, pour avoir dit:

Clitandre auprès de vous me fait son interprète,
Et son cœur est épris des grâces d'*Henriette*.
Les Femmes savantes, acte II, scène 3.

Aujourd'hui rien n'est plus naturel. Pour *Hugo*, l'usage n'est pas fixé.

[624] Dans les anciens textes, il ne se distingue pas typographiquement de l'*i*, mais il se prononce *j* tout de même.

[625] Aux noms propres français s'ajoutent naturellement les noms bibliques et anciens: *Jacob, Japhet, Jéhu, Jephté, Jourdain*, etc., y compris *Joachim*; *Japet* (quelques-uns disent *yapè*), *Jason* et *Jocaste*; *Janus, Jugurtha, Juvénal*, etc., et aussi *Jansénius* ou *Jornandès*.

[626] De même dans l'italien *Bojardo, Porto-Ferrajo, Ghirlandajo*, etc.; en tête des mots, dans l'allemand *Jahn, Johannesburg, Johannisberg, Jungfrau*, etc. (mais *Juliers* est français); dans *Janina, Jassy* et *Sarajevo*, qu'on peut écrire aussi par un *i*; dans *Prjevalski, Nordenskjœld, Bjœrnstierne-Bjœrnson, Jonkœping, Solvejg*, etc. Dans *Ajaccio, Joconde* et *Majorque*, le *j* est francisé, quoiqu'on prononce aussi *Mayorque*, à l'espagnole, dans le Midi (esp. *Mallorca*). On prononce aussi *j* dans *Jagellons, Java, Jordaëns, Jutland*.

[627] Ou *James, Jefferson, John Bull, Jones, Johnson*, etc. Mais *Jenner* et *Jersey* sont francisés aussi bien que *Jamaïque*. Le *d* s'écrit devant la chuintante dans les noms arabes: *Djerba, Djérid, Djibouti, Djinns, Djidjelli, Djurdjura* (écrit quelquefois *Jurjura*), *Al-Djézireh*, etc., et aussi quelquefois dans *Djaggernat*. Le *j* espagnol a un son guttural que nous n'avons pas l'habitude de conserver,

notamment dans *Juan*, qui est francisé, et dans *Juarez*. On sait que ce *j* est la même lettre que l'*x* de *Xérès* ou *Ximénès*, que nous prononçons *k*.

[628] De même *Yo*rk, *Co*rk: et même après une nasale: *Mon*k.

[629] *De*kkan s'écrit aussi *De*ccan, et les deux *k* s'y prononcent.

[630] Beaucoup de noms bretons commencent par *Ker*, qui signifie *maison*.

En anglais, au commencement des mots, *kn* se prononce *n*: (k)*night*, (k)*nox*, (k)*nock-out*.

[631] Pendant longtemps *pluriel* s'est écrit et prononcé *plurier*, par une fausse analogie avec *singulier*; mais cette orthographe a disparu depuis Vaugelas, et la prononciation en *é*, qui a continué quelque temps, s'est accommodée par la suite à l'écriture.

[632] Au XVIe siècle, les mots *col*, *fol*, *sol*, n'étaient déjà plus que des graphies conventionnelles pour *cou*, *fou*, *sou*, et se prononçaient par *ou*, même devant les voyelles. On conte qu'un jour un instituteur reprit un écolier qui prononçait *col*, en l'invitant à prononcer comme s'il y avait un *u*, et l'écolier, docile, mit un *u* à la place de l'*o*. La prononciation par *ol* a été reprise depuis dans certains cas, pour des raisons d'euphonie, et même il est arrivé que *col* et *cou* ont fait deux substantifs différents. Pour *-eul*, il y a eu des exceptions, mais elles ont disparu: par exemple, on a dit long-temps *linceu*(l), *filleu*(l), *tilleu*(l), sans parler des *l* qu'on ajoutait à *cheveu*(l) ou *moyeu*(l). D'autre part, la finale *-eul* a été souvent mouillée comme dans *Choiseul*, et l'est encore dans *Santeul*; dans les noms communs elle est devenue *-euil* en pareil cas: ainsi *chevreuil* et *écureuil*, venus de *chevreul* (qui est resté comme nom propre) et d'*écureul*. D'autre part, *linceul* tend aujourd'hui encore à devenir *linceuil*. Dans Voltaire (*Henriade*, IV, 449-450), *Bayeul* rime avec *Longueil*, et Delille fait rimer *chèvrefeuil* avec *tilleul* (*Paradis perdu*, IV).

[633] *Tape*cu s'écrit même sans *l*. Mais l'*l* se prononce dans *culbute*, qui ne fait qu'un mot, autrefois *culebute*. Dans les noms propres, l'*l* final se prononce toujours, y compris les mots en *-oul*, *Arnou*l, *Fortou*l, *Hautpou*l, *Mâchecou*l, *Mossou*l.

[634] De même *Du Barra*il, *Du Fa*il, *Ga*il, *Montmira*il (le *Montmirail* de la Marne se prononce *rèle*, et celui de la Sarthe *ral*), *Corbe*il, *Verce*il, *Foucher de Care*il, *Verneu*il, *Auteu*il, *Bourgue*il; voir aussi page 92, note 4.

[635] Mais à quoi bon, puisqu'on ne dit pas *dérèler*?

[636] Et quelques noms propres, comme *Ni*l, *Anqueti*l, *Myrti*l, *Daumesni*l, *Brési*l, etc.

[637] L'*l* final se mouillait tout seul, même après d'autres voyelles que l'*i*: on vient de le voir pour la finale -*eul*. *Rueil* aussi est issu de *Ruel*.

[638] Ce changement a dû être aidé par le fait que le son mouillé semblait à tort nécessiter deux *l*.

[639] Il y en a même un qui a perdu complètement son *l*: c'est *émeri*. Le même phénomène s'est produit dans *pou*(il), *genou*(il), *verrou*(il), malgré *pouilleux*, *agenouiller*, *verrouiller*, à côté de *fenou*il, qui a repris et gardé le sien.

[640] Domergue distingue encore entre *genti*(l) *garçon* sans *l* et *les genti*l(s) avec *l* mouillé.

[641] *Méni*l avait aussi amui son *l*, qui revit ordinairement dans *Méni*l*montant*, comme dans *Daumesni*l ou *Dumesni*l.

[642] Le pédantisme qui a essayé de ressusciter *mou*lt n'a pas manqué d'y prononcer aussi toutes les consonnes, et cela par pure ignorance.

[643] L'*l* ne se prononce pas non plus dans beaucoup de noms propres, notamment dans les noms en -*auld* et -*ault*, -*ould* et -*oult*, comme *La Rochefoucau*(ld), *Châtellerau*(lt), *Arnou*(ld), *Guérou*(lt), avec *Yseu*(lt); de plus, *Chau*(l)*ne*, *Au*(l)*nay*, *Au*(l)*noy*, *Pau*(l)*mier*, *Pau*(l)*my*, *Fau*(l)*quemont*, *Gau*(l)*tier*, de *Sau*(l)*cy*, et autres pareils, où cet *l* a été rétabli abusivement par les étymologistes du XVIᵉ siècle, qui ne le reconnaissaient pas dans l'*u*. On prononce également *Be*(l)*fort*, au moins dans l'Est. Mais on prononce l'*l* dans *Fou*l*ques* et dans *Montgol*f*ier*. Pour *Sainte-Menehould*, les avis sont très partagés: *mene-ou* et *mene-oul* ont des partisans, même locaux, à côté de *menou*, qui est la vraie tradition: seul le *d* paraît n'être encore jamais admis.

[644] On sait que, dans un mot comme *faulx*, l'*l* du latin est représenté trois fois: une première fois dans l'*x*, qui n'est un *x* que par une confusion d'écriture due au moyen âge, où *x* remplaçait *us*; une seconde fois par l'*u*, qui n'est qu'un *l* vocalisé; une troisième fois par l'*l*. Ainsi *chevals* est devenu *cheva*x pour *cheva*us, puis *cheva*ux, puis même pendant quelque temps *cheva*ulx. Dans *aulne* et *faulx*, et aussi dans *Chaulne* et autres, cet *l* a la même valeur que dans *chevaulx*.

[645] Ni *rou-lier* avec *rouiller*, *fourmi-lier* avec *fourmiller*, *fusi-lier* avec *fusiller*, *pi-lier* avec *piller*, ou même *ra*l*lier* avec *railler*. Mais on dit indifféremment *arcade sourci-lière* ou *sourci-yère*: cette exception est justifiée par le voisinage de *sourcilleux* ou *sourciller*, qui ont les *ll* mouillés, sans compter que celui de *sourci*(l) le fut aussi jadis. D'autre part, il y avait autrefois un verbe *rouiller*, sans rapport avec *rouille*: on disait *rouiller les yeux*; ce verbe s'est confondu avec *rou-ler*.

[646] Que Michaëlis et Passy mettent consciencieusement sur le même pied que *celui*, de même qu'ils acceptent *mi-lieu* et *mi-yeu*, *fami-lier* et *fami-yer*, etc.

[647] Enregistré aussi par Michaëlis et Passy.

[648] On a vu plus haut des cas analogues, à propos de l'*e muet*: voir pages 182 et 183.

[649] On évitera aussi le changement de *l* en *n*, comme dans *caneçon* et *nentilles*, qui sont fort anciens tous les deux; ou encore l'agglutination de l'article avec le mot, phénomène qui nous a donné *landier*, *lendemain*, *lendit*, *lierre*, *lingot*, *loriot*, *luette*, mais non *lévier*: ce serait assurément tout aussi naturel, mais le mot *évier* a été jusqu'à présent plus heureux que les autres, et on fera bien de laisser *le lévier* à la cuisinière.

[650] De même dans les noms propres: *Noailles*, *Versailles*, *Corneille*, *Marseille*, etc., *Baillet*, *Bailly*, *Neuilly*, etc., avec *Pauillac*.

[651] Autrefois il y en avait bien davantage, par exemple *genti*(l)*le* avec *genti*(l)*lesse*, *angui*(l)*le* et *pasti*(l)*le*, qu'on ne connaît plus du tout, avec *camomi*(l)*le* et *Cami*(l)*le*, qu'on n'entend plus que très rarement.

[652] Avec les noms en **-ylle**, également savants, *siby*(l)*le*, *idy*(l)*le*, *chlorophy*(l)*le* et *psy*(l)*le*.

[653] Il y avait aussi *imbéci*(l)*le* qu'on a réduit à *imbécile*: pourquoi pas aussi bien *tranquile*?

[654] La prononciation non mouillée de *ville* s'est naturellement transmise à tous les noms propres dont il fait partie, et à d'autres aussi par analogie: *Chavi*(l)*le*, *Navi*(l)*le*, *Grévi*(l)*le*, *Latouche-Trévi*(l)*le*, *Bellevi*(l)*le*, *Tocquevi*(l)*le*, *Boutevi*(l)*le*, *Calvi*(l)*le*, *Chervi*(l)*le*, etc., comme *Vi*(l)*lefranche*, *Vi*(l)*ledieu*, *Vi*(l)*lehardouin*, *Vi*(l)*leneuve*, etc. Il s'est même produit ici un phénomène inverse de celui qui se produit d'ordinaire: un mot à finale mouillée qui a cessé de se mouiller. C'est assurément la prononciation de *ville*, qui a fait altérer celle de *Séville*, quoiqu'il n'y ait aucun rapport entre eux. L'espagnol mouille *Sevilla*, et Corneille, dans *le Cid*, ne s'y trompe pas: il fait rimer *Séville* avec *Castille* et non avec *vi*(l)*le* (voir acte II, scène 6). Or aujourd'hui les chanteurs parlent du *Barbier de Sévi*(l)*le*, et la Comédie-Française en fait autant. C'est, en somme, une grave erreur, et tant que l'espagnol sera là pour maintenir le son véritable, j'estime qu'on doit essayer de faire prévaloir la prononciation correcte, qui est mouillée. Je pense qu'il faut mouiller de même *Surville*. Le son mouillé s'est d'ailleurs maintenu dans deux mots de la langue en *-ville*: *chevi*lle et *recroquevi*lle.

Aux noms propres en *-ville*, il faut joindre *I*(l)*le-et-Vilaine*, *Achi*(l)*le*, *Cyri*(l)*le*, *Deli*(l)*le*, *Gi*(l)*le*, pris souvent comme nom commun, *Li*(l)*le*, qui est mis pour *l'île*, et *Li*(l)*lebonne*, *Mabi*(l)*le*, *Régi*(l)*le*, *Exi*(l)*les*, avec *Trasy*(l)*le* et *Bathy*(l)*le*. *Faucilles* est confondu à tort avec le nom commun *fauci*lle, et devrait s'écrire *Fauciles*, mais il est difficile de réagir, étant donnée l'orthographe.

[655] Ajouter la plupart des noms propres: *Aurillac, Billaut, Billot, Billy* ou *Debilly, Bobillot, Chantilly, Condillac, Gentilly, Guillaume, Guillaumet, Guilleragues, Guillot, Guillotière, Guillotin* (et *guillotine*), *Marillac, Millot, Milly, Sillé, Sillery, Tilly, Varillas, Villeurbanne,* et tous les noms en *-illon,* sauf *Di(l)lon,* qui n'est pas français, mais y compris *Villon.* Il est vrai que *Vi(l)lon* est, en fait, beaucoup plus répandu aujourd'hui, toujours à cause de *ville,* comme pour *Séville;* mais *Villon* est sans rapport avec *ville,* et d'autre part ce poète fait toujours rimer son nom, non pas avec des mots en *-lon,* mais avec des mots en *-illon* (i-yon). Il y a donc là une erreur qu'on *doit* corriger, puisqu'il s'agit d'un nom propre dont le son est toujours vivant dans les vers du poète, et que, d'ailleurs, ce nom suit tout simplement la règle générale. C'était aussi l'avis de Gaston Pâris.

[656] J'en puis dire autant pour *Santillane* et *Melilla,* qu'on ne mouille guère, sous prétexte que ce sont des noms étrangers, et qu'on devrait mouiller. Pourtant on mouille ordinairement *Zorilla* et *Murillo.*

[657] Voir plus haut, page 190, ce qui a été dit de *fuyions, fuyiez.*

[658] Pourtant *cu-iller* et *cu-illerée* prononcés par *u* ne sont pas très rares; quelques-uns même prononcent *keu-yèr,* mais ceci est détestable.

[659] De même qu'on prononce *Ju-illy* et non *Jui-lly.* Sans l'*i,* on prononcerait *ju-let* et *ju-ly.* Ainsi les *ll* de *Sully* sont mouillés dans la prononciation locale (Bourgogne), et Domergue les mouille encore; mais faute d'*i, Su-ly* a prévalu en histoire, comme dans le prénom. D'autre part *Boilly* se prononce *boi-yi.*

L'exemple de *Sully* montre que l'*i* n'était pas plus nécessaire autrefois pour mouiller l'*l* double que pour mouiller l'*l* final; et *Bernoulli* se prononce en mouillant, comme *olla podrida,* qui a donné *oille* (o-ye) en français. *Oille* est d'ailleurs le seul mot de cette finale, car *La Trémoille* se prononce et peut s'écrire *La Trémouille,* et *Maroi(l)les* n'est pas mouillé. En espagnol, l'*l* double est aussi mouillé sans *i,* et beaucoup de personnes, même en France, mouillent correctement *Valladolid,* comme s'il y avait un *yod:* cf. *Mallorca,* qui est *Majorque,* prononcé *mayorque* dans le Midi.

[660] C'est probablement le voisinage de *mille* et *ville,* qui a permis à *Mi(l)lais, Mi(l)let, Mi(l)lerand, Mi(l)levoye, Mi(l)lin,* à *Vi(l)lars, Vi(l)laret-Joyeuse, Vi(l)lèle, Vi(l)lemain, Vi(l)lette, Vi(l)loison, Vi(l)lemessant, Vi(l)lers, Vi(l)lers-Cotterets, Vi(l)lersexel,* etc., de se maintenir sans se mouiller. De même *Li(l)lers.* On ne mouille pas non plus les noms en *-viller* à *r* sonore: *Bischvi(l)ler, Bouxvi(l)ler, Fræschvi(l)ler, Guebvi(l)ler,* et on a tort trop souvent de mouiller les noms en *-villier* (*vilié* et non *vi-yé*): *Vi(l)liers, Aubervi(l)liers, Beauvi(l)liers, Brinvi(l)liers, Cuvi(l)lier,* etc., auxquels se joignent *I(l)liers* et *Baraguay d'Hi(l)liers,*

avec *Largi*(l)*lière* ou *La Vri*(l)*lière*. Dans *Mil-lesimo*, *Vil-lafranca*, *Vil-laréal* ou *Vil-laviciosa*, on prononce les deux *l*.

[661] De même dans *Il-lyrie* ou *Il-linois*, comme dans *Amaryl-lis* ou *Syl-la*, l'*l* double ne se mouillant pas après un *y*. On ne mouille pas non plus *Pi*(l)*lnitz* ou *Gri*(l)*lparzer*.

[662] C'est cette analogie même qui a contribué à réduire à un les deux *l*, qu'on prononce en italien; c'est à tort que le *Dictionnaire général* maintient les deux *l* en français, sans doute au nom de l'étymologie.

[663] Michaëlis et Passy eux-mêmes sont obligés de faire de graves concessions. Nous irons plus loin: au lieu d'examiner les cas où la lettre se prononce double, nous énumérerons ceux où elle se prononce simple, qui sont les moins nombreux.

[664] On dit aussi avec un seul *l*: *A*(l)*lainval*, *A*(l)*lard*, *A*(l)*lier*, *Ca*(l)*lot*, *Ga*(l)*let*, *Ga*(l)*lifet*, *Ga*(l)*li-Marié*, et, en général, les noms propres français et allemands, et aussi *Wa*(l)*lons*; on dit même le plus souvent *Sa*(l)*luste*, quoique cette réduction soit rare dans les noms propres anciens, et aussi *Walha*(l)*la*.

[665] Et aussi dans *Be*(l)*ley*, *Du Be*(l)*lay*, que beaucoup de gens écorchent, sans compter les dictionnaires, dans *Be*(l)*leau*, *Be*(l)*lone*, *Be*(l)*lune*, *De*(l)*lys*, *Ke*(l)*lermann*, *Pe*(l)*lisson*, *Le Te*(l)*lier*, et, par suite, *papier te*(l)*lière*. L'*l* reste double dans les noms italiens: *Bel-lini*, *Paësiel-lo*, *Zingarel-li*. Je rappelle que l'*e* reste muet, et par conséquent l'*l* simple dans *Chaste*(l)*lain*, *Eve*(l)*lin*, *Ge*(l)*lée*, *More*(l)*let* et *Montpe*(l)*lier*.

[666] Avec *Bertho*(l)*let*, *Co*(l)*lé*, *Co*(l)*lot* d'*Herbois*, *Ho*(l)*lande*, *Mio*(l)*lis*, *Ro*(l)*lin*, *Ro*(l)*lon*, et ordinairement *Champo*(l)*lion*, parfois même *Po*(l)*lux*, quoique ancien.

[667] Et aussi *Lu*(l)*ly* ou *Su*(l)*ly*.

[668] Le pronom de la troisième personne est, en effet, *i* tout court, pour le peuple: *i*(l) *vient*, sauf devant un *l*; donc, à *i ll'a*, correspond *tu ll'as*.

[669] Tandis que *Llorente* se prononce *liorante*.

Il convient de distinguer *ll* anglais, qui se prononce *l*, de *ll* catalan (y compris les Basses-Pyrénées), qui fait *li*.

[670] Ni L(h)*éritier* ou L(h)*omond* ou L(h)*uillier*; mais on mouille les noms méridionaux. Et il faut noter que, là encore, après *a*, *e*, *u*, un *i* s'intercale entre la voyelle et l'*l*: à côté de *Paladilhe*, *Milhau*, *Marilhat*, *Jumilhac*, on a *Cailhava*, *Gailhard*, *Pardailhac*, *Pardailhan*, *Meilhac*, *Meilhan*, *Treilhan*, *Bouilhet*, *Genouilhac*. Toutefois, là non plus, l'*i* n'était pas nécessaire, et il est souvent ajouté: *Pardailhac*, par exemple, s'écrivait *Pardalhac*; seulement jamais les Parisiens ne mouilleront *lh* sans *i*, et on ne prononce pas *Nolhac* autrement que *nolac*. Je

pense que *Greffulhe* est dans le même cas. Pour le groupe *-gli-*mouillé, voir plus haut, page 246.

[671] Voir pages 129-130, et pour *Joachim*, page 225, note 2.

[672] De même *Ham*, *Abraham* ou *Priam*, *Ozanam* ou *Annam*, *Jérusalem* ou *Château-Yquem*, *Ephraïm* ou *Arnim*, *Herculanum* ou *Epsom*. A fortiori *Malcolm*.

[673] Voir encore page 129, note 2. Le *b* ou le *p* ne font pas forcément nasaliser certains mots étrangers, comme *Bembo*, *Lemberg*, *Pembroke*, *Schomberg* et *Schaumbourg*, *Kimberley*, et autres moins connus. Voir les noms nasalisés, pages 135, note 1, 144, note 2, 146, note 3, 148, note 4, et 149, note 1.

[674] Ce sont presque tous des mots latins, ou des noms propres étrangers: *Flamsteed*, *Kamtchatka* et *Kamtschadales*, *Ramsay*, *Ramsès*, *Ramsgate*; *Emden*, *Ems*, *Kremlin*, *Memling*, *Nemrod*, *Potemkin*, *Semlin*, *Tlemcen*; *Himly*, *Timgad*; *Cromwell*, *Omsk* et *Tomsk*, etc.

[675] *Hymne* rimait avec *-ine* ou *-inne*, et Ronsard écrit volontiers *hynne* ou *hinne*. Il en était de même de *di(g)ne* ou *si(g)ne*: voir plus loin, au chapitre de l'*N*.

[676] Sur ce mot, voir page 75.

[677] De même dans *Agamem-non*, *Clytem-nestre*, *Com-nène*, *Vertum-ne*.

[678] Ch. Nyrop cite l'anecdote suivante: «On demandait à une dame comment elle se portait.—Oh! répondit-elle, je souffre beaucoup d'un *rhumatisse*.—En ce cas-là, Madame, lui répondit-on, faites beaucoup d'*exercisme*.»

[679] Voir plus haut, page 132.

[680] Naturellement on dit *Em-ma* ou *Em-maüs*, mais plutôt *E(m)manuel*, comme *E(m)melines* et *Je(m)mapes*.

[681] Le *Dictionnaire général* indique l'*m* double dans tous et même dans *gram-maire*, ce qui est un peu surprenant. On ne prononce généralement qu'un *m* dans *Gra(m)mont* ou *La(m)mermoor*, mais deux dans *Am-mien*, *Am-mon*, *Am-monites*, *Cim-mériens*, *Sym-maque*.

[682] D'ailleurs, pour conserver la nasale, on devrait écrire plutôt *in-mangeable*, comme on écrit *inlassable* (exemple unique et déplorable, encore inconnu des dictionnaires), à côté de *il-lisible* et *il-logique*, qui pourtant ont été formés directement, eux aussi, sur des mots français. Puisque l'occasion s'en présente, je voudrais joindre ma protestation à celle d'Émile Faguet contre l'intrusion extraordinaire de ce barbarisme inutile, à la place d'*infatigable*, qui

était excellent. Mais c'est un fait qu'on ne peut plus, aujourd'hui, ouvrir un livre ou un journal sans y trouver *inlassable* ou *inlassablement*, et qu'*infatigable* a *complètement* disparu. Qui nous dira pourquoi?

[683] Le *Dictionnaire général*, qui admettait les deux *m* dans *gra*m-m*aire*, les refuse dans ces deux mots. Ajoutons que, dans les cafés, on entend souvent *conso*m-m*ation*, ce qui est fort prétentieux.

[684] Et aussi dans *Co*(m)m*ines*, *Co*(m)m*entry*, *Co*(m)m*ercy*, *Co*(m)m*inges*.

[685] Voir au chapitre des nasales, page 138, note 1.

[686] *Ade*n, *Anderse*n, *Backhuyse*n, *Bade*n, *Barme*n, *Bayle*n, *Beethove*n, *Berge*n, *Brocke*n, *Carme*n, *Chephre*n, *Cobde*n, *van Dieme*n, *Dryde*n, *Gretche*n, *Hohenstauffe*n, *Ibse*n, *Momsse*n, *Niebelunge*n, *Nieme*n, *Pose*n, *Reischoffe*n, *Thorwaldse*n, *Tlemce*n, *Yéme*n, etc., avec *Anne de Boley*n. On peut y joindre au besoin *Haydn*, qu'on prononce quelquefois *Hayde*n: il paraît qu'*Haydn* a signé une fois *Hayden*; mais cette prononciation est aujourd'hui surannée. Les moins connus de ces noms propres en *-en* doivent se prononcer de préférence à l'allemande, c'est-à-dire en faisant à peine entendre l'*e*: *Meining*(e)*n* et même, *Niebelung*(e)*n*. Dans *Wi*(e)*sbade*(n), l'*n* ne se prononce pas.

[687] *Ahrima*n, *Flaxma*n, et surtout les noms en *-mann*, bien entendu.

[688] Voir au chapitre des nasales, page 146, note 1.

[689] Voir au chapitre des nasales, page 148. A l'époque où la consonne finale se prononçait dans tous les noms de nombre, y compris *deux* et *trois*, elle se prononçait aussi dans *un*, sous la forme *eune*, d'abord; aujourd'hui encore, on marque la mesure par *une*, *deux*, ce qui est certainement un reliquat de l'ancienne prononciation de *un*.

[690] L'*n* n'est final après consonne que dans quelques noms propres. Or il est muet dans la prononciation locale de *Tar*(n) et *Béar*(n). Mais cette prononciation ne s'est pas imposée au reste de la France, et les personnes instruites, originaires de la région où coule le *Tarn*, prononcent couramment *Tarne*, et surtout *Tar-net-Garonne*. De même *Elo*rn, et, a fortiori, les noms étrangers, *Ho*rn, *Paderbo*rn, *Seve*rn ou *Lincol*n. Cependant les maisons nobles de *Béar*(n) et d'*Isar*(n) continuent à omettre l'*n*.

[691] Voir encore au chapitre des nasales, pages 138 et 139.

[692] Et encore pas toujours: voir page 132. Mais il est distinct dans beaucoup de noms étrangers, comme *Sta*nley, *Be*ntivoglio, *Appe*nzell: voir au chapitre des nasales, pages 135, 145, 146, 149.

[693] De même *Logro*ño ou *Angra-Peque*ña. En portugais, le même son est représenté par *nh*, et *señor* s'écrit *se*nhor; il faut donc mouiller *Mi*nho ou *Tristan da Cu*nha.

[694] On ne saura jamais pourquoi tel verbe est en -*onner* et tel autre en -*oner*.

[695] Et aussi dans les noms anciens: *Ha*n-n*on*, *Pa*n-n*onie*, *Perpe*n-n*a*, *Porse*n-n*a*, *Se*n-n*aar*, *Se*n-n*achérib*, *Ape*n-n*ins*, *E*n-n*ius*, *Bre*n-n*us*, *Ci*n-n*a*, *Cinci*n-n*atus*, *Eri*n-n*ye*, etc. Toutefois *A*(n)*nibal* est tellement connu qu'on y prononce généralement l'*n* simple. L'*n* est encore double assez souvent dans *A*n-n*a*, *A*n-n*aam*, *A*n-n*apolis*, *Sa*n-n*azar*, *Li*n-n*é*, *Co*n-n*ecticut*, *Yu*n-n*an*, etc. L'*n* est simple dans *A*(n)*nonay*, *A*(n)*nunzio*, *Je*(n)*ner*, *Je*(n)*ny*, *Te*(n)*nyson*, *Fi*(n)*nois*, *Co*(n)*naught*.

[696] Voir pages 244-245. On mouille donc par exemple dans *Borgnis-Desbordes*, *Ig*n*ace*, *Lusig*n*an*, *Marig*n*an*, *Mag*n*ésie*, *Mag*n*y*, *Marig*n*y*, etc., et dans les noms italiens comme *Ag*n*adel*, *Folig*n*o*, *Leg*n*ano*, *Mante*g*n*a*, *Mascag*n*i*, *Orca*g*n*a*, *Sig*n*orelli*, etc., et *Pu*g*n*o*.

[697] Voir pages 48 et 87. La graphie de *gn* mouillé a été aussi *ngn*: c'est ainsi qu'on écrivait *ivro-ngne*; on sait que *gagner* s'écrivait aussi bien *ga-ngner* que *gai-gner*, voir même *gai-ngner*. Le groupe *ngn* s'est conservé dans *Boullo-ngne*, sans nasaliser l'*o*; mais on prononce aujourd'hui *Bron-gnart*.

[698] Quoique les poètes fassent très bien rimer ce mot avec les mots en *nie*.

[699] Ceci reste d'un temps où l'on prononçait *si*(g)*ne* et *di*(g)*ne*, *mali*(g)*ne* et *béni*(g)*ne*, et même *cy*(g)*ne*, qui rimaient avec -*ine*, ainsi que *hy*(m)*ne*. On sait que dans les armes parlantes de Racine, il y avait un *rat* et un *cygne*, et l'on se rappelle sans doute qu'il eût préféré un *sanglier*! Jusqu'au XVIIIe siècle, on prononça *si*(g)*ner* et *assi*(g)*ner*. On prononça de même *Re*(g)*nard* jusqu'au XIXe siècle, et *Re*(g)*naud*, comme *co*(g)*noistre*. Mais tandis que le *g* de *cognoistre* disparaissait de l'écriture, les noms propres gardaient le leur; aussi leur est-il arrivé le même accident qu'à *Montaigne*: l'orthographe a altéré leur prononciation. Aujourd'hui *Re*(g)*nard* ne se comprendrait plus; encore n'est-ce pas un motif pour changer l'*e muet* en *e* fermé, et dire *Régnard* pour *Regnard*, comme il arrive trop souvent: nous avons déjà vu cela, page 170.

[700] Malgré le *Dictionnaire général*.

[701] De même *Fécam*(p), *Decam*(ps), *Guingam*(p), *Loncham*(p), *Descham*(ps), *Cham*(p)*cenetz*, *Cham*(p)*fleuri*, et aussi *Cham*(p)*meslé* et autres pareils, et encore *Dupanlou*(p) et *Tro*(p)*long*. Mais le *p* se prononce dans *Cham*plain.

[702] Et *Ga*p. Mais il n'y a pas si longtemps qu'on disait encore un *ce*(p) *de vigne*, à cause de la consonne qui suit.

[703] Avec *Ale*p ou *Trom*p, a fortiori *Ra*pp ou *Kru*pp, sans compter *Le Ca*p, bien entendu.

[704] Il a été muet même dans *Égy*(p)*te* ou *sce*(p)*tre*, et on a prononcé quelque temps *conce*(pt), *ra*(pt) et *abru*(pt): cf. *succin*(ct), *exa*(ct), *respe*(ct), etc. Il était muet aussi dans *nie*(p)*ce* et *no*(p)*ce*, dans *e*(s)*cri*(p)*ture* et aussi dans *a*(p)*vril* et *ne*(p)*veu*, où il n'avait que faire, ce qui ne l'a pas empêché de se maintenir dans *Lene*(p)*veu*. Le *p* initial a aussi été longtemps muet dans (p)*saume* et (p)*sautier* (cf. *tisane* et *Phalsbourg*, où il est tombé): on disait surtout, et même on écrivait *les Sept Seaumes*, si bien que quelques-uns, au témoignage de Henri Estienne, en vinrent à dire *un sesseaume*, ce qui en somme n'est pas plus extraordinaire que de dire un *cent-garde*. Aujourd'hui le *p* initial tombe parfois, mais très familièrement, dans *un* (p)'*tit gars* et autres expressions pareilles.

[705] Y compris *Saint Jean-Ba*(p)*tiste* et *Anaba*(p)*tiste*.

[706] Je ne sais où Michaëlis et Passy ont entendu ces mots sans *p*. Ajouter, naturellement, *Septimanie* et *Septime-Sévère*.

[707] Malgré Michaëlis et Passy.

[708] Ces mots sont peut-être les seuls qu'indique le *Dictionnaire général*. Notons pourtant qu'on prononce fort bien *hi*(p)*podrome*, *hi*(p)*popotame* et *Hi*(p)*polyte* avec un seul *p*.

[709] Le *p* se double ordinairement dans *Ap*-p*ien*, *Ap*-p*ius*, *Philip*-p*iques*, dans *Mazep*-p*a*, dans les mots italiens comme *Bep*-p*o*, jamais dans *Co*(p)*pée*, ni par suite dans *Co*(p)*pélia*, ni dans *Co*(p)*pet*.

[710] Pourquoi pas *filosofie* aussi bien que *fantaisie*?

[711] Notamment dans *co*(q) *d'Inde*, aujourd'hui remplacé par *dinde* ou plutôt par *dindon*; mais on a presque toujours dit *coq de bruyère*. Au pluriel, on disait *des cô*.

[712] Voir ce qui est dit de *neuf*, page 233: *cinque francs*, très répandu, est particulièrement désobligeant pour une oreille délicate. On distingue aujourd'hui *cinq mars*, qui est la date, et *Cin*(q)-*Mar*(s), nom propre, qui a conservé la prononciation traditionnelle. Dans *Lecocq*, *Lestocq*, *Vicq-d'Azyr*, *Ourcq*, et autres, le *q* ne change rien au *c*, et dans *Lecler*(cq), ils ne se prononcent ni l'un ni l'autre.

[713] Dans *piqûre*, sous prétexte de pas mettre deux *u* de suite, on a fondu ensemble celui du groupe *qu* et celui du suffixe *-ure*.

[714] Voir plus haut, p. 241. On évitera plus encore de prononcer *t* ou *ti* pour *q*, surtout dans *qui* suivi d'une voyelle, comme dans *cintième!*

[715] Outre les mots latins, *quinquennium*, *tu quoque*, *in utroque jure*, *cuique suum*, etc.

[716] On prononce *ké* dans tous les noms propres français et la plupart des étrangers, comme Qué*bec* ou *Albu*que*rque*. Il y a pourtant un nom français où l'on prononce très souvent l'*u*: c'est *Query*; or il est fort rare qu'on le prononce dans *Q*(u)*ercinois*, même quand on le fait dans *Query*: n'est-ce pas *kerci* qu'on devrait dire, et que vient faire ici cette prononciation savante ou étrangère? On prononce encore l'*u* dans *Queretaro*, *Susquehannah*, *Torquemada*, mais plus guère dans *Angra-Pequeña* ou *Antequera*. L'*u* se prononce *ou* dans *Queensland* et tous les composés de *queen*, et aussi dans *quetsche*, qui est plus allemand que français.

[717] Que Michaëlis et Passy consentent à réduire à trois syllabes: *ob-sé-kyeu*!

[718] On prononce sans *u* tous les noms français: *Aq*(u)*itaine*, *Créq*(u)*i*, *Esq*(u)*irol*, *Forcalq*(u)*ier*, *Montesq*(u)*ieu*, *Q*(u)*iberon*; tous les noms en *quin*, y compris *Tarq*(u)*in*, *Thomas d'Aq*(u)*in* ou *le Dominiq*(u)*in*; tous les noms commençant par *Quin-* (sauf *La Quintinie*), etc., et aussi *Esq*(u)*imaux*, et même *Chuq*(u)*isaca*, ou *Q*(u)*ito*. On fait entendre l'*u* dans les noms latins: *Esquilin*, *Quintus*, *Quirinal*, *Quirinus* et *Quirites*, *Tanaquil* et *Tarquinies*, malgré *Tarq*(u)*in*, et aussi *Quinte-Curce* et *Quintilien*, qui ont été longtemps francisés; mais on prononce généralement *Aq*(u)*ilée* sans *u*. On prononce encore l'*u* dans les noms étrangers, *Aquila*, *Aréquipa*, *Essequibo*, *Esquiros*, *Iquique*.

[719] Parce que, même en latin, nous le prononçons ainsi, de même que *quum* s'articule *come*. Il est vrai que quelques-uns le prononcent depuis quelque temps *cuo* ou *couo*, je ne sais pourquoi: tant que notre manière détestable de prononcer le latin se maintiendra, c'est *co* qui existe seul, notamment dans *Q*(u)*o vadis*.

[720] Malgré Michaëlis et Passy.

[721] Du temps où florissait la loterie, *q*(u)*aterne* était trop populaire pour se prononcer avec *ou*. D'autre part, dans les mots qui commencent par *quinqua*, l'*u* ne peut guère se prononcer dans la seconde syllabe autrement que dans la première: il y faudrait un effort qu'on ne fait pas, et c'est deux fois *u* qu'on entend le plus souvent.

[722] L'*u* se prononce également *ou* dans les mots latins *Quades*, *Quadrifrons*, *Séquanes* ou *Séquanaise*, *Torquatus*, et aussi dans *Brown-Séquard*, *Griqualand*, *don Pasquale* ou *Quarterly-Review*.

[723] Pendant très longtemps l'*r* a été muet dans les mots en **-ir**, **-oir** et **-eur** à féminin *-euse* (probablement par confusion entre *-eur* et *-eux*). Etienne Tabourot, sieur des Accords, raconte, dans ses *Bigarrures et Touches*, qu'il a vu une enseigne, d'opticien sans doute, représentant des chats qui sciaient du bois, ce qui signifiait clairement: *Aux chats scieux*. Ce sont probablement les infinitifs en *-ire* et *-oire* qui ont provoqué la reviviscence de l'*r* dans ceux en -

ir et *-oir*. seul *sortir*, pris substantivement, a résisté quelque temps. Quant aux mots en *-eur*, ce sont les grammairiens qui ont rétabli l'*r*, en distinguant le langage familier du langage soutenu, où ils exigeaient l'*r* partout; mais l'ancienne prononciation n'avait pas encore disparu du bon usage après la Révolution: «*Un porteu, un porteu d'eau, le procureu du roi*, c'est, dit Domergue, la prononciation de l'afféterie ou de l'ignorance.» Elle ne subsiste plus aujourd'hui que dans *monsieu*(r) et *messieu*(rs); mais *péteux* et *oublieux* ne sont qu'un reliquat de l'ancienne prononciation, ainsi que *faucheux*, doublet de *faucheur*. Pour *piqueur*, voir plus haut, p. 94. Dans les mots en *-ar*, *-air*, *-or*, *-ur* et *-our*, l'*r* s'est toujours prononcé. Cependant on a dit *o*(r) *ça*; on a aussi supprimé l'*r* dans *pour*. Tabourot, dans ses *Bigarrures*, assimile *poulets trépassés* à *pou*(r) *les trépassés*; et le peuple fait encore volontiers cette suppression, ainsi que dans *bonjou' M'sieu*. Quant à *su*(r), qu'on entend encore dans le peuple devant un *l* (*su l' banc, su l' journal*), il est possible qu'il vienne de *sus* plutôt que de *sur*.

[724] Il s'y est longtemps prononcé, et avec *é* fermé: *aimér*. Et même l'*r* était tombé dans les autres infinitifs, comme dans les mots en *-oir* et *-eur*, avant de tomber dans les infinitifs en *-er*. Et justement il a revécu partout, tandis qu'il achevait de tomber dans les infinitifs en *-er*, sauf à la rime, où on ouvrait l'*e*.

[725] Où l'*s* n'est que la marque du pluriel. On y ajoute *poulaille*(r) et *oreille*(r), qui ont perdu leur *i* dans l'orthographe, tandis que *quincaillie*(r), *joaillie*(r) et les autres le gardaient: la prononciation est d'ailleurs la même. Au contraire *cuiller*, qui avait aussi le suffixe *-ier* à l'origine (d'où la prononciation ancienne *cui-yé*), est passé, sans doute à cause du genre féminin, à la catégorie des mots où l'*r* se prononce. On ne prononce pas non plus l'*r* dans les noms propres français en *-ier* ou *-iers*, qui ont apparemment le même suffixe: *Fléchie*(r), *Pradie*(r), *Forcalquie*(r), *Poitie*(rs), etc., etc., et aussi *Ténie*(rs); les monosyllabes *Fier* et *Thiers* n'appartiennent pas à cette catégorie, non plus que l'adjectif *fier*, dont nous allons parler.

[726] Le XVIIe siècle faisait ordinairement sonner l'*r* dans l'adjectif *léger*, et l'Académie le maintint jusqu'en 1762. De même dans les adjectifs *entier*, *altier*, etc., sauf *premie*(r) et *dernie*(r), mais y compris *plurier* lui-même, au moins pendant quelque temps. Cela était particulièrement naturel pour *entier* et *altier*, qui n'avaient pas le suffixe *-ier*, l'un venant d'*integrum*, l'autre de l'italien *altiero*. L'Académie maintient encore en 1762 l'*r* d'*altier* qu'elle ne laisse disparaître qu'en 1835. Ainsi tous les adjectifs en *-ier* ont fini par suivre l'analogie des substantifs, à l'exception de *fier* et *cher*. Mais quand on rencontrera chez les classiques ou chez Voltaire la rime de *cher* avec *léger*, ou celle de *fier* avec *altier*, on devra se rappeler que ces rimes étaient parfaitement correctes dans la prononciation normale, tandis que les rimes dites *normandes*, comme celle de *cher* avec *arrache*(r), n'étaient correctes qu'au moyen d'une prononciation

spéciale adoptée ou conservée pour les vers: *arrachèr*, avec *r* sonore, prononciation toujours discutée, mais encore admise au début du XVIIIe siècle. Je n'ai pas besoin de dire que dans V. Hugo ces rimes ne sont plus des rimes:

..... Que j'ai pu blasphé*mer*,
Et vous jeter mes cris comme un enfant qui jette
   Une pierre à la *mer*.
Contempl., IV, 15, *A Villequier.*

Ç'a été le tort de tous les poètes du XIXe siècle de s'imaginer que tout ce qui était bon chez les classiques devait être bon chez eux, comme si la prononciation était la même.

Les noms propres français en *-cher* et *-ger* font naturellement comme les noms communs: *Bouche*(r), *Fouche*(r), *Rouche*(r), *Ange*(rs), *Bérange*(r), *Roge*(r), etc., avec *Suge*(r), sur lequel on se trompe trop souvent. *Alge*(r) s'y est ajouté, après quelque hésitation, ce qui a probablement entraîné *Tange*(r), sur lequel on a hésité plus longtemps. On prononce l'*r* dans *Murger*, qui n'était pas du tout un nom allemand; mais l'auteur lui-même y a consenti, pour donner à son nom une allure plus romantique. On prononce aussi l'*r* dans les monosyllabes *Cher* et *Gers*, et dans *Saint-Eucher*.

[727] On vient de voir dans la note précédente que *entier* et *altier* s'étaient détachés du groupe.

[728] Dans ces mots et les précédents, l'*e* s'est ouvert dès le XVIe siècle, et l'*r* s'y est toujours prononcé. On prononce aussi l'*r* dans les noms propres français qui ne sont pas en **-ier**, **-cher** ou **-ger**. *Rouher*, *Auber*, *Antifer*, *Lillers*, *Frœschwiller* et tous les noms en *-viller*, *Boufflers*, *Locmariaquer*, *Saint-Omer*, *Quimper*, *Prosper*, *Nevers*, *etc.*, ainsi que *Fier*, *Thiers*, *Reyer*, *Cher*, *Saint-Eucher* et *Gers*, comme les adjectifs *fier* et *cher*, et apparemment pour la même raison. Quant à *Gier* on prononce *Gier* pour la rivière et *Rive-de-Gie*(r) pour la ville! Contrairement à la règle, on ne prononce pas l'*r* dans *Gérar(d)me*(r) ni dans *Rambervi(l)le*(rs), ni, croyons-nous, dans *Saint-Seve*(r) comme dans *Tasche*(r).

[729] La différence entre les mots étrangers francisés et ceux qui ne le sont pas porte seulement sur la manière de prononcer l'*e*: voir pages 66 et 67. On prononce l'*r* naturellement dans tous les noms propres anciens, bibliques ou étrangers, même s'ils sont en *-cher* et *-ger*, comme *Pulcher* et *Blücher* ou *Clésinger*, *Egger*, *Fugger*, *Kruger*, *Scaliger*, etc., sauf *Alge*(r) et *Tange*(r).

[730] Nous avons vu aussi que les finales en *-ier* où l'*r* ne se prononce pas, pouvaient, elles aussi, être suivies à l'occasion d'une *s*, qui est alors la marque d'un pluriel, et par suite ne change rien à la prononciation: c'est le cas par exemple de *volontie*(rs) ou de *Poitie*(rs); de même *Ange*(rs). Dans les

autres cas, l'*r* suivi d'*s* se prononce, comme on l'a vu, notamment dans les monosyllabes *tier*(s), *Thier*(s), *Ger*(s).

[731] Voir ci-dessus, page 159. Ajoutons qu'il faut éviter aussi de remplacer *corridor* par *colidor*.

[732] On disait aussi *a*(r)*bre* et *ma*(r)*bre*, que Vaugelas n'approuvait pas.

[733] On sait que l'*r* tombe aussi dans *Ma*(r)*lb*(o)*rou*(gh).

[734] Ils s'y sont toujours prononcés, et on sait qu'autrefois ils se prononçaient même à l'infinitif: *quer-re*, *cour-re*.

[735] Cf. *a*(r)*ranger*, *a*(r)*rêt*, *a*(r)*rière* ou *de*(r)*rière*, *a*(r)*river*, *a*(r)*rondir*, *a*(r)*roser*, etc., et *ba*(r)*rer*, *ca*(r)*ré*, *ja*(r)*ret*, *ga*(r)*rotter*, *cha*(r)*rue*, *cha*(r)*ron*, *la*(r)*ron*, *ma*(r)*ron*, *pa*(r)*rain*, *pa*(r)*ricide*, *sa*(r)*rasin*, *sa*(r)*rau*, etc., et même *dia*(r)*rhée*, mot savant, mais très ancien.

[736] Il en résulte que j'*er-rais*, nous *er-rons*, diffèrent bien peu de j'*errerai*, nous *errerons*, où l'*e* est nécessairement muet; on fera bien de ne pas employer ce verbe au futur ni au conditionnel, de même que le verbe *abhor-rer*.

[737] Pourtant le *Dictionnaire général* donne seulement *te*(r)*reur* et *te*(r)*rible*, et d'autre part il admet uniquement *er-reur*. Des mots comme *pe*(r)*ron*, *pe*(r)*roquet*, *pe*(r)*ruche*, *pe*(r)*ruque*, *se*(r)*rer*, *se*(r)*rure*, *ve*(r)*rat*, *ve*(r)*rier*, *ve*(r)*roterie*, *ve*(r)*rou*, sont restés intacts. De même la plupart des noms commençant par *Fer-* ou *Per-* comme *Clermont-Fe*(r)*rand* ou *Pe*(r)*rault*.

[738] Je ne parle pas de *courrai*, exception signalée plus haut: voir page 297.

[739] L'*r* se prononce volontiers double dans les noms anciens: *Par-rhasius*, *Var-ron*, *Ver-rès* et *Ver-rines*, *Pyr-rha*, *Pyr-rhon*, *Pyr-rhus* et *Tyr-rhéniens*, et *Bur-rhus*, dans *Guer-rero* ou *Her-rero*, peut-être dans *Sor-rente* et *Sur-rey*, mais pas plus dans *Ga*(r)*rick*, *Bo*(r)*rhomées* ou *Co*(r)*rège*, que dans *Guillaume de Lo*(r)*ris* ou *Co*(r)*rèze*.

[740] Domergue note que de son temps quelques actrices, «fidèles aux mauvaises traditions», prononçaient encore l'*s* de *Grecs* et de *Romains*. On ne prononce l'*s* du pluriel qu'en liaison; nous en parlerons ailleurs. Ajoutons que l'*s* du pluriel, quand on cessa de le prononcer, eut longtemps pour effet d'allonger la voyelle finale; cet allongement, qui a disparu de la prononciation courante depuis le XVIIIe siècle, se conserve encore dans certaines provinces.

[741] *Alcarazas* est un pluriel espagnol devenu singulier; le phénomène n'est pas unique: nous allons le retrouver avec *albinos* et *mérinos*, sans compter les noms de cigares.

[742] Dans les noms propres anciens ou étrangers, l's final se prononce toujours: *Barabbas*, *Jonas* et *Jonathas*, *Phidias* et *Cinéas*, *Stanislas* et *Wenceslas*, *Gil Blas*, *Ruy Blas*, *Micromégas* et *Chactas*, *Caracas*, *Damas*, *Madras* et *Texas*, etc., etc. Il faut excepter les *Duka(s)* et naturellement les pluriels: *Papoua(s)*, *Wyndhia(s)*, *Maya(s)*, *Arya(s)*, *Inca(s)*, *Véda(s)*, *Saga(s)*, *Galla(s)*, *Foulah(s)*, *Pourana(s)*, *Damara(s)*, *Soutra(s)*, *Hova(s)*. On prononce l's dans *Visayas*. L's se prononce aussi le plus souvent dans les noms français; mais il y a des exceptions, notamment les prénoms qui, par leur popularité, sont assimilés aux noms communs: *Luca(s)*, *Cola(s)*, *Nicola(s)*, *Thoma(s)*, ainsi que *Juda(s)*. On y joint naturellement *Le Ba(s)* ou *Pays-Ba(s)* et *Félix Gra(s)*, et aussi *Vaugela(s)*, *Duma(s)*, *Maupa(s)* et *Maurepa(s)*, *Dura(s)*, quelquefois *Cala(s)*, *Cuja(s)*; en outre, les noms de l'Ardèche, *Priva(s)*, *Aubena(s)*, etc., avec une ville du comtat, *Carpentra(s)*: c'est à tort qu'on prononce parfois l's dans *Carpentra(s)*. En revanche on prononce régulièrement l's dans *Mathias*, qui l'a repris, n'étant prénom qu'à demi, dans *Alcofribas*, *d'Assas*, *Barras*, *Blacas*, *Calas*, *Cujas*, *Du Bartas*, *Escarbagnas*, *Rabagas*, etc., etc., dans *Las Cases* et dans *Daoulas*, *Arras* ou *Coutras*, aussi bien que dans *Pézenas*, *Valréas* ou *Mas d'Azil*, ou autres *Mas*, et en général les noms du Midi, y compris le Comtat, mais excepté *Carpentra(s)*: on ne sait pas pourquoi, car *Valréas* est au nord de cette ville. Pour *Carabas*, les avis sont partagés: il est certain que l'auteur des *Contes* prononçait sans *s*, et c'est assurément la bonne prononciation; mais j'avoue que la sonorité méridionale de l's convient assez bien au personnage, et il n'est pas impossible qu'elle finisse par prévaloir.

[743] Voir plus haut, pages 60 et 61, note 1.

[744] On prononce aussi et on peut écrire *cacatoi(s)*: le plus simple est de prononcer comme on écrit.

[745] Et dans tous les noms propres: *Agnès*, *Périclès*, *Sieyès* (que l'on prononce *Siès*), *Uzès*, etc. *Decrè(s)* fait exception.

[746] Mais non pourtant dans *Saint-Pierre-ès-liens*, où l'*e* semble s'être fermé. Je rappelle que l'anglais prononce l's même après un *e* muet qui, d'ailleurs, ne s'entend pas, comme dans *Hobbes*, *Cecil Rhodes*, *James*, *Times*, *Jones*, *Serlock Holmes*. Voir aussi page 60, note 2.

[747] De même, par exemple, *La Ferronay(s)*. L's se prononce pourtant dans *Alais*, cas unique. C'était là une orthographe que rien ne justifiait, et beaucoup de gens du pays voulaient fort justement écrire *Alès*, comme on faisait souvent jadis, car l'orthographe adoptée faisait que les non-indigènes prononçaient le plus souvent *Alè*, aussi écrit-on maintenant *Alès*. On prononce aussi l's dans les mots étrangers, *reis* et *milreis*, et dans *Brueys* (bruis).

[748] Mais non dans *pali(s)*, comme le veulent Michaëlis et Passy.

[749] Cela ne convient guère qu'à *fleur de li*(s), qui prend ainsi un air plus oratoire et en quelque sorte plus héraldique. V. Hugo fait souvent rimer *maïs* avec *pays*, et cela était encore admissible de son temps; mais on sait que V. Hugo faisait constamment rimer des finales à consonnes sonores avec des finales à consonnes muettes. Quant à *fi*(l)*s*, on sait que Littré tenait toujours pour *fi*(ls), et Thurot affirme que l'usage était encore partagé de son temps. Partage fort inégal, sans doute.

[750] Avec beaucoup de mots savants: *ungui*s, *pubi*s, *rachi*s et *rachiti*s, *orchi*s, *anagalli*s, *hamaméli*s, *amarylli*s, *syphili*s, *lychni*s, *propoli*s, *anthémi*s, *péni*s, *lapi*s (lazuli), *berbéri*s, *hespéri*s, *ophry*s, *épistaxi*s, *galeopsi*s, *coréopsi*s, *arsi*s, *thési*s, *satyriasi*s, *pityasi*s, *éléphantiasi*s, *phymosi*s, *paréati*s, *isati*s, *oarysti*s, etc.

[751] Après *i* comme après *a*, l's final se prononce toujours dans les noms propres anciens ou étrangers: *Adoni*s, *Anubi*s, *Api*s, *Briséi*s, *Cypri*s, *Daphni*s, *Isi*s, *Laï*s, *Memphi*s, *Pâri*s, *Sémirami*s, *Théti*s ou *Tirci*s; *Davi*s, *Delly*s, *Lascari*s, *Tauri*s, *Tuni*s, *Walpurgi*s, *Willi*s, etc., et même *Médici*s, quoique l'italien soit *Médici*; toutefois *Deny*(s) a subi l'analogie du prénom français, *Deni*(s). L's se prononce aussi le plus souvent dans les noms français autres que les prénoms: *Amadi*s, *Arami*s, *Azaï*s, *Berni*s, *Cabani*s, *Clovi*s, *Dami*s, *Duci*s, *Féti*s, *Genli*s, *Griséldi*s, *Léri*s, *Nangi*s, *Puvi*s, *Raminagrobi*s, *Sourdi*s, *Vestri*s, avec *Auni*s, *Lorri*s, *Senli*s, *le roi d'Y*s, etc., et peut-être aussi *Cambrési*s et *Beauvaisi*s, avec le prénom *Franci*s. L's est muet dans les autres prénoms: *Loui*(s), *Deni*(s) ou *Deny*(s) et *Alexi*(s); dans *Dupui*(s), *Empi*(s), *Maupertui*(s) et *Duplessi*(s); dans *Arci*(s)*-sur-Aube*, *Chabli*(s), *Montargi*(s), *Mont-Ceni*(s), *Néri*(s)*-les-Bains*, *Pari*(s) ville, *Plessi*(s)*-les-Tours*. Dans *Abénaki*(s), *Achanli*(s), *Alleghany*(s), *Andely*(s), *Guarani*(s), *Kimri*(s), *Maori*(s), *Osmanli*(s), *Parsi*(s), *Somali*(s), l's ne se prononce pas non plus, étant seulement la marque du pluriel.

[752] De même *Orpheu*s, *Zeu*s, etc., qu'il ne faut pas décomposer en *Orphé-us* ou *Zé-us*, comme l'a fait parfois V. Hugo: voir plus haut, page 92, note 2.

[753] Voir plus haut, page 102. L's ne se prononce donc pas dans *campo*(s).

[754] Cf. *alcaraza*s. L's de *trabuco*s n'est aussi que la marque du pluriel; mais ce mot paraît devoir faire en français comme *albino*s. On prononce aussi l's dans le pluriel *fuero*s, qui n'est connu que comme pluriel.

[755] Et une foule de noms propres également grecs, auxquels se joignent, par analogie ou autrement, *Calvado*s, *Chando*s, *Burgo*s, *Dubo*s, *Carlo*s, *Molino*s, *Esquiro*s, *Hycso*s, *Catho*s, *Atho*s et *Portho*s. Pour la prononciation de l'*o* dans tous ces mots, voir pages 102 et 103. Ajouter *blockau*s. L's est muet dans *Duclo*(s), *Duco*(s), *Salomon de Cau*(s) et *Wattrelo*(s); dans *Aïno*(s), *Botocudo*(s),

Chiquito(s), *Gaucho*(s), l'*s* n'est que la marque du pluriel, et nous considérons ces mots comme assez connus pour les prononcer à la française.

[756] Ajouter *Péipou*s, *Bonafou*s, *Frayssinou*s. *Papou*(s) est un pluriel comme *Andalou*(s).

[757] Comme *détritu*s ne s'emploie guère qu'au pluriel, beaucoup de personnes prennent probablement son *s* pour le signe du pluriel et prononcent *détritu*(s); cela est tout à fait injustifié. D'autre part, quand *Carolu*s était populaire, l'*s* y était muet.

[758] *Abu*(s) et *cabu*(s), *refu*(s), *diffu*(s), *infu*(s) et *confu*(s), *ju*(s) et *verju*(s), *talu*(s), *reclu*(s), *inclu*(s) et *perclu*(s), *plu*(s) et *surplu*(s), *camu*(s), *pu*(s), *intru*(s) et *abstru*(s), *dessu*(s), *jésu*(s), *obtu*(s) et *contu*(s), et les prétérits *eu*(s), *fu*(s), *couru*(s), *aperçu*(s), etc.

[759] Naturellement on ne parle pas des liaisons, dont il sera question ailleurs.

[760] Pourtant on dit quelquefois *tantôt plu*s, *tantôt moins*.

[761] On prononce naturellement l'*s* dans les noms propres latins, ou simplement latinisés, ou formés sur le modèle des noms latins, comme *Janséniu*s, *Stradivariu*s et *Confuciu*s, *Nostradamu*s et *Ramu*s, *Moru*s et *Diafoiru*s, etc.; et aussi dans beaucoup de noms propres méridionaux ou étrangers: *Artu*s, *Cabarru*s, *Caylu*s, *Cheveru*s, *Malthu*s et *Picpu*s, *Fleuru*s et *Fréju*s, etc., avec *Eviradnu*s. Ceux où l'*s* ne se prononce pas sont moins connus: *Châlu*(s) et *Châtelu*(s), *Camu*(s), *Tournu*(s), *Vertu*(s). Mais il faut y joindre un autre nom où l'*s* ne se prononce pas, précisément parce qu'il est très populaire, et traité comme les prénoms: c'est *Jésu*(s). Encore les protestants affectent-ils de rétablir l'*s*, par respect, pour que le nom ressemble moins à un mot de l'usage commun, et peut-être aussi pour se distinguer des catholiques; et cette prononciation de *Jésu*s a été adoptée par un grand nombre de savants, ou simplement de libres penseurs, avec l'arrière-pensée d'assimiler le personnage à tous les autres personnages de l'histoire, ce qui n'est plus tout à fait du respect. On parlera de *Jésus-Christ* au chapitre du *T*.

[762] Que j'ai entendu à la Comédie-Française, dans la bouche d'André Brunot, si je ne me trompe. Michaëlis et Passy ne paraissent pas savoir que cette prononciation est tournée en ridicule.

[763] L'*s* de *bon sen*s est particulièrement utile pour distinguer cette expression de *se faire du bon sang*.

[764] C'est tout simplement une altération de *c'en devant derrière* et *c'en dessus dessous*.

[765] Dans les noms propres en *-ans* ou *-ens*, prononcés par *an*, l'*s* est normalement muet: *Conflan*(s), *Louhan*(s), *Le Man*(s), *Orléan*(s), *Jouffroy d'Abban*(s), *Constan*(s), etc., avec *Decam*(ps), *Descham*(ps), *Confolen*(s), *Doullen*(s), *Furen*(s), et *Saint-Saën*(s), de la Seine-Inférieure, enfin *Claren*(s), Mme *de Waren*(s); on prononce néanmoins l'*s* dans *Huysman*s, *Exelman*s, *Paixhan*s, noms étrangers ou méridionaux, et, d'autre part, dans *Argen*s, *Len*s et *Sen*s, *Jean-Paul Lauren*s, *Dulauren*s, *Saint-Saën*s, le musicien, et *Jordaen*s: voir page 133, note 3. Quand *-ens* se prononce par *in*, mais seulement après une consonne, ce qui élimine *Amien*(s) et *Damien*(s), l'*s* se prononce toujours: voir page 139, note 2. Les noms en *-ins* font comme les noms en *ans*: *Salin*(s), *Moulin*(s), *des Ursin*(s), *Provin*(s), *Vervin*(s), *Norvin*(s), etc.; mais on prononce l'*s* dans *Tonnein*s et *Lérin*s, et même dans *Reim*s, qui n'est pourtant pas du Midi, mais qui est un monosyllabe. L'*s* est encore muet dans *Amonton*(s), *Nyon*(s), *Pon*(s), et *Saint-Pon*(s), *Saint-Giron*(s), *Soisson*(s); il s'entend dans *Mon*s et le prénom *Pon*s, et aussi dans *Arun*s, qu'on prononce par *on*, et *Larun*s, qu'on prononce par *un*. Pour *Lons-le-Saunier*, les habitants du pays, qui emploient *Lon*s seul, y font toujours sonner l'*s*; sur le nom complet, les avis sont partagés, mais l'*s* ne devrait pas sonner. Je ne parle pas des pluriels, *Grampian*(s), *Mohican*(s), *Turcoman*(s), *Pahouin*(s) et *Patarin*(s), *Mormon*(s), *Huron*(s), *Hun*(s), etc.

[766] De même *Nui*(ts), *Dou*(bs), *Pierrefon*(ds), *Le Hor*(ps).

[767] On prononce de même les deux consonnes dans *Lesse*ps, dans *Op*s, *Chéo*ps, *Pélo*ps, *Cécro*ps et *Au*ps, et aussi dans *Val*s, *Pâl*s, *Dou*ls, *Banyul*s, mais non dans *Marvéjol*(s) ou *Barjol*(s), ni dans *Tagal*(s), *Oural*(s), *Peul*(s) et *Tamoul*(s), qui sont des pluriels. On prononce encore l'*s* avec d'autres consonnes dans les noms étrangers: *Adam*s, *Em*s, *Worm*s, *Huyghen*s, *Dicken*s, *Han*s *Sach*s, *Massachusett*s, *Aramit*s, *Cloot*s, *Thierry Bout*s, *Wynant*s, *Robert*s, etc.; *Wiking*(s) et *Taïping*(s) sont des pluriels.

[768] Sauf, comme on l'a vu plus haut, dans *ga*(rs); sauf aussi dans *volontie*(rs) et les noms propres en *-iers*, qui sont apparemment des pluriels, ainsi qu'*Ange*(rs): voir pages 293 et 299.

[769] Même comme nom propre, sauf dans *Cin*(q)*-Mar*(s) ou *Saint-Mar*(s). *Diver*(s) aussi a prononcé son *s* pendant quelque temps, mais il y a longtemps qu'il suit la règle.

[770] Les noms propres français se prononcent aussi sans *s*: *Thouar*(s), *Dupetit-Thouar*(s) et *Cin*(q)*-Mar*(s), *Thier*(s), *Ger*(s), *Fler*(s), *Bouffler*(s), *Mamer*(s) et *Anver*(s), *Vaucouleur*(s), *Cahor*(s), *Vercor*(s) et *Givor*(s), *Bouhour*(s) et *Tour*(s), etc. Il est vrai que la prononciation locale de *Ger*s et *Anver*s conserve l'*s*, et on a bien le droit de la suivre, surtout quand on est du pays; mais le français répugne tellement à cette prononciation de la finale *-ers* qu'elle n'a aucune chance de se répandre et de s'imposer, surtout pour *Anver*(s): comment *Anver*(s), nom français, puisque l'autre est *Antwerpen*, se prononcerait-il

autrement en France que tous les mots en *-vers*, qui sont assez nombreux? Ces mots à part, l'*s* ne se prononce que dans le monosyllabe *Ar*s, et dans les noms étrangers, comme *Kar*s, *Flatter*s ou *Milne-Edwar*(d)s.

[771] Sauf dans la forme verbale *e*(st) et dans quelques noms propres: pour ce groupe final **-st**, voir plus loin, au chapitre du *T*.

[772] En effet, l'**s** était devenu muet partout devant une consonne au cours du moyen âge. L'introduction des mots savants dans la langue rétablit l'habitude de prononcer l'*s*, et fit même revivre des *s* muets de la langue populaire. Il devint bientôt très difficile de savoir quels *s* se prononçaient, quels *s* ne se prononçaient pas devant une consonne; car on en comptait des milliers où l'*s* servait seulement, soit à allonger la voyelle précédente (comme l'*s* du pluriel), par exemple dans *ba*(s)*tir*, *fe*(s)*te*, *di*(s)*ne*, soit simplement à marquer l'étymologie, par exemple en tête des mots commençant par *es-*, *des-*, *mes-*, *res-*, comme *e*(s)*cu*, *e*(s)*chelle*, *de*(s)*brouiller*, *me*(s)*chant*, *me*(s)*pris*, *re*(s)*pondre*, où l'*e* était devenu bref. Cela dura jusqu'au jour où l'Académie prit enfin le parti, dans la troisième édition de son *Dictionnaire* (1740), de remplacer partout ces *s* muets par des accents aigus ou circonflexes. Mais les mots qui avaient été altérés sont restés altérés: ainsi *satisfaction*, *restreindre*, *presbytère*, *cataplasme*, etc., etc., et aussi *festoyer*, après de longues hésitations (*fêtoyer* est encore dans le *Dictionnaire de l'Académie*): voir sur ce point le livre de Thurot, tome II, pages 320-326.

[773] De même *Le*(s)*diguières*, *De*(s)*bordes*, *De*(s)*cartes*, *De*(s)*champs*, *De*(s)*combes*, *De*(s)*fontaines*, *De*(s)*forges*, *De*(s)*genettes*, *De*(s)*jardins*, *De*(s)*mahis*, *De*(s)*marets*, *De*(s)*moulins*, *De*(s)*noyers*, *De*(s)*périers*, *De*(s)*pois*, *De*(s)*portes*, *De*(s)*prez*, *De*(s)*préaux*, *De*(s)*roches*, *De*(s)*rousseaux*, *De*(s)*touches*, *Se*(s)*maisons*, etc., et même *De*(s)*chanel*, *De*(s)*pautère* et *Dele*(s)*cluze*, quoiqu'ils n'aient pas d'*s* final. De même aussi les noms qui commencent par *Bois-*: *Boi*(s)*lile*, *Boi*(s)*gelin*, *Boi*(s)*robert*, *Boi*(s)*guillebert*, *Boi*(s)*mont*, et encore *Gro*(s)*bois*, *Pa*(s)*deloup* et *Pa*(s)-*de-Calais*. Mais on prononce l'*s* dans *Lescar*, *Lescaut*, *Lescot*, *Lescun* et *Lescure*, dans *Lesparre*, *Lespès* et *Lespinasse*, comme dans les noms anciens, *Lesbie*, *Lesbos* et *Lestrygons*, le breton *Lesneven* ou l'anglais *Leslie*; de même dans *Desdémone* ou *Destutt de Tracy*. Dans *Mal*(e)*sherbes*, on n'a pas non plus affaire à l'article, mais à un adjectif pluriel, qui s'accorde avec le substantif; c'est pourquoi l'*e* est muet, et l'*s* se lie.

[774] *Registre* a aussi fait exception pendant quelque temps, et pouvait s'écrire *regître*; l'*s* y est rétabli définitivement. Il se prononce dans *maistrance*, malgré *maître*. On ne prononce pas l'*s* de *beef*(s)*teack*, mais ce mot s'écrit beaucoup mieux *bifteck*.

Le cas de *cheve*(s)*ne*, unique dans les mots de la langue, est au contraire très fréquent dans les noms propres, sur qui l'Académie n'avait point autorité, et qui ont conservé malheureusement cet *s* inutile. Devant *l* et *n* surtout, les exemples en sont très nombreux, et jamais ou presque jamais l'*s* ne se prononce dans les noms français: ainsi *Cha*(s)*les*, *Pra*(s)*lins*, *Ne*(s)*le*, *Pre*(s)*le*, *Champme*(s)*lé*, *l'I*(s)*le-Adam*, *Rouget de Li*(s)*le*, et tous les noms où figurent *I*(s)*le* ou *Li*(s)*le*, *A*(s)*nières*, *Duque*(s)*ne*, *Sure*(s)*nes*, *Que*(s)*ne*, *Fre*(s)*nel*, *Daume*(s)*nil* et tous les noms en *-mesnil*, *Ai*(s)*ne*, *Hui*(s)*ne*, *Co*(s)*ne*, *Do*(s)*ne*, *Ro*(s)*ny*, etc., etc. Les mots qui font exception sont très rares: je ne vois guère qu'*Isnard*. Devant les autres consonnes, surtout devant le *t*, l'*s* se prononce ordinairement aujourd'hui pour des raisons diverses, ou simplement par altération analogique; ainsi l'*s* ne se prononçait pas dans *Pasquier* ou *Estienne*, de *Maistre* et *Lemaistre*, *Testu* et *Testelin*, et d'autres, et s'y prononce aujourd'hui généralement, tout comme dans *Astrée*, *Coustou*, *Crespin*, *Demoustier*, *Espeuilles*, *Esquirol*, *Estaing*, *Esterel*, *Estrées*, *Lespinasse*, *Mesmer*, *Mistral*, *Monistrol*, *Montespan*, *Montesquieu*, *Pascal*, *Restaut*, *Restif* (pas toujours), *Robespierre*, *Sylvestre*, etc., outre les noms cités dans la note précédente. Il y a pourtant un assez grand nombre d'exceptions qui se sont conservées tant mal que bien, devant des consonnes diverses, surtout *m*: *Cha*(s)*te*(l)*lain*, et les noms commençant par *Cha*(s)*t-*, *Chre*(s)*tien de Troyes*, *d'E*(s)*préménil*, *duc d'E*(s)*cars*, écrit aussi *Des Cars*, *Du Gue*(s)*clin*, *Duhe*(s)*me*, *Fi*(s)*mes*, *He*(s)*din*, *l'E*(s)*toile*, *l'Ho*(s)*pital*, *Male*(s)*troit*, *Mene*(s)*trier*, *Me*(s)*mes*, *Me*(s)*vres*, *Pe*(s)*mes*, *Rai*(s)*mes*, *Saint-Me*(s)*min*, *Sole*(s)*mes*, *Vo*(s)*ges*, etc. Dans les noms anciens, l'*s* se prononce, naturellement: *Ascagne*, *Asdrubal*, *Asmodée*, *Aspasie*, *Avesta*, *Démosthène*, *Esculape*, *Esdras*, *Espagne* (quoique épagneul n'ait pas d'*s*), *Ismène*, *Israël*, *Istrie*, *Nestor*, *Thémistocle*, etc., et même *Eschine*, et *Eschyle*, malgré la difficulté, et même devant un *n* ou un *l*, comme dans *Misnie*, *Péla*(s)*ges* seul fait exception, par la difficulté qu'il y aurait à prononcer l'*s* devant la syllabe muette *ge*, comme dans *Vo*(s)*ges*, mais l'*s* reparaît dans *pélasgique*, où la difficulté n'est qu'amoindrie. L'*s* se prononce également dans les noms étrangers, comme *Asmodée*, *Disraéli*, *Dresde*, *Espartero*, *Erasme*, *Escobar*, *Escurial*, *Ismaël*, *Ispahan*, *Lisbonne*, *Mansfeld*, *Mesmer*, *Pasquin*, *Presbourg*, *Sleswig*, *Sobieski*, *Tasmanie*, *Toscane*, *Van Ostade*, *Velasquez*, etc., et même devant un *l*, comme dans *Islam*, *Islande*, *Isly* ou *Venceslas*.

[775] Mais il ne faut pas se dissimuler que l'*e* ajouté ainsi dans es*candale*, es*crupule* ou es*quelette*, es*pécial* ou es*tatue*, est absolument le même que celui d'es*cabeau*, es*cadre*, es*cadron*, es*calade*, es*carcelle*, es*carmouche*, es*copette*, es*corte* ou es*quif*, d'es*pace*, es*padon*, es*palier*, es*pèce*, es*pérer*, es*pion* ou es*prit*, d'es*tampe*, es*tomac* ou es*tropier*, etc., sans compter celui des mots qui ont perdu leurs *s*: é*chelle*, é*crire* ou é*cu*, é*pars*, é*pée*, é*pais* ou é*poux*, é*table*, é*tablir*, é*ternuer*, é*touppe*, é*trennes* ou é*troit*, etc., pour e(s)*chelle*, e(s)*crire*, etc. Tous ces *e* sont des intrus qui ont réussi à s'imposer; les autres auraient pu réussir tout aussi bien: ce sont des cousins pauvres.

[776] Michaëlis et Passy ne l'admettent pas une seule fois: ils prononcent *ascétique* comme *acétique*. On entend aussi deux *s* dans *Brescia*, un seul ou un *c* dans *Ko*(s)*ciusko*.

[777] De même S(c)*évola*, S(c)*eaux*, S(c)*ipion*, S(c)*ylla*, identique à Sylla, S(c)*yros*, S(c)*ythie*.

[778] *Fa*(s)*ce, ve*(s)*ce, acquie*(s)*ce, immi*(s)*ce*, rentrent naturellement dans le cas des consonnes doubles devant un *e muet*; on ne peut en prononcer qu'une.

[779] Voir plus haut, page 202. Il en est de même dans les noms propres: *Lisbonne, Asdrubal* ou *Brisgau*. On prononce même souvent *Bedzabé* pour *Betsabée*, ce qui est plus extraordinaire.

[780] L'Académie avait accepté un temps que *asthme* se prononçât *azme*; mais elle y a renoncé. Le son du *z* apparaît aussi dans *Israël*, rarement dans *Islam*.

[781] Malgré l'opinion du *Dictionnaire général*. Peut-être est-ce en partie par analogie avec *Guernesey* et *Anglesey*. Il est doux aussi dans *Arsace* et *Arsacides*, dans *Kiersy*, écrit aujourd'hui *Quierzy*, dans *Farsistan*, mais non dans *Arsène, Persépolis* ou *Arsinoé*, pas plus que dans *Marseille* ou *Versailles*.

[782] Ainsi que dans *Alsace* et *alsacien*; également dans *Belsunce* et *Elsevier*, qui s'écrit couramment *Elzévir*, sans parler de *Mal*(e)s*herbes*, où il y a un simple fait de liaison (voir page 312, note 1).

[783] Le *Dictionnaire général* et Michaëlis et Passy sont d'un avis contraire.

[784] Même observation.

[785] Comme dans *substance, substitut*, etc.: le *Dictionnaire général* n'indique pas ces accommodations.

[786] Il ne faut donc pas prononcer *gymnâce*.

[787] C'est un phénomène analogue que l'on constate dans *Buenos-Ayres*, où l'*s* dur est changé en *s* doux par le voisinage de la voyelle suivante, comme si c'était un mot unique; de même parfois dans *les quatre fils Aymon* ou *nec plus ultra*, tellement la tendance est forte, voire même dans *sub judice lis est*, d'où le calembour *sub judice Lisette*.

[788] Que l'Académie écrivait par deux *s* jusqu'en 1878, pour empêcher le son doux.

[789] On a doublé l'*s*, par une prudence excessive, dans *dissyllabe* et *trissyllabe*.

[790] Il faudrait y ajouter, pour être complet, les composés familiers du préfixe *re-*, que les dictionnaires n'enregistrent pas, comme *re-saler, re-sabler*,

*re-*sauver, *re-*savonner, *re-*signer, *re-*sortir, etc., où l'on n'a pas coutume de doubler l'*s*, comme on le fait dans les mots de la langue littéraire.

[791] *Ichtyo*saure et *plési*osaure devraient être dans le même cas; mais, comme les éléments n'y sont pas aussi nettement reconnus que dans les mots que nous avons cités, l'*s* s'y est adouci généralement.

[792] Le *Dictionnaire général* ne connaît pas le mot *su*surrer. Hélas! il y en a tant d'autres qu'il ne connaît pas. Mme Dupuis donnait aussi l'*s* dur pour *gi*sant, *gi*sait, etc.: c'est une prononciation que je n'ai jamais entendue.

[793] On écrit quelquefois *impre*ssario, qui est mauvais, car il conduirait à prononcer deux *s*. Ajoutons que *para*sol, *tourne*sol et *gira*sol, que nous venons de voir, sont aussi d'origine italienne. On cite encore volontiers l'italien *ri*sorgimento, l'espagnol *pe*seta (piécette) et *po*sada (auberge), où ne doit non plus sonner qu'un *s* dur.

[794] L'*s* est naturellement doux dans les noms propres français; mais il est resté dur à la suite de l'article *le*, *la*: La*s*alle, Le*s*ueur, Le*s*age, Le*s*urques; il est généralement doux après *de*: De*s*aix, De*s*ault, De*s*èze (ou *de Sèze*); il est doux dans Dé*s*augiers et De*s*houlières, par liaison. Il est dur dans Du*s*aulx, dans des composés comme Beau*s*éant ou Beau*s*éjour, et dans Puy*s*égur. Il est dur dans Melchi*s*édec, nom hébreu, mais non dans Jéru*s*alem ou Mathu*s*alem, qui sont plus complètement francisés, étant plus populaires; et encore la vieille plaisanterie de *Mathieu salé* rappelle que pendant longtemps on a prononcé Mathu*s*alem, avec *s* dur, comme Melchi*s*édec. On hésite pour quelques noms propres anciens comme Po*s*eidon. Parmi les noms étrangers, il en est aussi que nous francisons en adoucissant l'*s*, comme Ca*s*erte, Céri*s*oles ou Wi*s*eman, et aussi, mais à tort, Ma*s*aniello, Va*s*ari, Vé*s*ale, Pe*s*aro, voire Algé*s*iras, qu'on écrit parfois Algéciras, et qu'on fera mieux de prononcer par *s* dur, comme Eli*s*ir d'amore, Fu*s*i-Yama ou Fergu*s*on.

[795] L'*s* est dur aussi dans Tran*s*ylvanie, et il devrait y avoir deux *s*.

[796] Et dans Nan*s*outy, mais jamais dans Fron*s*ac, rarement et à tort dans Arkan*s*as.

[797] Dans les composés commençant par *des-*, les étymologistes reconnaissent ordinairement le préfixe *dis-*: l'*s* y était donc naturellement double, et l'on n'a pas eu besoin de le doubler pour la prononciation; toutefois l'*s* paraît avoir été doublé (avec suppression de l'accent aigu) dans *de*(s)*sécher*, *de*(s)*servir*, *de*(s)*sication*, *de*(s)*siner* et *de*(s)*sin*, qui paraissent formés du préfixe *dé-* et non *dis-*.

[798] Voir l'énumération, page 171.

[799] On a vu que l'*s* avait été doublé aussi, bien inutilement après un *i*, dans *di*(s)*syllabe* et *tri*(s)*syllabe*. Peut-être faut-il y joindre *a*(s)*sez* et quelques

mots commençant par *as-*, si leur préfixe est réellement *a-*, et non *ad-*, comme paraît l'indiquer l'orthographe primitive, *asez, asesoner, aservir,* etc.

[800] Quoique Michaëlis et Passy n'en admettent point. Il est vrai qu'ils admettent *bis-sectrice,* qui est plutôt rare.

[801] Et telles sont bien les indications du *Dictionnaire général.*

[802] Quoique le *Dictionnaire général* indique *dis-soudre,* sans doute à cause de *dis-solution.*

[803] Malgré le *Dictionnaire général.*

[804] Même observation.

[805] Je ne parle pas de *di*(s)*syllabe,* cité plus haut, et dont le préfixe est **di-** et non *dis-.* D'autre part, le *Dictionnaire général* indique *di*(s)*section* et *dis-séquer:* cette différence ne paraît guère justifiée, et *di*(s)*séquer* est très admissible, aussi bien d'ailleurs que *dis-section.*

[806] On notera ici que les deux *s* ont ouvert l'*a* de *classique,* même quand on n'en prononce qu'un, car il est fermé dans *classe.*

[807] Ajouter les noms propres anciens: *Mas-sique, Cas-sius,* et *Cras-sus; Bes-sus, Nes-sus, Es-séniens* et *Mes-saline; Is-sus* et *Ilis-sus* et *Mis-si dominici; Atos-sa;* et quelques noms plus récents, *Orlando de Las-sus, Lhas-sa* et *Tas-soni; Bes-sarabie, Bes-sarion, Es-sequibo* et *Tennes-see; Lis-sa, Canos-sa, Os-sian,* et fort peu d'autres, et surtout point ou presque point de mots français.

[808] De même *Sh*akespeare, *Sh*effield, *Sh*elley, *Sh*eridan, *Sh*etland, *Cavendi*sh, *Mar*shall, *U*sher, etc., et aussi *Sh*éhérazade, *Sh*anghaï, *H*iroshima, *Sh*intoïsme, *Sh*oguns, les transcriptions des noms orientaux étant dues aux Anglais.

[809] Voir plus haut, page 227.

[810] Mais nous francisons *Buda-Pesth* par *s.*

[811] De même *Mara*(t), *Courbe*(t), *Carno*(t), *Escau*(t), *Maupassan*(t), *Mozar*(t), *Rober*(t), etc., etc.

[812] Ajouter quelques noms propres étrangers, *Toua*t, *Laghoua*t, *Raba*t, *Soba*t, *Midha*t-*Pacha, Josapha*t, *Arara*t, *Ghâ*t, *Cattéga*t, *Djaggerna*t, *Héra*t, et les noms en *-stadt, Cronsta*dt, *Reichsta*dt, où le *d* cède généralement la place au *t.* Il faut y joindre la petite plage bretonne de *Morga*t, mais cette prononciation n'est pas proprement française. Ajoutons aussi *à dieu va*t.

[813] L'abbé Rousselot dit qu'on hésite entre *ne*t et *ne*(t): où a-t-il vu cela? Dans les rimes de V. Hugo peut-être, mais cela ne suffit pas.

[814] C'est la règle générale des adjectifs numéraux: voir plus haut, page 233, ce qui a été dit pour *neuf*.

[815] Dans Pierre Lièvre, *Notes sur l'art poétique*, ce vers de Heredia:

Ma flûte avec sept tiges de ciguë,

est donné comme ayant pour l'oreille une demi-syllabe de trop! Hélas! J'espère que Heredia prononçait le français plus correctement que son critique. Mais encore *setti* ne donnerait jamais qu'un *t* prolongé et non une demi-syllabe de plus: *setti* ferait le même effet que *secti* ou *celli*, sans plus.

[816] Où le peuple assimile ordinairement le *t* en prononçant *ec-cetera*, qu'on évitera avec soin.

[817] On entend aussi le *t* dans quelques noms propres bretons ou français, comme *Plancoët* ou *Plouaret*, *Moët*, *Huet*, *Malouet*, *Alet* (écrit plutôt *Aleth*), mais non *Ane*(t), ni *Té*(t). Un jour, à la Constituante, un député, faisant un discours, termina une phrase en disant: *C'est ma loi*, qu'il prononça à l'ancienne mode *ma louè*. Un loustic rectifia aussitôt: *Malouète*. On entend surtout le *t* dans des noms étrangers: *Josabet*, *Japhet*, *Newmarket*, *Aben-Hamet*, *Méhémet-Ali*, *Médinet-el-Fayoum*, *Tiaret*, etc. *Hamle*(t) est francisé, comme *Mahome*(t), *Bajaze*(t) et *Jape*(t). Nous avons dit que pour *Auerstædt* et *Hochstedt* on hésitait entre le *d* et le *t*.

[818] Voir plus haut, page 233, ce qui a été dit de *neuf*.

[819] Et dans *Tanit*, *Nitocrit*, *Tilsit*, *Abauzit*.

[820] En revanche le même sud-ouest prononce le *t* dans *Lot*. Cela peut-il passer dans le français du Nord? Je ne sais trop, car *Lot* mène à *Gers*, puis à *Anvers*: voir page 310. En tout cas, on fait toujours la liaison dans *Lot-et-Garonne*. Autrefois on prononçait le *t* de *sot* et *mot* devant un repos comme devant une voyelle; mais je m'étonne que l'usage ait encore pu être «partagé» pour *so*(t) au temps de Thurot. A *dot*, il faut encore ajouter quelques mots étrangers, *black-rot*, *forget me not*, avec *George Eliot*, *Duns Scot* et *Thot*, mais non *Chevio*(t).

[821] Sauf tout au plus dans *Fomalhaut*, et naturellement *Connau*(gh)t. Il ne sonne pas plus dans *Hau*(t)*poul* que dans le composé *hau*(t)*bois* ou *hau*(t)*boïste*.

[822] Et des marins dans *vent debout*. Il sonne naturellement dans les mois anglais en *-oot* (*out*) et aussi dans *Siout*.

[823] Voltaire, entre autres, a même écrit *brute* au masculin.

[824] Le féminin *butte* y est sans doute pour quelque chose, notamment l'expression *être en butte*, qui amène des confusions. Quoi qu'il en soit, les mots respectés ne sont plus très nombreux: *bahu*(t) et *chahu*(t), *débu*(t) et *rebu*(t), *tribu*(t) et *attribu*(t), *fû*(t), *affû*(t) et *raffu*(t), *salu*(t) et *chalu*(t), *canu*(t), *statu*(t), *institu*(t) et *substitu*(t). Le *t* sonne aussi dans les noms propres étrangers: *Calicu*t, *Connecticu*t, *Farragu*t, *Lillipu*t, et, le plus souvent, *Canu*t.

[825] On notera en passant que *et* s'énonce devant *un* depuis *vingt* jusqu'à *soixante*, y compris les nombres et adverbes ordinaux, et aussi dans *soixante* et *onze*, mais pas au delà. On dit aussi *les Mille* et *une nuits*, et, en parlant des femmes de don Juan, *mille et trois*. L'emploi de *et* était autrefois plus étendu.

[826] Avec *Kan*t, *Gran*t ou *Wun*dt; mais *Rembran*(dt) est complètement francisé.

[827] On francise volontiers les noms propres en -*art*: *Marie Stuar*(t) et *les Stuar*(t), *Gebhar*(t), *Fischar*(t), *Stuttgar*(t), *Makar*(t), *Marquar*(dt), *Burckhar*(dt), *Mozar*(t). Mais on prononce le *t* dans *Stuart Mill* ou *Dugald Stewar*t, ainsi que dans l'allemand *Erfur*t, *Kiepe*rt, *Rucke*rt ou *Har*dt, dans *Gevae*rt et *Touggou*rt.

[828] Voir page 215. On a coutume de prononcer sans *t* *Utrech*(t), *Dordrech*(t) et *Maëstrich*(t). Pour *yacht*, voir page 44.

[829] Nous savons que **lt** ne se prononce pas plus dans les mots en -**ault** et -**oult** que *ld* dans les mots en -**auld** et -**ould**, les uns et les autres étant français; de même *Yseu*(lt) est bien meilleur qu'*Yseu*lt. Mais on prononce intégralement *Anha*lt, *Seinga*lt, *Be*lt, *Arcade*lt, *Tafile*lt, *Barneve*lt (écrit aussi *Barneve*ldt), *Rooseve*lt et *Sou*lt, et aussi *De*lft; le *t* l'emporte sur le *d* dans *Humbol*(d)*t*.

[830] Avec la ville d'*Apt*.

[831] Et le fut longtemps dans *o*(st). Il l'est encore dans *Saint-Wa*(st), *Saint-Gene*(st), *Cre*(st), *Charo*(st), *Prévo*(st), *Provo*(st), *Thibou*(st), *Saint-Ju*(st), souvent altéré, et même *Saint-Pri*(est). Il se prononce dans *Chri*st, qui, employé seul, est un mot savant, mais il est resté muet dans *Jésu*(s)-*Chri*(st), qui est populaire, et qui a gardé pour ce motif sa prononciation traditionnelle, sauf parfois chez les protestants: voir plus haut, page 307, ce qui est dit de *Jésus*. Quant à *Antechri*st, il a été longtemps populaire, et par conséquent *st* ne s'y prononçait pas, et même l'*e* y était muet; Littré tient absolument à cette prononciation; mais il est devenu un mot savant où tout se prononce, avec *e* fermé. Le groupe *st* se prononce aussi dans *Prou*st et dans *Marra*st (peut-être pour éviter une confusion avec *Marat*), dans *Erne*st et dans *Bre*st, et dans les noms d'origine étrangère: *Renaud d'A*st, *Belfa*st, *Budape*st, *Buchare*st, *Li*szt, *Fau*st, *Ern*st, etc. On prononce l'*s* seul dans *roas*(t)-*beef* qui, d'ailleurs, s'écrit correctement *rosbif*, comme il se prononce.

[832] Et dans les noms propres: *Goliath, Macbeth, Bayreuth, Judith, Naboth, Beyrouth, Belzébuth*, etc. *Go*(th) fait exception, avec ses composés, *Wisigo*(ths) et *Ostrogo*(ths). Il faut excepter aussi le terme *bizu*(th), par lequel les élèves nouveaux sont désignés dans les classes qui préparent à des concours, par opposition aux *carrés* et aux *cubes*.

[833] Voir ci-dessus, page 156. On prononce à peu près exactement *postcommunion* et *postscolaire*, malgré la difficulté. Mais le *t* est encore muet dans *Wes*(t)*phalie, Kam*(t)*schatka* et *Kam*(t)*schadales*, et quelquefois *Mol*(t)*ke*. On prononce même *Po*(t)*sdam*, ce qui est plus bizarre: et c'est sans doute pour justifier cette prononciation irrégulière qu'on écrit souvent *Postdam*; mais c'est uniquement *Potsdam* qui est correct, et mieux vaudrait prononcer le *t*, puisque c'est l'*s* qui est médian.

Les Parisiens prononcent le *t* médian dans rue *Taitbout*. Nous savons qu'il est muet dans *Me*(t)*z* et *Re*(t)*z*. Il est également muet dans les composés de *Font-, Mont-, Pont-*, devant une consonne, comme *Mon*(t)*béliard, Mon*(t)*fort, Mon*(t)*morency, Mon*(t)*pensier* ou *Pon*(t)*chartrain*, même si la consonne qui suit est un *l* ou un *r*; *Mon*(t)*lhéry, Mon*(t)*losier, Mon*(t)*luc, Mon*(t)*luçon, Mon*(t)*luet, Mon*(t)*réal, Mon*(t)*redon, Mon*(t)*réjeau, Mon*(t)*revel, Mon*(t)*rose, Mon*(t)*rouge*, etc. Mais il arrive aussi que le *t* n'appartienne pas à la syllabe initiale, ou même qu'il s'en soit détaché: ainsi il se groupe avec l'*r* dans *Font*railles, *Mont*résor, *Mont*reuil, *Mont*reux, *Mont*retout, *Mont*revault et même *Mont*richard, et *Pont*rieux, comme dans l'italien *Pont*remoli. On ne prononce pas le *t* dans *Alfor*(t)*ville*, mais on le prononce dans l'anglais *Port*land.

[834] Devant un *i* seulement, et non devant un *y* grec.

[835] Les noms propres venus à nous du latin ou par le latin font naturellement comme les autres mots: *Croatie, Helvétie, Domitien, Eétion, Brutium, Hirtius, Miltiade, Martial*, etc.; et les noms modernes ont fréquemment subi l'analogie des autres, comme *Gratiolet* ou *La Boétie*.

[836] «Dès le temps de Palsgrave, on écrivait par un *t* les mots en *-tion* appartenant à la langue savante, que l'on prononçait *cion* comme en latin, par une habitude que Péletier et Bèze attestent. Cette orthographe et cette prononciation s'étendirent à un certain nombre d'autres mots, tous de la langue savante, qui ont *-ti-* devant une voyelle, et comprirent les mots tirés de noms en *-tia, -tialis, -tiosus, -tiens, -tientia, -tianus, -tio* (tionem), et de verbes en *-tiare*.» (THUROT, *Prononciation française*, II, 244.)

[837] On verra que la règle s'applique seulement au *t* placé entre deux lettres, et non en tête des mots; *tiare, tiers, tiède, tien, il tient*, avec leurs familles, conservent tous le son normal du *t*: comme tous les mots latins qui commencent par *ti*. Au surplus, il y a, en outre, pour chaque cas, des raisons particulières d'étymologie, et nous allons retrouver tous ces mots.

[838] Avec *Bastia, Bastiat, Sébastien, Héphestion,* etc.

[839] De là deux séries de mots en **-tions**, d'orthographe identique, mais de prononciation différente, *s* pour les substantifs et *t* pour les verbes: voir la liste, p. 187, note 2.

[840] Qui était autrefois *apprentive*, d'*apprentif*. Tous ces mots sont naturellement de formation populaire. Au contraire, à côté des simples *inepte* et *inerte*, les substantifs *ineptie* ou *inertie*, mots savants, suivent la règle, parce qu'ils conservent la prononciation du latin. On verra encore dans un instant trois ou quatre mots en *-tie* qui gardent le son dental, avec quelques noms propres.

[841] Ces mots appartiennent à la même famille que les mots en **-té**, et ont seuls gardé l'*i* que beaucoup d'autres ont perdu; le moyen âge, d'ailleurs, disait tout aussi bien *amité* ou *pité* que *amitié* ou *pitié*; en tout cas le *t* latin était devant un *a* et non devant un *i*. Ces mots sont donc sans rapport avec le substantif *initi-é*, et son verbe, qui ont le son sifflant, comme en latin, de même que le verbe *balbuti-er*, qui a suivi l'analogie de l'autre, malgré son étymologie. Ces deux verbes sont, en effet, les seuls verbes en *-tier* qui aient le son sifflant. *Amnistier* ne peut pas l'avoir à cause de l'*s*; *châtier* ne l'a pas, parce qu'il était primitivement *chastier*; les autres qui auraient pu avoir un *t* ont pris un *c: justicier, vicier, négocier, différencier, quintessencier, licencier, circonstancier,* à cause du *c* de *justice, vice, négoce,* etc.

[842] C'est la même diphtongue que dans les mots en *-tié*, et là aussi le *t* latin était devant un *a*. A ces mots, il faut joindre naturellement, avec *volontiers,* les noms propres en *-tier* ou *-tière*, qui ont le même suffixe: *Gautier, Poitiers, Chartier, Brunetière,* etc.

[843] C'est toujours une diphtongue étymologique, mais cette fois le *t* latin était devant un *e*, l'*e* du suffixe latin *-esimus (centesimus)*, suffixe qui, en français, est passé des dizaines aux unités. D'ailleurs il était bon que les nombres *sept, huit,* etc., demeurassent intacts; mais la raison n'aurait peut-être pas suffi, puisqu'une raison pareille n'a pas suffi à conserver le *t* dans *ineptie* et *inertie*.

[844] Ici c'est le radical latin *ten-;* d'ailleurs le *t* ne pouvait guère changer de son au cours de la conjugaison.

[845] Du latin *tepidus, tertius, tuus, antiphona* (on plutôt *antephona,* latin populaire), tous mots où le *t* ne pouvait s'altérer. Ajoutons *Etienne*, de *Stephanus,* outre que *Etienne* est pour *Estienne,* ce qui lui fait deux raisons pour conserver son *t* intact. Au contraire, la diphtongue de *chrétien* n'est pas étymologique puisqu'il vient de *christi-anus;* aussi son *t* n'est-il resté dental que parce que *chrétien* est pour *chrestien;* mais le *t* est sifflant, comme dans le latin,

dans tous les autres mots en *-tien*: *béotien, vénitien, égyptien, Domitien*, et même *capétien* ou *lilliputien*, formés du même suffixe.

[846] Du latin *urtica*, où le *t* ne peut pas s'altérer.

[847] Ce mot vient de l'arabe. Au contraire, *argutie* garde le *t* sifflant qu'on donne au latin. Quelques noms propres, qui n'ont pas non plus le *t* sifflant: *Sarmatie, Hypatie, Clytie, Titye*, ont gardé sans doute la prononciation du grec (en opposition avec *Croatie, Galatie* ou *Dalmatie, Vénétie* ou *Helvétie, Béotie*, etc.). *La Boétie* lui-même a pris le *t* sifflant, par analogie, quoique la localité de ce nom ne l'ait pas. Mais le *t* est dental dans *Claretie*, comme dans *partie, ortie* et *sortie*: en fait, *inertie* est le seul mot en *-tie* où le *t* soit sifflant après un *r*. Il est vrai qu'il est sifflant après un *r* dans *martial, partial* et beaucoup d'autres; mais *Claretie* a, de plus, un *e muet* devant le *t*, cas unique. Pourtant la tendance est telle à prononcer le *t* en sifflant dans les mots en *-tie*, que ce nom est constamment altéré par ceux qui ne sont pas renseignés; mais quand on consultait sur ce point Jules Claretie, il répondait:

«Mon nom, bien cher monsieur, rime avec *sympathie*.»

[848] Il devrait garder le son normal, car il ne vient pas du latin; mais il subit partiellement l'analogie des autres, comme l'ont subie plus complètement *primatie, presbytie* ou *onirocritie*, qui ont le *t* sifflant. *Suprématie* nous est venu de l'anglais, où il a un *c*. Le *t* est sifflant aussi dans *goétie* et *scotie*, qui sont transcrits du latin, et sur lesquels on pourrait se tromper.

[849] De même dans *Arimathie, Carinthie* ou *Scythie*, aussi bien que dans Thi*ers* ou Thi*erry, Mathias, Mathieu* ou *Ponthieu*, quelle qu'en soit l'origine; sans parler de Th*yades*, qui a de plus un *y* grec, outre que le *t* est initial.

[850] Je rappelle qu'à côté d'*étiole* (et probablement aussi *Etioles*), *pétiole* a, au contraire, le *t* sifflant du latin. Je n'ai pas cité ici *étiage*, qui est pour *estiage*: voir plus haut. Le *t* reste intact aussi dans *Critias*, qui est grec, dans quelques noms français qui se sont dérobés à l'analogie, comme *Pétion*, je ne sais pourquoi, enfin dans les noms étrangers, non seulement *Tiaret, Tiepolo* ou *Tien-tsin*, qui ont le *t* initial, mais même *Ignatief* ou *Bagration*, qu'on altère très souvent, ainsi que *Pétion*, en vertu de la tendance générale; naturellement aussi dans *Montyon*, qui a un *y* grec, comme *Amphictyons* ou *Amphictyonie*, qui d'ailleurs sont grecs eux-mêmes, ce qui leur fait deux raisons pour garder le *t* intact.

[851] D'ailleurs ce sont les exceptions qu'il faut énumérer, et non les mots qui suivent la règle générale. J'ajoute que la classification méthodique m'a permis de donner en outre, dans la mesure du possible, l'explication de *tous* les cas particuliers, ce qui n'est pas un résultat négligeable.

[852] Ce sont les seuls qu'indique le *Dictionnaire général*.

[853] De même assez généralement dans *Gambe*(t)*ta*, beaucoup moins dans *Algaro*t-*ti*, *Donize*t-*ti* ou *Vio*t-*ti*, *Bet-tina* ou *Rigole*t-*to*, ainsi que dans les noms anciens, *At-tila* ou *Pit-tacus*.

[854] Pour *tz*, voir plus loin, à *z*.

[855] De là certaines confusions dans les noms propres: *Favre* est devenu *Faure*, *Fèvre* est devenu *Feure*, et *Lefebvre* a donné *Lefébure*.

[856] Toutes formes complaisamment accueillies par Michaëlis et Passy. Pourquoi pas aussi bien *évu* pour *eu*, et *lavou* pour *là où*, où le phénomène est inverse?

[857] Par exemple, *V*irchow, *V*ogel, *V*ogt, *V*oss, ou encore *v*ergiss mein nicht, *z*oll *v*erein, la particule nobiliaire: *von*; *Sainte-V*ehme est suffisamment francisé, et le *v* y sonne *v*.

[858] Comme dans *Kharko*w ou *Rimski-Korsako*w. Mais le plus simple est d'écrire ces mots avec un *f*: *Stamboulo*f, *Romano*f, *Dragomiro*f, *Souvaro*f, *Koutouso*f, *Sarato*f, et aussi *Iarosla*f, *Skobele*f, *Tourguene*f. On hésite pour le *v* de *Kiev*, mais il n'y a pas de raison pour le distinguer des autres.

[859] Ainsi *Bruns*wick, *Ner*winde, *Rys*wick, *Sadowa*, *Schwarzwald*, *Schwitz*, *Swedenborg*, *van Swieten* ou *Thorwaldsen*, et surtout en tête des mots: *W*agner, *W*agram, *W*alpurgis, *W*aldeck, *W*aldemar, *W*alhalla, *W*alkyries, *W*allenstein, *W*assy, *W*eber, *W*eimar, *W*eser, *W*estphalie, *W*ilhelm, *W*illis, *W*impffen, *W*issembourg, *W*olff, *W*orms, *W*urtemberg, *W*urtz, etc., tandis qu'à la fin des mots le *w* allemand ne sonne pas: *Bülo*(w), *Floto*(w), etc. Le *w* flamand a gardé le son *ou*, qui lui appartient, dans *Lon*(g)w*y* et *W*issant; mais *W*allon est francisé, aussi bien que *W*aterloo et *W*atteau, *W*imereux et *W*itt, *Wou*werman, et beaucoup d'autres.

[860] De même *Both*well, *Crom*well, *Dar*win, *Dela*ware et *Ed*wards, *Edge*worth et *Words*worth, *Far-W*est et *W*estminster, *Green*wich et *Wool*wich, *Long*wood, *Sand*wich, *S*wift, *S*winburne, *W*akefied, *W*alter *Scot*, *War*wick, *W*ashington, *W*att, *W*ellington, *W*iclef, *W*ight, *W*indsor, *W*olseley, *W*orcester. Devant un *r*, le *w* ne se prononce pas: (W)*right*.

[861] On francise aussi en *v* le *w* de *W*allace (fontaine), souvent aussi de *W*addington, *W*arwick, *W*alter *Scott* et *Wa*werley, *Ber*wick, *W*isconsin et *W*iseman, *Fow*ler et quelques autres.

[862] Et aussi dans *Law*rence ou *Brads*haw. Mais *Law* se prononce *lâce* par tradition depuis le XVIIIe siècle, le nom s'étant répandu d'après l'enseigne de la banque, où *Law* était au génitif: *La*(w)*'s bank*, de même qu'aujourd'hui on dit couramment *chez Maxim's*. D'ailleurs, le fameux banquier avait accepté et presque adopté cette prononciation: voir sur ce point l'article de A. Beljame, dans les *Études romanes dédiées à G. Paris*. *Brauwer* se prononce *brou-èr*.

[863] Nous acceptons aussi *nioucasl* pour New*castle*, et de même pour New-*haven*, New-*Jersey*, New*man*, New-*Market*, New*port*; et encore *dèlèniouse* pour *Daily News*; mais New*ton* et New-*York* sont francisés depuis trop longtemps en *neuton* (*eu* fermé) et *neu-york* (*eu* ouvert), pour qu'on puisse imposer *niout*(e)*n* et *niou-York*. On prononce *u* dans *Dugald Stewart*, et *ev* dans New*ski* ou *Walewski*.

[864] On prononce également *o* fermé dans *Glasco*(w), *Hudson Lo*(we), *Longfello*(w), *Marlo*(we), *Clarisse Harlo*(we), *Luckno*(w), *Beecher Sto*(we) et *Co*(w)*per*; et *ou* pour *aou* dans *Brown, Browning, Brown-Séquard, Cape Town*; *Gérard Dow* se prononce et s'écrit mieux *Dou*. Nous prononçons également *ou*, par une fausse analogie avec l'anglais, dans quelques noms slaves en *-owski*: *Dombrowski, Poniatowski*, etc., *ov* dans d'autres moins connus; mais la vraie prononciation serait en *oski*, avec *o* ouvert.

[865] Voir page 262, note 1: l'*x* remplaça d'abord *us*, puis, quand l'*u* fut rétabli à côté, il remplaça abusivement l'*s* tout seul.

[866] De même *Carmau*(x), *Carpeau*(x), *Cau*(x), *Bordeau*(x), *Meau*(x) ou *Saul*(x)-*Tavannes, Andrieu*(x), *des Grieu*(x) ou *Vieu*(x)-*Temps, Dreu*(x), *Évreu*(x) ou *Brizeu*(x), *Fallou*(x), *Barbarou*(x), *Bardou*(x), *Berchou*(x), *Châteaurou*(x), *Boutrou*(x), *Ventou*(x), *Trévou*(x), *Pelvou*(x), etc. (sauf a Marseille).

[867] On évitera donc *deusse*, aussi bien que *eusse* et *ceusse* avec autant de soin que *gensse* ou *moinsse*!

[868] Ni dans *Saint-Yriei*(x) ou *Champei*(x), *Carhai*(x), *Desai*(x), *Roubai*(x) ou *Morlai*(x), *Foi*(x) ou *Mirepoi*(x). Il se prononce pourtant dans *Aix* (autrefois on disait *ès*, déjà vieilli au temps de Mme Dupuis), et dans *Dupleix*.

[869] Ni dans *Chamoni*(x), qui s'écrit aussi *Chamouny*, ni dans *Saint-Geni*(x), *ni dans Chastellu*(x). Il se prononce aujourd'hui dans *Gex*, mais il ne se prononce pas dans *Be*(x), *Château d'Œ*(x) et autres localités voisines appartenant à la Suisse romande: *Ferney* même, qui est tout à côté de *Gex*, s'écrivit par un *x*, *Fernex*, jusqu'au jour où Voltaire, seigneur du pays, en changea l'orthographe *pour l'accommoder à la prononciation*. Seul *Gex* a repris son *x*.

[870] Voir, page 233, ce qui a été dit pour *neuf*. C'est avec *six* et *dix* que l'erreur de prononciation se commet le plus fréquemment dans les dates: *le si*(x) *mai, le di*(x) *mars*; elle n'en est pas plus justifiée.

[871] Et cela fait trois manières de prononcer *six* et *dix*.

[872] Comme pour *vingt*, cette prononciation de *dix* devant *sept, huit, neuf*, remonte à plusieurs siècles.

[873] Pour *Béatrix*, c'est inutile, puisqu'il y a *Béatrice*. *Cadix* lui-même se prononce aujourd'hui par *cs*. Mais on prononce toujours par *s Morcenx* et *Navarrenx*.

[874] Voici les autres: *smilax, contumax, opoponax, anthrax, borax, thorax, storax* et *income-tax*; *ex-, codex, culex, apex, carex, murex, latex, narthex* et *vertex*; *bombyx, préfix, hélix, phénix, onyx, pnyx, larix* et *tamarix*; *lynx, phorminx* et *syrinx, pharynx* et *larynx*; *box, phlox* et *cowpox*; *fiat lux*. Il faut y joindre les noms propres anciens ou étrangers, et même les noms français qui ne sont pas en -*aux*, -*eux*, -*oux*, -*aix* et -*oix*: *Dax, Sfax, Fairfax, Ajax* ou *Ganderax, Essex, Etex* ou *Gervex, Bruix, Félix, Eryx, Vercingétorix* et *Styx, Fox, Pollux* et *Carlux*, etc., et aussi *Marx*. Pourtant, on prononcera plutôt: *Coysevo*(x), *Oyonna*(x). L'*x* se prononce même dans *Aix* et *Dupleix*, mais non dans *Chamoni*(x): voir page 344, notes 4 et 5.

[875] Le peuple intervertit volontiers les éléments de l'*x* dans ces mots, prononçant *sesque* pour *sexe*, comme *Félisque* pour *Félix*: ce défaut remonte à plusieurs siècles.

[876] L'*x* amui a revécu dans le vieux mot *jouxte*. L'*x* se prononce de même dans *Axoum, Ixion, Ixelles, Maxime* ou *Vauxhall*, comme dans *Expilly* ou *Oxford*. Dans *E*(x)*mes, Di*(x)*mont, La Di*(x)*merie*, l'*x* est encore muet, comme autrefois dans *di*(x)*me*, aujourd'hui *dîme*; mais il se prononce dans *Dixmude*.

[877] Je ne parle pas de *au*(x)*quels*, qui fait naturellement comme *le*(s)*quels*.

[878] C'est le même *s* qu'on entend dans *Xerxès* (ou *Artaxerxès*), écrit quelquefois *Xercès*, ainsi que dans *Auxerre, Auxois, Auxonne, Sau*(l)*xures, Buxy* et *Bruxelles*. A Paris on prononce *cs* dans *Saint-Germain-l'Auxerrois*; mais il ne s'ensuit pas qu'il faille dire *Au-serre* en *Auc-serrois*: en dehors de l'expression propre à Paris, on fera bien de prononcer *Au-serrois* comme *Au-serre*. En revanche on articule aujourd'hui *cs* dans *Saint-Maixent*: telle est du moins la prononciation de toute l'armée; et aussi dans *Luxeuil, Luxembourg, Aix-les-Bains, Aix-la-Chapelle*, malgré l'opinion de Kr. Nyrop. Il est certain que les autres noms suivront, à une échéance plus ou moins lointaine: on commence à prononcer beaucoup *bruc-sel*, et cela même à Bruxelles.

[879] *Dizain* a pris un *z*: pourquoi n'écrit-on pas aussi *sizain*, ou *dizième*?

[880] A l'époque où on prononçait *acident*, on prononçait aussi *ecellent*, et les personnes qui ont l'*acent* n'ont pas perdu cette prononciation.

[881] C'est le même phénomène que dans *acident* ou *ecellent*.

[882] Malgré les préférences de Michaëlis et Passy.

[883] Cette prononciation était déjà usitée au XVIIe siècle. A-t-on voulu instinctivement distinguer dans la prononciation les mots tels qu'*exécuter* des mots comme *excellent*, qui s'écrivaient autrement? Ou cela vient-il de ce qu'à l'époque où l'*x* se réduisait toujours à un *s* devant une voyelle, on prononçait naturellement *ezemple, ezercer*? Cependant on prononçait *ma-sime* et non *mazime*, et *Ale-sandre*. alors? Et pourquoi X*avier* se prononçait-il Z*avier* et non S*avier*, tandis que X*aintonge* est devenu S*aintonge*? Qui expliquera ces bizarreries?

[884] L'*x* s'adoucit aussi dans E*xupère*, mais il reste intact dans E*xelmans*.

[885] Cf. g*laude* pour c*laude*. Le même changement se produit presque toujours dans la plupart des noms propres, surtout les anciens: X*anthe*, X*antippe*, X*énocrate*, X*énophane*, X*énophon*, X*erxès* et A*rtaxerxès*, et aussi X*avier*, et même X*aintrailles*. Mais la prononciation correcte de mot est S*aintrailles*, comme S*aintonge*, issu de X*aintonge*; le *c* est tombé dans S*ain-tonge* et X*aintrailles*, malgré l'orthographe: c'est toujours la répugnance qu'a le français pour deux consonnes initiales autres que *bl*, *br*, etc.

Dans X*iménès* et X*érès*, on prononce par tradition un *k*: en réalité, cet *x* espagnol est une gutturale aspirée, qu'on a transcrite autrefois par un simple *ch* chuintant, comme dans C*himène*, et qu'on écrit aujourd'hui *j*; mais aucune tradition pareille ne s'est établie pour les autres mots, comme X*enil* ou J*enil*, X*ucar* ou J*ucar*, qu'on prononce pourtant plus généralement avec un *x*, comme G*uadalaxara*.

[886] Et en effet il se prononçait primitivement *ts*, comme en d'autres langues. D'autre part, il a servi longtemps dans l'orthographe, à défaut d'accent, à distinguer l'*é* fermé final de l'*e* muet: *tu aim*es, *ils sont aimés*, ce qui n'est pas plus extraordinaire que *vous aimez*.

[887] Ni dans les noms propres du Nord: *Despre*(z) ou *Cherbulie*(z), *Saint-Genie*(z) ou *Dumourie*(z), *Mouche*(z) ou *Natche*(z), *Douarnene*(z), *Depre*(z), *Despre*(z) ou *Dupre*(z), *Géruse*(z) ou *Sée*(z), aujourd'hui écrit *Sées*, et naturellement *Gris-Ne*(z) ou *Blanc-Ne*(z). On ne prononce pas non plus le *z* dans *Fore*(z), qui a l'*e* ouvert, ni dans la vieille préposition *lez* de *Plessis-le*(z)-*Tours* et autres lieux.

[888] On y prononce aussi *Agassi*(z).

[889] Le *z* final, quand il se prononçait, avait en dernier lieu le son d'un *s* dur, et non d'un *s* doux. Il a aujourd'hui le son de l'*s* doux dans les noms propres en -*az*, -*iz*, -*oz*, -*uz*, où on le prononce toujours: *Diaz*, *Hedjaz*, *La Paz* et *Chiraz*, *Hafiz* et *Abdul-Aziz*, *Berlioz*, *Booz*, *Badajoz*, *Dalloz*, *Buloz* et *Droz*, *Saint-Jean-de-Luz*, *Santa-Cruz* et *Vera-Cruz*, et aussi *Elbourz* ou *Elbrouz*, etc. Quant aux noms propres en -*ez*, nous venons de voir que ceux du Nord se prononçaient encore par *é* fermé sans *z*, mais ils commencent à s'altérer,

notamment *Natchez*; ceux du Midi, *Ambez, Barthez, Lombez, Orthez, Rodez* ou *Saint-Tropez*, se prononçaient en *ès* par *s* dur, et se prononcent encore ainsi dans le Midi, mais dans le Nord on leur donne un *s* doux, ainsi qu'à *Duez, Suez, Buchez*; on le donne même souvent aux noms espagnols, où l'*s* dur est préférable: *Aranjuez, Sanchez, Fernandez, Rodriguez, Lopez, Vélasquez, Diégo-Suarez, Alvarez, Perez* ou *Cortez*, sans compter *Fez*. *Méquinez* s'écrit aussi *Meknès*, ce qui montre bien la vraie prononciation.

[890] Dans *tz*, c'est l'accommodation régressive du *z* au *t*, plus commode que celle du *t* au *z*. On prononce de même *Batz, Galatz* et *Gratz, Fitz, Strélitz, Sedlitz, Austerlitz, Chemnitz, Biarritz, Goritz, Fritz* et *Schwitz, Freischütz* et *Olmutz, Hartz, Schwartz* et *Hertz*, et aussi *Diez, Seidlitz, Leibniz, Brienz*. Toutefois on prononce souvent *Leibniz* et même *Austerlitz* et *Sedlitz* par un *s* simple. Dans *Lis*(z)t, le *z* ne peut pas s'entendre.

[891] C'est encore le cas, même après une voyelle simple, dans *Me*(t)z, dont l'adjectif est *messin*, et *Re*(t)z, et aussi *Féle*(t)z ou *Dujardin-Beaume*(t)z. On n'entend ni *t* ni *z* dans *Be*(tz), qui a l'*e* ouvert, et *Champcene*(tz), qui a l'*e* fermé.

[892] De même *Vénézuéla, Chimborazo* ou *Sforza*, comme *Mozart* et *Pou*(z)*zoles, Fe*(z)*zan* ou *Abru*(z)*zes*, et surtout en tête des mots: *Zara, Zermatt, Zimmermann, Zurich, Zuyderzée, Zug*, et *Zurbaran*.

[893] *Zollverein, Zwickau, Zwingle, Zwolle, Erzgebirge, Schwarzwald, Creuzer* et aussi *Guipuzcoa*; mais on prononce d'ordinaire un *s* doux entre *l* et *b*: *Salzbourg, Salzbach*.

[894] De même *Arezzo, Brazza, Custozza, Fogazzaro, la Gazza ladra, Gozzoli, Pestalozzi, Pozzo di Borgo, Manzoni, Mazzini, Ratazzi, Rizzio, Strozzi, Spezzia*, et aussi *Zeus* ou *Ouezzan*. Il en est de même de *tz* dans *Botzaris* et autres. Pour *cz*, voir page 220. Le *sz* hongrois se prononce *s*, par exemple dans *Szegedin*; le *sz* polonais, *ch*, par exemple dans *Kalisz*.

[895] On trouve bien encore un *d* ou un *t* dans certains *z*: *mezzo* ou *grazioso*; du moins ceci est étranger.

[896] C'est un reliquat de cette prononciation que nous avons constaté dans les noms de nombre, de *cinq* à *dix*: on voit que cela remonte loin. Il y a aussi quelque chose de cela dans *plus* et *tous*. Il y a même pour quelques-uns de ces mots trois prononciations différentes: isolément, devant consonnes dans certains cas, et devant voyelles: *dis, di* et *dix*, *plus, plu* et *pluz*, tout comme au XVIe siècle.

[897] Ce qui permet aux gens facétieux quelques calembours. Ch. Nyrop en cite quelques-uns, dus aux liaisons de *en agent, il est ouvert, trop heureux, le premier homme du monde*, etc. Et il ajoute très sérieusement: «A moins qu'on ne veuille plaisanter, on évite ces liaisons..., par exemple on

s'abstiendra de faire entendre le *p* de *trop* dans une phrase comme celle-ci: *Vous ne ferez jamais un bon marin: vous êtes tro*p *homme de terre* (et non *trop pomme de terre!*).» Voilà un rapprochement auquel on ne s'attendait pas.

[898] Je ne compte pas les ignorants qui s'étudient à «bien parler», et qui entassent les *cuirs* sur les *velours* et les *pataquès*. Le mot *pataquès*, dont on a vu l'origine plus haut, page 60, désigne naturellement les confusions de liaison: *ce n'est poin*(t) *zà moi* et *ce n'est pa*(s) *tà moi*. On appellera plutôt *cuir*, l'addition d'un *t*: *va ten ville*, et *velours* celle d'un *s*: *j'ai zété*, parce que le velours est plus doux que le cuir. D'ailleurs le *cuir* lui-même avait la prétention d'adoucir la prononciation, peut-être comme le cuir adoucit le rasoir. Notons qu'autrefois *on za* ou *j'ai zété* ont été admis par les personnes les plus distinguées, sans parler des *quatre zéléments*, ou *il leur za dit*; et tout cela n'était pas plus extraordinaire que *a-il* ou *aime-il* prononcés *ati* ou *aimeti* au XVIe siècle, avant que le *t* ne fût introduit dans l'écriture, où il avait figuré déjà à une époque beaucoup plus ancienne. Aujourd'hui encore, *entre quat'zyeux* est admis par beaucoup de gens: nous reviendrons sur cette expression.

[899] Voir plus haut, pages 151 sqq., ce qui a été dit de l'élision.

[900] Comme on dit: *de une heure à deux*, sans élision. Il est vrai qu'on fait la liaison dans *trois zun*; mais c'est comme dans *trois zhommes*: *un* est pris ici comme substantif ordinaire. Théoriquement, on ferait aussi la liaison dans *cen*t *tun*, c'est-à-dire cent fois le numéro *1*, par opposition au nombre *101*, qui représente *cent et un*.

[901] On dit pourtant: *ils son*(t) *tun*; mais ce n'est qu'une plaisanterie.

[902] Sauf à la Comédie-Française, où l'on peut entendre le jeune premier, dans *le Jeu de l'amour et du hasard*, articuler nettement *dite*(s) *zoui ou non*. On prétend avoir entendu, à la même Comédie-Française, *mai*(s) *zoui*: je n'ose le croire! En revanche on peut faire la liaison dans *ce*(s) *zouates*, ou *trè*(s) *zouaté*; et si on ne la fait guère avec *ouistiti*, on la fait toujours avec *ouailles* et les mots de la famille d'*ouïr*, quoi qu'en ait dit Mme Dupuis, qui prétendait faire prononcer sans liaison

Ces rois *à vous ouïr*, m'ont paré d'un vain titre:

ceci ferait simplement un vers faux, car l'absence de liaison ferait de *ou-ïr* un monosyllabe.

[903] Quoique dans ce cas on fasse assez facilement l'élision de la proposition *de*.

[904] L'abbé d'Olivet préférait déjà l'hiatus dans la prose: «On ne doit pas craindre ces hiatus, dit-il; la prose les souffre, pourvu qu'ils ne soient ni

trop rudes, ni trop fréquents; ils contribuent même à donner au discours un certain air naturel.»

[905] Et cela depuis fort longtemps, malgré Domergue et beaucoup de grammairiens, qui voulaient à toute force maintenir l'*e* fermé. Il en résulte une différence entre *le premier rhum* (*e* fermé) et *le premier homme* (*e* moyen).

[906] Il n'est donc qu'à demi exact de dire que quand un mot est terminé par un *e muet*, il se lie par la consonne qui précède avec le mot suivant, s'il commence par une voyelle. Il y a bien là quelque chose de la liaison, en ce que la consonne sert aussi d'initiale au mot suivant; mais s'il y avait *liaison* proprement dite, la consonne pourrait s'altérer; or elle ne s'altère jamais: *qu'il ren-d(e) aux hommes*, la *lan-g*(ue) *allemande*, comme le *lisest blanc*. Il n'y a de *liaison* proprement dite, au sens où on l'entend dans ce chapitre, que pour les consonnes qui normalement ne se prononcent pas.

[907] LA FONTAINE, *les Animaux malades de la peste*.

[908] MOLIERE, *le Misanthrope*, acte I, scène 2.

[909] Avec cette nuance qu'ici le *c* garde le son guttural qui appartient au *c* final, au lieu de s'altérer en *s* devant *e*. On disait de même autrefois *de bro*(c) k*en bouche*.

[910] MOLIERE, *les Femmes savantes*, II, 7. En vers, on pourra lier aussi le *c* de *banc*, *blanc* ou *flanc*, de *tabac* ou d'*estomac*, et même d'*instinct*; mais si l'on peut éviter l'hiatus par une pause légère au lieu d'une liaison, cela vaudra mieux.

[911] LA FONTAINE, *Fables*, XI, 8.

[912] Ceci tient à ce qu'autrefois, quand les consonnes finales se prononçaient, les gutturales sonnaient toujours *c*, qui est d'une émission plus facile; et c'est pour cela que les mots à *c* ou *g* final ont pu si longtemps rimer ensemble, par tradition, sans pouvoir rimer avec les mots à *d* ou *t* final, qui, eux aussi, ne rimaient qu'ensemble, pour une raison pareille. Mais il y a beau temps que toutes ces finales auraient dû être assimilées pour la rime. Je dois avouer d'ailleurs que dans les liaisons qui ne se font qu'en vers, comme celle de *long espoir*, il y a déjà tendance à conserver au *g* le son doux.

[913] On disait autrefois de *cler*(c) *cà maître*; et nous savons qu'on dit encore *por*(c)-*képic*. Mais si le *g* sonne *c* dans *Bourg-en-Bresse*, ce n'est pas par liaison. Voir page 236, note 1.

[914] Le *d* se lie toujours avec le même son que le *t*, car autrefois, quand le *d* final se prononçait dans les mots proprement français, il se prononçait plus aisément comme un *t*, notamment après une nasale: voir ci-devant, note 3.

[915] Cette liaison des formes très usitées est si nécessaire que le peuple la fait parfois même où il n'y en a point à faire, notamment avec *va*. Le peuple ignore en effet que cette finale *tonique* de troisième personne se passe de *t*, sous prétexte qu'*aller* est de la première conjugaison; il dit donc *va*-t-*et vient*, *coupe les chats et va*-t-*en ville*, et *Malbrough s'en va*-t-*en guerre*. Au surplus quelques-uns de ces *cuirs* sont devenus corrects: *va-t-en, a-t-il, aime-t-il*, ne sont pas autre chose qu'une liaison faite, par *analogie*, là où il n'y a pas de *t*. De même *ne voilà-t-il pas*, par analogie avec les troisièmes personnes.—J'ajoute que *est* se distingue précisément de *et* par la liaison, car l'un se lie *toujours* et l'autre *jamais*, et cela depuis le XVIe siècle au moins, puisque dès cette époque l'hiatus de *et* fut le seul hiatus avec consonne que les poètes commencèrent à s'interdire; les autres n'étaient pas encore des hiatus.

[916] On notera qu'il y a des adjectifs qu'on ne met guère devant le substantif qu'au féminin ou devant une consonne: *chaude saison, blonde enfant, grossier personnage*, précisément pour éviter une liaison désagréable ou impossible, comme serait celle de *blon*(d) *tenfant* ou *grossie*(r) *ranimal*.

[917] Si l'on dit *ving*(t) *tet un*, c'est peut-être par analogie avec *trente et un*: voir page 329; ou peut-être parce que c'est une sorte de mot composé.

[918] Dans *j'ai chau*(d) *aux pieds, aux pieds* n'est pas complément de *chaud*, mais de *j'ai chaud*.

[919] On dit assez souvent, à tort, *avan*(t)-*hier* sans liaison, et en trois syllabes; c'était même, malgré Ménage, la prononciation la plus usitée au XVIIe et au XVIIIe siècle; mais je crois qu'en ce cas on aspirait l'*h*, et je crois aussi qu'on avait tort. En tout cas, *avant-hier* a aujourd'hui quatre syllabes, et la liaison s'y impose.

[920] MOLIERE, *les Femmes savantes*, acte IV, scène 3.

[921] Dans la marine, on dit en ouvrant l'*o*: *le cano*(t) *test paré*; mais c'est une façon de parler en quelque sorte technique ou dialectale.

[922] Mais *po*(t) *à tabac*, pour éviter la cacophonie, et même *po*(t) *à beurre*.

[923] *Tô*(t) *tou tard*, étant un peu cacophonique, se remplace avantageusement par *tô*(t) *ou tard*.

[924] La liaison n'est indispensable ici que dans les noms composés, comme *Pon*(t)-*tà-Mousson, Pon*(t)-*tAudemer, Pon*(t)-*tEuxin*, aussi bien que celle de *Saint* devant une voyelle, ou celle de *Lo*(t)-*tet-Garonne*. On la fait aussi ordinairement, par tradition, dans le titre du *Dépi*(t) *tamoureux*.

[925] Il n'est pas possible d'accepter:

Blanc comme Eglé qui *dor*(t) *tauprès* d'un ami sien.

et cela par-dessus la césure, avec un lien médiocre entre les mots! Pourquoi pas *à tor*(t) *tet à travers?*

[926] On dit aussi généralement *Por*(t)-*tau-Prince*; mais *Por*(t)-*Arthur*, *Por*(t)-*Élisabeth*, etc., doivent se passer de liaison.

[927] Je rappelle qu'on disait autrefois *vi*(f) *v*argent, *bœu*(f) *v*à *la mode.*

[928] C'est ainsi que le verbe *suiver*, de *suif*, est devenu *suiffer*. «*Suiver*: quelques-uns disent *suiffer*», dit l'Académie en 1845; et en 1878: «*Suiffer*: quelques-uns disent *suiver*.» En 19..., elle dira *suiffer* tout court, à moins qu'elle ne dise *suifer*, ce qui serait plus simple.

[929] Voir plus haut, page 345, *si*(x) *z*avril et *entre si*(x) *z*et sept.

[930] Et cela ne date pas d'aujourd'hui, s'il est vrai qu'un conseiller au Parlement ait chassé une femme qui, étant allée à la fenêtre, à sa prière, pour s'enquérir du temps qu'il faisait, lui avait répondu: «*Le tem*(ps) *z*est beau.» Mais dans la fameuse chanson où Nadaud fait parler un gendarme, il conviendra de lui faire dire, parce qu'il est tout fier de montrer qu'il sait l'orthographe:

Le tem(ps) zest beau pour la saison.

[931] Le peuple, qui n'aime guère les liaisons avec *s*, dira plutôt *t'e*(s)-*t-une bête*, par analogie avec la troisième personne, et, mieux encore, *t'e*(s) *une bête*.

[932] Le peuple dit volontiers *donne-moi-zen*: c'est la liaison de *donnes*, qui passe par-dessus le mot suivant, phénomène très fréquent, quand on ne s'observe pas.

[933] Et *lez* ou *les*, dans les noms de lieux.

[934] MOLIERE, *Misanthrope*, acte III, scène 7. On ne peut cependant pas lier *mais oui*; voir page 358, note 3. La liaison de *mais* n'est d'ailleurs pas indispensable dans la conversation: et la preuve, c'est qu'on en vient parfois à dire, en parlant très vite, *m*(ais) *enfin.*

[935] Pour *six* et *dix*, voir plus haut, page 345.

[936] Quand ce mot était de création nouvelle, sans soudure entre les éléments, on le prononçait sans liaison.

[937] Toutefois on peut écrire *matches*, ce qui permet de lier.

[938] On dirait de même, sans liaison, *un chauffe-pied*(s) *élégant*, car l's marque le pluriel de *pied*, mais non du composé, et d'autre part le *d* ne se lie pas; tandis qu'au pluriel, on pourra dire des *chauffe-pied*(s) *zélégants*, comme si l's n'était pas le même.

[939] Je dis *nécessairement*, malgré Michaëlis et Passy.

[940] On voit qu'il faut se garder d'exagérer le rôle de la conjonction *et*, comme on le fait quelquefois.

[941] Par opposition à *Champs-Elysées* ou *États-Unis*.

[942] Le mot composé fait si bien un tout, qu'il y a tendance parfois à remplacer l's intérieur par un *s* final incorrect: *des che*(fs)-*d'œuvre zadmirables, les chemins de fer zalgériens*. Ceci est à éviter; mais que n'écrit-on tout bonnement *chédeuvre*, avec un *s* au pluriel, puisque le sens de *chef* disparaît complètement dans le mot composé?

[943] On fait même souvent la liaison du *t* et non celle de l's dans *deux accen*(ts) *taigus*, qu'on traite comme des *gue*(ts) *tapens*; mais je me demande vraiment si ceci peut passer, car ici les deux mots restent tout de même parfaitement distincts, et connus comme tels.

[944] Je ne parle pas des formes en *âmes* et *âtes*, et autres pareilles, qui ne s'emploient évidemment qu'avec liaison puisqu'elles appartiennent exclusivement à la langue écrite ou au style oratoire.

[945] Et, par suite, malgré Michaëlis et Passy, *enfonceur de porte*(s) *zouvertes*.

[946] CORNEILLE, *Polyeucte*, acte I, scène 3. S'il y avait *Persans*, la liaison se ferait même en prose.

[947] *Id., ibid.*, acte IV, scène 6.

[948] RACINE, *Britannicus*, acte IV, scène 2.

[949] VOLTAIRE, *les Scythes*, acte II, scène 1.

[950] V. HUGO, *Légende des siècles*, II, *la Conscience*. Le même dans ses *Odes*, I, 8, avait écrit d'abord: *Les bronzes ont tonné*; il a corrigé ensuite judicieusement, et mis: *Les canons ont tonné*.

[951] Dans *Cromwell*, les noms de *Charles* et *Londres* reviennent à toutes les pages, et une trentaine de fois devant une voyelle: l's y est *toujours* supprimé. *Delphes, Thèbes* et *Arles* perdent leur *s* chacun huit ou dix fois au moins dans *la Légende des siècles*. *Arles* seul l'y conserve une fois, pour des raisons qu'on peut déterminer. Banville disait donc une sottise, quand il reprochait à V. Hugo, dans son *Traité de Poésie*, d'avoir écrit *Versaille* sans *s*, sous prétexte qu' «il n'y a pas de licences poétiques». Il est vrai que M. Donnay a écrit dans le *Ménage de Molière*:

Versailles est vraiment un séjour enchanté;

mais d'abord ce n'est pas ce qu'il a fait de mieux; et puis, il y a dans cette pièce tant de vers d'un rythme contestable, et qu'on doit apparemment dire comme de la prose, de l'aveu même de l'auteur, qu'on ne doit pas se gêner beaucoup pour supprimer l'*s* de celui-là, et en faire aussi de la prose.

[952] Il est certain qu'en 1789, avant la suture des deux mots, on ne faisait pas plus la liaison que dans *États-Unis*: voir plus haut; Mme Dupuis l'interdit encore.

[953] Étant donné qu'on évite déjà la liaison de l'*s* après l'*r*, il serait encore plus ridicule de dire *des ver*(s) *zà soie*, que de dire *des moulin*(s) *zà vent* ou *des salle*(s) *zà manger*.

[954] Les leçons de Legouvé n'ont d'ailleurs pas corrigé Messieurs les Sociétaires de la Comédie-Française: «*L'univer*(s) *zébloui,*» disait Mounet-Sully; et Paul Mounet parlait d'«*oublier le corp*(s) *zen rajeunissant l'âme*», quoiqu'il n'y ait même pas de lien grammatical entre les mots. Il aurait donc dit sans doute, a fortiori, *prendre le mor*(s) *zaux dents*! Quelle étrange erreur! Et les étrangers vont à la Comédie-Française pour apprendre à prononcer! J'y consens, sauf en matière de liaisons.

[955] Cela n'empêche pas Edmond Rostand d'écrire dans la *Princesse lointaine*:

Vous la montrera-t-on seulement cette oiselle?
—Le prince l'a promis de nous mener *vers elle*.

La richesse des rimes de Rostand ne permet pas de douter de la prononciation de celle-ci; et cela serait parfait si c'était une de ces scènes comiques, où la fantaisie justifie toutes les licences; mais les propos sont suffisamment sérieux, et c'est la prononciation qui ne l'est pas; ou si l'on prononce correctement, la rime sera très ordinaire. Mais peut-être que Rostand n'a fait cette rime que pour les acteurs, connaissant leurs habitudes incorrigibles.

[956] C'est bien pour cela que ces hiatus apparents sont si fréquents chez Corneille: pour lui ce n'étaient pas des hiatus. Voyez, par exemple, dans *Polyeucte*, acte II, scène 2, la seconde tirade de Pauline: on y trouve *trois* rencontres qui, pour nous, sont des hiatus, et pour lui n'en étaient pas:

Ma *raison, il* est vrai, dompte mes sentiments.
Votre mérite est grand, si ma *raison est* forte.
Plaignez-vous *en encor*, mais louez sa rigueur.

Nous ne faisons plus ces liaisons. Dans le premier vers, nous nous tirerons d'affaire par une pause; dans les autres, nous subirons l'hiatus, et il faut avouer que le dernier est bien désagréable. La tirade suivante de la même Pauline offre encore deux rencontres pareilles en douze vers, et la première est également désagréable pour nous, parce que nous ne pouvons plus faire la liaison:

Hélas! cette vertu, quoique *enfin invincible*...
Enfin épargnes-moi ces tristes souvenirs.

Ces liaisons des nasales se retrouvent dans le Midi, parfois même par-dessus une consonne: *je tien*(s) n*a dire*... C'est probablement un reliquat d'une prononciation qui fut correcte à l'époque où l'on écrivait *je tien*.

[957] RACINE, *Britannicus*, acte IV, scène 4.

[958] Ce phénomène de dénasalisation ressemble tout à fait au cas des adjectifs qui dévocalisent leur *u* devant une voyelle, *bel homme*, *nouvel an*, *fol orgueil*, *mol édredon*, *vieil homme*: ici aussi c'est le son du féminin qu'on entend.

[959] C'est ce qui condamne encore la dénasalisation au moyen de l'accent aigu de *enamourer*, *enivrer* et *enorgueillir*, où se rencontre le même phénomène de liaison (voir page 133); car ces mots devraient donner normalement, s'ils se dénasalisaient, *a-namourer*, *a-nivrer*, *a-norgueillir*, comme on prononce dans le Midi, très logiquement (cf. *a-nuyer* pour *ennuyer*).

[960] Ces traditions ont d'ailleurs des racines profondes dans le passé, car il y eut un temps où le féminin lui-même gardait le son nasal: *vain*, *vain-ne*, comme *fem-me* et *ardent-ment*: voir pages 64 et 131.

[961] Tout comme dans *bo-nhomme*, *bo-nheur*, *bo-nhenri* (sans compter *boniment* ou *bonifier*).

[962] C'est là probablement qu'il faut chercher une explication très naturelle de l'usage que nous faisons de *mon*, *ton*, *son*, au féminin, devant une voyelle. Car dire qu'on voulait éviter l'hiatus de *ma âme*, *sa épée*, c'est ne rien dire, et le moyen âge l'évitait tout aussi bien en disant *m'âme* ou *s'épée*, procédé dont il nous est resté *ma mie*, altération de *m'amie*. Mais la question est de savoir *pourquoi* on a préféré ce nouveau procédé; et la raison probable, c'est que *mon*, *ton*, *son*, en liaison, même devant des masculins, prennent une forme féminine, qui pouvait aussi bien servir pour les féminins: puisqu'on disait *mo-nami* comme *bo-nami*, on pouvait aussi bien dire *mo-nâme*, comme *bonn*(e) *âme*.

[963] La décomposition se fait pourtant dans les mots composés de *vin*: *vinaigre*, *vinage*, *vinasse*, *vinaire*, *vinification*, mais le latin y est pour quelque chose.

[964] La correspondance demanderait *eune*, qu'on entend dans les campagnes, et qui, au XVIe siècle, était régulier.

[965] Mais si l'on ne dit pas *u-nami*, ce n'est pas une raison pour dire *eu-nami*.

[966] Peut-être dira-t-on encore: *à eux trois, ils ont vingt et u-n*enfants: je ne crois pas qu'on puisse décomposer *un* ailleurs.

[967] Cf. par exemple *cin*(q) *francs* et *cin*q *mai*.

[968] De même dans les noms propres comme *Bienaimé*. Dans le Midi, on pousse la dénasalisation jusqu'au bout: par exemple, on fait rimer de deux syllabes, *les savants en us* avec *anus*! On y dit de même *a-n*effet, *a-n*outre, et *o-n*est venu, que préconisait Domergue. On y dit même *no-n*avenu ou *no-n*activité; mais en français du Nord, la dénasalisation a les limites que nous avons dites; par exemple, *non* ne se lie jamais, malgré *no*nobstant, non plus que la préposition *selon*.